María Cruz Seoane
María Dolores Saiz

Cuatro siglos de periodismo en España

De los *avisos* a los periódicos digitales

Alianza Editorial

Primera edición: 2007
Primera reimpresión: 2010

Calle Juan Ignacio Luca de Tena, 15; 28027 Madrid; teléf. 91 393 88 88
www.alianzaeditorial.es
ISBN: 978-84-206-4884-2
Depósito legal: M. 25.621-2010
Fotocomposición e impresión EFCA, S. A.
Parque Industrial «Las Monjas»
28850 Madrid
Printed in Spain

Índice

Nota preliminar 9
Agradecimientos 11

Primera parte
Siglo XVII

1. Los orígenes 15
   1. Avisos, cartas, relaciones 15
   2. Temas y lectores 17
   3. Prensa «seria» y prensa «popular» 18
   4. Canales de difusión 20
   5. Marco legal 21
   6. Andrés de Almansa, primer profesional del periodismo 23
   7. Persistencia de las noticias manuscritas 25
   8. Primeras publicaciones de periodicidad regular 25
      8.1 La *Gazeta* catalana 25
      8.2 De la *Gazeta Nueva* a la *Gazeta de Madrid* 26

Segunda parte
Siglo XVIII

2. Prensa noticiosa e ilustrada 31
   1. Introducción 31
   2. Marco legal 32
   3. Prensa informativa 34
   4. El primer periódico cultural 37
   5. Los diarios locales 38
   6. Periódicos de crítica social 43

6.1 *El Pensador* y *El Censor* 43
6.2 Otros periódicos culturales 47
6.3 Moderación de la Ilustración Española 49
6.4 Periódicos para mujeres 50
6.5 ¿Extender o vulgarizar la cultura? 52
6.6 Nuevas formas y nuevos escenarios de lectura 55
6.7 Prensa y literatura 56
7. El impacto de la Revolución Francesa 57

Tercera parte
Siglo XIX

3. La prensa durante la guerra de la Independencia 63
1. Libertad de prensa y sistema constitucional 63
2. Periódicos liberales y serviles 67
3. Un periódico español en Londres: *El Español,* de Blanco White 72

4. Absolutismo y liberalismo bajo Fernando VII 75
1. Seis años de reacción absolutista 75
2. El Trienio Liberal 76
2.1 La escisión del liberalismo 76
2.2 Legislación 78
2.3 La «periodicomanía» 79
2.4 Periódicos de las distintas tendencias 80
2.5 El final 83
3. La prensa del exilio 84
4. La Década Absolutista. Los años de Larra 87

5. La transición del absolutismo al liberalismo, 1833-1837 91
1. Legislación de prensa y lucha contra la censura 92
2. Moderados y progresistas en la prensa 94
3. Introducción del socialismo utópico 96
4. El nuevo modelo de periódico 96
5. Las primeras revistas ilustradas 98
5.1 El *Semanario Pintoresco Español* 98
5.2 *El Artista* 99

6. Libertad con cautelas, 1837-1868 101
1. Legislación 101
2. Difusión de los periódicos 103
3. Los periódicos, voz de los partidos 105
4. Prensa catalanista 110
5. Prensa ilustrada 112
6. La edad de oro del folletín 113
7. Los comienzos del telégrafo 115
8. Prensa satírica 116

7. El Sexenio Democrático, 1868-1874 119
1. Libertad de prensa 119

2. Periódicos de información: *La Correspondencia de España* y *El Imparcial* 120
3. Agencias de noticias 121
4. Periódicos de las distintas tendencias políticas 122
5. Periódicos de los movimientos obreros 125
6. Periodismo ilustrado 125

8. La Restauración, 1875-1898 127
1. El sistema canovista 127
2. Legislación 128
3. Una prensa en transformación. El periódico «industrial» 129
4. La prensa de partido 134
5. Prensa obrera 137
6. Prensa provincial y nacionalista 139
7. Los diarios. Aspectos formales 141
8. Nuevos géneros a finales de siglo 142

9. La prensa ante el «Desastre» del 98 145
1. Las «responsabilidades» de una prensa irresponsable 145
2. Malos días para la prensa 146
3. Más y menos culpables 149

Cuarta parte
Siglo XX

10. Algunas generalidades sobre la prensa del primer tercio del siglo, 1898-1936 157
1. Prensa y cultura. Escritores y periodistas 157
2. La profesión periodística: una profesión de perfiles indefinidos 160

11. Del «Desastre» a la Dictadura, 1898-1923 167
1. Hacia el modelo del periódico de masas 167
2. El marco legal 177

12. Dictadura y vísperas republicanas, 1923-1931 179
1. La censura previa 180
2. Las notas oficiosas 181
3. Los periódicos ante la Dictadura 183
4. Prensa clandestina 190
5. Las revistas 190
5.1 Revistas de información general 190
5.2 Revistas culturales y literarias 192
6. Prensa y espectáculos de masas 194
7. Los comienzos de la radio 196
8. La mujer y los medios 201
9. Vísperas republicanas 203

13. La Segunda República, 1931-1936 207
1. La libertad de prensa y sus limitaciones 207
2. Prensa y República. Continuidad y cambio 209

14. La Guerra Civil ... 225
1. La radio ... 225
2. La prensa ... 229
2.1 La prensa en la zona republicana ... 230
2.2 Prensa «nacional» ... 236
2.3 Prensa de trinchera ... 242
3. Las agencias de prensa ... 245
4. Literatura en tiempos de guerra ... 245

15. La prensa durante el régimen de Franco ... 251
1. Introducción ... 251
2. El primer franquismo ... 253
2.1 El final de la guerra y las incautaciones ... 253
2.2 Prensa del Movimiento y prensa privada ... 256
2.3 Depuración de periodistas ... 259
2.4 Las «familias» del régimen y el control de la prensa ... 260
2.5 La radio ... 273
2.6 Y llega la televisión ... 275
2.7 Las revistas culturales. La vegetación del páramo ... 276
2.8 Medios de comunicación clandestinos ... 281
3. El segundo franquismo ... 282
3.1 Manuel Fraga Iribarne, ministro de Información y Turismo ... 282
3.2 Fraga «abre la mano» ... 284
3.3 La Ley de Prensa de 1966 ... 285
3.4 Luces y sombras de la ley ... 286
3.5 El diario *Madrid* ... 287
3.6 *El Alcázar* y *Nuevo Diario* ... 289
3.7 Las revistas, en la vanguardia de la oposición democrática ... 291
3.8 El espíritu del 12 de febrero. La extrema derecha en la oposición ... 294

16. La prensa en democracia ... 297
1. La Transición ... 297
1.1 Los años del consenso ... 297
1.2 Del consenso al desencanto ... 300
2. La época socialista. Del idilio al divorcio ... 302
3. Guerra en los medios ... 306
4. Evolución de la difusión de los diarios, 1975-2005 ... 309
5. Los retos del siglo XXI ... 312
6. Las revistas ... 314

Notas ... 317

Bibliografía ... 349

Listado de publicaciones y empresas de comunicación ... 375

Índice onomástico ... 383

Nota preliminar

Las autoras de esta obra hemos publicado con anterioridad en esta editorial tres tomos de una *Historia del periodismo en España*. El tomo 1, que abarca los siglos XVII y XVIII, ha sido elaborado por María Dolores Saiz, y el tomo 2, siglo XIX, por María Cruz Seoane. En el tomo 3, siglo XX (1898-1936), el trabajo se ha hecho en colaboración entre las dos autoras. Quedaba para completar nuestra labor al menos un cuarto tomo y a ello hemos dedicado gran parte de los últimos años. Como han sido muchos, para cuando termináramos ese cuarto tomo (que abarcaría desde 1936 al momento actual), se nos presentaría la conveniencia de revisar los dos primeros, editados en 1983, a la luz de las nuevas investigaciones propias y ajenas. Optamos entonces por reunir las dos tareas en una y escribir esta historia, que abarca los cuatro siglos de periodismo en España que promete su título, de forma relativamente resumida. Los alumnos de periodismo, o el curioso lector, podrán ampliar algunos aspectos que le interesen en los respectivos tomos mencionados; sobre todo, en el dedicado al periodo 1898-1936, que ha requerido menos puesta al día y es, además, mucho más extenso que los anteriores. La parte relativa a la Guerra Civil, el franquismo y la prensa en democracia es completamente nueva.

Nota preliminar

[illegible]

Agradecimientos

A Javier Pradera y Manuel Pérez Ledesma, que acogieron en esta editorial, hace tantos años, nuestros primeros libros sobre estos temas, y nos animaron a continuar en la tarea.

Al personal de la Biblioteca de la Facultad de Ciencias de la Información de la Universidad Complutense (Paz, Raquel, Mari Sol, Asun, Pedro, Chema e Inés), que han ido más allá de sus obligaciones para proporcionarnos la bibliografía necesaria.

Primera parte

Siglo XVII

1. Los orígenes

El periódico —es decir, un impreso que aparece a intervalos regulares, bajo un título, dirigido a un público lector más o menos masivo, pero en cualquier caso indeterminado, anónimo, para informarle de acontecimientos recientes— nace en España tardíamente con respecto a otros países europeos, en la segunda mitad del siglo XVII. Precedido de algunos intentos que no llegaron a tener continuidad, como veremos, el primer representante de este nuevo ente, hijo de la imprenta y del correo, llamado a tener tan larga y central existencia en la sociedad, fue la *Gaceta Nueva* en 1661.

Pero desde los comienzos de la imprenta existen en España, como en los demás países europeos, unas publicaciones que tienen algunas de las características de lo que será el futuro periódico. Parten de la misma necesidad de comunicar y recibir noticias de la más variada índole. *Nuevas*, *discursos*, *avisos* y sobre todo *cartas* y *relaciones* son los nombres con que los impresores designan estas publicaciones ocasionales de carácter informativo. Aunque, como suele ocurrir, en la realidad las cosas no están tan claras por la misma vaguedad de los términos, los distintos nombres corresponden a distintas variedades de estos antecedentes del periodismo.

1. Avisos, cartas, relaciones

Así, tanto los *avisos* como las *cartas* serían los más claros antecedentes de las futuras *gacetas*, género ya plenamente periodístico. Consisten en una yuxtaposición, una acumulación selectiva de sucesos[1]. Formalmente, los avisos —término en el sentido de «noticia» de clara procedencia italiana— están más cerca de las gacetas por su carácter impersonal, mientras que las cartas adoptan el modelo de la epístola personal privada. No es extraño que el modelo y el nombre de *carta* mantenga una persistencia en impresos que son ya otra cosa: desde la invención de la imprenta, y mucho más desde el establecimiento de los correos más o menos regulares[2], quienes podían permitírselo tenían corresponsales en los centros de su interés político o económico que les informaban de los sucesos que necesitaban conocer, o simplemente podían despertar su curiosidad[3]. Cuando Renaudot inicia la publicación del primer periódico francés propiamente dicho, *La Gazette de France*, en 1631, aduce, entre los argumentos que utiliza en favor de la ventaja de ese tipo de publicaciones, el hecho de que alivian

> a los que escriben a sus amigos, a los cuales estaban antes obligados, para satisfacer su curiosidad, a describir trabajosamente noticias, la mayor parte de las veces inventadas y fundadas sobre la incertidumbre de un simple rumor.

Claro está que, aun después de la aparición de los periódicos, las cartas siguieron siendo fuente de información privilegiada. Demasiado controlados los impresos por el poder, quien prefería y podía recibir noticias más veraces o más picantes, singularmente aquellos que se encontraban lejos de la corte, recurrían a corresponsales. La información que proporcionaban las cartas, como dice Roger Duchêne para el ámbito francés, formaban parte de los privilegios de los nobles y de los ricos que mantenían lazos con la capital, mientras que la prensa los divulgaba entre todos aquellos que sabían leer. También en Londres desde finales del siglo XVI existían amanuenses profesionales que proporcionaban un servicio de noticias aristocrático, en forma de cartas dirigidas a un caballero en el campo[4]. Sólo cuando la prensa pueda disponer de unos medios técnicos fuera del alcance de los particulares, y por otra parte conquiste su libertad frente al poder, ningún corresponsal privado podrá competir con ella. Aunque siempre seguirá habiendo información privilegiada sobre temas específicos.

Cartas y gacetas estaban sometidas a la misma lentitud de los servicios postales. «Entre las cartas de noticias y las gacetas, no hay, pues, una diferencia de naturaleza, sino de público»[5]. «El ámbito manuscrito supone un lector único o un grupo muy reducido; el escrito, un lector masivo, implícito, lector generalizado y anónimo»[6]. Diferencia, desde luego, fundamental: como dice Paul Starr[7], las publicaciones crean redes invisibles de comunicación entre los lectores. Una vez que un periódico circula, nadie lo lee solo en realidad. Los lectores saben que otros lo están leyendo casi al mismo tiempo y lo leen de otro modo, conscientes de que la información es abierta, difundida entre un público que puede hablar de las noticias y actuar de acuerdo con su conocimiento.

Frente a las *cartas* y los *avisos*, que informan de varios sucesos, las *relaciones* narran con mucho mayor detalle y más «literariamente» un único suceso; son primitivos reportajes centrados en un acontecimiento, real, o imaginario, pero presentado como real[8]. En el siglo XVII predominan las relaciones frente a las cartas y los avisos.

2. Temas y lectores

Los lectores de estos pre periódicos serían atraídos por el afán de conocer noticias que en algún caso podían afectar a su vida —marcha de batallas, nacimientos y muertes en el seno de la familia real— y más frecuentemente por el deseo de salir de los estrechos límites de su existencia cotidiana para asomarse al ancho mundo, a las cosas que ocurrían en países lejanos o en la corte, guerras, fiestas, sucesos extraordinarios.

Porque los temas abordados en este germen de prensa informativa son de lo más variado. Mercedes Agulló, en la introducción de su catálogo[9], dice:

> No faltan ninguno de los temas que hoy constituyen las secciones de un diario: Política internacional (abundante serie de Lepanto, guerras contra Francia, lucha con los turcos, ataques corsarios); vida social (casamientos reales, nacimientos, bautizos, fiestas oficiales); sucesos.

En efecto, en conjunto se encuentran todos esos temas, y aun más, aunque cada una de las publicaciones aborden sólo algunos.

El siglo y medio que transcurrió entre la revolución tecnológica que supuso la imprenta y la aparición de los primeros periódicos fueron pródigos en acontecimientos transcendentes: grandes descubrimientos, guerras de Italia, amenaza turca, ruptura de la cristiandad, etc. A los que hay que añadir los graves problemas internos españoles. Y los eternos temas de «interés humano», desde la curiosidad por la vida y milagros de los ricos y poderosos, hasta las catástrofes naturales, los sucesos pasionales, los robos, los crímenes de circunstancias horrorosas y sus correspondientes castigos.

De todas esas cosas informaba esta prensa no periódica. Hechos militares (en los que interviene España, como señala María Cruz García de Enterría[10]: sólo se narran las victorias, se callan las derrotas; durante la guerra dels Segadors se encargaban los catalanes de relatar y celebrar, casi exclusivamente en lengua catalana, las derrotas sufridas por las fuerzas españolas a manos de los propios catalanes, franceses, portugueses, holandeses y de quien quiera que fuese[11]); documentos oficiales; vida —y muerte— de reyes y grandes personajes; fiestas cortesanas; autos de fe[12]; fiestas y celebraciones religiosas. E historias imaginativas de apariciones, milagros y monstruos imposibles.

Además, muy frecuentemente, incluían una enseñanza moral y,

> de un modo u otro, prácticamente siempre reflejaban claramente la ideología de la clase dominante [...] elogios de la monarquía, de la nobleza, y de la Iglesia, con denuncias apasionadas de los enemigos reales e imaginarios del pueblo, entre los que se contaban los turcos, los moros, moriscos, judíos, protestantes, gitanos y, por supuesto el demonio[13].

Son, pues, una muestra más de la «cultura dirigida» del barroco, a la que se refiere José Antonio Maravall[14].

3. Prensa «seria» y prensa «popular»

Sobre quiénes eran sus lectores nos tenemos que limitar a conjeturas verosímiles. Las *cartas* y los *avisos* y las *relaciones* más objetivas, ceñidas a los hechos, parecen dirigidas a un lector culto. Las *relaciones* más adornadas de detalles sensacionalistas, las de temas pasionales o que relatan sucesos de escasa o ninguna verosimilitud estarían dirigidas a un público más popular, fundamentalmente urbano —artesanos, comerciantes, tenderos—, pero también, probablemente, rural: los campesinos podrían comprarlas en las villas a las que acudían para realizar sus compras. Se tiraron al parecer a millares, muchas se reimprimían en distintas ciudades, y su bajo precio y su forma de difusión, propiciada por su fácil transporte, les permitía, como a la literatura de cordel, de la que en cierto modo constituyen una de sus variedades, llegar a amplias capas de la sociedad, incluidas las más humildes e incluso analfabetas a través de la lectura colectiva. Refiriéndose a «esta prensa del XVII», señala Maravall[15] las referencias que en escritos de la época se hacen a la avidez con que numerosas gentes esperaban la aparición de estas hojas noticiosas.

> Hay un mercado de la noticia y los impresores la buscan y emplean su dinero en imprimirla y difundirla [...] pensemos en quiénes compran las hojas y folletos, quiénes participan en su lectura escuchándola y a quiénes llega la onda de sus noticias: tres círculos, cada uno mucho más amplio que el anterior, que en total forman una masa considerable en las ciudades del tiempo.

Probablemente, también las más sensacionalistas serían leídas por gentes de todas las clases sociales, pues, como decía Don Quijote a don Diego de Miranda, no sólo la gente plebeya y humilde, sino señores y aun príncipes pueden y deben entrar «en número de vulgo». Existían ya en estos pre periódicos, dirigidos unos al lector «discreto» y otros al «vulgo»[16], las diferencias que los anglosajones distinguen en los periódicos actuales entre prensa de calidad y prensa popular. Como dice Henry Ettinghausen[17] hay que suponer que la muy considerable variedad de tipos de relación implica un lectorado variado, que un relato detallado de un *juego de cañas* o una victoria de los aliados de España en el extranjero no atraían necesariamente (y quizá no se esperaba que atrajeran) a los mismos lectores que las noticias de monstruos increíbles o visitas diabólicas; que los escritores, los impresores y los lectores tenían alguna noción de la clara distinción hecha en Francia entre *ocasionales* [relatos objetivos de sucesos importantes] y *canards* [relatos sensacionalistas de sucesos curiosos y extraños, frecuentemente inventados y aun inverosímiles].

En efecto, muchas de estas relaciones populares que informan de supuestos hechos claramente inventados son más bien cuentecillos fantásticos, frecuentemente de terror, pero que se presentaban ante el crédulo público al que iban dirigidos como verdaderas (aunque lo cierto es que en las publicaciones «serias» aparecen también en ocasiones «prodigios» poco probables). Los adjetivos *verdadera*, *cierta y verdadera*, *auténtica* o *veríssima,* que suelen preceder al nombre de *relación*, casi nunca faltaban en las que precisamente relataban los sucesos más inverosímiles.

El mismo investigador Henry Ettinghausen, en una conferencia pronunciada en la Universidad de Portsmouth en marzo de 2003[18], ha desarrollado este tema de las diferencias entre prensa «seria» y «popular» en estas publicaciones que preceden al periódico propiamente dicho. Diferencias en los temas: noticias militares, diplomáticas y religiosas en las serias. Y en las más populares, otros —como nacimientos de gemelos siameses y seres con diversas malformaciones, apariciones repentinas de monstruos fantásticos, desastres naturales y, por supuesto, sexo y violencia—[19]. Cada vez más abundantes a partir de la segunda mitad del siglo XVI, que relaciona con el gusto barroco por lo extraordinario, lo sobrenatural y lo terrorífico. Forman parte de esa cultura masiva, para el vulgo, caracterizada por el *mal gusto*, que Maravall considera característica ya del barroco[20]. Una incipiente «cultura de masas» controlada y dirigida desde el poder.

Una de las más llamativas diferencias es el uso de la prosa para la mayoría de los temas más serios y el verso para muchos de los más populares. Aunque hay noticias sensacionalistas en prosa y «serias» en verso —dice Ettinghausen—, en general ocurre lo contrario[21]. Es la poesía que María Cruz García de Enterría llama periodística[22]. Las más sensacionalistas se escriben en verso, contribuyendo la propia versificación a subrayar los efectos tremendistas de la narración[23].

En cuanto al formato, el tamaño en cuarto (22 × 16 cm) es el usual para las relaciones más populares en verso, mientras que el formato en folio es habitual en las relaciones en prosa. Los formatos más pequeños, en 8.º, son mucho menos frecuentes. Además, las publicaciones más populares tenían habitualmente menos páginas. El menor coste de papel, que entonces como ahora suponía el mayor porcentaje en los gastos (aproximadamente la mitad, según Ettinghausen), hacía que verosímilmente pudieran venderse a un precio más asequible para las clases más modestas.

Algunas relaciones incluyen grabados en sus portadas que, en la mayoría de los casos, guardan sólo una relación genérica con el tema (un barco suele indicar una batalla naval, una flor de lis un acontecimiento ocurrido en Francia, un moro con turbante noticias de Turquía o del norte de África, etcétera)[24], que se repiten en las relaciones de temas semejantes. Son precisamente las de supuestos sucesos inverosímiles, especialmente, las que dan cuenta del nacimiento de seres monstruosos, y en donde aparecen ilustraciones elaboradas especialmente para la ocasión.

Naturalmente, las élites culturales denostaban este tipo de publicaciones que entusiasmaban al «vulgo», aunque puede que algunos se entretuviesen leyéndolos. Lope, que se contaba entre los que «el vulgar aplauso pretendieron» y juzgaba justo hablar en necio al vulgo para darle gusto, escribió no obstante un memorial[25] denunciando, entre otros géneros de pliegos sueltos, esta clase de relaciones:

Es cosa digna de castigo y de remedio ver los sucesos que buscan, las tragedias que fabrican, las fábulas que inventan, de hombres que en las ciudades de España fuerzan a sus hijas, matan a sus madres, hablan con el demonio, niegan la Fe, dicen blasfemias, y afirman que los castigaron de tal parte, donde nunca se vio ni oyó tal cosa. Y otras veces fingen milagros, y que la Virgen nuestra Señora baja del cielo, con versos tan desatinados, palabras tan indecentes y mentiras tan descubiertas...

En la comedia *Santiago el Verde*, expresa la misma idea por boca de un personaje:

No sé cómo se consiente / que mil inventadas cosas / por ignorantes se vendan / por los ciegos que las toman. / Allí se cuentan milagros, / martirios, muertes, deshonras / que no han pasado en el mundo, / y al fin se vende y se compra.

Por su parte, Quevedo escribía en una carta[26]: «Hame caído en gracia lo de que parió una mujer por la boca un hijo, como si todos los gaceteros y mentirosos no pariesen por la boca ejércitos y sucesos de cosas notables». Podrían aducirse otros testimonios que evidencian, junto con la repulsa o la burla del lector culto ante este tipo de publicaciones, la extensión del fenómeno.

4. Canales de difusión

Todo indica que los distintos impresores se especializaban en una u otra modalidad, e incluso en temas concretos. En cuanto al método de difusión, todos los impresos de pequeño volumen eran vendidos en los propios establecimientos de los impresores-libreros (actividades en muchos casos coincidentes) y de forma ambulante por los ciegos, que «eran los encargados, con exclusividad oficial, de la venta *en la corte* de todo género de gacetas, relaciones, coplas almanaques y guías»[27]. Fuera de la corte serían probablemente vendidos también por otro tipo de vendedores ambulantes, aunque para fechas más tardías hay testimonios de que existía también la exclusividad de los ciegos, no siempre respetada. Hubo un larguísimo pleito entre ciegos e impresores de Madrid[28], de cuyas vicisitudes pueden extraerse noticias interesantes. Víctor Infantes ha publicado el facsímil de un documento situado en este contexto, de 1689 aproximadamente, conservado en la Biblioteca Nacional[29]: se quejan los ciegos de «las estratagemas» del impresor Sebastián Armendáriz que les retiene las relaciones hasta muy tarde, vendiendo mientras todas las que le van a comprar a su establecimiento, remitiendo otras a Palacio, a los conventos y a particulares que le parece, «con diferentes mozos y muchachos», de modo que cuando las entrega a los ciegos tiene vendidas más de cinco y seis resmas y despachadas casi todas. Otras veces imprime tres gacetas y les entrega sólo la peor, de la que no pueden tener salida, por no quererla comprar sin las otras, y de esta manera consigue que no las compren a los ciegos y también que las vayan a comprar a su casa, o a «los puestos de su orden». Saliéndole el pliego impreso a 2 maravedís, lo vende a los ciegos a 6, etc. Venta, pues, en las propias imprentas o librerías, por repartidores a particulares e instituciones, en puestos especiales (¿lejano antecedente de los quioscos de prensa?) y venta ambulante por los ciegos.

Estas formas primitivas de periodismo, en sus versiones más «populares» tuvieron una gran persistencia. Después de la aparición del verdadero periodismo, siguió siendo el periodismo del pueblo, de sus sectores más humildes, hasta que la prensa popular, ya a finales del siglo XIX, la hizo innecesaria. Como escribió Balzac

> (...) el hombre que vocea en París la detención del criminal que van a ejecutar, o la relación de sus últimos momentos, o el boletín de una victoria, o el relato de un crimen extraordinario, vende por un céntimo la hoja impresa que anuncia y que se llama un Canard en términos de imprenta. Después de haber brillado bajo la antigua monarquía, bajo la Revolución y el Imperio, cuenta hoy con pocos individuos. El periódico, leído hoy por los cocheros sobre su silla, ha matado esta industria. La relación del hecho anormal, monstruoso, imposible y verdadero, posible y falso, que servía de elemento a los *canards*, se ha llamado entonces en los periódicos canard, con tanta más razón que no se hace sin plumas, y que va con todas las salsas[30].

5. Marco legal

La aparición de la imprenta alteró de manera sustancial el ámbito de la comunicación y alertó a los gobiernos y a la Iglesia sobre el peligro que suponía la difusión de ideas e informaciones a través de los impresos que se difundían en cantidades incomparablemente superiores a la anterior comunicación manuscrita. Era preciso controlarlos con sistemas preventivos: la licencia de impresión y la censura previa. La primera disposición de importancia tras el establecimiento de la imprenta fue la Pragmática promulgada el 8 de julio de 1502 por los Reyes Católicos, en la que se establecía que

> (...) ningún librero ni impresor de molde, ni factor de suso dichos, no sea osado de hacer imprimir de molde de aquí en adelante por vía directa ni indirecta ningún libro de ninguna Facultad o lectura, o obra, *que sea pequeña o grande*[31], en latín ni en romance, sin que primeramente tenga para ello nuestra licencia y especial mandado o de las personas siguientes: en Valladolid y Granada los presidentes que residen o residirían en cada una de nuestras Audiencias que allí residen; y en la ciudad de Toledo el Arzobispo de Toledo; y en la ciudad de Sevilla el Arzobispo de Sevilla; y en Burgos el obispo de Burgos; y en Salamanca y Zamora el obispo de Salamanca.

En 1501, el papa Alejandro VI había publicado una *Encíclica sobre la Imprenta*, que probablemente había servido de acicate para la promulgación de la Pragmática de los Reyes —no por nada titulados Católicos— que, como vemos, delegaba la concesión de la preceptiva licencia de imprimir, perteneciente a la Corona, unas veces en personas o instituciones civiles y otras religiosas. La amalgama de lo político y lo religioso, presente en todos los aspectos de la cultura de estos siglos, afectará también al control de las publicaciones, hasta que bien entrado el siglo XVIII, bajo el influjo de las doctrinas regalistas, se delimiten las respectivas funciones. Establecía también esta primera pragmática la censura previa de todos los escritos y el depósito previo de los impresos para comprobar la coincidencia con el original autorizado previamente y se establecían penas para los infractores.

La ruptura de la cristiandad y el afán de mantener España, convertida en campeona de la Contrarreforma, libre de contaminación protestante no hizo sino endurecer los controles en los reinados de los primeros Austrias. Aunque la Pragmática promulgada durante el reinado de Felipe II, en 1558, establecía que la censura previa correspondía al Consejo de Castilla, mientras que la Inquisición podía actuar *a posteriori*, prohibiendo libros impresos en España o que pretendiesen introducirse desde el extranjero, la complejidad de poderes y organismos que intervenían en estos temas dio lugar a una maraña administrativa y a frecuentes conflictos de jurisdicción.

No escapaban, naturalmente, los «pliegos sueltos», entre los cuales se encontraban los informativos, a estos requisitos de licencia y censura. Una disposición de 31 de junio de 1627, que insistía en que no se imprima «cosa alguna sin licencia por menuda que sea», parece, como dice María Cruz García de Enterría[32], referirse en concreto a este tipo de publicaciones (un decreto de 6 de marzo de 1625, que prohibía las licencias para novelas y obras de teatro, y que tendría una vigencia de diez años[33], había dejado fuera a este otro tipo de impresos).

6. Andrés de Almansa, primer profesional del periodismo

Muchas de estas cartas y relaciones son anónimas; en otras, en cambio, aparece el nombre de su autor —en su inmensa mayoría desconocido para los estudiosos actuales—, frecuentemente con la indicación de su condición social o profesión. Un caso especialmente interesante es el de Andrés de Almansa y Mendoza, que ha despertado algún interés entre los estudiosos de Góngora como amigo y defensor del gran poeta en la polémica de las *Soledades,* pero cuya importancia reside en que puede ser considerado como el primer periodista español, con todas las comillas que queramos ponerle a la palabra[34]. En efecto, este personaje, posiblemente sevillano, y mulato según testimonios de la época, parece haberse dedicado profesionalmente a escribir *cartas* y *relaciones*. Existen indicios de que residió en Italia —donde pudo descubrir las *fogli d'avvisi* florentinas y las *gazetta*s venecianas— y de que viajó también a Flandes, donde en la ciudad de Amberes el editor Verhoeven editaba desde 1605 el que es quizás el primer periódico de la historia, *Nieuwe Tydinghen* (*Noticias Recientes*), que desde 1610 tenía una edición en francés. Quizá su contacto con estos centros noticieros influyó en su dedicación a la tarea. Aunque las obras conservadas, las *Relaciones*, de autoría segura, y las *Cartas,* que se le atribuyen, son todas de la segunda década del siglo XVII, hay alusiones anteriores a la persona de este «correveidile», como le llamaban, que se refieren a él como autor de relaciones. Lo que ha llegado hasta nosotros es suficiente para concederle un lugar importante en la historia —o prehistoria si se quiere— del periodismo en España, como cultivador de los dos tipos de esta incipiente prensa: las *cartas*, «tipo gaceta», la gran mayoría de las cuales contienen muchas noticias expuestas sucintamente, y las *relaciones,* centradas en el relato, mucho más pormenorizado y en un estilo mucho más retórico, de un solo suceso.

Las diecisiete *cartas* numeradas que se le atribuyen, publicadas entre abril de 1621 y finales de 1624, constituyen ciertamente un hito por cuanto se ofrecen en forma seriada, a intervalos relativamente regulares, con continuidad si no con periodicidad. Se suponen escritas por un corresponsal que no da su nombre a un destinatario igualmente anónimo —«de un señor de esta corte a un su amigo», como reza el título de la primera—, de supuesto carácter estrictamente privado, pero que alguien —el propio destinatario o algún impresor— decide dar a la luz por medio de la imprenta, de lo que el autor protesta en varias ocasiones, aunque probablemente se trate de una ficción de género. Las *relaciones,* en cambio, publicadas entre 1623 y 1626, están dedicadas a altas personalidades de la corte. Frente al relativamente sobrio estilo de las *cartas*, describen con morosa delectación y todo tipo de detalles, incluidos los de vestidos y joyas, toda clase de acontecimientos cortesanos: banquetes, bailes, corridas de toros, juegos de cañas y, naturalmente, autos de fe. Las seis primeras cuentan la llegada a Madrid del príncipe de Gales (el futuro Carlos I, al que le aguardaba tan trágico destino) con el objeto, finalmente fracasado, de agilizar las negociaciones para su matrimonio con la infanta María, hermana de Felipe IV, y las numerosas fiestas con que fue obsequiado junto con su séquito durante los seis meses de su estancia.

Cartas y *relaciones* informan sobre acontecimientos, algunos importantes y otros banales, pero en cualquier caso limitados, en su inmensa mayor parte, a la corte, actos del gobierno y la administración, ceremonias religiosas y festejos públicos. Maravall se refiere a Almansa como «panegirista del sistema», de la monarquía y de la nobleza y del sistema social fundado sobre ambas[35], representante de uno de esos escritores que en el primer cuarto del siglo XVII se convirtieron en órgano para una opinión dirigida desde el poder, muy consciente de su importancia[36]. Lo que no impediría que tuviese quizá algunas dificultades con ese mismo poder, o con algunas de las fracciones que se disputaban su ejercicio.

Ni por su estilo, ni por su presentación, ni por su temática son las *relaciones* y *cartas* de Almansa «prensa popular». Tuvieron, sin embargo, mucha difusión, de algunas de ellas se hicieron varias ediciones. Ettinghausen calcula unos 26.000 ejemplares para algunas de las *cartas*, cifra que, teniendo en cuenta la población de Madrid en la época (de 70.000 a 100.000), califica de sorprendente. Bien es cierto que no estaban destinadas sólo, ni fundamentalmente, a lectores residentes en la capital, como en varias ocasiones se encarga el autor de indicar, insistiendo en la utilidad que tienen tales escritos para proporcionar «alivio» a los «ausentes de la corte», que padecen «la falta de Madrid»[37].

Realmente, en estos años ocurrían muchas cosas en la corte de las que convenía estar informado. El cambio de reinado de Felipe III a Felipe IV (la primera de las *Cartas* relata la muerte del primero) no se presentaba como continuista, sino que traía consigo importantes cambios políticos, que pretendían regenerar la ya maltrecha Monarquía. Iniciaba su imparable ascensión el conde-duque de Olivares. Caían cabezas de otrora poderosos. Alguna literalmente, como la de don Rodrigo Calderón, cuya ejecución pública y la serenidad con que se enfrentó a la muerte se convirtieron en el tema, como no podía ser menos, de numerosas *relaciones* de la época. En la capital y lejos de ella, en el resto de España, en Europa y en la lejana América, los interesados en tales cambios, y sobre todo los que tenían algo que perder o que ganar con ellos, esperarían con avidez las noticias del bien informado «periodista». Ettinghausen y Borrego[38] citan una carta del príncipe de Esquilache, virrey del Perú, en la que lamenta la falta de la «gaceta» de Mendoza «que siempre ha sido la ordinaria flota / que lleva de la Corte la estafeta». Lo pretendiese o no, Almansa fue ya un «escritor público», un periodista *avant la lettre*.

7. Persistencia de las noticias manuscritas

Las publicaciones impresas no supusieron la desaparición inmediata de los manuscritos. Ambos modos de escritura coexistieron durante mucho tiempo, de modo semejante a como en nuestros días el soporte digital no ha arrumbado —todavía— al soporte papel.

Tampoco en la difusión de noticias. Los más famosos relatores de noticias en versión manuscrita en el siglo XVII son el historiador y erudito José de Pellicer y el dramaturgo Jerónimo de Barrionuevo. El primero escribió sus *Avisos*, sin mención de destinatario, entre el 17 mayo 1639 y el 29 de noviembre de 1644, con una larga interrupción entre septiembre de 1642 y julio de 1643. El segundo, entre el 1 de agosto de 1654 y el 24 de julio de 1658. Adoptaron al principio forma de cartas dirigidas a un «deán de Zaragoza», si bien por menciones explícitas incluidas en ellas está claro que alcanzaban a un círculo al menos algo más amplio, y parece que recibían alguna forma de pago. En octubre de 1655 advierte que en adelante, «No firmaré ni pondré a quien escribo». Es entonces —dice Jean-Pierre Étienvre[39]— cuando sus *cartas* se convierten en *avisos*, nombre con el que fueron publicados por primera vez en 1892 en la Colección de Escritores Castellanos. Los avisos de Pellicer habían sido publicados en el *Semanario Erudito* en 1790.

Comunicación privada o semiprivada incluyen, junto a las noticias políticas y cortesanas, muchas otras de sucesos de la calle: robos, asesinatos, delitos sexuales y protestas ciudadanas que ponen de manifiesto la conflictividad social. Acompañadas en el caso de Barrionuevo —al que Maravall califica en varios lugares de la obra que venimos citando como «gacetero de oposición» («diríamos hoy»), contraponiéndolo al «panegirista del sistema» Almansa[40]— de reflexiones de clara crítica al «desgobierno»: «todos se quejan y todos tienen razón»; «hay mucho que limpiar si se barriera de veras»; crecen los males de la Monarquía «sin que ninguno [de los ministros] se duela de la común pérdida, ni trate más que de su propio interés»; «lo que es fiestas siempre las hay, desvelándose en esto y no en ver cómo nos hemos de defender de tantos demonios de enemigos que no nos dejan vivir», etc.; en fin «¡Pobre España desdichada!», como exclama en la carta de 5 de septiembre de 1654.

8. Primeras publicaciones de periodicidad regular

8.1 La *Gazeta* catalana

En los años del levantamiento catalán contra la monarquía española (1641-1652), durante la cual Cataluña formó parte del reino de Francia, se publicaron allí, en lengua catalana, multitud de relaciones y hojas informativas y de propaganda de todo tipo[41]. En este contexto se produce el primer intento conocido en la Península de una publicación con vocación de periodicidad —semanal—. Se trata de la *Gazeta*, publicada en Barcelona en el mes de junio de 1641 por el impresor Jaume Romeu (editor también de otros folletos informativos) de la que no se conserva más que el primer número, réplica, en lengua catalana, de la *Gazette de France* que Renaudot venía publicando en París desde 1631. Varela Hervías se refiere a este «primer intento de publicar un "periódico" en España», si bien destaca su carácter de traducción de la *Gazette de France*, «su débil consistencia y efímera vida»[42]. Para Jaume Guillamet, el hecho de que se trate de una traducción no resta interés al caso, ya que, durante muchos años, gacetas y diarios se nutrirían esencialmente de la traducción y la copia de las noticias de periódicos llegados de otras ciudades[43].

8.2 De la *Gazeta Nueva* a la *Gazeta de Madrid*

La primera publicación periódica que alcanzó una existencia relativamente larga (dos años) de publicación regular (mensual), la *Gazeta Nueva*[44], surgió en España treinta años después de su equivalente y modelo francés, la *Gazette de France*, a la sombra de un personaje político de primer orden en las postrimerías del reinado de Felipe IV y en el de Carlos II: el hijo bastardo del primero y hermano del segundo, don Juan José de Austria, inmerso no sólo en todos los conflictos militares a los que España hubo de enfrentarse en estos conflictivos años, sino también en todas las intrigas cortesanas por hacerse con parcelas del ejercicio del poder. Mucho antes de que el pueblo se convierta en *soberano* con el advenimiento de los regímenes liberales, las élites rectoras son conscientes de que no basta con los métodos coercitivos de control, sino que hay que contar con su opinión «en cierto modo seguirla y sólo tratar de gobernarla por resortes complejos [...] hay que procurar encauzarla con artificios que proporcionen las técnicas de captación»[45].

Uno de esos resortes, de esas técnicas de captación, es ya, a estas alturas, la prensa. Juan José de Austria parece haber sido muy consciente de ello, como lo había sido el cardenal Richelieu, bajo cuya inspiración (o la de su «eminencia gris», el P. Joseph) se había fundado la *Gazette* de Renaudot. Durante su estancia como virrey en Flandes conoció a Francisco Fabro Bremundan, que le acompañará de regreso a España en 1659 y que se va a convertir en su mano derecha para todos los temas de «relaciones públicas», fundamentales para sus ambiciones políticas.

Su primera creación en el terreno periodístico sería la *Gazeta Nueva*, publicada mensualmente durante dos años. Felipe IV, que había rechazado en 1660 el proyecto de publicar una gaceta en Madrid, concedió en 1661 la licencia para este periódico, inspirado por Juan José de Austria, que acababa de ser nombrado comandante en jefe de los ejércitos encargados de sofocar la rebelión secesionista de Portugal.

El primer número del periódico que empezó su publicación en enero de 1661 se titulaba *Relación o Gazeta,* y el segundo, *Gazeta*, un indicio más de la inseguridad que todavía existía en los términos. A partir del tercero se titula *Gazeta Nueva* («de los sucesos políticos y militares de la mayor parte de Europa», o «de Europa, Asia y África», o «de la mayor parte del mundo», o «de los sucesos militares que han sucedido en el Reino de Portugal»... según el contenido de los diversos números). Justificaba en su primer número la conveniencia de introducir en España una publicación de este carácter, como las que circulaban en otros países. Proporcionaba, sobre todo, noticias extranjeras, extractadas de gacetas de distintos países. Pero también españolas (campaña de Portugal, fundamentalmente). Las noticias son efectivamente en su mayor parte políticas y militares, pero no faltan de otra naturaleza: catástrofes naturales —inundaciones en Málaga, terremotos en Italia—, muerte del príncipe Felipe Próspero y nacimiento del futuro Carlos II, y fiestas en su honor, un auto de fe en Sevilla, o el nacimiento de unas niñas unidas por el tronco en La Palma del Condado. Tuvo reediciones, con variantes y adaptaciones, en Zaragoza, Valencia y Sevilla, que sobrevivió varios años a la de Madrid. La capital andaluza, la más poblada de España y próspera por el comercio con América, fue a finales del siglo XVI y comienzos del XVII el principal centro impresor de noticias.

El mismo Bremundan publica en Zaragoza entre enero y septiembre de 1676, encontrándose allí don Juan José de Austria, como virrey de Aragón en una especie de destierro de la corte, *Avisos Ordinarios de las Cosas del Norte,* para oponerse a la propaganda francesa, en el conflicto entre ambos países y sus respectivos aliados, que terminaría con la Paz de Nimega. Según declaración del propio periódico, tenía crédito «en toda España y fuera de ella». Sin ninguna mención a acontecimientos interiores, dedicado únicamente a contrarrestar la propaganda francesa, este periódico permite, según Varela Hervías[46] considerar a Fabro Bremundan como el primer periodista español que inaugura el género de redactor de política internacional.

La siguiente creación de Bremundan fue la *Gazeta Ordinaria de Madrid* que comenzó a publicar el 4 de julio de 1677, en el momento de máximo esplendor de la carrera política de Juan José de Austria, que acababa de acceder al cargo de primer ministro de su hermano Carlos II. Bremundan obtuvo el privilegio exclusivo para editar *gacetas*. Se publicó hasta abril de 1680, en que se «mandó no corriesen ni imprimisen más gazetas», según anotación manuscrita en el último número (Juan José de Austria había muerto en 1679). Imitación clara del modelo francés, lo que será una constante de la prensa española en el futuro, el periódico estaba constituido por dos secciones: una de noticias internacionales sacadas de gacetas extranjeras y otra de noticias de la corte, que no de la villa: actos oficiales, nombramientos, funciones religiosas. Ocasionalmente, algunas noticias de otros lugares de España.

En 1683 vuelve a autorizarse la publicación de periódicos, que van surgiendo en diversas ciudades (Zaragoza, Sevilla, Barcelona, Valencia, San Sebastián...) en las que sin duda los impresores estaban deseando recuperar o iniciar un negocio muy probablemente de mayor y más rápido rendimiento que el de los libros. Varela Hervías se refería en 1960[47] a este «momento interesantísimo de la Prensa española», al que calificaba de inexplorado y necesitado de una aguda y sistemática exposición. Algo se va avanzando gracias a los investigadores que en las distintas facultades de Ciencias de la Información se interesan por los orígenes en sus respectivas comunidades de la profesión para la que intentan capacitar a sus alumnos. Así, por ejemplo, el caso de San Sebastián, ciudad en la que surgen las primeras gacetas vascas en esta década de los ochenta del XVII, y que ha sido estudiado por Javier Díaz Noci y Mercedes del Hoyo. Por cierto que los autores desmontan la idea, que por sugestiva y sorprendente ha sido recogida por algunos historiadores, de que el impresor de estas primeras gacetas fuera una mujer, que sería así según algunas autoras «en un alarde de feminismo digno de mejor causa» —dicen— nada menos que la primera periodista del reino[48].

En el mismo año 1683, Fabro Bremundan vuelve a la tarea en Madrid. Aunque no adoptase ese nombre hasta 1697, parece que este nuevo periódico, titulado *Nuevas Ordinarias de los Sucesos del Norte*, *Nuevas Ordinarias* o *Nuevas Singulares* —con los determinativos correspondientes a los temas tratados en cada caso— debe ser considerado, no como un precedente, como serían las anteriores publicaciones de Bremundan, sino como las primeras manifestaciones de la *Gazeta de Madrid*, destinada a tener larga vida hasta nuestros días[49]: publicación oficiosa primero, oficial después y por último destinada a publicar exclusivamente las leyes y resoluciones generales, dejando para otros periódicos las noticias políticas y generales, de las que durante un tiempo había tenido la exclusiva, para convertirse, finalmente, en plena Guerra Civil, en el *Boletín Oficial del Estado*.

En el periodo que ahora nos ocupa, esta publicación noticiosa semanal fue editada por Bremundan en posible sociedad con el importante impresor madrileño Sebastián de Armendáriz. Al morir Bremundan, en 1690, Carlos II la vinculó a la renta del Hospital General. En 1696, el impresor Juan Goyeneche compró el derecho del privilegio a perpetuidad. El primer número de esta nueva etapa, de 26 de marzo de 1697, conservó el título de *Noticias Ordinarias del Norte, Italia, España y Otras Partes*. El segundo número de 2 de abril llevó ya el título definitivo.

Segunda parte

Siglo XVIII

2. Prensa noticiosa e ilustrada

1. Introducción

Es en el siglo XVIII, sobre todo en su segunda mitad, cuando la prensa toma verdaderamente carta de naturaleza en España. Sea cual fuera el aumento del índice de alfabetización —asunto de difícil precisión—, lo cierto es que al menos en valores absolutos el crecimiento del número de lectores es innegable debido aunque nada más sea al gran aumento de la población[1].

Junto a la prensa de información fundamentalmente política y militar que se había iniciado con la *Gaceta*, surgen, con gran retraso también con respecto a sus modelos europeos, una diversidad de fórmulas: la cultural (de inspiración francesa) y de crítica social (de inspiración inglesa), prensa en fin «ilustrada», dirigida a un público de lectores intelectuales, aunque gran parte de ella exprese el deseo de dirigirse a un público amplio. Las «luces» del siglo llegan, todo lo tamizadas y debilitadas que se quiera, a España; la curiosidad y el espíritu crítico se difunden —como atestigua el enorme éxito de la obras de Feijoo— y con ellos el deseo de información y de cultura, causa y efecto del relativo auge de la prensa tanto noticiosa como de difusión cultural. «La preponderancia de los temas religiosos en las publicaciones no periódicas —dice Richard Herr[2]— subraya la importancia de los periódicos como conducto de difusión de las "luces" en España».

Se publicaron cerca de doscientos periódicos[3] en todo el siglo, si bien la mayoría tuvieron una vida muy efímera[4] y a algunos puede discutírseles el carácter de periódico, porque aunque se publicasen periódicamente se trata más bien de libros publicados por entregas, o antologías de textos diversos. Y, como decía Sempere y Guarinos, refiriéndose a los publicados en el reinado de Carlos III, «aunque por la mayor parte fueron despreciables, no faltaron entre ellos algunos de bastante mérito»[5]. Vamos a referirnos aquí sólo a algunos de los más representativos[6].

Los títulos están muy desigualmente repartidos en el tiempo, con épocas de florecimiento y de sequía, debidas a la combinación de la actitud de los poderes públicos y de los condicionamientos económicos. La mayor parte de los títulos corresponden al reinado de Carlos III (1759-1788), pero también durante este largo reinado se producen altibajos. Tras unos años iniciales en los que se publican una gran cantidad de periódicos y aparecen nuevas fórmulas, como la de crítica moral y de costumbres de *El Pensador*, al modo de *The Spectator* inglés, viene una época de recesión, a partir de 1767, tras la situación conflictiva que tuvo su punto culminante en el motín de Esquilache. La década de 1780 es sin duda la más brillante en este aspecto de todo el siglo. Decididamente protegida por el rey y sus ilustrados ministros, se publican muchos y muy interesantes periódicos, tanto literarios como de crítica social que en algunos casos, como el de *El Censor*, se atreven a ir más lejos de lo que podría esperarse en un sistema de tan extremado control como lo fue el del «despotismo ilustrado». Claro que no sin riesgos.

2. Marco legal

Porque, en efecto, el poder vigila muy de cerca a la prensa, como a toda la producción cultural. Con los poderosos instrumentos de la licencia para imprimir y la censura previa, la vigilancia actuaba en el sentido negativo de evitar que se pusiesen en cuestión los principios en que se asentaba el sistema o la fe católica, se criticase a las instituciones, se atentase contra las buenas costumbres, se comentasen los decretos reales y los asuntos de Estado[7]. Se trataba también, en sentido positivo, de que la producción cultural fuera *útil*, palabra clave de la época, que sirviese para difundir los conocimientos marcados por esa característica de utilidad y así contribuyese al *adelantamiento* del país[8]. Incluso se juzgaba para conceder la licencia la capacidad de los autores para la tarea que se proponían, o si el plan de la obra era el adecuado para su propósito.

Por su parte, la Inquisición podía ejercer una censura *a posteriori*, mandando recoger los escritos que juzgase perniciosos, facultad que ejercía con un criterio más estrecho y mezquino que la censura estatal. Pero dada la lentitud con que actuaba su pesada maquinaria, en el caso de las publicaciones periódicas no resultaba muy efectiva. La prohibición llegaba cuando los números ya habían sido vendidos, semanas o meses después de haber sido publicados.

El 19 de mayo de 1785 se publica la primera Real Orden[9] que atañe exclusivamente a la prensa, que supuso un intento de clarificación en el confuso sistema de censura, al mismo tiempo que una relativa liberalización. El n.º 65 de *El Censor*, que contenía críticas a los jueces había sido recogido por el Consejo de Castilla (al parecer el editor García del Cañuelo había presentado un texto a la censura que era sólo un resumen del publicado). El Rey o su ministro Floridablanca salieron en su defensa.

La Real Orden tiene gran interés, porque define por primera vez la particularidad de esta clase de impresos: «cualquier escrito que se quiera publicar por pliegos o cuadernos periódicamente»; «cuando no pasen de cuatro o seis pliegos impresos» (32 o 48 páginas en tamaño 4.º, como extensión máxima) y subrayaba en sus considerandos su utilidad social:

Reflexionando [SM] que este género de escritos, por la circunstancia de adquirirse a poca costa y tomarse por diversión, logra incomparablemente más número de lectores que las obras metódicas y extensas donde se hallan las mismas o semejantes especies y, por consecuencia, contribuyen en gran medida a difundir en el público muchas verdades o ideas útiles, y a combatir por medio de la crítica honesta los errores y preocupaciones que estorban el adelantamiento en varios ramos, le ha parecido necesario tomar un medio legal que facilite la publicación de semejantes escritos.

Se proponía por ello evitar que «las formalidades y solicitudes retraigan a los literatores (*sic*), las cuales pueden haber contribuido a que esta clase de obras jamás haya logrado consistencia entre nosotros».

Y establecía que en adelante las licencias para los papeles periódicos dejarían de corresponder al Consejo de Castilla —que se ocuparía sólo de los libros— y pasarían al Juzgado de Imprentas que designaría para cada publicación a dos censores, que tenían que ser aprobados por el Rey. Disponía también que una vez publicados con censura y licencia no podía prohibirse su venta sin dar noticia al Rey y esperar su resolución

Una nueva Real Orden de 29 de noviembre de 1785, motivada de nuevo por *El Censor* (n.º 79), establecía las responsabilidades de la prensa en caso de ofensa a particulares o instituciones, pero la protegía jurídicamente, por cuanto hacía también responsables a quienes presentasen denuncias no fundadas. Sempere y Guarinos comenta:

El espíritu de esta Real Orden está muy bien explicado en una obrita que se publicó en el mismo año, intitulada: *Diálogo crítico-político, sobre si conviene o no desengañar al público de sus errores y preocupaciones, y si los que son capaces de ello arriesgarán algo en hacerlo. Escrito por D. Joaquín Medrano de Sandoval, con ocasión del Papel que se mandó recoger, intitulado: El Censor. Núm. 79. Madrid, 1786*[10].

Poco tiempo iban a durar estas favorables disposiciones, porque ya en el reinado de Carlos IV, el estallido de la Revolución en Francia obliga al mismo Floridablanca, que había favorecido a la prensa, a dictar en febrero de 1791 una disposición tan restrictiva que prohibía todos los periódicos, con la excepción de los dos oficiales, la *Gaceta* y el *Mercurio*, y del *Diario de Madrid*. Medida luego suavizada, pero que produjo la desaparición definitiva de casi todos los periódicos que venían publicándose.

3. Prensa informativa

Los periódicos predominantemente informativos eran los más leídos con mucha diferencia. Junto a los de información general, como la *Gaceta de Madrid*[11] y el *Mercurio Histórico y Político,* que en 1738 vino a hacerle compañía, surgen los de información local, cuyo primer representante y modelo de los demás será el *Diario de Madrid*.

La más difundida era la *Gaceta de Madrid* (8 a 16 páginas en 4.º) de la cual aseguraba su editor Goyeneche que era leída por toda clase de público «aun en el ínfimo pueblo, pues a porfía la compran». Exageraba quizá, pues, su tirada, según ha deducido Enciso Recio del estudio de su contabilidad, estaría entre los años 1764 y 1780 en una media entre 7.000 y 12.000 ejemplares por número, de los cuales algo más de un tercio se difundía en América[12]. Pero hay que tener en cuenta que para la época y para una publicación como la *Gaceta*, que se encontraba en todas las bibliotecas, sociedades y lugares públicos, habría que mutiplicar al menos por diez el número de quienes leían cada ejemplar, semanalmente primero, bisemanalmente a partir de 1778.

La importancia de la *Gaceta* en la historia de la lectura en España es doble: en primer lugar, fue lectura predilecta, y en muchos casos seguramente única, de gran parte de los pocos españoles lectores durante el siglo XVIII, y, en segundo lugar, es el mejor documento, imprescindible, para conocer el mundo del libro en aquella centuria, sobre todo del libro español, a causa de sus anuncios bibliográficos. Sus relativamente numerosos lectores en su día y hoy los estudiosos de esos temas podemos conocer a través de sus páginas, si no todo, sí gran parte de los impresos que se publicaban en España.

La tirada del *Mercurio Histórico y Político* (que en 1784 pasará a denominarse *Mercurio de España*) estaría muy por debajo de la de la *Gaceta*, entre los 2.750 y los 5.500 en las mismas fechas y según Enciso Recio (de los cuales sólo unos pocos ejemplares se difundían en América). El nombre de *Mercurio* (el mensajero de los dioses en la mitología romana) venía siendo utilizado en Europa desde los comienzos de la prensa. Dentro de la imprecisión de los términos había llegado a oponerse a *gaceta* de un modo semejante a como hoy oponemos las revistas a los periódicos. No tanto en los contenidos como en su mayor extensión y más espaciada periodicidad, algo hay de esa distinción entre estos pioneros de la prensa informativa en

España. Este periódico, que inició su publicación en 1738, con unas cien páginas de formato en octavo y periodicidad mensual, se convirtió en trimestral a partir de 1759 y quincenal a partir de 1804, varió su periodicidad a lo largo de su historia (en sus últimos tiempos era quincenal) hasta su desaparición en 1807, aunque posteriormente volvió a publicarse intermitentemente hasta desaparecer definitivamente en 1830.

Durante muchos años fue una traducción —«mala traducción», según Guinard[13]— del *Mercure Historique et Politique* de La Haya», según hacía constar el propio periódico, que se declaraba «Traducido del francés al castellano de *El Mercurio de el Haya*, por Mr. Le Margne[14]»; en su número de septiembre de 1738 explicaba las vicisitudes de aquel número que se ponía a la venta el día 30, procedente del publicado en La Haya el día 4 o 5, que había tardado quince días en llegar; quedaba, luego, la tarea de traducir, imprimir, corregir y encuadernar, que había necesitado nueve días. De modo que las noticias de acontecimientos ocurridos en agosto estaban a disposición de los lectores españoles en octubre. En otros meses de tormentas y nevadas que hicieran impracticables los caminos para los correos, el retraso sería aún mayor. Así «volaban» las noticias hasta la invención del telégrafo. «El concepto de actualidad varía de 5 a 7 días en las noticias nacionales, de 15 a 30 en las europeas y de un mes y medio a dos meses en las de otros continentes»[15]. Posteriormente el *Mercurio* dejó de ser una simple traducción para convertirse en un periódico con mayor trabajo de elaboración, «compuesto por diferentes *Diarios*, *Mercurios* y *Gacetas* de todos los países, y sacado de otros documentos y Noticias originales», como declaraba tras su título, para finalmente convertirse, en opinión de Guinard —a partir de la dirección de Tomás de Iriarte en 1772, al que sucedió Clavijo y Fajardo—, en el «más moderno de los periódicos españoles» y una fuente de información extraordinariamente rica:

> En sus números de 100 a 120 páginas, después de las noticias del extranjero, siempre precedidas, en enero, de un discurso preliminar generalmente muy bien hecho sobre la situación política, el lector encuentra correspondencias de provincias españolas que constituyen en ocasiones verdaderos reportajes, noticias oficiales [...], artículos necrológicos, resúmenes de las actividades de las Academias y de las Sociedades económicas, anuncios de libros nuevos[16]...

El cambio de título en 1784 por el de *Mercurio de España* sancionaría tardíamente esa transformación en el contenido del periódico. Parece que el público de la época, sin embargo, acabó por mostrársele esquivo: desapareció en 1806 por una Real Orden que alegaba que «ni ya tenía aceptación del público, ni rendía utilidades».

Tanto la *Gaceta* como el *Mercurio* tenían carácter semioficial que se convirtió en decididamente oficial al ser incorporados a la Corona —el *Mercurio* en 1756 y la *Gaceta* en 1761—, tras un acuerdo con el marqués de Belzunce, hijo del impresor Juan de Goyeneche, que había adquirido en su día el derecho para su impresión, como vimos, y que recibió una indemnización de 700.000 reales, tras un análisis de los beneficios que venía reportándole[17]. El 12 de enero de 1762 daba cuenta de los cambios:

Desde el martes próximo 19 de este mes, se encontrará la *Gaceta* en la calle de Carretas, casa de Don Francisco Manuel de Mena, en donde se vende el *Mercurio*, y se advierte que se formará, imprimirá y venderá de cuenta de S. M., habiéndose dignado incorporar a la Corona el privilegio de venderla, que estaba enajenado, para que experimente el público, entre otras ventajas, la de tenerla de mucho mejor papel y con más frescas y fundadas noticias.

Desde esa fecha periódico oficial, publicaba junto a las noticias del extranjero, las de la corte y los documentos de Estado que andando el tiempo se convertirían en el único objeto de su publicación.

Estas dos publicaciones oficiales monopolizan la información de política internacional y de asuntos de Estado. Las noticias aparecen clasificadas por su lugar de origen y la fecha de su recepción. El estilo es desnudo, simple, impersonal, como corresponde a una narración objetiva de los hechos. Lo que no quiere decir que se trate de una información objetiva, controlada como está, en mayor medida todavía que el resto de la producción impresa, por su directa adscripción al poder político. Se informa de lo que conviene y como conviene. Empleando un anacronismo, diremos que la *agenda-setting* de estas publicaciones limitan extraordinariamente la imagen del mundo que ofrecen a sus lectores.

Según Guinard[18], a partir del momento en que la *Gaceta* se convierte en bisemanal, en 1778, el género se diversifica un poco; tanto en este periódico como en el *Mercurio* «aparece, al lado del informe tradicional, un tipo de relato más circunstanciado, más rico en detalles concretos, que anuncia, ciertamente de lejos, el reportaje moderno». En uno de ellos, en marzo de 1782, da cuenta bastante pormenorizada de la batalla en el campo de Gibraltar, en la que, en la noche del 27 al 28 de febrero anterior «resultó la desgracia», como informa, de la muerte, entre otros, de José Cadalso. De su relato hubiera podido decir el gran escritor lo que había puesto en boca de Nuño en la número 14 de sus *Cartas marruecas*:

Toda la guerra pasada estuve leyendo gacetas y mercurios, y nunca pude entender quién ganaba o perdía. Las mismas funciones en que me he hallado me han parecido sueños, según las relaciones impresas, por su lectura, y no supe jamás cuándo habíamos de cantar el Te Deum o el Miserere [...]. Y todo queda problemático, menos la muerte de veinte mil hombres, que ocasiona la de otros tantos hijos huérfanos, padres desconsolados, madres, viudas, etc.

4. El primer periódico cultural

Siguiendo el modelo de la prensa cultural iniciado en Francia en 1665 con el *Journal des Savants*, se publica en España entre 1737 y 1742 el *Diario de los Literatos*, que ni era «diario» (más bien trimestral) ni era de «literatos», tal como entendemos hoy esas palabras, así como el modelo francés no era lo que los franceses entienden en la actualidad por «journal» ni por «savants». La palabra literatura, mucho más amplia que hoy día, incluía no sólo a las «bellas letras», sino también a las ciencias y a la filosofía[19]. El primer diccionario de la Real Academia Española, el *Diccionario de Autoridades* (1726-1739) define *diario,* usado como sustantivo, como «impresos que contienen lo que van adelantando cada día las Ciencias y las Letras»; *gazeta* es definido como «sumario o relación que sale todas las semanas o meses, de las novedades de las Provincias y de la Europa, y algunas del Asia y África». En la *Enciclopedia Francesa,* la voz *journal* es definida por Diderot como:

> Obra periódica que contiene extractos de libros recientemente impresos, con detalles de los descubrimientos que se hacen todos los días en las artes y las ciencias.

Y la función de *journaliste* es definida por el mismo autor como «publicar extractos de literatura, ciencias y artes, a medida que aparecen», mientras que *Gazette* definido por Voltaire es «relación de asuntos públicos».

Los géneros aparecen pues definidos, pero en la realidad, como siempre, las cosas no están tan claras y puede aparecer alguna *Gaceta Literaria*, como una efímera publicada en Madrid en 1743, según anuncio de la *Gaceta de Madrid*. Con la aparición y la consolidación de los periódicos de aparición diaria, la palabra *journal* en Francia o *diario* en España se empleará exclusivamente para ellos. Todavía después de la salida del primer periódico verdaderamente diario español, del que luego nos ocuparemos (el *Diario Noticioso*, luego *Diario de Madrid*), el *Diario Pinciano* de Valladolid, que era semanal, justificará su nombre en el «Plan» que previamente ofrece a sus eventuales lectores:

> *Diario* se intitulará este papel Periódico, no porque saldrá todos los días, sino porque comprenderá todos los sucesos de cada uno de ellos; pues sabido es que este nombre han usurpado otros Papeles en España y fuera de ella, sin embargo de publicarse semanal, mensual, y aun anualmente.

El *Diario de los Literatos* es, pues, la primera revista cultural de nuestra historia[20]. Obra de tres eclesiásticos, Juan Martínez de Salafranca, Leopoldo Jerónimo Puig y Francisco Xavier de la Huerta, con los cuales colaboraron ocasional y anónimamente otros autores, la publicación daba cuenta y hacía la crítica de los libros recientemente aparecidos, entre los cuales los propiamente literarios son menos numerosos que los de tema religioso o científico. Esa crítica periódica e impresa era una novedad y fue mal recibida. El hecho de que unos autores cuya obra personal no era de mucho fuste —pero que demostraron estar dotados de un espíritu ilustrado y de muy buen sentido— se atrevieran a ejercer de críticos tropezó con la enemiga de los autores criticados y la incomprensión de un público cuyos gustos no estaban en la onda de su moderado neoclasicismo. Como diría muchos años después el padre Isla, recordando su fracaso final:

> Nuestros autores [...] niegan la jurisdicción a la crítica, y si ésta quiere erigir algún tribunal con autoridad privada, no es ya liga, es conspiración, es furor, es alboroto popular el que se levanta para aniquilarle, y a título de la paz se ve en precisión el magistrado de sosegar el motín, quitándole la materia[21].

Exasperados a su vez por los ataques de que eran objeto, los redactores del *Diario* intensificaron su tono polémico y, privados quizá de los apoyos oficiales sin los cuales una publicación de esas características difícilmente podía subsistir, tuvieron que plegar velas.

5. Los diarios locales

En 1758 inicia su publicación el primer «diario» que se publica todos los días (excepto domingos y festivos). En esta novedad no se mostró España retrasada como en otros tipos de periódico. Si bien desde muchos años atrás existían en Europa publicaciones diarias —hubo algún ensayo en Alemania en pleno siglo XVII, el primer diario inglés el *Daily Courant* es de 1702 y en 1730 se publicaban seis en Londres[22]—, el primer diario francés, *Le Journal de Paris*, no se publica hasta 1777.

Iniciativa del más prolífico editor de periódicos de los más variados tipos de todo el siglo, Francisco Mariano José de Nipho[23] —lo más parecido en el siglo XVIII a un profesional del periodismo con todos sus defectos y virtudes como atinadamente observa Sánchez-Blanco[24]—, el *Diario Noticioso, Curioso-Erudito, y Comercial Público y Económico* —que ese era el larguísimo y descriptivo título inicial, reducido a *Diario Noticioso* a partir del número 3— comenzó a publicarse el 1 de febrero de 1758 y le aguardaba una larga vida, hasta 1918. A partir de 1825 se titulará *Diario de Avisos de Madrid,* y en 1888, *Diario de Madrid.*

Esta modesta publicación de medio pliego, es decir, cuatro páginas, en tamaño cuarto, impreso a dos columnas, suponía en uno de sus aspectos una verdadera innovación en el panorama periodístico. Como muy prolijamente explicaba su autor en el «Plan» con que se presentaba, constaba de dos secciones («artículos» en la terminología de la época).

El primero, de «Asuntos curiosos y eruditos», era una miscelánea de temas diversos, sacados de aquí y de allá, publicaciones extranjeras y libros, divulgación de conocimientos dirigida no «sólo a complacer a los eruditos o sabios», sino también al «común de las gentes». «Hasta las señoras (cuyo sexo y ocupaciones domésticas son embarazos absolutos para entregarse a la lectura de libros)», decía en su primer número, podrían por medio del *Diario* «avivar los deseos de saber», como ocurría en Francia, en Alemania, en Inglaterra, en Italia, en Holanda y «aun en lo más frío y áspero de las Provincias del Norte», donde «forcejeando contra la debilidad de su natural ternura y delicadeza» se esparcían en conocimientos tales como la lengua latina, la Lexicografía, la Gramática, la Retórica, la Lógica, la Oratoria y la Poesía e incluso algunas en la Filosofía y la Física, y las más atrevidas o varoniles en la Matemática, la Economía, la Política; las menos, en la Ética, la Economía, la Política, y lo que es más de admirar las Ciencias Mayores, como la Teología, la Jurisprudencia y la Medicina». A esta sección se añadió por indicación del «Juez de Imprentas», la vida del santo del día.

No era ésta la parte más novedosa del diario, puesto que existían publicaciones con este carácter de divulgación misceláneo, sino el «Artículo Segundo», el «Comercial y económico», del que el autor decía en el «Plan», con razón, «que es el que ofrece la más exacta idea de este diario». Consistía en avisos (anuncios) de oferta y demanda de toda clase de bienes y servicios, enumerados por Nipho en diez puntos, con un detalle de quien no quiere dejarse ninguna posibilidad de transacción en el tintero: ventas de toda clase de bienes muebles e inmuebles, extravíos de alhajas y papeles, robos de éstos, anuncios de espectáculos, ofertas de servicios de profesionales y criados y demandas de los mismos, préstamos de dinero y, por si se le olvidara algo, «cualquiera conocerá muchas más utilidades y provechos que se omiten».

Venía así el *Diario* a responder a una necesidad que surge como consecuencia de las concentraciones urbanas de cierta entidad, en las que no existe el contacto directo entre los que ofrecen bienes y servicios y quienes los necesitan, y que se venía resolviendo, según nos relata, fijando carteles en las esquinas. Es lo que había argumentado Renaudot, el futuro creador de la *Gazette*, cuando en 1629, partiendo de una idea que ya había expresado Montaigne en sus *Ensayos*, y mucho antes Aristóteles, ilustres antecedentes que invoca —lo conveniente que sería poner en contacto a los que necesitan cosas con los que las tienen para ofrecer sus servicios—, creó un Bureau d'Adresses et de Rencontre, una especie de agencia de pequeños anuncios, con ofertas y demandas de lo más variado. Para facilitar su consulta, imprimió unas hojas volantes: *Inventaire des adresses du Bureau de rencontre où chacun peut donner et recevoir avis de toutes les necessités et commodités de la vie et societé humaines*. Las hojas de avisos habían proliferado en todos los países y singularmente en el más desarrollado, Gran Bretaña. A partir de 1730 había surgido allí un nuevo tipo de periódicos, los *Advertirsers* (el primero el *Daily Advertirser*), o *Registers*, al principio simples hojas de anuncios y después una combinación de noticias generales y anuncios, en los que éstos constituían el soporte económico fundamental[25].

En el *Diario Noticioso* no se cobraban los anuncios (se insertaban «de balde»), sino que éstos constituían la razón fundamental por la que «el público» («todos en común y ninguno en particular», era la buena definición que daba en su número segundo de este término, cuyo concepto se estaba delimitando) compraba el periódico, «quedando al arbitrio del comprador de mi medio pliego todo mi provecho». Idea que, aunque parezca chocar con nuestra idea de la publicidad como fuente fundamental de ingresos de los medios, ha sido resucitada por publicaciones exclusivamente dedicadas a los anuncios de nuestros días[26].

Nipho justifica en la «Advertencia» con que concluye el «Plan» del periódico su periodicidad diaria:

> Muchos sujetos me aconsejaron diera los avisos, que se determinan para el *Diario* de ocho a ocho días, o cuando más dos veces a la semana; pero no me he podido acomodar con esta idea, por una muy fuerte razón, y es que muchas veces hay en esta Corte una persona que tiene precisión o encargo de comprar algunas cosas para sí, o para personas de su lugar: este sujeto está un día en la Corte y no toda la semana; con que para este, si no sucede venir o estar en Madrid el mismo día de publicarse el *Diario*, los avisos que por él se comuniquen serán tardos o no oportunos. Por esta misma razón, el que desea vender algunas alhajas o muebles, puede perder en el forastero que decimos un buen comprador. Mas, hoy tiene dinero quien mañana lo necesita; con que saliendo todos los días de trabajo útiles el *Diario* a todos sirven sus avisos.

Se vendía al precio de dos cuartos en la propia imprenta del periódico y en diversas librerías, en las que también tenían que entregar los anunciantes los textos de sus avisos.

Nipho abandonó la «composición» del *Diario* en 1759, probablemente por desavenencias con su socio Juan Antonio Lozano, que fue el responsable de su publicación hasta su muerte en 1780. El periódico, que había tenido ya algún eclipse anterior, dejó de publicarse durante cinco años, entre 1781 y 1786. Reapareció el 1 de julio de este año, a cargo del librero y hombre de negocios francés Jacques Thévin, que había comprado el privilegio y que en 1788 cambió su título por el de *Diario de Madrid*.

El *Diario* de 1786 es mucho más variado, más próximo a nuestro concepto de periódico que el anterior. En el aspecto informativo, si las noticias internacionales y de asuntos de Estado seguían siendo privilegio exclusivo de la *Gaceta* y el *Mercurio*, quedaba el campo en la información local, de interés para los madrileños de entonces (y más tarde para los estudiosos del pasado de la villa y de los autores de novela histórica), que el *Diario* viene a llenar: sucesos, noticia de nacimientos y muertes, crónica teatral, resultados de la lotería, corridas de toros en las que rivalizan Pedro Romero y Costillares, previsiones meteorológicas, etc. Noticias, en fin, recientes y próximas de interés directo para los lectores.

La parte didáctica es más variada que en el precedente *Diario Noticioso*, con textos más cortos, algunos de ellos sobre problemas de actualidad. La literatura encuentra también su lugar, con la inclusión de poemas, de autores antiguos o contemporáneos, críticas y comentarios. Incluye también, como otros periódicos dieciochescos, cartas de los lectores que escriben sobre los más variados temas.

El *Diario de Madrid* parece haber sido un negocio saneado; sabemos que en 1786, en el momento de su reaparición tras el paréntesis de cinco años, contaba con cerca de 1.000 suscriptores que debieron de aumentar bastante en años posteriores. En cualquier caso, el número de suscriptores, único dato que conocemos de la mayor parte de los periódicos de la época, nos proporciona sólo una pista[27]. Un periódico como el *Diario* debía de venderse mayoritariamente por números sueltos en librerías. Dado su carácter de información local, el público del *Diario* sería esencialmente madrileño. Un público por cierto, el de Madrid, excepcionalmente aficionado a los periódicos dentro del conjunto español, como nos revelan las listas de suscriptores de la mayor parte de ellos, según las cuales más de un tercio se quedaba en la capital. Según cálculos de Guinard, a mediados de la década de 1780, la edad áurea del periodismo dieciochesco, los compradores de periódicos en Madrid estarían entre los cinco y seis mil (para una población aproximada de 165.000-170.000 en 1796 según Domínguez Ortiz).

A imitación del *Diario* madrileño se crearon otros semejantes en diversas ciudades. Pedro Ángel de Tarazona publicó en Barcelona en 1762, con escaso éxito, un *Diario Curioso, Histórico, Erudito, Comercial, Público y Económico*, imitación del *Diario Noticioso* madrileño, diario de divulgación y servicios, en los que la primera parte, como declaraba el editor en el «Plan del Diario» sólo había de servir como adorno y suplemento de la segunda, la comercial. Un nuevo intento, diez años después, del mismo editor desembocó igualmente en el fracaso y hasta 1792 Barcelona no volvería a tener un verdadero periódico[28].

Un carácter distinto tuvo el *Diario Pinciano, Histórico, Literario, Legal, Político y Económico,* según rezaba su largo título, de Valladolid (1787-1788), que, como ya hemos visto, no era diario sino semanario, y es más una revista en la que se combina la historia de la ciudad, con la actividad, fundamentalmente cultural, de ésta[29]. Su autor, el clérigo mexicano afincado en España José María Beristain, empezaba en el «Plan» del diario por defender la necesidad de los periódicos locales:

Siendo tan notorias las utilidades que los Papeles Periódicos acarrean a una República bien ordenada, donde se procuran con eficacia los progresos de las Ciencias y las Artes, es cosa digna de admiración que en el siglo de la actividad universal de España sólo en la Corte haya quien se dedique a escribirlos y publicarlos [...] cada Capital de Provincia debe ser un globo de luz que disipe las sombras del error, de la preocupación y de la ignorancia en su pequeña esfera y que, como una fuerza inmediata, aliente, vivifique y dé actividad a todos los miembros de su respectivo Cuerpo.

Siguiendo el modelo del *Diario de Madrid*, en 1790 se crea el *Diario de Valencia* que prolongaría su existencia hasta 1835[30]. Más efímero sería el *Diario de Sevilla*, fundado en septiembre de 1792. Larga vida, la más larga de un periódico español hasta ahora (si exceptuamos el caso peculiar de la *Gaceta de Madrid*, convertida en el *Boletín Oficial del Estado*) iba a tener el *Diario de Barcelona*, que inició su publicación en octubre de ese mismo año y la prolongaría hasta 1984[31]. En el «Prospecto» invocaba esos ejemplos que le habían precedido y recordaba también los intentos fallidos anteriores en aquella ciudad («Sabemos a la verdad que no es ésta la primera vez que se ha puesto en execución igual idea en esta Ciudad, y que se vio abandonada por falta de salida») pero espera que:

Al paso que se mudan los tiempos, se mudan los hombres con ellos.

[...]

Barcelona, que alimenta en su seno tantos amantes de la literatura, Barcelona, a quien no puede negarse el merecido blasón de Madre de la Industria y de las Artes, Barcelona, emporio de un comercio floreciente; Barcelona, cabeza de una Provincia pobladísima, cuyos habitantes son todos industriosos, aplicados, amigos de la Patria

[...] reciba ahora con agrado lo que miró en otro tiempo con una especie de desdén.

La primera parte, la que corresponde a los adjetivos «curioso y erudito» (que no obstante ya no aparecen en el título del periódico, reducido a *Diario de Barcelona),* va perdiendo peso frente a la más interesante de «económico y comercial», bajo el epígrafe de «Noticias particulares de Barcelona». Como un curioso precedente del folletín del siglo XIX, llama la atención el hecho de que publicase novelas en forma seriada, bien que se trataba de narraciones breves.

Su editor Pedro Pablo Husón, un napolitano que había venido a España siendo niño con el séquito de Carlos III en 1759, contaba con la experiencia de haber tenido a su cargo como oficial mayor la edición del *Diario de Madrid*, como le reconoce el privilegio concedido por Carlos IV, en un momento en que vuelven a concederse licencias con muchas limitaciones tras la prohibición de 1791, que, como vimos había excluido junto a las publicaciones oficiales al *Diario* de la corte. Se encargaría del *Diario de Barcelona* hasta 1810. Sometido a la ocupación francesa se publicará en catalán hasta 1814. En manos de la familia Brusi a partir de ese año, sería el gran diario de Cataluña durante el siglo XIX.

6. Periódicos de crítica social

Estos periódicos diarios, cuyo interés mayor residía en las noticias y los anuncios, aspiraban a difundir los «conocimientos» y a contribuir a la «ilustración» de los lectores, porque el afán pedagógico y el deseo de emular los «adelantamientos» de otras naciones impregna toda la actividad cultural en el siglo.

Otros muchos periódicos nacen exclusivamente con ese objetivo de luchar contra la «rutina», las «preocupaciones» [prejuicios], la «ociosidad», obstáculos que hay que «remover» para lograr la «felicidad» de los individuos y de la nación.

Refiriéndose a la prensa ilustrada del reinado de Carlos III, diría un siglo más tarde Menéndez Pelayo en su *Historia de los heterodoxos españoles*:

> *Desfacedores de supersticiones* comenzaban a ser en tiempos de Montegón, los periodistas, mala y diabólica ralea, nacida para extender por el mundo la ligereza, la vanidad y el falso saber, para agitar estérilmente y consumir y entontecer a los pueblos, para halagar la pereza y privar a las gentes del racional y libre uso de sus facultades discursivas, para levantar del polvo y servir de escabel a osadas medianías y espíritus de fango, dignos de remover tal cloaca. Los papeles periódicos no habían alcanzado en tiempos de Carlos III la triste influencia que hoy tienen, y, aunque bastantes en número para un tiempo de régimen absoluto, se reducían a hablar de literatura, economía política, artes y oficios, con lo cual el mayor daño que podían hacer, y de hecho hacían, era fomentar la raza de los eruditos a la violeta[32].

Claro que, en el exabrupto del joven erudito que era por entonces Menéndez Pelayo, late la enemiga no sólo a la superficialidad de la cultura que estos periódicos en su sentir fomentaban, sino una razón ideológica: aquellos «desfacedores de supersticiones», como irónicamente los llama, comenzaron a socavar los cimientos del sistema fundado sobre «el Trono y el Altar». Este prejuicio de los católicos más o menos integristas contra la prensa hizo que, durante mucho tiempo, no supieran aprovecharla al servicio de sus ideas, haciendo poco más que lanzar inútiles anatemas, contra aquel «elemento de perdición».

6.1 *El Pensador* y *El Censor*

Porque no se reducían sólo estos periódicos dieciochescos a tratar de temas culturales, como sugiere Menéndez Pelayo, sino que algunos de ellos como *El Pensador*, de José Clavijo y Fajardo y, sobre todo, *El Censor* de Luis García del Cañuelo (1781-1787) ejercieron una atrevida crítica social y, a partir de 1780, incluso, veladamente, del sistema político. Como ha señalado Maravall, la crítica del estado económico llevó a la del estado social y de éste, finalmente, a la del régimen político.

El Pensador, imitación, y a veces traducción del famoso *The Spectator* de Addison, o de su versión francesa, publicó 86 «Pensamientos» entre 1762 y 1767, con un largo eclipse de tres años entre los números 52 y 53. Gran parte de su crítica se refiere a los sin duda interesantes, pero más o menos superficiales, temas costumbristas o polémicos de la época: las modas indecentes, los «petimetres», la coquetería y la frivolidad de muchas mujeres, la costumbre del «cortejo», la imitación de las clases plebeyas por parte de las clases altas (el «majismo»)[33], contra los que también clamaban los predicadores en sus sermones. En materia literaria se distinguió entre los detractores de los autos sacramentales. Otras críticas, dentro de una moderación, quizá debida a una más que probable autocensura, van más al fondo de los problemas de la sociedad española, como la ignorancia y la ociosidad de la nobleza, la mala educación que reciben sus jóvenes, una religiosidad externa y supersticiosa, vistos desde una mentalidad ilustrada[34].

Mucho más atrevido se mostró *El Censor*. Sempere y Guarinos señalaba ya en su día la diferencia:

> Hasta ahora el *Pensador*, y los autores de otros Papeles periódicos, no se habían propuesto otro propósito que el de ridiculizar las modas, y ciertas máximas viciosas introducidas en la conducta de la vida. *El Censor* manifiesta otras miras más arduas y más arriesgadas. Habla de los vicios de nuestra legislación; de los abusos introducidos con pretexto de religión; de los errores políticos, y de otros asuntos semejantes[35].

Este interesantísimo periódico, el que ha despertado con razón más interés entre los modernos historiadores del siglo XVIII[36], y más polémicas en su momento, publicó 167 números entre 1781 y 1787, con dos largas interrupciones, a causa de los problemas de censura con que tropezaron los números 46 y 65. Sus editores fueron dos abogados, Luis García del Cañuelo y Luis Marcelino Pereira, aunque todos los indicios apuntan a que fue sobre todo en el primero en quien recayó el peso de la publicación. José Miguel Caso[37] sostuvo la teoría de que Cañuelo, «oscuro abogado», era un hombre de paja que, con el respaldo moral y económico de Carlos III, ocultaba a los verdaderos responsables del periódico, cuyos nombres tenía interés en callar, los asiduos a la tertulia ilustrada de la condesa de Montijo; personajes, como Jovellanos, Meléndez Valdés o Samaniego, quienes, en efecto, prestaron su contribución al periódico. El hecho de que fueran los verdaderos responsables no ha convencido a otros estudiosos[38]. El oscuro abogado pudo encontrar su vocación y con ella su máximo nivel de competencia en el periodismo de ideas, del que es máximo exponente *El Censor*, actividad la del periodismo que, lejos aun de constituirse en una profesión, es ya «una especie de oficio», como se dice en un texto de la época, que atrae a algunos escritores —por razones económicas o de deseo de ser útiles a la sociedad, o a una combinación de ambas cosas— que, cualquiera que fuera su formación, se convierten así en «gaceteros» (reservado para los que escriben gacetas[39]) «papelistas», «diaristas», «jornalistas», «escritores periódicos», «escritores públicos», o, en fin, más tardíamente «periodistas»[40]. Cañuelo parece haberse dedicado con pasión a esa nueva actividad que, pese a la protección real, iba a proporcionarle no pocos sinsabores y un desastroso final. Se presentaba *El Censor*, en su discurso n.º 68, el primero de su «tercera salida», como un «Don Quijote del mundo filosófico, que corre por todos sus países en demanda de aventuras, procurando desfacer errores de todo género, y enderezar tuertos y sinrazones de toda especie, pertenezcan unos y otros a la materia que pertenecieren. He aquí su manía. Intento verdaderamente loco; ya por la cortedad de sus fuerzas, ya por la debilidad de sus armas».

Como Don Quijote, tuvo que renunciar en varias ocasiones para volver a salir con renovados ímpetus —aunque sin tenerlas «todas consigo», en su «tercera salida», como dice en el mismo discurso 68—; pero a diferencia del héroe cervantino, que recobró la cordura en el lecho de muerte, Cañuelo murió al parecer literalmente loco en 1802[41]. *El Caballero de la Blanca Luna* que venció definitivamente a *El Censor* fue, según todos los indicios, Juan Pablo Forner, o su protector, el ministro Floridablanca, irritado por la sarcástica parodia que, bajo el título de «Oración apologética por el África y su mérito literario», hizo el periódico en su discurso 165 de la «Oración apologética por España y su mérito literario» de Forner, publicada a expensas del Gobierno por iniciativa del ministro. Era ésta, a su vez, réplica —en cerrada defensa del honor de la nación— a una impertinente pregunta del francés Masson de Morvilliers en su *Encyclopédie Métodique*: «Pero ¿qué se debe a España? Y en dos siglos, en cuatro, en diez, ¿qué es lo que ha hecho por Europa?»[42]. Dos números más tarde, *El Censor* fue suspendido de nuevo, y esta vez fue la definitiva.

Los «tuertos» que intentaba enderezar este «Don Quijote filosófico», en honor de su «Dulcinea, a quien llama la *Verdad*», eran todos los prejuicios en que se asentaban las bases sociales del Antiguo Régimen. Junto a la típica y tópica crítica de costumbres, dedicó sus páginas a la condena de las desigualdades basadas en diferencias de nacimiento, de la intolerancia, de la tortura. Blanco predilecto de sus críticas es la nobleza «ociosa», «ignorante», «inútil», cuyo único mérito reside en los de sus antepasados, a la que opone los nuevos valores burgueses del mérito individual basado en el trabajo.

Por supuesto, ningún ataque directo contra la religión católica, pero sí contra las prácticas supersticiosas, los falsos milagros, contra una Iglesia que posee y ambiciona poder y riquezas, que mantiene al pueblo en la ignorancia y persigue, con la violencia si es necesario, a los conocimientos útiles, viendo herejía en todo.

En cuanto al poder político, en el discurso 31, en el que se cita en nota a Montesquieu, sin nombrarlo, como «el Autor del Espíritu de las Leyes»

—recurso habitual en la época para referirse a autores prohibidos[43]—, *El Censor* hace equilibrios para criticar no sólo el «despotismo», sino también el «absolutismo», que es la palabra utilizada preferentemente, y alabar a Carlos III, «al que España debe eterno agradecimiento y a sus Ministros». Contrapone «Príncipe absoluto» y «gobierno arbitrario» (del que los ejemplos que se citan son Turquía, Persia y Marruecos) a «Monarca» y «gobierno moderado». En el primero, el Príncipe actúa siguiendo «sus gustos y sus caprichos»; «gobierna por el temor», por sí mismo o delegando en «déspotas inferiores». El gobierno moderado no es arbitrario porque actúa por «leyes constantes»[44]; el Monarca modera porque «hace una distribución tal de su autoridad que no da jamás una parte, sin retener otra mucho mayor». Bajo Carlos III «no se perdona medio alguno para sacar a los Pueblos de la miseria y abatimiento, fomentando cuanto es posible la agricultura, las artes, el comercio, la industria: se han establecido Sociedades patrióticas, depositarias de los sentimientos del Príncipe y canales por donde se derivan hasta los últimos de sus vasallos los efectos de su amor…».

Guinard estima que *El Censor* presenta en este discurso a Carlos III poco menos que como un rey constitucional y comenta: «Es difícil distinguir la parte de ironía en una visión tan discutible». Sin duda, los censores no vieron en su día en el discurso, y cuesta ver hoy, si no es leyendo muy entre líneas, más que un elogio del sistema al que más tarde se etiquetará como «despotismo ilustrado», el de los reyes que buscan «la felicidad» de sus pueblos, y utilizan su poder no para sojuzgarlos sino para remover los obstáculos que se oponen a ella, creando instituciones adecuadas para ellos y rodeándose no de «déspotas subalternos» sino de sabios consejeros. La cita de Isócrates con la que se inicia el discurso («Un buen Consejero es cosa utilísima, aun a los Príncipes») parece ser un brindis a un ministro «ilustrado», seguramente Floridablanca, en esa fecha protector de *El Censor* y más tarde su probable liquidador.

No se percibe ironía en este discurso. Sí en muchos otros. Las armas con las que lucha, en desigual batalla, este «Quijote filosófico» son precisamente las de la ironía, que a veces llega al sarcasmo; armas que maneja con una maestría que prefigura el estilo de Larra[45].

Se pregunta Guinard sobre la influencia que haya podido ejercer *El Censor*. Pone en duda que haya sido muy efectiva. Pocos lectores —argumenta— podrían comprender sus expresiones, muchas veces elípticas, alusivas, que suponen una información previa y que parecerían sibilinas a los no iniciados. Pero ésos no tenían necesidad de ser adoctrinados. Escribirían, pues, para los ya convencidos, malgastando su ingenio, su talento. «Se puede pensar que después de todo un *Espíritu de los mejores diarios*, un *Memorial literario*, que no tendrán para la posteridad el atractivo ni el interés de *El Censor*, hayan enriquecido más el suelo árido que les tocó enriquecer»[46].

6.2 Otros periódicos culturales

Menos brillante y atractivo que *El Censor*, representante de un espíritu ilustrado más moderado y respetuoso con la tradición que aquél, el *Memorial Literario* es, en cualquier caso, otro tipo de periódico, un periódico informativo, que, aunque se ocupa también de acontecimientos públicos —nacimientos y muertes en el seno de la familia real, autos de fe, catástrofes naturales—, está dedicado fundamentalmente a la información literaria y en ello reside su mayor interés. Con el espíritu mesurado y prudente que lo caracteriza, cuidando de no herir susceptibilidades y con una tendencia también moderadamente neoclásica, que no le impide reconocer valores en el teatro del Siglo de Oro —aunque no observe las tres unidades, ni respete las reglas de la verosimilitud, ni tenga una finalidad didáctica—, da cuenta de las publicaciones recientes y de la actualidad teatral.

Este periódico de más de cien páginas de pequeño formato, inició su publicación, con periodicidad mensual, en enero de 1884. Fue suspendido, como todos excepto las publicaciones oficiales y el *Diario de Madrid*, a comienzos de 1791. Autorizado a reaparecer, se publicó de nuevo de julio de 1793 a diciembre de 1797 y, finalmente, tuvo una tercera época de marzo de 1801 a diciembre de 1806. Una larga vida para una época en la que la mayor parte de los periódicos la tenían muy breve.

Un tendencia ilustrada mucho más avanzada informaba al *Espíritu de los Mejores Diarios Literarios que se Publican en Europa*, de Cristóbal Cladera, que se publicó, tres veces por semana al principio y, después, semanalmente, desde el 2 de julio de 1787 hasta la suspensión general de 1791. Como su nombre indica, tenía por objeto el ofrecer extractos —a veces textos completos— de lo más interesante que se publicaba en la prensa cultural europea. Ya nos hemos referido, al hablar del *Diario de los Literatos*, al sentido amplio que la palabra literatura y sus derivados tenían en la época. La ciencia, el derecho, la economía, la historia, la agricultura ocupan más espacio en el periódico que los temas literarios en sentido estricto. Junto a los textos sacados de las publicaciones extrajeras, incluye en algunos números otros de autores españoles. El colaborador más asiduo entre estos es Valentín de Foronda, uno de los ilustrados más radicales, que, según Antonio Elorza,

> intentaba abiertamente la ruptura en sentido liberal respecto a la ideología de defensa del Antiguo Régimen, asentando toda la conducta política en el respeto inexcusable de los tres derechos naturales de propiedad, libertad y seguridad[47].

Foronda publicó en el periódico en los años 1788 y 1789 *Cartas sobre materias político-económicas*. En su número de 4 de mayo de 1789, el semanario publicó su disertación sobre «la libertad de escribir», pronunciada en 1780 en la Academia Histórico-Geográfica de Valladolid, entusiasta alegato en defensa de la libertad de imprenta y de los beneficios de todo orden que de ella se derivarían: «Si no hay libertad de escribir cada uno su parecer en todos los asuntos, a reserva de los dogmas de la religión católica y determinaciones del Gobierno —decía—, todos nuestros conocimientos yacerán en un eterno olvido». Naturalmente, nadie, por radical que fuera, se atrevía públicamente en la época a no dejar a salvo de esa libertad que se reclamaba los dogmas católicos y la autoridad real.

Otro periódico que no podemos dejar de mencionar es el titulado inicialmente *Correo de los Ciegos* y, después, *Correo de Madrid*, publicado entre octubre de 1786 y febrero de 1791, con periodicidad de dos veces a la semana, primero, y, después, semanal. Periódico informativo en sentido amplio —de actualidad literaria, teatral, científica, económica— incluye también textos literarios —entre otros se publicaron en sus páginas por primera vez póstumamente las *Cartas marruecas* y *Las noches lúgubres* de Cadalso—, de crítica social y de costumbres y algunos de temas más atrevidos, que sitúan al *Correo*, como dice Guinard, en el grupo más vivo, más vehemente y más ilustrado de la época de Carlos III[48]. Entró de lleno en la polémica de las apologías a la que nos hemos referido anteriormente. Un militar ilustrado, Manuel de Aguirre, bajo el seudónimo de «El militar ingenuo», publica en mayo de 1788 una serie «Sobre el tolerantismo», que, en opinión de Antonio Elorza, va más lejos que cualquiera de sus contemporáneos en la denuncia del «temible monstruo de la intolerancia, disfrazado con la respetable capa de religión», que recurre incluso a «la violencia de los tormentos y la fuerza de la muerte». Denuncia los efectos negativos para España de la persecución y la expulsión de los judíos y ridiculiza las prácticas supersticiosas («milagros supuestos, piernas y cabezas de cera o plata, muletas y armas colgadas»)[49]. No es extraño que la Inquisición condenase, con el retraso habitual, en febrero de 1798, dos de los artículos de la serie, que no aparecen en las reimpresiones.

Otro tipo de prensa que alcanzó especial importancia a finales de la década de 1780 es la que Guinard ha llamado «erudita», en la que destaca por su calidad el *Semanario Erudito* de Antonio Valladares de Sotomayor que publica su primer número en abril de 1787. Esta publicación tiene un lejano precedente: *Caxón de Sastre* de Nipho al que ya aludimos en su momento, y su objetivo era, ya en los últimos años del siglo, divulgar las obras olvidadas de los escritores españoles; sobre todo, las de autores del siglo XVII desconocidos por amplios sectores de la sociedad. Valladares pretendía dar a conocer a los españoles las obras literarias y políticas de sus antepasados y presentarlas como materia de reflexión. Su objetivo, eminentemente didáctico, planteaba la recuperación del que había sido un pasado glorioso en nuestras letras: Quevedo, Saavedra Fajardo, Nebrija, Arias Montano, Diego de Mendoza, Zurita, Suárez, entre otros. Pretendía Valladares contribuir con esta publicación al desarrollo de la cultura y al progreso de la sociedad española. En su opinión, los españoles debían conocer la lucidez y la perspicacia de los escritores del Siglo de Oro y de algunos autores olvidados del XVIII.

La mayoría de las obras recogidas en su *Semanario* son inéditas y están dedicadas a temas políticos, literarios, históricos y a cuestiones de actualidad: el regalismo, los gremios, el comercio, la industria, etc. Valladares sufrió, como todos sus colegas, las consecuencias del Decreto de febrero de 1791 y, aunque consiguió permiso para reaparecer en junio de 1792, parece que nunca volvió a publicarlo. El *Semanario Erudito* muestra las grandes posibilidades de la fórmula periodística utilizada por Nipho en el viejo *Cajón,* en un medio social minoritario, pero preocupado por la cultura, y al que la difícil coyuntura política del momento obligaba a mirar hacia el pasado.

6.3 Moderación de la Ilustración española

En opinión de Domínguez Ortiz:

> [...] la Ilustración española, fecunda en otros terrenos, apenas abordó el aspecto político, la fundamentación teórica del poder. Elorza cita algunas producciones, todas ellas tardías: algunos artículos de Cañuelo, algunos párrafos de Foronda, alusiones en la obra de León de Arroyal. En resumen, muy poca cosa. Es evidente que antes de 1789 había en España espíritus descontentos con el sistema del absolutismo, pero se guardaban mucho de manifestarlo. Lo mismo podríamos decir de los fundamentos de la religión católica. La controversia no afectaba a formas fundamentales de gobierno o religión. Nadie abogaba por un cambio de sistema político. Los más avanzados contaban con el poder del rey ilustrado para llevar a cabo las reformas que juzgaban necesarias. No se discute la religión católica, sino las prácticas supersticiosas o la ignorancia, o el afán de riquezas y poder de los clérigos[50].

Sin embargo, muchos de esos moderados ilustrados fueron acusados en su época, y también después, de irreligión y de falta de patriotismo. El siglo XVIII ha sido uno de los más controvertidos en la historiografía posterior, de acuerdo con las ideas de los historiadores sobre su presente y sobre lo que debería ser el futuro. Muchos católicos sinceros, precisamente por serlo, criticaron en el siglo ilustrado lo que en su sentir eran adherencias extrañas y contradictorias con el auténtico espíritu cristiano. En cuanto al patriotismo, no cabe duda de que hay distintas formas de entenderlo. Cadalso decía en una carta a Iriarte:

> (...) veo tres clases de españoles. Los de la primera son los ignorantes, tan lejos de compadecerse de su país natal que no creen haya en el mundo tierra que igualar con él. Los de la segunda sienten, gimen del todo inútilmente, tal vez hablan y entonces se les hace callar. Los de la tercera ven el mal, no ignoran el remedio, pero conociendo tales y tales obstáculos imposibles de vencer se meten en un rincón[51].

Muchos de los ilustrados a los que hemos visto, muy sucintamente, expresarse a través de las páginas de los periódicos no creían que España fuese el mejor país del mundo —de lo contrario no habría razón para sus propósitos reformistas—; les «dolía» ya España. «El descuido de España lloro, porque el descuido de España me duele», decía Feijoo. *El Pensador* declaraba (discurso XLVI) que su fin era «reformar sus españoles, que es lo que más le duele como verdadero patricio». «Debo, como buen español, sentir y desesperar», respondía el desconocido autor de las *Cartas de un español residente en París a su hermano*[52] a la «Oración apologética» de Forner, representante de ese otro patriotismo al que se refería Cadalso, el de los que no creen que haya en el mundo nada mejor que su país. *El Censor* argumenta en su defensa, frente a sus detractores (Discurso n.º 120), que el verdadero patriotismo no consiste en proclamar la superioridad de España en todos los terrenos, sino en mostrar crudamente sus males, para que puedan remediarse. «La mejor y más noble apología —dice muy justamente *El Corresponsal de El Censor*— es ir de día a día, con estudio constante en el campo espacioso de las ciencias»[53].

6.4 Periódicos para mujeres

Varios de los periódicos ilustrados expresan el deseo de atraerse a un público femenino y dedican páginas a la defensa de la mujer en la línea que ya emprendiera Feijoo. Ya antes, en pleno siglo XVII, María de Zayas y Sotomayor, en 1637, escribía:

> En nuestra crianza, si como nos ponen el cambray en las almohadillas y los dibujos en el bastidor, nos dieran libros y preceptores, fuéramos tan aptas para los puestos y para las cátedras como los hombres.

Como en otros países europeos, aunque más tímidamente, en España aparece en el siglo XVIII la mujer en el mundo cultural. No tuvimos ninguna escritora del mérito de Mme de Staël, o animadoras culturales de la importancia de Mme Pompadour, sino casos más modestos como los de María Isidra Quintina de Guzmán y la Cerda, miembro de la Real Academia en diciembre de 1784; luego, de la Sociedad Económica Matritense, y, finalmente, doctora por la Universidad de Alcalá; y, quizá de méritos más sólidos, Josefa Amar y Borbón, miembro de Sociedades Económicas y autora entre otras obras de un «Discurso en defensa del talento de las mujeres y de su aptitud para el gobierno y otros cargos en que se emplean los hombres» (publicado en el *Memorial Literario* en 1786), y de un «Discurso sobre la educación física y moral de las mujeres». A finales del siglo ilustrado se produce una modificación sensible del público literario con la creciente importancia de la mujer; sobre todo, como lectora de poesía y novela[54]. Figuran algunas mujeres en la lista de suscriptores de ciertos periódicos y muy probablemente muchos ejemplares de titular masculino serían leídos también, y en algunos casos incluso preferentemente, por las mujeres de la casa. En publicaciones ilustradas no específicamente dirigidas a las mujeres aparecen firmas o seudónimos femeninos suscribiendo cartas, poesías, etc.

El primer periódico destinado especialmente a las mujeres está en la línea de las *Espectadoras* o *Espectratices* que surgieron en Europa, versión femenina del famoso *The Spectator* de Adisson. *La Pensadora Gaditana*, escrito por una mujer, Beatriz Cienfuegos —aunque hay quien piensa, como ya Moratín en su época, que fuera seudónimo de varón (clérigo por más señas)— se publicó entre 1763 y 1764. Lo cierto es que no parece que haya noticia de quién fuera esa misteriosa Beatriz Cienfuegos, que en el número 1 de su periódico hacía una rotunda reivindicación feminista:

> Alguna vez había de llegar la ocasión en que se viesen Catones sin barba y Licurgos con basquiñas [...]. Hoy quiero, deponiendo el encogimiento propio de mi sexo, dar leyes, corregir abusos, reprehender ridiculeces y pensar como Vuestras mercedes piensan. Pues aunque atropelle nuestra antigua condición, que es siempre ser hipócritas de pensamiento, los he de echar a volar, para que vea el mundo a una mujer que piensa con reflexión, corrige con prudencia, amonesta con madurez y critica con chiste.

Sus números aparecían, primero, en Cádiz y se reeditaban, después, en Madrid, según ha establecido Cinta Canterla[55], dando fin a cierta confusión que existía al respecto. Esta investigadora insiste en la autoría de esa supuesta Beatriz Cienfuegos, o al menos en que *La Pensadora* fuese, en efecto, escrito por una mujer; pero en este punto sus argumentos no resultan convincentes[56].

En 1777 le salió una continuadora en Escolástica Hurtado, *La Pensatriz Salmantina*. Hasta hace poco se creía que no se conservaba ningún ejemplar de este periódico, de cuya existencia sabíamos por su anuncio en la *Gaceta*, pero ha aparecido el primer número, probablemente el único que se publicó, al que ha dedicado un interesante estudio Inmaculada Urzainqui[57]. Hemos ganado, pues, este periódico que creíamos perdido, pero quizás hemos perdido a su editora, pues Escolástica Hurtado —de cuya existencia, al contrario que de la de Beatriz Cienfuegos parecía haber indicios ciertos— era, con mucha probabilidad, también seudónimo de varón, clérigo igualmente, según se desprende del análisis de Urzainqui y del propio texto, leído entre líneas. Parece ser, mientras nuevos hallazgos no demuestren lo contrario, que debemos renunciar a inaugurar con Beatriz Cienfuegos y Escolástica Hurtado la lista de nuestras periodistas, y borrarlas de la de las feministas *avant la lettre*, e incluir a esos clérigos, si en verdad fueron los auténticos autores de estos periódicos, en la de las simpáticas figuras de los varones *feministas*, como nuestro Feijoo y, antes de él, el francés Poulain de la Barre, que en 1673 escribió un tratado *Sobre la igualdad de los sexos*, en el que aplicaba el método cartesiano a combatir los prejuicios sobre la inferioridad de las mujeres.

El tema de la moda femenina no aparece en *La Pensadora Gaditana* si no, como en tantas otras publicaciones ilustradas —es uno de los tópicos de la época[58]—, para criticar a las (y los) que se sometían a su tiranía, insistir en los aspectos morales de la indecencia, el lujo excesivo, la ridícula imitación de lo francés.

Un lector de *El Censor* (n.º 56) manifiesta en tono humorístico su proyecto de redactar un *Correo de las damas*, destinado a dar noticia de las siempre cambiantes modas: «Tengo también —decía— un corresponsal en París, el cual me avisará de todas las modas que de aquella capital salgan para España».

Las publicaciones dedicadas a la moda se habían iniciado en Francia en 1768 con el mensual *Le Courrier de la Mode*, y el lector de *El Censor* podría haberse inspirado en esos años de 1780, si su proyecto no fuera una broma, en *Le Cabinet des Modes* o el *Magasin des Modes Nouvelles Fraçaises et Anglaises*. Pero la obsesión por la moda, que tantos moralistas critican, no debía de estar tan extendida como para que algún editor considerase que podía ser rentable editar un periódico dedicado a ese tema.

A comienzos del siglo XIX, el editor del *Diario Mercantil de Cádiz* publicaría un suplemento bajo el título de *Correo de las Damas*, y no deja de ser curioso que este suplemento dedicado a las mujeres se ocupase, juntamente con información de las modas de París y Londres, de la cultura, aunque fuese, según Alcalá Galiano, «de lo más pobre en mérito que en ocasión alguna haya salido de las prensas», mientras que el *Diario* del que era suplemento estuviese dedicado a la información comercial. En 1795 y 1804 fueron denegadas las licencias para publicar sendos periódicos destinados a las mujeres, el *Diario del Bello Sexo* y el *Diario de las Damas*[59].

Hay que señalar también la primera publicación periódica dedicada a los niños, *La Gaceta de los Niños*, fundada por los hermanos Bartolomé y José Canga Argüelles, que publicó veinticuatro números en los años 1798-1799 y que manifestaba en su prospecto la intención de formar al niño para «hacerle un buen ciudadano»[60].

6.5 ¿Extender o vulgarizar la cultura?

La prensa supone ya desde estos comienzos una cierta democratización de la información y la cultura, al extenderlas a un público relativamente amplio, que no podía o no quería acceder al libro, a aquellos que, como decía Sempere y Guarinos: «con dificultad se resuelven a devorar tomos en folio, ni a leer las obras completas de los sabios que han contribuido con sus luces a los progresos de la razón y al bien de la humanidad»[61].

Eso era precisamente lo que, desde una postura culturalmente aristocrática, irritaba a muchos. En las elitistas críticas a los primeros periódicos de divulgación late la irritación de que la gente no erudita pueda acceder a conocimientos, aunque sea superficialmente y «con poco esfuerzo», como dicen. La prensa democratiza aun antes de la democratización política.

Los que habían adquirido una cultura a costa de devorar esos tomos en folio a que alude Sempere se sienten indignados de estos «eruditos a la violeta», que con poco esfuerzo han adquirido unos conocimientos variados aunque sea a costa de la superficialidad. El mismo Sempere, que consideraba que «para los progresos de las ciencias y las artes, o al menos para la mayor y más rápida extensión de sus conocimientos, han contribuido mucho los papeles periódicos», no deja de reconocer sus defectos de superficialidad.

Otros los atacaron sin paliativos. El padre Isla se refiere en su *Fray Gerundio* a los «raterillos literarios, que, hurtando de aquí y de allí, salen de la noche para la mañana en la *Gaceta* con los campanudos dictados de matemáticos, filólogos, físicos, eléctricos, protocríticos, antisistemáticos, cuando, todo bien considerado, no son más que unos verdaderos pantomímicos» (lib. I, cap. 2, párrafo 6).

Como decía el máximo creador de este género de publicaciones, Nipho, los periódicos «se consideran por los genios estudiosos como unos suaves socorros del que, abandonado por la inacción, se retrae de cualquier fatiga [...] para huir de la melancólica tarea del estudio».

Naturalmente, no es un fenómeno exclusivo de España. En Francia, los ilustrados, mostraron más bien desprecio hacia la prensa, aunque muchos se sirvieron de ella. Prejuicio elitista ante la democratización de la cultura, justificado en el hecho innegable de que se logra a costa de simplificaciones y vulgarizaciones. Los ilustrados de la época de Luis XV reivindican la libertad de prensa, pero desprecian a los periódicos.

Allí, como aquí, no les faltaron defensores a los periódicos, que se defienden de esos ataques, haciendo positivos los mismos argumentos de sus detractores. El *Diario de los Literatos* (1732-1742) justificaba la necesidad de «la institución de los Diarios o Jornales» que felizmente circulaban en Europa: «La brevedad de la vida humana y la extensión de las Artes y Ciencias demuestran la necesidad de esta invención, intimándonos como precisa ley que, si vivimos por compendio, también por compendio debemos ser instruidos»[62] (Introducción, pág. 1).

El abate Langlet en su *Hablador Juicioso* (1763) argumentaba que, siendo las ocupaciones tantas, son pocos

> los que pueden dedicarse a la lectura de libros enteros, cuya vista sola fastidia en las muchas páginas que presenta a una curiosidad siempre por su naturaleza impaciente. Al contrario, un pequeño papel de todas maneras cuesta poco leerle, y no por eso deja de hallarse también en sus estrechos límites lo que está extendido en los vastos términos de una grande obra.

El Censor argumentaba en su favor que «su corto volumen es motivo para que le lean infinitos a quienes aterra la vista de un libro abultado; la variedad de asuntos que en ellos se tratan los hace propios para todos genios y todas inclinaciones».

El *Correo de los Ciegos* (luego *Correo de Madrid*) advertía en su primer número, en octubre de 1786, de que hablaría de todos los temas, sin sentir escrúpulos «en copiar o traducir lo más interesante que sólo se halla en libros raros o en obras muy costosas, por cuyo motivo no pueden sus noticias trascender al público con la facilidad del periódico».

Carlos III decía en apoyo de *El Censor* cuyo n.º 65 había sido recogido por el Consejo de Castilla, episodio que propició la primera ley específica de prensa, que

> este género de escritos, por la circunstancia de adquirirse a poca costa y tomarse por diversión, logra incomparablemente mayor número de lectores que las obras metódicas y extensas donde se hallan las mismas o semejantes especies [...] contribuyen en gran manera a difundir en el público muchas verdades o ideas útiles y a combatir por medio de la crítica honesta los errores y preocupaciones que estorban el adelantamiento en varios ramos.

Al menos, según decía Leandro Fernández de Moratín, los periódicos «siempre excitan a que lean algo los que nada leerían si no los hubiere».

Cierto que todo ello afectaba a un público muy minoritario. Aunque se propusieran difundir las luces entre todas las clases, el propósito era vano. *El Correo de los Ciegos* declaraba en la «Advertencia» de su primer número que su objeto era «fomentar el gusto de la lectura generalmente en todas las clases del reino por un medio curioso y deleitable», pero luego había de reconocer que era imposible contentar a todos, porque a «las personas instruidas, literatas y de buen gusto [...] no gustan las especies y noticias populares, ni al pueblo las eruditas» («Prólogo» al tomo I).

Excepto los periódicos informativos oficiales, que tenían tiradas estimables para la época, como vimos, las cifras, de las que tenemos sólo algunos datos sueltos, eran muy bajas, aunque no tanto como pudiesen sugerir las de suscripción —unos cientos— las que nos son más conocidas. Tampoco puede deducirse de las listas de suscriptores la composición social de este público, porque probablemente los más modestos adquirían su ejemplar en la librería. Pero aun entre los suscriptores, según Larriba[63], la prensa parece haber tocado, bien que de manera desigual, a todos los sectores de la sociedad. La nobleza titulada se muestra muy receptiva, puesto que más de la mitad se suscribía al menos a un periódico. Pero no era más que el 4% del lectorado. El clero (regular o secular, sin olvidar a los miembros de la Inquisición) suponía el 22% de los suscriptores. Pero era entre los miembros de las clases medias donde la prensa encontraba la gran mayoría de sus abonados, no menos del 69,6%. Incluso, asegura, todo parece indicar que la mayor parte de estos suscriptores que no pertenecían al clero ni a la nobleza eran de condición relativamente modesta. La prensa desempeñó, pues, un papel nivelador en la sociedad española, al menos entre la clase media de una parte y la nobleza y el clero de otra.

La verdadera división, como apunta esta autora, estaba entre los que sabían leer y la inmensa mayoría analfabeta. Si Montesquieu se hubiera dado una vuelta por Madrid, no hubiera podido sorprenderse, como le ocurrió en Londres, de ver a fontaneros afanados en la lectura de periódicos. El pueblo seguía alimentando su fantasía con las historias reales o inventadas, maravillosas o tremendistas de los pliegos de cordel, ajeno a las buenas intenciones de estos reformadores sociales[64]. Y con los *Almanaques*, publicaciones periódicas anuales con pronósticos y presagios, entre los cuales gozaron de enorme fortuna, entre todas las clases sociales, los de Torres Villarroel.

Con todo, la influencia de la prensa llegaba también a aquellos que no leían, porque no querían, o porque no sabían. Como señalaba agudamente el *Diario de Barcelona*:

> ¿Pero quién es el público? De cada cien personas podemos asentar que las noventa y cinco forman el Público; los lectores no se tienen ni a un tres a ciento. Por esta cuenta el público sería una cosa muy diminuta; pero no lo es, pues en estos tres lectores de cada ciento, se incluyen los que forman opinión por sí, y la hacen formar a los que no leen; y por tanto hacen subir la publicidad al número de noventa y cinco. Cada un hombre que lee dice su parecer delante de una familia; y un hombre, o una mujer en un teatro puede formar la opinión de algunos millares de personas en pocos minutos. En este Público se hallan todas las profesiones, todos los intereses, todas las miras y todas las necesidades del progreso[65].

De ese modo, la *opinión pública*, el nuevo concepto que surge en estos años, limitado según sus creadores a los letrados, se extendería a sectores más amplios[66].

6.6 Nuevas formas y nuevos escenarios de lectura

La prensa propició una nueva forma de lectura, más descuidada, pero más abierta a debate en tertulias, cafés, salones y lugares de reunión de todo tipo[67], porque todos podían intercambiar opiniones sobre lo que acababan de leer aquel día, aquella semana o aquel mes, si es que no se leía colectivamente en las mismas reuniones. El inglés Addison decía de su *Spectator:* «Mi ambición consiste en que se diga de mí que he hecho salir la filosofía de los gabinetes de estudio y de las bibliotecas, de las escuelas y los colegios, para instalarla en los clubes y los salones, en las mesas de té y en los cafés».

El Censor incluía entre las virtudes de los periódicos para «extender las luces» en su número-discurso 137 «la circunstancia de que tales papeles suelen ser leídos en tertulias y corros numerosos. Esto da lugar a que se tengan sobre su contenido muchas conversaciones; comunícanse recíprocamente las ideas; excítanse disputas, en cuyo ardor se producen nuevas reflexiones, y de cuyas resultas se medita el asunto con más atención, y suelen emprenderse lecturas que sin esta ocasión nunca se hicieran». [...] «Concurren estos cuatro amigos en una casa. ¿Y de qué se conversa? —decía un autor en 1745[68]—. De novedades. Esta es la conversación más frecuente, ya sea del lance que ha sucedido, ya de la posta que ha pasado, ya de la *Gaceta*».

El *Correo Literario* se presentaba a los lectores en 1781 declarando que quería ser «obra de tertulias» y no «obra de estante». Jovellanos, que creía que a los periódicos «deberemos el silencio de la ignorancia y el principio de nuestra ilustración», advertía, al recomendar a la Sociedad Económica de Amigos del País de Madrid la publicación de una gaceta económica, que puesto que los papeles periódicos «se leen en el café, al tocador, de sobremesa, o en la tertulia» era necesario que se uniesen «al interés de los objetos todas las gracias del estilo».

Se establece también una relación entre el lector y el escritor que escribe en los periódicos muy distinta que con la del escritor de libros: el lector tiene la posibilidad de influir sobre el escritor, haciéndole saber su opinión sobre sus escritos en las páginas de los mismos periódicos, cosa que estos estimulan. Algo parecido ocurre con la obra de Feijoo, que, como tantas veces se ha señalado, tiene mucho de periodística.

6.7 Prensa y literatura

Para la literatura, como ya va a ocurrir siempre en el futuro, la prensa tiene una importancia doble: en primer lugar, hace el papel de mediador entre los libros y el lector, a través de la crítica o la simple noticia de las obras. Uno de los últimos ejemplos de este tipo de prensa ilustrada, el *Variedades de Ciencia, Literatura y Arte*, de Manuel José Quintana, hablaba en su prospecto (1803) del descrédito «en que los periódicos han caído para con una clase numerosa de lectores; los unos los desprecian porque no encuentran allí aquella profundidad y extensión de luces que puede proporcionar un libro; los otros al contrario sólo quisieran hallar en ellos lecturas que contribuyen a entretener frívolamente los ratos de su ociosidad; y ni una cosa ni otra es conforme a la naturaleza y destino de las obras de que se trata», y argumentaba en su favor:

> Ellos son los que dilatan la esfera de los triunfos y aplausos que consiguen el Orador, el Pintor y el Poeta [...] las alas ligeras de estos escritos se extienden a todas partes, y anuncian a las Artes y a las Letras que cuentan con una bella producción añadida a su riqueza, o con un nuevo talento que las aumente.

Señala aquí Quintana solamente un aspecto de la relación del periodismo con la literatura: el servicio que le presta dando noticia de ella, sirviéndole de altavoz. Siendo esto importante, no deja de ser circunstancial. Más importante y sustancial es el hecho de que el periódico mismo se convierte en lugar de producción de la literatura. *Las noches lúgubres* y las *Cartas marruecas,* de Cadalso; poemas de Jovellanos, de Meléndez Valdés y de otros muchos vieron por primera vez la luz en las páginas de los periódicos, iniciando una simbiosis entre el periódico y el escritor, que llega así hasta un público más amplio, que irá acrecentándose hasta llegar a su cénit en el primer tercio del siglo XX.

7. El impacto de la Revolución Francesa

Todo este prometedor panorama de la prensa dieciochesca sufre un giro radical a partir de 1788 no tanto por el cambio de monarca (Carlos III muere el 14 de diciembre, pero Floridablanca sigue como primer secretario), sino por los acontecimientos de Francia. Como ha escrito Domínguez Ortiz:

> Los caminos que hubiera seguido la Ilustración española de no haber mediado los sucesos revolucionarios los desconoceremos siempre. Tal vez se hubiera verificado de igual forma el paso del pensamiento ilustrado al liberal; en todo caso hay que pensar que ese paso no hubiera revestido caracteres tan dramáticos ni hubiera sido acompañado por regresiones profundas[69].

Los antirreformistas, que se habían opuesto a las luces, vieron confirmados sus argumentos, reforzados, ahora, por los de los contrarrevolucionarios franceses. Algunos reformistas dieron marcha atrás, asustados ante las consecuencias a las que las críticas al sistema del Antiguo Régimen habían conducido: «¡qué atrocidades!, ¡qué horrores!... ¡Y por gentes así nos interesábamos alguna vez! Avergoncémonos de nuestro involuntario engaño y escarmentemos para en adelante», diría Meléndez Valdés[70].

Otros, una minoría, dieron el paso definitivo de un ideal reformista a otro revolucionario.

El ilustrado Floridablanca es un ejemplo notorio de reformista arrepentido. Ya en julio de 1789 escribía al embajador en París, conde de Fernán Núñez: «Se dice que este siglo ilustrado ha enseñado a los hombres sus derechos. Pero también les ha robado, además de su felicidad verdadera, la tranquilidad y la seguridad de su persona y familia. Aquí no queremos ni tanta luz ni sus consecuencias: actos insolentes, palabras y escritos en contra de la autoridad legítima».

La *Gaceta de Madrid* y el *Mercurio de España*, publicaciones oficiales, apenas informaron sobre los sucesos revolucionarios, excepto alguna alusión al fracaso de los Estados Generales, en enero de 1790, en el *Mercurio* y a una situación «harto penosa y delicada», ante la cual mostraba preocupación el mismo *Mercurio* en enero de 1791. Las escasas noticias que se daban eran siempre con cuentagotas y veladas[71]. Los demás periódicos no tenían autorización para hablar de los acontecimientos políticos extranjeros. Se trataba de ocultar a los españoles lo que pasaba en Francia. No se logró. A través de numerosos periódicos y folletos franceses que circularon clandestinamente se tuvo noticia en España de los sensacionales acontecimientos que tenían lugar en el país vecino. El 27 de julio de 1789 se sabía en Madrid que había caído la Bastilla, y la noticia causó excitación en el pueblo. Siguieron llegando noticias y propaganda de los sucesos revolucionarios. Algunos españoles, entusiasmados con la Revolución, colaboraban con ella en Francia y desde allí contribuían a la propaganda en suelo español. El más célebre, José Marchena, que había publicado siendo estudiante en Salamanca en 1788 un efímero periódico, *El Observador*, que pretendía continuar la labor del suprimido *El Censor*, marchó en 1792 a Francia, donde ya residían otros españoles amigos suyos, y desde allí lanzó una proclama anónima «A la nación española», en octubre de ese año, cuyos 5.000 ejemplares fueron distribuidos por correo desde Bayona[72].

Como ya hemos visto, en febrero de 1791, Floridablanca, cada vez más asustado, había suspendido todos los periódicos, excepto los oficiales *Gaceta* y *Mercurio de España* y el *Diario de Madrid*, al que se prohibió tratar temas políticos de cualquier clase. Tras la caída de Floridablanca, sus sucesores, Aranda y Godoy autorizaron algunos periódicos. Aparte del efímero *Diario de Sevilla* y del muy longevo *Diario de Barcelona*, a los que ya nos hemos referido, fundados ambos en 1792, y del *Memorial Literario*, que volvió a publicarse en 1793, se concedieron, antes de la explosión publicística de 1808, licencias para algunos nuevos de vida generalmente efímera y que, naturalmente, no podían tratar temas conflictivos. Estaban dedicados a extender «conocimientos útiles», como el *Semanario de Agricultura y Artes, dirigido a los párrocos*, o a temas literarios, como la *Miscelánea instructiva, curiosa y agradable*, *El Regañón general*, *La Minerva o el Revisor general*. En el *Correo Literario y Económico de Sevilla* colaboraban miembros de la escuela poética sevillana y de la Academia de Buenas Letras de la capital andaluza, como Alberto Lista, Félix José Reinoso, Manuel María de Arjona y, desde su exilio francés, el agitador revolucionario José Marchena, con algunas poesías de juventud.

Quizás el más interesante de estos últimos representantes de la prensa ilustrada sea *Variedades de Ciencia Literatura y Arte*, de Manuel José Quintana y el grupo que asistía a su tertulia en Madrid, en la que se reunían personajes opuestos al gobierno de Godoy, cuyas ideas, según Alcalá Galiano, que asistió a ella en 1806, eran «las de los filósofos franceses del siglo XVIII y las de la revolución del pueblo nuestro vecino, así en la parte religiosa como en la política, si bien no yendo todos igualmente lejos»; doctrinas «imposibles de ser proclamadas en los tiempos de nuestra monarquía antigua». Grupo de una oposición que, como dice en sus *Recuerdos de un anciano* este autor, no podía manifestarse más que «en cierta manera de cifra o jeroglífico, cuya clave o sentido a nadie se ocultaba ni podía ocultarse». No podía tratar Quintana temas políticos en su periódico, ni dar a luz su «Oda a Juan de Padilla» o «El Panteón de El Escorial», pero los que conocían las claves de esa especie «de jeroglífico» percibían la intención política aplicable al momento de su crítica a Virgilio como «adulador de los tiranos» y otras alusiones semejantes.

Los escritos que se expresaban con claridad tenían naturalmente que circular clandestinamente. A lo largo del siglo había habido, como en cualquier época de rígido control, escritos clandestinos, frecuentemente de oposición a la política reformista de los ministros ilustrados[73]. En este final de siglo, circularon en forma manuscrita papeles que Antonio Elorza califica de «sediciosos», en el título del volumen en que recoge varios de ellos[74]. Como dice Richard Herr: «los principios seductores proclamados en Francia estaban apartando furtivamente a los progresivos de su creencia de que toda mejora debía venir de arriba»[75].

Antiguos ilustrados, a estas alturas ya desengañados de la vía reformista para remediar los males estructurales del país, como León de Arroyal, jóvenes que acogían con entusiasmo las nuevas ideas revolucionarias, como José Marchena, defendían ya cambios políticos y no sólo sociales y económicos.

Tampoco se podían poner puertas a los Pirineos, por más que se intentó. El flujo de escritos franceses era imparable. Según el embajador francés, los españoles «tenían mucho afán por obtener nuestros periódicos y se los procuraban a pesar de todas las prohibiciones». La Inquisición recogió ejemplares de periódicos y otros escritos en las principales ciudades, en casi todos los pueblos fronterizos y en los puertos de mar, introducidos por los más imaginativos procedimientos[76]. Es cierto que, verosímilmente, sólo una pequeña minoría tendría acceso a ellos y hay testimonios de que algunos españoles del ámbito rural no sabían a finales de 1792 que hubiera habido ninguna revolución en Francia. Seguramente, su ignorancia sería la misma aunque lo hubiera publicado la *Gaceta*. Tras el juicio y la ejecución de Luis XVI, que tuvo lugar el 21 de enero de 1793, ya no fue posible seguir ocultando lo que ocurría en el país vecino. La *Gaceta* dio el día 30 la noticia del «horrendo e inaudito atentado cometido contra su augusta persona». «Aunque deseáramos poder ocultar bajo un velo impenetrable el atroz atentado que ha cubierto a la Francia de eterna ignominia [...] —decía significativamente el *Mercurio* en febrero—, la publicidad de este horrible hecho nos obliga, aunque con el mayor dolor, a referirlo con la mayor brevedad posible».

La guerra con Francia obligó a una propaganda antirrevolucionaria, y los franceses a su vez hicieron propaganda en suelo español de las ventajas de su revolución[77]. Según Alcalá Galiano, los franceses blasonaban de que al trato frecuente con ellos, por la presencia de sus ejércitos en la Península, debían los españoles el conocimiento y amor a las ideas nuevas que manifestaron tanto los afrancesados como los liberales[78]. Sin duda había habido otros cauces. En 1795, Pedro Estala escribía a Forner que en Madrid «en las tabernas y en los altos estrados, junto a la Mariblanca y en el café no se oye más que batallas, revolución, Convención, representación nacional, libertad, igualdad».

Tras la firma de la Paz de Basilea (27 de julio de 1795) y luego de la nueva política de alianza con Francia (Tratado de San Ildefonso de 18 de agosto de 1796), se relajaron las medidas contra los escritos franceses, que circularon, más o menos clandestinamente en profusión; sobre todo, entre los jóvenes universitarios. En cualquier caso, la minoría que estaba al tanto de todos los acontecimientos e ideas revolucionarias, lectores de esta prensa de circulación clandestina y de folletos, muchos de ellos traducidos al español o escritos directamente en castellano o catalán, sería decisiva en la crisis de 1808.

Cádiz, que pronto se iba a convertir en la cuna del constitucionalismo español y de nuestra prensa política, se había distinguido ya como la primera consumidora de prensa después de Madrid, según se desprende de las listas de suscriptores de los principales periódicos dieciochescos. Ciudad eminentemente burguesa por sus intereses comerciales, derivados de su casi monopolio del comercio con América, contaba con una importante y activa colonia francesa, que acogió con entusiasmo la revolución y recibía y propagaba grandes cantidades de publicaciones revolucionarias de contrabando por los más variados e ingeniosos procedimientos. Los gaditanos pudieron así familiarizarse por adelantado con las ideas que poco después resonarían en las Cortes y en la prensa que inundó la ciudad no bien reunidas aquéllas. El comisario del Santo Oficio de Cádiz se lamentaba en un informe dirigido al Inquisidor General el 30 de noviembre de 1792:

> Tengo a mi cargo conservar la pureza de Nuestra Santa fe en esta ciudad habitada, poblada y frecuentada de todas las naciones del mundo e impedir que los Herejes y Libertinos residentes en ella no perviertan a los Católicos. El número de franceses es muy crecido y, a excepción de don Prudencio Laville, y tal cual, son todos acérrimos defensores de las máximas de su nación. Hablan con una libertad que no se puede sufrir y, por medio de sus papeles, procuran atraer a los Nacionales de las demás Naciones y aun de los mismos españoles[79].

Una minoría cada vez menos exigua, empezó a pensar que para «remover los obstáculos» que se oponían a la «felicidad» de la nación era necesaria no ya una reforma sino una revolución: la sustitución de la monarquía absoluta por una monarquía constitucional. «En España, la época del despotismo ilustrado, introducido por los primeros Borbones y llevado a su cénit por Carlos III había terminado»[80].

En 1808, la invasión francesa, las abdicaciones de Bayona y la consiguiente insurrección popular proporcionan a los que en seguida se van a llamar «liberales» la oportunidad para trazar en el clima propicio de Cádiz el gran cuadro teórico de una constitución basada en los nuevos principios revolucionarios.

Tercera parte

Siglo XIX

3. La prensa durante la guerra de la Independencia

1. Libertad de prensa y sistema constitucional

Como consecuencia del levantamiento popular de 1808 se establece casi inmediatamente una libertad de imprenta de hecho, que trae consigo una proliferación extraordinaria de periódicos y folletos, que, cualquiera que sea su ideología, suponen el reconocimiento del principio revolucionario fundamental: antes de que se declare en las Cortes de Cádiz la «soberanía nacional», el pueblo actúa como soberano, recogiendo y asumiendo (reasumiendo, preferirán decir algunos) la soberanía a la que sus reyes han renunciado en favor de Napoleón. Benito Ramón de Hermida y Porras, del Consejo de Estado, lo exponía con claridad en su dictamen a la Junta Central sobre la necesidad de nombrar una regencia, leída en el seno de aquel organismo el 28 de octubre de 1809:

> Un rey que se ausenta de su reino, abdica la corona en su nombre en el de toda su familia, la renuncia en una extranjera, y entrega la nación a sus enemigos, es un suceso enteramente nuevo, según todas sus circunstancias en los anales del mundo [...] La nación, ultrajada y ofendida en sus imprescriptibles derechos, los reclama y reasume el ejercicio de la soberanía, nula e ilegalmente traspasada a una aborrecida dinastía[1].

Y a ese nuevo soberano, se dirigen los innumerables escritos que tratan de ilustrarle, adoctrinarle, prevenirle. El Juzgado de Imprenta, creado en 1795, última disposición en materia de prensa del Antiguo Régimen, no tenía medios de ejercer su censura.

Toda la actividad intelectual se concentra en el periodismo, o en obras de circunstancias, canciones y poesías patrióticas, con el fin de llegar rápidamente al público e influir en él. La «opinión pública», «mucho más fuerte que la autoridad malquista y los ejércitos armados», según el *Semanario Patriótico*, se ha convertido en un factor fundamental, y a formarla, encauzarla y dirigirla se dedica toda esta prensa auroral del siglo. Para ello, sigue diciendo el *Semanario:* «no hay mejores medios que los que proporciona la imprenta en los papeles periódicos, destinados por su naturaleza a excitar [la], sostener [la] y guiar [la]».

Lista, que se había propuesto cuando inició la publicación en Sevilla de *El Espectador* hacer de él una publicación predominantemente literaria para «proporcionar al público una instrucción agradable» —es decir, un típico periódico ilustrado—, se vio obligado, «por la situación de las cosas y el impulso irresistible que lleva a los españoles a instruirse en las materias políticas con preferencia a las demás»[2], a convertirlo en un periódico político.

El *Semanario Patriótico*, editado por el grupo de Manuel José Quintana, cuya tertulia se convirtió después del 2 de mayo de 1808 en el Centro de los Patriotas, es el más importante de la época previa a la reunión de las Cortes. Publicado primero en Madrid, a partir del 1 de septiembre de 1808, muy poco después de la primera retirada de los franceses, tuvo, según el testimonio de Blanco White[3] un éxito inmediato: contaba a los pocos días con tres mil suscriptores. Se trasladó luego a Sevilla, siguiendo las vicisitudes de la guerra, redactado ahora, desde mayo de 1809, por Blanco y el ilustre geógrafo Isidoro de Antillón, cuyas ideas ardientemente liberales chocaron con la Junta Central, motivo por el cual prefirieron suspenderlo antes que verlo mediatizado, según comunicaban en su último número de esta etapa, de 31 de agosto de 1809, de modo velado, pero claro para un público avezado de antiguo a «leer entre líneas», como observaría más tarde Blanco en su *Autobiografía*. Reapareció luego en Cádiz, a cargo otra vez de Quintana y del liberal Álvarez Guerra, pero para entonces ya habían surgido allí muchos periódicos más adecuados a la nueva situación. El tono serio y doctrinal del *Semanario*, que dio lugar a que fuese tildado de *Sermonario*, había sido sustituido, tras la reunión de las Cortes, por uno mucho más violento y combativo.

Considerando concluida su misión, al ser promulgada la Constitución, en marzo de 1812, el periódico «emprendido principalmente para promover y acelerar esta grande obra» se despedía de sus lectores.

La Junta Central intentó frenar un tanto esa libertad de hecho que se gozaba desde el principio de la insurrección, aunque en su seno tuviera entusiastas defensores como el aragonés Calvo de Rozas, o el propio Quintana, que actuaba como su secretario. Pero la libertad continuó ejerciéndose antes de que las Cortes la decretaran. Miguel Artola percibe una disminución («de torrente a simple arroyo») en los meses que van de febrero a septiembre de 1810 y lo atribuye al cambio de tendencia que significó la Regencia[4].

Entre estos periódicos de la etapa previa a la reunión de las Cortes, algunos eran de carácter oficial, dependientes de las Juntas Provinciales (la *Gaceta de Sevilla*, la *Gaceta de Valencia*, el *Diario de Málaga*...) o de la Junta Central (*Gaceta del Gobierno*). Otros se debían a iniciativa privada (el *Diario de La Coruña* y el *Semanario Político, Histórico y Literario de La Coruña*, editados por Manuel Pardo de Andrade, el *Diario de Sevilla*, el *Semanario Patriótico* de Quintana...). Unos, meramente de noticias de la guerra; otros, de carácter netamente político. En ellos, como en muchos folletos de carácter no periódico, y por debajo de la coincidencia en la expresión de sentimientos patrióticos en contra del invasor, laten profundas divergencias ideológicas, confusas de momento, que una vez instaladas las Cortes van a perfilarse claramente y a polarizarse progresivamente.

Una de las primeras tareas de las Cortes fue dar carácter legal a esa libertad de prensa que existía de hecho, y cuyas ventajas ya se habían atrevido a defender algunos de los ilustrados más avanzados en las postrimerías del Antiguo Régimen. En la nueva ideología revolucionaria es un principio fundamental, piedra angular del nuevo edificio que se pretende construir. Lo que distingue fundamentalmente la política liberal del absolutismo del Antiguo Régimen es su invocación a la opinión pública, su justificación en ella; ya no se gobierna en secreto, sino en la publicidad, tratando de convencer, de entusiasmar. Como formadora y portavoz a la vez de esa opinión pública, la prensa aspira a ser el «cuarto poder», expresión que no llega a acuñarse en estos años en España, pero sí aparece con frecuencia la idea. Como decía *El Duende*[5]:

> En una monarquía moderada, además de los tres poderes: legislativo, ejecutivo y judicial, es indispensable que haya otro inherente al pueblo que sirva de freno a aquellos tres [...]. Que los ciudadanos ilustrados sepan que están en el caso de poder escribir cuanto convenga para dirigir la opinión pública.

La soberanía popular implica un cambio en el concepto de las relaciones entre el Estado y el pueblo. En el sistema absolutista, aun en su último avatar de «despotismo ilustrado», como vimos, correspondía al Estado —a la Corona— decidir quién debía saber qué cosas. Pero si el pueblo es soberano, tiene que tener los medios de comprender los actos de un gobierno que actúa en su nombre, de estar al tanto de los nuevos acontecimientos y las nuevas ideas, de comunicarse unos con otros.

Fieles al optimismo racionalista que heredaron de los ilustrados, los liberales creen que la «razón», debidamente «ilustrada», puede conocer la verdad y disipar los errores. La libertad de imprenta es para ellos un medio de ilustración, de educación, que difundirá el «espíritu público» y formará «la opinión pública», cuya expresión será al mismo tiempo. Es significativo que en la Constitución de 1812 el artículo relativo a la libertad de imprenta, el 371, esté colocado en el capítulo dedicado a la Instrucción Pública.

En el mes de octubre de 1810 (las Cortes se habían reunido el 24 de septiembre) se discutió por primera vez en un parlamento español la cuestión de la libertad de prensa que va a ser a lo largo del siglo el tema más legislado; según Fernández Almagro, el único «derecho del hombre» que el liberalismo español se preocupó de legislar y promulgar ampliamente. Como dice José Luis Comellas: «En un siglo de historia liberal en España, la cuestión de la libertad de prensa fue llevada, como mínimo, unas doscientas veces a las Cortes; es, con gran diferencia sobre los demás, el tema favorito de nuestros parlamentarios»[6]. No es extraño, dados los vaivenes políticos del siglo; la amplitud de la libertad de que la prensa disfrute en cada momento será en adelante baremo de la libertad general del sistema.

El 10 de noviembre de 1810 se promulgaba por primera vez esa libertad, que había sido aprobada por 68 votos a favor y 38 en contra el día 19 de octubre. Los impresos podían publicarse sin sujeción a censura previa. Se establecía que hubiera en cada provincia una Junta de Censura y otra para todo el reino en la residencia del Gobierno, nombrada por las Cortes, concerniendo a las Juntas Provinciales sólo la calificación de las obras que les fueran denunciadas y a la Suprema fallar en apelación sobre las calificaciones hechas por las subalternas, pasando en seguida a los tribunales ordinarios las causas, a fin de aplicar penas a los autores cuyas obras fueran consideradas delictivas.

La libertad de imprenta excluía los temas religiosos. Algunos autores, como Álvaro Flórez Estrada en sus *Reflexiones sobre la libertad de imprenta* presentadas a la Junta Central en noviembre de 1809, habían defendido una libertad sin restricciones, y en la discusión del proyecto en las Cortes el diputado americano José Mexía Lequerica propuso que la libertad se extendiese a las obras religiosas, pero el clérigo liberal Muñoz Torrero cortó la discusión sobre esta materia, que la mayoría de los liberales consideraba imprudente y que podía comprometer la suerte de toda la ley. Precisamente, Mexía, que se había opuesto a esta limitación, sería víctima de ella. A principios de 1811, el número 2 del periódico *La Triple Alianza*, uno de los más avanzados, redactado por un grupo de americanos, entre los cuales se encontraba el propio Mexía, produjo un ruidoso incidente en las Cortes y en la prensa por referirse a la muerte en términos que algunos consideraron que suponía una negación de la inmortalidad del alma, y por lo tanto heréticos. Hubo un diputado que propuso quemar el periódico por mano del verdugo en la plaza pública; otros fueron partidarios de que se pasara a la Inquisición, que aunque no había sido aún abolida no se hallaba de hecho en funcionamiento. Es de suponer que la rápida desaparición del periódico, que sólo publicó cuatro números más, no fue ajena a este episodio, por más que había explicado los términos dudosos del texto denunciado y declarado su conformidad con la doctrina católica sobre la muerte. Estaba claro que había que tener mucho cuidado con no rozar el dogma, cosa que los reformistas más atrevidos, en su mayoría seguramente sinceros católicos por lo demás, hacían desde luego.

Los escritos sobre temas religiosos, en lo que atañía a la moral y al dogma, quedaban sujetos a la previa censura de los obispos. La abolición de la Inquisición, declarada inconstitucional en febrero de 1813, suponía no obstante un indudable avance en este terreno.

Pero si en cuestiones de dogma había que andarse con pies de plomo, sí se abrió la veda para la crítica anticlerical que, si ya algunos ilustrados habían ejercido, ahora adquiere caracteres mucho más virulentos. Era una de las críticas que el lúcido Blanco White hacía a los liberales de Cádiz desde *El Español* de Londres, al que luego nos referiremos. Haber adoptado el principio de la intolerancia religiosa (inserto en el artículo 12 de la Constitución) —principio que para él ennegrecía la primera página de la Constitución— y, en cambio, hacer una «guerra de sátira y sarcasmo [...] a los frailes», «no puede producir bien alguno. La sátira y la burla son remedios peligrosos que envenenan más bien que curan». La cuestión religiosa en este nivel fue fundamental en las luchas entre reformistas y antirreformistas, y tuvo en la prensa especial acritud. Era lo que algunos llamaban «guerra teologal», aunque nada tuviera que ver con la teología. En su carta nona, «El Filósofo Rancio» afirmaba que «la impugnación de la Inquisición, en nuestra España y en nuestros días», era «la señal menos inequívoca *[sic.]* del ateismo». En la «guerra teologal» o «teológica», los serviles acusaban machaconamente a los liberales de «ateos» o «ateistas», «herejes», «jansenistas», «fracmasones», etc. El espantajo de la masonería, que tanta persistencia va a tener, aparece ya aquí perfilado. Un periódico *El Sol de Cádiz*, tenía como objeto principal descubrir y combatir fracmasones[7].

En junio de 1813, cuando ya existía alguna experiencia en el funcionamiento de la ley, se promulgaron adiciones a la de 1810, que trataban de aclarar algunos aspectos y establecían un reglamento para las Juntas de Censura[8].

La primera discusión sobre la libertad de prensa en octubre de 1810 sirvió de piedra de toque para que se definieran las posturas y se perfilaran las tendencias en que se dividieron las Cortes: *liberales*, o partidarios de la libertad, y los que algo más tarde se llamarian por antitesis *serviles*, o partidarios de la servidumbre[9].

2. Periódicos liberales y serviles

Los periódicos que surgieron en seguida con profusión se alinearon también claramente en uno u otro bando. Predominaron por una serie de circunstancias favorables, tanto en las Cortes como en la prensa, las ideas liberales: periódicos como *El Conciso*, *El Redactor General*, *El Tribuno del Pueblo Español* o *El Robespierre Español* polemizaron con *El Censor*, *El Procurador General de la Nación y del Rey*, en un tono mucho más agresivo y desenfadado que los diputados de las respectivas ideologías en las Cortes. Ambas tendencias ideológicas (no puede hablarse propiamente de partidos), perfiladas como hemos dicho durante la discusión sobre la libertad de imprenta, se delimitan más claramente durante la discusión del proyecto de abolición de señoríos en el verano de 1811. La polémica entre unos y otros llega a su máxima agresividad a principios de 1813 con motivo del debate y aprobación del proyecto para la abolición de la Inquisición y la posterior campaña para la elección de los diputados a las primeras cortes ordinarias. El lenguaje de la prensa es mucho más libre y agresivo que el mesurado y cuidadoso de las formas que procuran usar los diputados en las Cortes extraordinarias. De herejes, ateístas, jansenistas, deístas, masones, materialistas, partidarios de los enemigos franceses, charlatanes, ilustrados cuyas luces son las «llamas del infierno», etc., califican los serviles a los liberales, mientras estos tildan a sus oponentes de egoístas que defienden sus injustos privilegios, pancistas, fanáticos, góticos, rutinarios, rancios, y, en fin, serviles, puesto que esta denominación, adoptada luego con orgullo por los así designados, nació como un insulto (partidarios de la «servidumbre», del «yugo», del «despotismo», de la «esclavitud») por los más tempranamente autocalificados de *liberales*. Tampoco faltan los clásicos insultos soeces. Desde su exilio en Portugal, el más hábil polemista servil, el padre Alvarado, bajo el seudónimo de *El Filósofo Rancio*, aseguraba en una de sus célebres «Cartas» que *liberal* y *cornudo* «es todo uno», o que las *ninfas* de Cádiz, «aunque no dispensen su gracia gratis se llaman y deben llamarse *liberales*». La primera «guerra mediática» de nuestra historia adoptó aires francamente broncos.

El número de periódicos publicados en Cádiz durante estos años llegó, según Ramón Solís, a setenta[10], pero la mayor parte de ellos tuvieron una vida sumamente efímera y nunca llegaron a coincidir simultáneamente más de media docena, lo que no es poco, y que unido a la profusión de folletos y toda clase de escritos no periódicos daba ocasión de hablar de una «diarrea de las imprentas». Así precisamente se tituló un periódico antirreformista que publicó tres números y que se subtitulaba «Memoria sobre la epidemia de este nombre que reina actualmente en Cádiz; se describe su origen, sus síntomas, su índole perniciosa, su terminación y su curación».

Eran periódicos de pequeño formato, en cuarto o en octavo (con la excepción de *El Redactor General*, en folio) y cuatro u ocho páginas, varios de ellos diarios, dedicados en su mayor parte a la encarnizada polémica política, extractos y comentarios de las sesiones de Cortes, noticias de la guerra, informaciones sobre el agitado mundillo gaditano de aquellos días, y anuncios de oferta y demanda de servicios. Como ya había ocurrido en la prensa dieciochesca, eran frecuentes las colaboraciones más o menos espontáneas de personas ajenas a los redactores del periódico, que solían firmar, como éstos, con sus iniciales o con seudónimos más o menos pintorescos, a los que se les daba el nombre de «artículos comunicados». Un periódico que salió a comienzos de 1813, con el título de *El Articulista Español*, con la intención de vivir exclusivamente de estas comunicaciones espontáneas, no tuvo éxito.

Las tiradas, cuya cifra desconocemos, no podían ser muy altas, debido a la situación del Cádiz sitiado[11]. La estrechez del mercado, la limitación de los medios de impresión y la variedad de títulos que coexistieron indica que la mayoría de ellos debieron de estar muy por debajo de los 2.000 ejemplares que uno de los máximos detractores de la labor de las Cortes y de la prensa liberal atribuía en 1818 al más popular de ellos, *El Conciso*[12]. Pero una parte no pequeña de los cincuenta y tantos mil gaditanos y, sobre todo, de los casi otros tantos refugiados, entre los que abundaban gentes culturalmente distinguidas, debía de leer algún periódico y comentar u oír comentar sus contenidos en los muy concurridos lugares públicos de una ciudad superpoblada. Algunos de estos periódicos, además, se reimprimían en otras ciudades de la Península y en América[13].

El que tuvo más éxito y vida más dilatada entre los periódicos liberales fue *El Conciso*. Publicado al principio en días alternos, y en seguida a diario, su primer número es anterior a la apertura de las Cortes, el 24 de agosto de 1810, y duró tanto como éstas, trasladándose a Madrid en enero de 1814, en donde publicó su último número el 11 de mayo de ese año, fecha en que apareció en la *Gaceta* el Real Decreto que restablecía el Antiguo Régimen. Desde sus primeros números combatió con encendido lenguaje por la causa de la libertad de imprenta, que recibió con entusiasmo cuando fue decretada y de la que hizo uso en defensa de las ideas liberales durante su vida.

Su título indica ya lo extremado de las ideas y del lenguaje con que las expresó *El Robespierre Español*, subtitulado *amigo de las leyes*, publicado entre 1811 y 1812, obra de un curioso personaje, el médico Pedro Pascasio Fernández Sardino, exaltado patriota y revolucionario —que según se retrataba en su número 2 «a nadie excede en amor a la libertad y en execración eterna a los tiranos»—, y de su esposa, la portuguesa María del Carmen Silva, a la que —si admitimos que Beatriz Cienfuegos y Escolástica Hurtado eran seudónimos bajo los que se ocultaban varones— quizá podemos considerar como la primera mujer periodista en España, aunque no fuera española. El periódico empleaba una violencia verbal que nada tenía que envidiar a los más extremados de la Francia revolucionaria, clamando porque corriesen «torrentes espumosos de la espuria sangre española», fuese de ministros o generales, que, en su opinión, «no sienten hervir en su pecho el inflamado amor a la Patria que a mí me devora».

Las Cortes se ocuparon de lo que juzgaban excesos de *El Robespierre* en la sesión secreta de 5 julio de 1811 y el día 6 en sesión pública. Al fin, Fernández Sardino fue detenido y a partir del 27 de septiembre de 1811 se hizo cargo del periódico su esposa doña Carmen Silva, que siguió batallando con el mismo entusiasmo, si bien con expresión menos feroz, y quejándose de la por ella considerada injusta detención de su esposo, que se encontraba en prisión enfermo, perdida su salud a causa de su «ciego amor a la Patria, tan excesivo y tan desacompasado», como decía en su número 16. El elogio del pueblo y los ataques a la nobleza son temas favoritos de *El Robespierre*, que en el número 6 titulaba un artículo «¿Deberá proscribirse de España la grandeza hereditaria?», y en el 27 hacía el «Elogio de la plebe española»[14].

Otro era el estilo de *El Tribuno del Pueblo Español*, como escrito por liberales de más fuste que Fernández Sardino: Álvaro Flórez Estrada, Lorenzo Calvo de Rozas, Isidoro de Antillón o Antonio Alcalá Galiano. Se publicó entre el 3 de noviembre de 1812 y el 1 de abril de 1814.

En la sátira, ninguno igualó a *La Abeja Española*, como obra que era del ingenioso erudito Bartolomé José Gallardo, que inició su publicación en septiembre de 1812. Lo hicieron muy popular sus sátiras contra la Inquisición, a la que llamaba *Freidero, Tostadero*, *Santa Chicharra*, etc. Al trasladarse las Cortes ordinarias a Madrid, se publicó allí en 1814 con el título de *La Abeja Madrileña*. En su último número se despidió con un gracioso artículo alegando para su suspensión un cierto «aire seco» que soplaba de Levante, clara alusión a Fernando VII que en su regreso de Francia se encontraba en Valencia y cuya decisión de suprimir el régimen liberal era ya conocida.

Defensor de las ideas liberales era también *El Redactor General*, que se ganó la enemistad de sus colegas porque tuvo la feliz idea de dar extractos de lo más interesante del contenido de los muchos folletos y periódicos que se publicaban, a lo que hacía alusión su título (*redactar* se utilizaba en su sentido etimológico de *resumir*). En el *Diario Mercantil,* Pablo de Jérica (P.J. y C.) le acusaba en una graciosa copla de haber causado la muerte de varios periódicos y le tildaba por ello de «atroz papelicida»[15].

Entre la prensa antirreformista o «servil», muy inferior en número y calidad a la liberal, se distinguieron *El Censor* y *El Procurador General de la Nación y del Rey*. Ambos, junto con *El Sol de Cádiz* y el *Diario de la Tarde*, combatieron con más denuedo que acierto en defensa del «Altar y el Trono», expresión que ya aparece como fórmula acuñada en sus páginas. El primero en salir a la palestra fue *El Censor*, que se publicó entre 1810 y 1812. El 1 de octubre de este año inició su publicación *El Procurador*, que se trasladó con las Cortes a Madrid en enero de 1814, dedicado a exhortar a la supresión del régimen liberal, ahora que el regreso de Fernando VII estaba próximo —y más cuando éste cruzó la frontera el 24 de marzo— y, luego, a ensañarse con los liberales caídos hasta la prohibición general a que nos referiremos más adelante. El descubrimiento de que la Regencia costeaba un periódico tan extremadamente partidista, calificado por el clérigo diputado liberal Ruiz Padrón de «despreciable e incendiario», produjo el natural escándalo. En su *Apología del Altar y del Trono,* el padre Vélez confirmaría que la Regencia invertía 4.000 reales mensuales en el periódico para cubrir los gastos de impresión hasta que consiguiese el suficiente número de suscriptores.

También en otras ciudades, a medida que se iban liberando de franceses, se publicaron numerosos periódicos; singularmente en Madrid después de su liberación definitiva. Se reproducía en ellas la lucha entre liberales y serviles. Especial virulencia alcanzó en Mallorca, en donde se encontraban refugiados numerosos obispos, y en la que adoptaron los nombres de *auroristas* y *semanaristas* por los periódicos *Aurora Patriótica Mallorquina* y *Semanario Cristiano Político de Mallorca* que, en defensa de las ideologías liberal y servil, respectivamente, entablaron violentísima guerra[16]. En La Coruña *El Ciudadano por la Constitución*[17] defendía ardientemente las ideas liberales frente a defensores del Antiguo Régimen como la *Estafeta de Santiago*.

En las ciudades bajo dominación francesa circulaban pocos pero interesantes periódicos, bien escritos, pues fueron muchos los ilustrados hombres de pluma que la pusieron al servicio del invasor. La Constitución de Bayona preveía en su artículo 145 la libertad de imprenta para dos años después de establecida la Constitución, pero el 45 excluía de las previsiones a los papeles periódicos. La censura que pesaba sobre los periódicos, dura, como es natural, para las noticias de la guerra, era suave en otros temas. La más importante es la *Gaceta de Sevilla*, dirigida por Lista, que antes de la entrada de los franceses había publicado de octubre de 1809 a enero de 1810 *El Espectador*. En Madrid se afrancesaron naturalmente durante la ocupación los veteranos *Gaceta* y *Diario de Madrid,* y en 1809 el erudito fraile ex claustrado Estala se distinguió en su *Imparcial* por el entusiasmo puesto en la defensa de las ventajas que el régimen napoleónico tenía para la nación[18].

Según dirá años más tarde un joven lector de estos periódicos, y autor de alguno de ellos, Antonio Alcalá Galiano, la prensa fue el principal vehículo de instrucción para los lectores españoles en el tiempo que duró la guerra. Las nuevas ideas revolucionarias y la marcha de la guerra mantenían a las gentes en un estado de agitación permanente que impedía prestar atención a la literatura, y los periódicos servían el interés por lo inmediato. Estos «maestros universales», como los llama, «enseñaron a la muchedumbre mil doctrinas antes de ellos ignoradas»[19]. «Soberanía nacional», «división de poderes», «derechos del hombre», «constitución», «voluntad general» son, entre otras, expresiones que se hicieron familiares por medio de los periódicos, entre los que, gracias a la labor de las Cortes, dejaban, según se les explicaba, de ser vasallos de un rey para convertirse en «ciudadanos» de una nación.

3. Un periódico español en Londres: *El Español* de Blanco White

Cuando las tropas francesas ocuparon Sevilla, José María Blanco que, como vimos, había sido el principal redactor del *Semanario Patriótico* en su etapa sevillana, se trasladó, como tantos otros patriotas y el Gobierno, a Cádiz, último reducto de resistencia. Pero optó por marchar inmediatamente a Inglaterra, donde duplicará el apellido que su abuelo paterno, de origen irlandés, había traducido al castellano, y allí permanecerá hasta el fin de su vida.

Tanto para procurarse recursos económicos como para tratar de influir en la medida de sus fuerzas en la marcha de los acontecimientos, con «la pluma, la sola arma con que podía servir a España»[20], emprende la publicación de un periódico en castellano. *El Español* se publicó, con publicidad mensual (cada dos meses en los últimos números), desde abril de 1810 hasta junio de 1814. Llegaba a Cádiz por medio de la embajada inglesa y tuvo amplia difusión en la «España ultramarina»[21], término con que las Cortes habían sustituido el «oprobioso» de «colonias».

Según declara en las palabras con que abre el primer número, se proponía Blanco White difundir las máximas que hacen aborrecible todo género de tiranía, oponiéndose a Napoleón con los principios «mismos que con tanto boato hicieron resonar los franceses al empezar su revolución». Pero, también, «ahora que se halla en la única nación libre de Europa», criticar la dirección, o más bien la falta de ella, con que la Regencia maneja los asuntos tanto militares como políticos de España. Se dirige, también a los españoles de América, a los que pretende aconsejar, y cuya causa va a defender con calor. Estos dos objetivos, que Blanco White persiguió con tenacidad a lo largo de la vida del periódico, la crítica de los gobiernos de la resistencia española y de la labor legislativa de las Cortes[22], una vez reunidas éstas, y la defensa de los intereses americanos, son los que hacen a Vicente Lloréns calificar a *El Español* de «el primer periódico de oposición»[23]. Son también los que hicieron que tuviera desde su primer número repercusiones escandalosas en Cádiz y los que concitaron contra su autor la general animadversión, incluida la de muchos de sus antiguos amigos. La incomprensión, primero, y el injusto olvido, después, que ha durado hasta fechas recientes[24], es el precio que Blanco White hubo de pagar por la independencia y la originalidad de sus ideas y su heterodoxia religiosa.

En contacto con el liberalismo inglés, las ideas políticas de Blanco evolucionaron rápidamente desde su jacobinismo inicial a un liberalismo conservador influido por Burke, fenómeno que se reproduciría a gran escala con los emigrados a Inglaterra en 1823. El cambio fue tan profundo que se vio obligado a explicarlo en un interesantísimo artículo, «Variaciones políticas de *El Español*», en el número de enero de 1813: «Más vale caminar de acuerdo hacia el bien en una dirección media que haga moverse a la Nación entera que no correr de frente atropellando y pisando a la mitad de ella»; era su pragmática postura en estos años, abandonados sus radicalismos «principistas» juveniles.

Si los primeros números de *El Español* provocaron ya indignación en Cádiz, ésta subió de punto a partir del número IV, en el que, tras la llegada a Londres de las noticias sobre la insurrección de Caracas, Blanco comienza a dar cuenta de los acontecimientos y a hacer reflexiones acerca de ellos. Se muestra muy comprensivo con la postura de los americanos y partidario, no de la independencia, al menos a corto plazo, sino de una amplia autonomía y de una real igualdad de derechos entre españoles de uno y otro lado del Atlántico[25].

Cuando Fernando VII regresó, Blanco abrigó por un momento la esperanza de que hiciese una política de conciliación entre los dos bandos, en su opinión igualmente extremosos, en que durante su ausencia se habían dividido los españoles. Puso fin a esa esperanza el decreto de 4 de mayo de 1814, por el cual «el edificio que con tan estéril afán habían elevado [las Cortes] sobre arena vino completamente a tierra», como decía en el que fue su último número de mayo-junio de 1814.

Los artículos de *El Español* son en su mayor parte obra del propio Blanco White, que firma con las iniciales de los apellidos que había adoptado en Inglaterra, B.W, o con el significativo seudónimo de Juan Sin Tierra, que adopta a veces, a partir del número XII, cuando quiere emplear un tono más desenfadado y agresivo. Pero inserta también muchos textos ajenos, «artículos comunicados», con los nombres o iniciales de sus autores, entre los que hay que destacar a Flórez Estrada o Martínez de la Rosa.

4. Absolutismo y liberalismo bajo Fernando VII

1. Seis años de reacción absolutista

Toda esta agitación periodística fue suprimida, con el mismo régimen constitucional, al regreso del «Deseado» Fernando VII. Durante un tiempo siguieron publicándose periódicos «serviles», que, como *La Atalaya de la Mancha* o *El Procurador General de la Nación y del Rey*, trasladados a Madrid, incitaban a la venganza y a la persecución de los liberales. Pero Fernando había declarado por el decreto de 4 de mayo de 1814 «aquella Constitución [de 1812] y aquellos decretos [de las Cortes] nulos y de ningún valor ni efecto, ahora ni en tiempo alguno, como si no hubiesen pasado jamás tales actos y se quitasen de en medio del tiempo».

Y, coherentemente con ese utópico propósito optó, para que no se aludiese al liberalismo ni para refutarlo, por suprimir todos los periódicos, con la excepción de nuevo de la *Gaceta* y el *Diario de Madrid*, por decreto de 25 de abril de 1815. También se benefició de la excepción el *Diario de Barcelona* editado desde 1809 por el impresor Antoni Brusi, a quien se le concede, desposeyendo de ella a Pedro Pablo Husón por su colaboración con las autoridades invasoras. Bajo la dirección de la familia Brusi, cuyo nombre llegaría a identificarse con el del periódico, el *Diario* se convertiría en hegemónico entre los catalanes a lo largo de todo el siglo XIX.

Por otra parte, presos o desterrados, por afrancesados o por liberales, la flor y nata de los escritores, pocos quedaban para cultivar las letras. Mesonero Romanos describe graciosamente en sus memorias el estado en que había quedado el Templo de las Musas, falto de sacerdotes y entregado a los búhos y lechuzas que se albergaban en sus desvanes y quebraduras.

No obstante fueron autorizados, luego, algunos periódicos en los que, naturalmente, no se trataban temas políticos de ninguna clase. La publicación de más interés en este pobre panorama es la *Miscelánea de Comercio, Artes y Literatura*, de Javier de Burgos. Como en toda época de rígido control, la prensa se refugia en los temas científicos, técnicos y literarios. En este caso, tienen interés las primeras polémicas entre romanticismo y clasicismo. Desde su *Crónica Científica y Literaria*, José Joaquín de Mora, converso luego al romanticismo durante su exilio londinense a partir de 1823, defiende el clasicismo frente a las extravagancias «ossiánicas» o «romancescas», adjetivos con que son designados los nuevos gustos y actitudes literarias, hasta que el 26 de junio de 1818 emplea por primera vez la palabra «romántico». Sobre estos temas sostienen Mora y Antonio Alcalá Galiano —otro converso luego al romanticismo— la célebre polémica «calderoniana», con Nicolás Böhl de Faber y su esposa, Francisca Larrea. Polémica con claras connotaciones políticas, pues el entusiasmo de Böhl por Calderón no era ajeno al que él y su esposa sentían por los principios políticos y religiosos que imperaban en su época, mientras que para Mora y Alcalá Galiano, la idea de clasicismo era inseparable del Siglo de las Luces, en el que aquellos principios empezaron a ser puestos en cuestión. Triunfante de nuevo el liberalismo y transformada la *Crónica* en *El Constitucional*, definiría Mora su postura: «el liberalismo es en la escala de las opiniones políticas lo que el gusto clásico es en las literarias»[1]. En cambio, en 1827, Víctor Hugo escribiría en el prefacio de *Cromwell* que el romanticismo era el liberalismo en literatura.

2. El Trienio Liberal

2.1 La escisión del liberalismo

Por el contrario, la prensa que surgió no bien triunfó la revolución de 1820 —el rey se vio obligado a jurar aquella Constitución que había querido borrar de en medio del tiempo y quedó restablecida la libertad de imprenta— fue sobre todo una prensa política; «los pocos periódicos literarios sucumben y las obras más útiles quedan sin despacho en las librerías», se lamentaba en mayo de 1821, al publicar su número 26 y último, por falta de suscriptores, el que según Elías de Molins fue el mejor periódico literario y científico de la primera mitad del siglo XIX —después de *El Europeo*—, el barcelonés *Periódico Universal de Ciencias, Literatura y Artes*[2]. Apasionadamente política y extremadamente libre, excepto para la defensa del absolutismo —al menos en Madrid—, aunque sí existan periódicos de esta tendencia en algunas provincias. La polémica no es ahora entre «liberales» y «serviles», como en el anterior periodo constitucional, sino entre liberales «moderados» y «exaltados».

Eran, en general, los moderados hombres de 1812 (de ahí que se les llamase también «doceañistas», frente a los «veintenos» o exaltados), que habían sufrido la tremenda desilusión de 1814, cuando todo el edificio teórico que con tanto entusiasmo habían construido se derrumbó por obra de la *tiranía* y el *despotismo*, pero sin que el *pueblo*, sin que la *nación* luchase por conservar sus *imprescriptibles derechos*. En los seis años de cárcel o destierro habían rumiado aquella desilusión y habían llegado a la conclusión de que entonces habían fracasado por querer ir demasiado deprisa, sin contar con la realidad del país. Algunos de ellos habían entrado en contacto en el destierro con el bien asentado constitucionalismo inglés, o la monarquía «moderada» de la restauración francesa; habían leído las obras de los doctrinarios franceses, y adoptado la teoría del «justo medio» entre el despotismo y el jacobinismo. El ala derecha de la postura moderada estaba representada por los antiguos afrancesados, que serían los que elaborarían con mayor coherencia su formulación teórica.

La opinión exaltada era sustentada por los más jóvenes, o por aquellos que, sin serlo, no habían tenido un papel destacado en la anterior época constitucional y no habían sufrido, por lo tanto, las consecuencias de la represión. Su interpretación del fracaso anterior —y por consiguiente de la táctica que era conveniente aplicar ahora— era radicalmente diferente a la de los moderados. Las lecciones que unos y otros habían aprendido en las páginas de aquella reciente historia eran opuestas. Para los moderados consistía en que había que actuar con prudencia, paso a paso, sin irritar demasiado a las clases que tenían que perder con el nuevo régimen. Para los exaltados, la lección era que había que actuar con prisa y energía, cortando de raíz la reacción, apelando al pueblo, a quien los moderados temían. Aquellos patriotas doceañistas «habían perdido la energía constitucional, el temor los ata y encadena, se ven cercados por los satélites despreciados del antiguo régimen»; era la opinión exaltada que expresaba el periódico de esta tendencia que llevaba el paradójico título de *El Conservador*, en fecha tan temprana como el 13 de mayo de 1820.

El 13 de marzo, recién triunfante la revolución, la *Miscélanea* del afrancesado Javier de Burgos —que, como vimos, procedía del periodo anterior, introduciendo ahora el término *Política* entre las materias que abarcaba—, había expresado sus sentimientos «moderados» que identificaba con «un olvido absoluto de lo pasado», «un olvido generoso»; en fin, que el nuevo régimen se instalase en términos de consenso, por decirlo con la palabra clave de nuestra última transición.

«No olvido, sino ¡justicia!», pedía *El Conservador*, el 4 de julio, contra los culpables de la reacción de 1814, entre quienes no se incluía al «idolatrado Fernando», que había sido «seducido» por «perversos consejeros» y de quien se aparentaba creer, mientras fue posible, aquello de que marchaba francamente el primero por la senda constitucional, como había dicho en su juramento de la Constitución de 1812.

Proponían, en fin, los moderados fórmulas de transacción, que para los exaltados no eran sino «pasteleo» («Rosita la Pastelera» sería el afortunado mote con el que designarían al «doceañista» Martínez de la Rosa). Las palabras clave en torno a las que se enfrentan las retóricas moderada y exaltada son «ley y orden» de un lado y «libertad» de otro. Todos declaran amar la libertad, pero la cuestión está en dónde situar sus límites. Para los exaltados, es más importante que la ley, más importante que el orden. Para los moderados, como diría Martínez de la Rosa, «sólo la observancia rigurosa de la ley produce la verdadera libertad»[3]. «Todas las leyes son nada cuando se trata del bien de la Patria», decía el exaltado Romero Alpuente, que apelaba al pueblo, a «los marineros», cuando el piloto se duerme en la conducción de la nave[4]; «puede haber caso en que nada deba respetarse y entonces perezca todo antes que la libertad», diría Alcalá Galiano[5].

2.2 Legislación

Desde el 9 de marzo de 1820, en que el Rey juró la Constitución de 1812, quedaba restablecida de hecho y de derecho la libertad de imprenta. Una vez reunidas las Cortes, en seguida se plantearon la necesidad de elaborar una nueva Ley de Imprenta. Esta nueva ley, promulgada el 5 de noviembre de 1820, de articulado mucho más extenso que la de 1810, supone un esfuerzo en la tipificación de los delitos y en el establecimiento de las penas correspondientes. Pero su aspecto más interesante es la institución, establecida por primera vez en nuestra legislación, del jurado, que se reveló en la práctica, en esta y en futuras épocas, como muy benévolo en el juicio de los delitos de imprenta, por lo que cuando se establezca definitivamente el sistema liberal, desaparecerá y reaparecerá de la legislación de prensa, según sea la situación progresista o conservadora.

Como en la anterior época constitucional, las obras religiosas quedaban sujetas a la licencia previa de los Ordinarios, con posible recurso ante la Junta de Protección de la Libertad de Imprenta, establecida en el artículo 78 de la ley, y en segunda instancia ante las Cortes.

Una ley adicional, dictada el 12 de febrero de 1822, definía con mayor precisión los abusos y aumentaba las penas por injurias, deteniéndose especialmente en las dirigidas al Rey, que a esas alturas, ya no tan «idolatrado», era objeto de rudos ataques en la prensa más «exaltada». Prohibía también los ataques indirectos por medio de alegorías o ficciones transparentes, procedimiento frecuente, que ya había utilizado la prensa inglesa de la primera mitad del siglo XVIII, tras el éxito de *Los viajes de Gulliver*.

2.3 La «periodicomanía»

Después de seis años de dieta severa, los lectores tuvieron la posibilidad durante tres de darse un atracón. Si en la época de las Cortes de Cádiz, la profusión de periódicos dio ocasión a que se hablase de una «diarrea de las imprentas», ahora se hablará de la «periodicomanía», y con ese título se publicó un periódico, dedicado a dar cuenta del nacimiento, vicisitudes y muerte de sus colegas. Sebastián Miñano, en su «Carta III» de *El Pobrecito Holgazán* da testimonio de esa profusión de periódicos que había venido a turbar la plácida tranquilidad de la *Gaceta* y el *Diario de Madrid:* «Ahora todo es barahúnda, y confusión, y gritos, y alborotos por esas calles; cada día sale un periódico nuevo con diferente título».

Las prensas debieron de trabajar a pleno rendimiento en estos años. En todas partes surgieron periódicos, y singularmente en Madrid, que enviaba parte considerable de los ejemplares a provincias. Juan Francisco Fuentes ha realizado un estudio cuantitativo, todo lo exhaustivo que permiten los datos disponibles, mes a mes, de la prensa de este periodo, su distribución geográfica y sus tendencias[6].

De su tirada no tenemos más que datos dispersos, que nos permiten calcular que estaban entre los 750 diarios de *El Eco de Padilla* y los 10.000 de la vieja *Gaceta*, con una tirada media por periódico de unos 1.000 ejemplares, una media global de 90.000 y un número de lectores de más de un millón de personas, para una población de 12 millones[7]. El editor de *El Periódico de las Damas*, que pretendía ilustrar a «la preciosa mitad del género humano» sobre la naturaleza del régimen representativo y el significado de la Constitución, al mismo tiempo que le proporcionaba figurines de París y consejos de decoración, no logró ni la cifra mínima de 200 suscriptores que le hubieran permitido subsistir y renunció a la empresa.

De lo que tenemos numerosos testimonios es de los sistemas de distribución de los periódicos: suscripción y venta al número en librerías, por los ciegos y otras clases de vendedores, entre ellos mujeres con esportillas llenas de periódicos en lugares concurridos como la madrileña Puerta del Sol. Existían gabinetes populares de lectura; uno de ellos, instalado al aire libre en la Puerta del Sol, en el que se podían leer todos los periódicos que se quisiera pagando un cuarto de real por cada uno. Había también gabinetes de lectura en varios cafés; en el de Levante se cobraba un cuarto por cada periódico y otro cuarto por la silla, sin límite de tiempo, y se ofrecían todos los periódicos de Madrid, muchos de provincias y hasta *Le Moniteur* de París.

De modo que entre la prensa y los discursos espontáneos de las Sociedades Patrióticas instaladas en cafés y otros lugares públicos por toda la geografía nacional[8], los españoles tuvieron ocasión de familiarizarse con los principios del nuevo régimen constitucional, en mucha mayor medida que en el periodo anterior, en el que las circunstancias de la guerra habían limitado los beneficios que pudieran derivarse de la libertad de imprenta en el lado «patriota» y de la suave censura en el afrancesado.

2.4 Periódicos de las distintas tendencias

Hasta 1822 predominó en la prensa como en las Cortes la tendencia moderada. Por el contrario, a partir de los graves acontecimientos de julio de ese año el predominio fue de la prensa exaltada, como exaltados eran la mayoría de los diputados de la segunda legislatura.

Los portavoces de la postura moderada en la prensa —extremadamente moderada, más que la de los doceañistas en las Cortes— son un grupo de insignes antiguos afrancesados de gran categoría intelectual y literaria. Javier de Burgos publicó la ya mencionada *Miscelánea* y, más tarde, dirigió *El Imparcial*. Manuel José Narganes dirigió *El Universal Observador Español*, que en julio de 1820, dos meses más tarde del inicio de su publicación, redujo su título a *El Universal* —el de mayor difusión entre estos periódicos y el único que pudo continuar tras la radicalización de la situación en julio de 1822, sin duda porque había mantenido una postura menos contrarrevolucionaria que los otros órganos de los ex josefinos, aunque no dejó de fustigar las ideas «exaltadas» y de polemizar con sus portavoces[9].

La más interesante de las publicaciones de los afrancesados es *El Censor*, «con toda probabilidad la de mayor rigor teórico en la historia de nuestro conservadurismo», según Antonio Elorza[10]; «semanario de una insólita altura intelectual», según Varela Suanzes[11], que se publicó todos los sábados con 80 páginas en pequeño formato desde agosto de 1820 a julio de 1822, a cargo de Alberto Lista, Sebastián Miñano y José Mamerto Gómez Hermosilla. Vaciados en el molde del despotismo ilustrado, y posibilistas en política, estos intelectuales que se afrancesaron durante la invasión napoleónica se adaptan ahora a la nueva situación constitucionalista, aunque un constitucionalismo más «moderado» que el que informaba la constitución doceañista —cuyas imperfecciones criticó desde el primer número—, como luego se adaptarán al absolutismo en su ala reformista y finalmente a la nueva situación liberal que se inaugura tras la muerte de Fernando VII. Esta aparente versatilidad, fruto en parte de un espíritu acomodaticio, pudo darse sin cambios radicales en su pensamiento. En estos años elaboran una doctrina liberal conservadora, inspirada en Benjamin Constant, los doctrinarios franceses y el utilitarismo de Bentham, que constituye, según Elorza, «la primera elaboración coherente del pensamiento moderado», enfrentada tanto al «fanatismo servil» de los «hombres acostumbrados a quemar a los que no piensan como ellos»[12] como al en su opinión igualmente funesto fanatismo de quienes se atribuyen «el privilegio exclusivo del patriotismo» en las denominadas Sociedades Patrióticas —objeto predilecto de los ataques del periódico— y que, imitando los métodos inquisitoriales, hacían sus particulares autos de fe quemando públicamente ejemplares de *El Censor* y sus congéneres y amenazaban con hacer los mismo con sus autores o someterlos al procedimiento del «martillo» que había acabado con la vida del cura de Tamajón. «Tan enemigo son del sistema constitucional los liberales exaltados como los serviles», afirma *El Madrileño* [Miñano][13].

Porque, para los exaltados, el pretendido liberalismo de estos afrancesados no era sino absolutismo disfrazado: «Por más que lo encubran con palabras dulces todos los escritos de ellos y de su partido respiran el odio más refinado a la Constitución», afirmaba el 14 de agosto de 1820 *El Conservador*, que el 23 de julio anterior, refiriéndose a *La Miscelánea*, había advertido:

> Los afrancesados minarán poco a poco la Constitución, fundando su liberalismo como hasta ahora en decir: «Fuera la Inquisición, fuera los frailes, aunque tengamos un sultán que oprima a los pueblos con tal que seamos los visires».

El periódico exaltado *El Zurriago* le acusaba de estar vendido a los ultras franceses. Claude Morange ha demostrado que estaba, en efecto, financiado por capitalistas franceses, lo que le permitía contar con una magnífica imprenta, pero no por «ultras», sino partidarios de un sector del liberalismo doctrinario francés muy moderado[14]. Financiaciones más sospechosas y bandazos ideológicos más sorprendentes hubo desde luego en al campo exaltado[15].

Defensor de un constitucionalismo equidistante tanto de «las ruines y oscuras tramas del desacreditado servilismo» como de «las exaltaciones de un liberalismo afectado», lo cierto es que, si había que elegir, *El Censor* sentenciaba en su número 61: «No hay hombre sensato que no prefiera el poder absoluto de un monarca que no sea el de Marruecos o Constantinopla a la dominación del populacho».

Adueñado ese «populacho» de las calles en los disturbios de julio de 1822, los redactores, según relataría más tarde Miñano, se sintieron «amenazados diariamente por los puñales de los asesinos» y suspendieron la publicación el día 13 de ese mes, comunicando a sus suscriptores lo siguiente: «Los redactores de *El Censor*, considerando que en tiempo de agitación política y cuando están exasperados los ánimos, la censura ofende e irrita, pero no corrige, han acordado terminar su obra con el presente número».

El día 27, en vista de que ya no podría recoger de su trabajo «otro fruto que amarguras y sinsabores», seguía su ejemplo *El Imparcial* de Burgos, en el que habían también colaborado los redactores de *El Censor*.

La parte política de *El Censor* estaba redactada por Hermosilla y Lista, al que corresponden al parecer los mejores artículos teóricos. Se ocupaba Miñano de la parte satírica, género en el cual había mostrado ya su genio en los *Lamentos políticos de un pobrecito holgazán que estaba acostumbrado a vivir a costa ajena*, divertidas sátiras del absolutismo.

Aunque menos que los temas políticos, también ocupan las páginas de *El Censor* los económicos —en una línea de defensa a ultranza del libre cambio que, según Elorza «muestra hasta qué punto el objetivo que persiguen los redactores de *El Censor* es la inserción de la sociedad española, a través de la libertad económica, en un modo de existencia burgués»[16].

En el terreno literario se ocupó especialmente del teatro, defendiendo un neoclasicismo sin fisuras. Como dice Vicente Lloréns:

> Pensar que cada pueblo tuviera una poética particular, acomodada a sus costumbres e ideas, que no hubiera modelos generales, que los franceses tuvieran su teatro y los españoles el suyo, y ambos fueran buenos, eran principios que los redactores de *El Censor* [...] rechazaban como opuestos al buen gusto y conducentes a la anarquía[17].

En el campo «exaltado», el primero que se presentó a dar batalla, en el mismo mes de marzo de 1820, fue el ya mencionado *El Conservador*, diario que dejó de publicarse el 30 de septiembre de ese mismo año; su último número fue mandado recoger por resultar altamente injurioso a la dignidad real.

Órgano de la masonería fue *El Espectador*, de Evaristo San Miguel, que empezó a publicarse en abril de 1821, y de la sociedad secreta rival —los Comuneros o Hijos de Padilla—, *El Eco de Padilla*, que apareció en agosto del mismo año y en diciembre se fusionaría con *La Antorcha*, para dar lugar a *El Independiente*, que tendría sus secuelas en *El Tribuno* y *El Patriota Español*. La personalidad del empresario francés que los financiaba y las posteriores actividades de algunos de sus redactores al servicio del absolutismo llevan a Claude Morange, que ha aportado interesantes documentos notariales, a comentar: «Dejando aparte los agentes dobles, espías y provocadores caracterizados como Regato, empieza a ser larga la lista de los hombres que, durante el Trienio, se portaron como liberales "exaltados", y luego se convirtieron con asombrosa rapidez al absolutismo»; el mismo autor se preguntará: «¿Versatilidad, fragilidad ideológica o doble juego?»[18].

¿Se pasaron algunos al bando servil para vengarse de sus enemigos los moderados?[19] Todo es posible en épocas de cambios radicales de situaciones políticas, propicios tanto a las actitudes heroicas como a las oportunistas o de simple instinto de supervivencia.

El más célebre periódico del Trienio es sin duda el satírico *El Zurriago*, que comenzó a publicarse a finales de 1821, sin periodicidad fija y tuvo gran éxito popular. Juan Francisco Fuentes le calcula más de 6.000 ejemplares[20]. Sus principales redactores, pero no los únicos, eran Félix Mejía y Benigno Morales[21], que pagarían con el destierro y la muerte, respectivamente, su adhesión a la causa del liberalismo radical. No así el editor del periódico, uno de los frecuentes casos de transfuguismo a que nos hemos referido[22].

Del rey abajo, todos los que no militasen en el campo de la más extrema exaltación recibieron los ataques de *El Zurriago,* que ya desde su título revelaba su propósito flagelador[23]. Aunque en su primer número aseguraba que «de todo lo que se diga del gobierno, nada se entiende del Rey constitucional de España, cuya persona es sagrada e inviolable», fue éste blanco predilecto de sus terribles «zurriagazos», unas veces con insinuaciones inequívocas, otras en forma de alegoría y otras de forma directa.

Portavoz del radicalismo más intransigente, *El Zurriago* combate contra toda moderación o «pasteleo». Fue fustigador de todos los gobiernos que se sucedieron durante su publicación, tanto de los moderados Feliú y Martínez de la Rosa («tan eminentemente moderado que sin cargo de conciencia se puede llamar servil») como del exaltado Evaristo San Miguel. Bajo este ministerio tuvo quizá su mayor influencia haciendo en nombre de los comuneros una guerra sin cuartel al gobierno compuesto totalmente de masones.

Periódico de «rara originalidad y espíritu de valiente denuncia de todos los compromisos y de toda política reaccionaria», en opinión de Gil Novales[24], llevado por su entusiasmo revolucionario, *El Zurriago* no dudó, como su hermana *La Tercerola*, en justificar el asesinato de Matías Vinuesa, cura de Tamajón, conspirador absolutista sacado de la prisión y muerto a martillazos por considerar que la sentencia impuesta de diez años era demasiado leve. *El Zurriago* defiende ese acto de «justicia popular» y no deja desde entonces de hacer amenazadoras alusiones al martillo, «medicina sin igual» que haría «cesar todos los males» —como decía una cancioncilla inserta en su número 21—. Por cierto que el célebre martillo dio título a una familia de periódicos satíricos, como *El Martillo* de Madrid, otro en Murcia y un *Martillo Malagueño*. También el título *El Zurriago* tuvo una larga familia; así hallamos *El Zurriago* en Granada, *El Zurriago Aragonés*, *El Zurriago Gaditano* y *La Zurriaga*. El que primero se tituló *El Zurriago Intermedio* pasó a titularse *La Tercerola* —«arma de fuego usada para la caballería, que es un tercio más corta que la carabina» según la definición del DRAE— y compartió empresa y redactores con *El Zurriago*. Se editaron también, en similares campos semánticos, *El Garrote* y *El Garrotazo*.

2.5 El final

Una nueva invasión francesa, la del ejército de los Cien Mil Hijos de San Luis, acordada en el Congreso de Verona por las potencias de la Santa Alianza, restituye a Fernando VII a la condición de rey absoluto. Esta vez no hubo heroica resistencia popular ni potencia extranjera aliada contra el invasor. Las tropas comandadas por el duque de Angulema cruzaron la frontera el 7 de abril de 1820, y el 30 de septiembre, el gobierno, refugiado de nuevo en Cádiz con las Cortes, se vio obligado a permitir que el Rey, trasladado allí también contra su voluntad, embarcase hacia El Puerto de Santa María, en donde el 1 de octubre se apresuró —aprobando la labor provisional de la Junta de Oyarzun y de la Regencia establecida en Madrid en mayo— a decretar que «son nulos y de ningún valor todos los actos del gobierno llamado constitucional [...] declarando, como declaro, que en toda esta época he carecido de libertad, obligado a sancionar las leyes y a expedir las órdenes, decretos y reglamentos que contra mi voluntad se meditaban y expedían por el mismo gobierno».

Se abría la caza del liberal. El desventurado Riego, símbolo de aquella fracasada revolución, sería con su ignominiosa ejecución símbolo también de la represión. Los que pudieron emprendieron el camino del exilio. Se podía haber resuelto el conflicto de un modo más razonable, opinaba el duque de Angulema, pero «los partidos son demasiado encarnizados y están demasiado llenos de odio [...]. Diez años nos quedaríamos en España, y al cabo de ese tiempo se degollarían los unos a los otros, como lo harían mañana si pudiesen [...] este país se desgarrará durante años»; era su desoladora y despectiva conclusión[25].

3. La prensa del exilio

Refugiados en Cádiz, huyendo de las tropas de Angulema, muchos diputados y periodistas liberales pudieron pasar a Gibraltar cuando se produjo la reacción absolutista y trasladarse, luego, a Inglaterra, donde fueron acogidos con generosa hospitalidad. Allí pasaron unos años de exilio, estudiado magistralmente por un representante del gran exilio de nuestra última guerra civil, Vicente Lloréns[26].

Exilio el de 1823 doloroso como todos, pero fructífero desde el punto de vista político, literario y periodístico. Gran parte de aquellos exiliados se impregnaron allí de las prácticas del constitucionalismo inglés[27], se hicieron románticos en literatura y, sobre todo, para lo que en este libro nos interesa, entraron en contacto con el periodismo europeo más libre y avanzado. Como supo ver ya entonces Blanco White, exiliado como hemos visto desde 1810, estos compatriotas que ahora se habían visto forzados a seguir su ejemplo «mucho han perdido pero, en mi opinión, mucho más han ganado. El vuelo que han tomado sus entendimientos, el ensanche que han recibido sus ingenios, la cultura que ha adquirido el gusto de todos ellos, deben consolarlos en sus desgracias»[28].

Londres se va a convertir en el centro intelectual de España en estos años. Mientras que aquí la prensa quedaba reducida a poco más que la *Gaceta* y el *Diario de Madrid*, los emigrados publicaron allí interesantes periódicos. A *Variedades o Mensajero de Londres*, que Blanco White venía publicando desde enero de 1823, se suman no menos de siete. Esta sorprendente abundancia de periódicos se explica no sólo por el número y la calidad de los refugiados españoles, sino también por la posibilidad de contar con lectores hispanoamericanos. El mercado americano, hábilmente explotado por el editor Ackermann, proporcionó ocupación a varios escritores españoles exiliados. En el último número de su revista, de octubre de 1825, Blanco White recordaba que cuando la había iniciado, por encargo del mencionado editor, «apenas había otro español en esta capital que pudiese tomar semejante empresa a su cargo», pero que ahora «las desgracias de España han poblado a Londres de emigrados españoles, de los cuales varios son hombres de grande instrucción y talento y algunos viven ya del trabajo de su pluma»[29].

Entre esos periódicos merecen destacarse *El Español Constitucional* (marzo de 1824-junio de 1825), dirigido por nuestro viejo conocido Pedro Pascasio Fernández Sardino, «el Robespierre español» (de la época de las Cortes de Cádiz y autor de *El Robespierre español*), y *Ocios de los Españoles Emigrados* (abril de 1824-junio de 1825), redactado por los hermanos Jaime y Joaquín Lorenzo Villanueva y por Canga Argüelles. En ambos, de periodicidad mensual, colaboraron ilustres emigrados. Como suele suceder en todas las emigraciones políticas, los exiliados llevaban consigo las luchas y las rivalidades que les habían dividido en España. *El Español Constitucional* vino a ser el órgano de los exaltados en el exilio, mientras que *Ocios* lo fue de los moderados, y mantuvieron entre sí agrias polémicas[30].

Aparte de su interés para la historia de las ideas políticas, estos periódicos son fundamentales para el movimiento romántico. Tanto José Joaquín de Mora como Antonio Alcalá Galiano, defensores del clasicismo en la polémica con Bölh de Faber, como hemos visto, se convierten en Inglaterra al romanticismo, que ya no asocian al reaccionarismo político de que hacía gala su contrincante en aquella polémica, ante la evidencia de que, como diría Mora, los poetas ingleses «han sacado tantas ventajas de la libertad literaria como su nación de la libertad política». Blanco White se había familiarizado y entusiasmado con la libertad y la naturalidad de la literatura inglesa y sus inteligentes trabajos críticos contribuyeron sin duda a este cambio de orientación.

Además de publicar sus propios periódicos, los más distinguidos de estos exiliados colaboraron en periódicos y revistas británicos y en cualquier caso tuvieron ocasión de conocer aquel periodismo incomparablemente más desarrollado que el que hasta entonces habían visto y practicado en España y ese bagaje será importante cuando puedan repatriarse.

La emigración a Francia fue lógicamente mucho menos numerosa, dada la situación política (eran precisamente tropas francesas las que habían acabado con la segunda experiencia liberal española). Pero tras el triunfo de la revolución de julio de 1830, se trasladaron allí la mayor parte de los refugiados en Londres, sumándose a los ya residentes desde el comienzo de la emigración, como Martínez de la Rosa o el conde de Toreno. Naturalmente, publicaron periódicos con la esperanza puesta en una pronta restauración de la libertad en España, y luchando con la pluma por ella, como Espoz y Mina y Torrijos lo intentaban por esas fechas con las armas.

Andrés Borrego, que va a desempeñar un papel importante en el periodismo español a su regreso a España, llegó a París en el verano de 1828[31]. Colaboró en periódicos franceses y con los redactores de *Le Temps* participó en la lucha que desembocó en el triunfo de la revolución de 1830. Tras ese triunfo [de la revolución de 1830 en Francia], publicó *El Precursor*, con una periodicidad de dos veces a la semana, del cual era único redactor y cuya finalidad fundamental era la de ser distribuido gratuitamente en España, a donde, según decía en cada número, se enviaban 2.000 ejemplares. Se publicó desde el 24 de septiembre hasta al menos el 5 de diciembre de 1830. Las ideas políticas que Borrego expresa en este periódico son las mismas que desarrollará más ampliamente en *El Español* cuando vuelva a España, las de un conservador no reaccionario. En *El Precursor* se muestra optimista sobre las posibilidades de un derrocamiento por la fuerza de Fernando VII, medio que considera doloroso pero inevitable, y propone la conciliación entre liberales moderados y exaltados.

Esa conciliación era el declarado propósito de *El Dardo*, mensual que publicó, también en París, entre abril y julio de 1831, el coronel Nicolás Santiago de Rotalde, que declaraba una tirada de 500 ejemplares. Pero este liberal exaltado —que se había iniciado en el periodismo colaborando en la *Gaceta Patriótica del Ejército Nacional*, en los días del levantamiento de Riego, y que había publicado en su Cádiz natal en 1820 *El Telescopio político*— convirtió en realidad su periódico en «crónica de los inextinguibles rencores y rivalidades que dividen el liberalismo español», atacando aún más a los liberales moderados que a los partidarios del despotismo y dedicando la mayor parte de sus artículos a denigrar a Espoz y Mina, que se había convertido en la esperanza de los moderados, mientras que los exaltados, entre ellos Rotalde, apostaban por Torrijos. El periódico «ofrece así un precioso testimonio de las profundas y crueles divisiones que reinaban entre los españoles emigrados»[32]. No es extraño que hubiera que esperar al «hecho biológico» de la muerte de Fernando VII para iniciar una nueva etapa liberal en España.

Un carácter muy distinto tuvo otro periódico español publicado también en Francia, la *Gaceta de Bayona*, obra no de exiliados sino del grupo de antiguos afrancesados —Miñano, Lista y Reinoso— que en el Trienio habían dado a luz *El Censor*, adscritos ahora al ala reformista del absolutismo que representa el ministro de Hacienda López Ballesteros frente al intransigente de Calomarde. Órgano oficioso del gobierno español, trataba de dar una imagen favorable y «aperturista» de España ante extranjeros y emigrados. Se publicó de julio de 1828 a agosto de 1830 —con una interrupción en su publicación como consecuencia de la revolución de julio—, y desde octubre de 1830 a julio de 1831 en territorio español con el título de *Estafeta de San Sebastián*[33].

4. La Década Absolutista. Los años de Larra

Tras la nueva reacción absolutista de 1823, vino una década calificada por los liberales de «ominosa», en la que se procuró por todos los medios mantener a los españoles alejados de la «peligrosa novedad de discurrir», según la célebre frase estampada en una exposición al rey de la Universidad de Cervera[34]. De nuevo, la persecución de liberales por la que se clamaba ahora, como diez años antes, desde los púlpitos y desde periódicos como *El servil Triunfante* o *El Restaurador* de Fray Manuel Martínez, que desempeñan el mismo papel que entonces *La Atalaya de la Mancha* o *El Procurador General de la Nación y del Rey*. No lograron estos entusiastas restauradores del Antiguo Régimen que se restableciera la Inquisición[35], y la represión se llevó a cabo por más modernos métodos policiales y por una larga serie de disposiciones legales tendentes a borrar todo vestigio de los tres años llamados «negros»[36]; disposiciones que preveían la pena de muerte para «masones, comuneros y otros sectarios, atendiendo a que deben considerarse como enemigos del altar y de los tronos» y para «los que usen de las voces alarmantes y subversivas de *viva Riego, viva la constitución, mueran los serviles, mueran los tiranos, viva la libertad*»[37].

Finalmente, como en 1815, fueron prohibidos todos los periódicos, por una Real Orden de 30 de enero de 1824, con la ya clásica excepción de la *Gaceta*, el *Diario de Madrid* y, además, «los periódicos de comercio, agricultura y artes que en la Corte o las provincias acostumbran a publicarse en la actualidad, o se publiquen en adelante con las licencias necesarias»[38].

Entre los periódicos de estos primeros años, merece destacarse la revista barcelonesa *El Europeo*, «periódico de ciencias, arte y literatura», publicada de noviembre de 1823 a abril de 1824 —gracias a la relativa tolerancia que permitía la ocupación francesa de la ciudad—; fue la primera revista romántica española, fruto de la relación que en los años del Trienio se había establecido entre liberales españoles e italianos. Italianos eran algunos de sus redactores, junto con los catalanes Ramón López Soler y Buenaventura Carlos Aribau. En sus páginas, según Aristide Rumeau[39], aparece por primera vez la palabra «romanticismo». En Madrid, del 4 de abril al 30 de junio de 1825, un grupo de intelectuales, entre los que figuraban quizás Agustín Durán y José María Carnerero[40], publicaron el *Diario Literario y Mercantil*, que abría una ventana sobre la poesía y el teatro francés de aquellos años.

Si durante el Trienio Liberal se había producido la escisión de los liberales en moderados y exaltados, durante la Década Absolutista se producirá la de los realistas en moderados y ultrarrealistas, partidarios los primeros de una política más conciliadora y de ciertas reformas en consonancia con los tiempos, que en modo alguno cuestionan el poder absoluto del monarca; totalmente intransigentes los otros, terminan, paradójicamente a fuer de realistas, conspirando contra el rey, cuya actitud juzgan demasiado blanda, y proyectan sustituirlo por su hermano Carlos, llegando incluso a provocar una insurrección armada en Cataluña, la guerra de los *malcontents* o agraviados, que prefigura el futuro conflicto carlista.

Hostigado el rey desde la extrema derecha por los «apostólicos» o «carlinos», a partir de 1828 se inicia una cierta apertura, acentuada al año siguiente tras el matrimonio del rey con María Cristina de Nápoles. En febrero de 1828 aparece en escena el joven Larra, de 19 años, con la publicación de *El Duende Satírico del Día*, en la línea de crítica social de las revistas de ensayos dieciochescas. A pesar de su juventud y de la durísima censura, ya revela aquí el espíritu crítico que va a distinguir su costumbrismo del conformista y superficial, retratista y «pintoresco» de los otros cultivadores de un género que, nacido en las páginas de los periódicos, va a asentarse en los años siguientes. No publicó más que cinco números, el último en diciembre de 1828. En su número cuatro criticaba duramente al único periódico que, aparte de la *Gaceta* y el *Diario,* se publicaba entonces en Madrid, el *Correo Literario y Mercantil*. El *Correo* se defendió atacando, y el quinto y último número de *El Duende* se dedicó de nuevo a burlarse del periódico y de su director José María Carnerero —con el que Larra tuvo además un enfrentamiento verbal de café jaleado por sus jóvenes contertulios—. La influencia que tenía Carnerero sobre las autoridades parece que fue la causa de la desaparición de *El Duende*.

El *Correo Literario y Mercantil*, objeto de las burlas de Larra, había comenzado a publicarse tres veces por semana el 14 de julio de 1828 y cesaría el 3 de noviembre de 1833, tras la muerte del rey. Con su escaso mérito y su insipidez es un elocuente testimonio de lo que fueron aquellos últimos años del reinado, fluctuantes para los liberales entre la esperanza, la impaciencia y la decepción. La revolución en Francia de 1830 y las fracasadas intentonas armadas para restablecer el régimen liberal en España endurecen las posturas del Gobierno y frenan el tímido proceso aperturista, reactivado tras el nacimiento de Isabel, que favorece las esperanzas de reformistas y liberales, mientras los ultrarrealistas se aprestan a la defensa de las pretensiones sucesorias de don Carlos. El nombramiento de María Cristina como gobernadora en octubre de 1832 a causa de la enfermedad del rey viene a confirmar aquellas esperanzas y a inaugurar en cierta manera una nueva época. El nuevo «despotismo ilustrado» (la expresión se hace habitual en estos años) del reformista Cea Bermúdez no podía satisfacer a los liberales, pero era mejor que el puro y simple despotismo de Calomarde.

Entre marzo de 1831 y noviembre de 1832, Carnerero inicia la publicación de una revista literaria, *Cartas Españolas* —decenal, primero, y, luego, semanal—, que fue superior a todas las revistas que la habían precedido, tanto literaria como, sobre todo, tipográficamente (contenía grabados). En ella se configura ya decididamente el género costumbrista con los artículos de Mesonero Romanos, «El Curioso Parlante», y el de Estébanez Calderón, «El Solitario», que se turnaban semanalmente ofreciendo a los lectores escenas de costumbres madrileñas y andaluzas, respectivamente. Publicaba composiciones de exiliados, evitando cautamente indicar su procedencia.

Otro periódico vio la luz en noviembre de 1832, el *Boletín del Comercio*, con el que inicia su carrera el mejor periodista progresista de la época, Fermín Caballero. En 1834 se transformará en *El Eco del Comercio*.

En Cataluña, la reina gobernadora sustituye como capitán general al justamente odiado conde de España por el general Llauder. Para crear un ambiente favorable en la opinión catalana a la sucesión de Isabel, se publica desde el 22 de marzo de 1833 en Barcelona, bajo los auspicios del nuevo capitán general y la dirección de López Soler, *El Vapor*, poniendo fin a la exclusiva que desde su fundación tenía el *Diario de Barcelona,* que no pudo evitar, pese a sus protestas[41], que el nuevo periódico, en principio publicado tres veces a la semana, se convirtiese en diario el 1 de enero de 1835. Su título es expresivo del espíritu del romanticismo liberal. Al mismo tiempo que exaltan las antiguas glorias catalanas, se pone bajo la advocación de «este último esfuerzo del humano ingenio, esta potencia inmensa que aplicada a la maquinaria ha aumentado los medios de producir». La fábrica llamada precisamente El Vapor, la primera que utilizó esta fuerza motriz para los telares mecánicos, había empezado a funcionar en Cataluña en abril de 1832. El 24 de agosto de 1833 se publicó en sus páginas la célebre oda «La Pàtria», de Buenaventura Carlos Aribau, considerada como punto de arranque del renacimiento literario de la lengua catalana.

Larra vuelve a la crítica social con una nueva publicación satírica propia. El primer número de *El Pobrecito Hablador* salió a la venta en agosto de 1832, un poco antes del cambio que supuso el nombramiento de María Cristina como gobernadora; publicó catorce números hasta marzo de 1833. En realidad, no es un periódico, como no lo había sido *El Duende*, sino unos «folletos sueltos de poco volumen», como dice su autor en las «dos palabras» de la presentación. Pero su estilo es ya de periodista, el mejor de su tiempo y uno de los mejores de cualquier tiempo. Aún hay que dar muchos rodeos para hacer crítica, hay que decir las cosas «a fuerza de lagunas y paliativos» y por supuesto no son críticas de carácter político, al menos directamente; por el contrario, hay salpicados aquí y allá elogios a «una Reina que, de acuerdo con su augusto esposo, nos conduce rápidamente de mejora en mejora», que, además de dictados por la necesidad de adaptarse a las circunstancias, son quizá sinceros[42]. En cualquier caso, más que lo que dijo fue lo que se dejó por decir, como confiesa en su lecho de muerte *El Pobrecito Hablador*. En 1835, Larra recordaría en un artículo no publicado entonces, que tiene mucho de justificación:

> Cuando empecé la difícil tarea de escritor público, empecé con artículos de costumbres. Era a la sazón Calomarde y todo el mundo sabe en qué términos y hasta dónde le era entonces lícito, posible al escritor rebelarse contra el poder, aludir a la injusticia. A poder de reticencias, haciendo concesiones, podía uno alguna vez ser atrevido; siempre que

pude fui más que atrevido, fui temerario, y completé catorce números de un folleto, mitad mío, mitad del Gobierno; entonces el Gobierno escribía por medio de sus censores la mitad de las obras que veían la luz; un folleto de dos ingenios, si se puede llamar ingenio a la censura, si es que ésta puede tener algo en común con aquél[43].

Cuando desapareció *El Pobrecito Hablador*, hacía varios meses que Larra colaboraba en *La Revista Española*, el periódico con que José María Carnerero había sustituido *Cartas Españolas*, en vista del nuevo rumbo iniciado por la reina gobernadora (llevaba como subtítulo, «Periódico dedicado a la Reina Ntra. Sra.»). *La Revista*, que en 1834 se convertiría en diario, se publicó en principio martes y viernes, desde el 7 de noviembre de 1832. Olvidados los pasados enfrentamientos, Larra empezó escribiendo crítica teatral. El 15 de enero de 1833 utiliza por primera vez el seudónimo de «Fígaro», el personaje de las célebres comedias de Beaumarchais *El barbero de Sevilla* y *Las bodas de Fígaro*[44]. Cuando Mesonero abandonó la plaza de costumbrista en el periódico, la ocupó Fígaro. Decididamente, como dice en el artículo «Ya soy redactor» el 19 de marzo, «me acosté una noche autor de folletos y de comedias ajenas y amanecí periodista»: unos días después daba fin a *El Pobrecito Hablador* y aunque siguió escribiendo obras teatrales y una novela, será como periodista por lo que pase con letras mayúsculas a la historia. Hasta que ponga fin a su vida de un pistoletazo antes de cumplir los 28 años, el 13 de febrero de 1837, escribirá en el *Correo de las Damas*, *El Observador*, *Revista Mensajero*, *El Español*, *El Mundo* y *El Redactor General*. Su vida de escritor y periodista transcurre entre los últimos años del absolutismo y los primeros de transición al liberalismo tras la muerte del rey; entre la esperanza y la melancolía[45].

5. La transición del absolutismo al liberalismo, 1833-1837

Tras la muerte del rey, el 29 de septiembre de 1833, la reina regente y los gobiernos se ven obligados a una progresiva liberalización para crear una opinión favorable a la reina niña frente a las pretensiones de su tío don Carlos, apoyado por los absolutistas, que provocarán la primera guerra carlista. Regresan los exiliados, algunos de los cuales, como hemos visto, se han puesto en contacto con la mejor prensa europea del momento —experiencia que van a poner al servicio del periodismo español—. Se inicia un periodo de transición del absolutismo al liberalismo, una época de «transición y transacción», en palabras de Larra[1]. Los periódicos se multiplican, de modo que al acabar el año 1834 había en Madrid treinta y seis, cuatro de ellos diarios. «Hay plaga de publicistas / y se echan a periodistas / los muchachos del colegio», decía Bretón de los Herreros en una comedia de 1836, titulada *La redacción de un periódico*. Según Fermín Caballero[2], llegaron a contarse en España, antes de que la revolución de La Granja en agosto de 1836 restaurase la Constitución de Cádiz y con ella la libertad de imprenta, 120 periódicos, entre ellos cuarenta y nueve diarios. Por supuesto, no simultáneamente, y en algunos casos se trata del mismo periódico que cambia de título. De aquel número, cuarenta y nueve corresponden a los *Boletines* oficiales de cada una de las provincias establecidas en la nueva organización territorial del Estado de Javier de Burgos, creados por Real Orden de 20 de abril de 1833, con el fin de difundir las órdenes y las disposiciones oficiales y a los que estaban obligados a suscribirse todos los organismos oficiales de las provincias respectivas. El editor, que tenía libertad para fijar el precio de las suscripciones particulares, podía insertar anuncios privados y artículos en los espacios sobrantes. Según Caballero, estos boletines, además de facilitar la circulación de las órdenes a todos los pueblos, contribuyeron poderosamente a que se promoviesen y difundiesen los intereses locales y ayudó a aficionar a la gente a la lectura de periódicos. Fue preciso crear imprentas en doce provincias que carecían de ellas[3].

1. Legislación de prensa y lucha contra la censura

Hasta agosto de 1836 en que se restablece la vigencia de la ley de prensa de 1820, ésta se regula por un decreto de 1 de enero de 1834 —dictado bajo el gobierno neoabsolutista de Cea Bermúdez, completado luego por un reglamento de 10 de junio del mismo año, siendo ya presidente del Consejo de Ministros el liberal moderado Martínez de la Rosa—, disposiciones que resultaban ya estrechas para la realidad de la vida política, como el mismo Estatuto Real, «carta otorgada» que intentaba conciliar lo viejo con lo nuevo, elaborada por Martínez de la Rosa y sus colaboradores y sancionada por la reina el 10 de abril de 1834.

De acuerdo con el decreto y el reglamento de 1834, no necesitaban licencia ni censura previas los periódicos que tratasen de materias literarias y científicas y sí las que tratasen de política o religión. El reglamento de 10 de junio creó la figura del «editor responsable» y la fianza o «depósito previo», ambas inspiradas en la legislación francesa. Para ser editor responsable, se exigían las mismas condiciones que para los procuradores en Cortes, solvencia moral y económica: renta anual de 12.000 reales procedentes de bienes propios. «No hay cosa para elegir —ironizaría Larra— como las muchas talegas: una talega difícilmente se equivoca, dos talegas siempre aciertan y muchas talegas juntas hacen maravillas»[4].

El depósito previo exigido para poder publicar un periódico era elevado: 20.000 reales en Madrid y 10.000 en provincias, cantidades de las que se deducían automáticamente las multas en caso de infracción y que debían ser respuestas inmediatamente. «Me podrás decir —decía Larra— [...] que hay libertad de imprenta, sólo que está cara, como bocado delicado que es»[5].

Aparte de garantizar el pago de las multas, la disposición parece claramente dirigida a imposibilitar la existencia de una prensa menor, más atrevida y combativa. En 1837 afirmaba Fermín Caballero: «Difícil era que la censura acertara a contener tantos esfuerzos por más que se afanase; y cuando no uno, otro periodista se aventuraba a decir lo que al Gobierno pesaba y mantenían el espíritu liberal aún más excitado que si libremente escribieran»[6].

La existencia de la censura y la decidida voluntad de los periodistas de no dejarse vencer por ella determinan el carácter del periodismo de estos años, los años de Larra, cuyo genial estilo periodístico es producto indudable del pulso incansable que tuvo que mantener con ella. Nadie como él supo utilizar la ironía, los sobreentendidos y todos los modos del decir oblicuo y el guiño al lector con que los escritores de todas las épocas en que no hay libertad de expresión han tratado de decir «lo que no se puede decir». Como el propio Larra observó agudamente:

> Géneros enteros de la literatura han debido a la tiranía y a la dificultad de expresar los escritores sus sentimientos francamente una importancia que sin eso rara vez hubieran conseguido [...]. La lucha que se establece entre el poder opresor y el oprimido ofrece a éste ocasiones sin fin de rehuir la ley, y eludirla ingeniosamente; y sobre vencerse tal dificultad, no contribuye poco a dar sumo realce a esas obras el peligro en que de ser perseguido se pone el autor una vez adivinado[7].

Un medio para indicar que el periodista se había visto obligado a callar algo era sustituir los fragmentos suprimidos por la censura por blancos. Ninguno llevó el procedimiento tan lejos como *El Siglo*, que publicaron entre otros Espronceda y Ventura de la Vega entre el 31 de enero y el 7 de marzo de 1834, día en el que apareció con gran parte de su espacio en blanco, manteniendo sólo los títulos de los artículos suprimidos, por lo que fue prohibido a pesar de que no había violado ninguna disposición existente. Esta laguna fue rellenada por el mencionado reglamento de 10 de junio, que preveía:

> Los periódicos no podrán publicarse con ninguna parte de sus columnas en blanco. Los editores de los periódicos en que por este medio, el de líneas de puntos o cualquier otro semejante indiquen la supresión de artículos presentados a la censura, pagarán por primera vez una multa de 2.000 reales, 4.000 a la segunda y a la tercera serán suprimidos.

Larra comentó el episodio en un ingenioso artículo, «*El Siglo* en blanco»[8], que concluía mostrando su desacuerdo con aquella decisión del periódico: «Inferimos que no está bastante ilustrado el país para leer artículos en blanco, y que es más acertado meter las cosas con cuchara, como lo entiende el *Boletín* [*del Comercio*]». Cree Larra que «en tiempos como éstos los hombres prudentes no deben *hablar*, ni mucho menos *callar*».

Dos años más tarde, seguirá defendiendo la misma postura, que era en efecto la suya en la práctica:

> Se dirá que la censura no nos permite abogar por los derechos del pueblo; desgraciadamente esta verdad es demasiado cierta; pero el escritor público que una vez echó sobre sus hombros la responsabilidad de ilustrar a sus conciudadanos debe insistir y remitir a la censura tres artículos nuevos por cada uno que le prohíban; debe apelar, debe protestar, no debe perdonar medio ni fatiga para hacerse oír: en el último caso debe aprender de coro sus doctrinas, y convertido en imprenta de sí mismo, propalarlas de viva voz [...] vivamos persuadidos de que los que en el día empezamos nuestra vida pública, he-

mos de vivir más que la censura y los censores, y acaso no está lejos el día en que podamos tirar las piedras que nos fuerzan hoy a apañar. Algún día, publicando los artículos prohibidos, cubriremos de ignominia a nuestros opresores[9]...

La combativa oposición de las primeras Cortes del Estatuto aprovechó hábilmente el derecho de petición que éste les concedía y elaboró una «tabla de derechos», en la cual, naturalmente, figuraba en lugar destacado el de la libertad de imprenta, redactado en estos términos: «Todos los españoles pueden publicar sus pensamientos por medio de la imprenta sin previa censura, mas con sujeción a las leyes que repriman sus abusos».

Aunque no llegó a tener validez legal y siguió vigente la ley de 1834, lo cierto es que cada vez era más difícil «poner puertas al campo o querer reprimir el torrente de la opinión nacional», como recordaría Fermín Caballero[10], y la censura fue, en estos sus últimos años de existencia, relativamente benévola —más bajo unos ministerios que bajo otros (el de Mendizábal fue el más indulgente, como correspondía a su carácter progresista) y dependiendo siempre del arbitrio del talante de los censores[11].

2. Moderados y progresistas en la prensa

En estos años, en la lucha política de las Cortes y la prensa se van forjando los partidos moderado y progresista. Todavía la palabra «partido» tiene una carga negativa porque sugería la idea de desunión cuando más necesario era ofrecer un frente común y cerrado contra el carlismo. La existencia de dos ramas fundamentales del liberalismo, que van perfilándose dificultosamente, es, sin embargo, muy evidente. En las elecciones de julio de 1836 se produce por primera vez algo semejante a una táctica y una propaganda de partidos; es entonces cuando se afianza el reciente término «progresista» que desplaza al de «exaltado» que, procedente del Trienio, se había usado hasta ese momento para designar la postura más avanzada del liberalismo.

El periódico que representaba esta tendencia de liberalismo radical era *El Eco del Comercio*, dirigido por Fermín Caballero, que había sustituido a *El Boletín del Comercio* en mayo de 1834. La tendencia moderada, defensora del Estatuto, estaba representada por *La Abeja*, dirigido por Joaquín Francisco Pacheco. Fluctuante en sus posturas fue *La Revista Española*, que en marzo de 1835 se fusionó con *El Mensajero de las Cortes*, publicado desde enero de 1834 por Evaristo San Miguel y Alcalá Galiano, dando lugar a *Revista Mensajero*. Todos ellos de periodicidad diaria. Cuando *La Revista Española* pasó de publicarse tres veces en semana a ser diario, el 1 de abril de 1834, había dado sus razones:

[…] las novedades se agolpan. Los periódicos empezaron pequeños y débiles y se hacen adultos y robustos; aparecieron al nacer en largos intervalos y tienen que acortarlos; y no bastando esto aún se convierten en diarios [...]. Lo que hoy debe decirse no es ya de mañana; y lo de mañana no llega a tiempo referido después...

El 1 de noviembre de 1835 aparece un nuevo diario. Iniciativa de Andrés Borrego —a cuya formación como periodista en los años de exilio nos hemos referido—, *El Español* contaba con una sólida base empresarial, la Compañía Tipográfica, constituida en mayo de 1835 con el importante capital de un millón de reales, dividido en 100 acciones suscritas por personajes de la nobleza y del mundo financiero, como el banquero catalán afincado en Madrid, Gaspar de Remisa, cuyo apoyo económico fue fundamental para el lanzamiento del periódico[12]. Con ese respaldo, Borrego hizo traer de Inglaterra la más moderna maquinaria y se inspiró en su composición tipográfica y hasta en los caracteres de su título en *The Times*.

A su regreso de un largo viaje por el extranjero, Larra fue contratado por Borrego para escribir dos artículos semanales por el sueldo, importante para la época, de 20.000 reales al año. En su primer artículo, «Fígaro de vuelta», de 5 de enero de 1836, se muestra entusiasmado con el nuevo periódico, «largo, ancho, desahogado, como lo había imaginado mil veces, para tanto como tengo que decir». No menos entusiasta se muestra en carta a sus padres el 8 de enero, en que lo califica de «elegante periódico, el mejor indudablemente de Europa».

Borrego era un liberal conservador inteligente e independiente, preocupado por las cuestiones sociales («Diario de las doctrinas y de los intereses sociales», se subtitulaba *El Español*) que acogió en las páginas del periódico a colaboradores de un amplio espectro ideológico, superador de las estrechas posturas partidistas, lo que desconcertaba a sus colegas que no sabían si debían tenerle «por amigo, por adversario o por neutral»[13]. Algunos artículos de *El Español*, en su preocupación por las clases trabajadoras adoptan el tono que va a ser característico de la prensa democrática en etapas posteriores. Por ejemplo, el titulado «Libertad, Igualdad, Fraternidad», publicado el 15 de enero de 1836 sin firma, que Marrast atribuye a Espronceda[14]. *El Españo*l hizo suya la crítica de Flórez Estrada a la política desamortizadora de Mendizábal («Del uso que debe hacerse de los bienes nacionales»), que publicó en su número del 28 de febrero de 1836. En el mismo sentido, Larra comentaba entusiasmado el 6 de mayo el folleto de Espronceda «El Ministerio de Mendizábal», criticando lo «poco o nada que se ha tratado de interesar al pueblo en la causa de la libertad»:

¿Cómo se quiere lograr ese fin no viendo más termómetro del público bienestar que el alza o baja de los fondos en la Bolsa, en cuyo movimiento sólo se interesan veinte jugadores, y que el labrador no entiende, ni pliegue al cielo que lo entienda nunca? ¿Cómo se le quiere interesar trasladando los bienes nacionales, inmenso recurso para el Estado, de las manos muertas que les poseían, a manos de unos cuantos comerciantes, resultado inevitable de la manera de venderlos adoptada por el Ministerio?

No supo Borrego mantener la postura independiente que había mostrado durante el ministerio de Mendizábal, al que había apoyado en principio, ante su sucesor Istúriz, y éste le arrastró en su caída. Al día siguiente de la revolución de La Granja, el 14 de agosto de 1836, el periódico comunicó su dimisión como director. Sin él y tras varias vicisitudes, el periódico desaparecería a finales de 1837. Borrego resucitaría la cabecera para un nuevo periódico en 1846.

3. Introducción del socialismo utópico

La preocupación por las clases que no iban a verse favorecidas por la revolución burguesa —desde luego no por la política desamortizadora de Mendizábal—, la «clase proletaria» que aparece en algunos textos de *El Español* —clase «cuyo número no bajará de once millones, calculándose en trece la población de España» según Flórez Estrada[15]— es más central en otros periódicos de la época, en los se inicia la difusión de las ideas del socialismo utópico en España[16]. Es el caso de *El Vapor* barcelonés, dirigido entonces por el médico y periodista Pedro Felipe Monlau, que reprodujo entre noviembre de 1835 y enero de 1836 una serie de artículos de inspiración fourrierista aparecidos inicialmente en *El Grito de Carteya* de Algeciras, firmados por «Proletario»; entre los años 1835 y 1837 publica, asimismo, artículos de tendencia sansimoniana firmados con el seudónimo «José Andrew de Covert-Spring»[17]. El 6 de abril de 1836, *El Vapor* reprodujo bajo otro título el mencionado artículo de *El Español* atribuido por Marrast a Espronceda, de inspiración sansimoniana.

4. El nuevo modelo de periódico

Si no el mejor de Europa, como en su entusiasmo aseguraba Larra, sí era *El Español* un periódico a nivel europeo. No sólo él, sin duda el mejor de estos años desde el punto de vista periodístico, sino también sus coetáneos *El Eco del Comercio*, *Revista Mensajero* o *La Abeja* son muy distintos que sus antecesores. El periódico se separa ya decididamente del tronco común del libro y el folleto. Se ha producido un cambio cualitativo, una verdadera mutación en la evolución de la especie, que convierte a estos periódicos en antepasados directos de los nuestros. De gran formato, con cuatro páginas, divididas en columnas (de tres a cinco), con secciones delimitadas con un claro método. En la primera suelen figurar, tras las noticias más importantes, los «artículos de fondo»[18], sin firmar o encabezados, como en el caso de *El Español* —que los publica siempre en páginas interiores—, por el título del periódico. Las páginas centrales suelen estar dedicadas a las noticias clasificadas (extranjeras, nacionales, de provincias, espectáculos) y a la importante información de las sesiones de Cortes, y la última, a informaciones más ligeras (sucesos, tribunales), a la información económica —a la que *El Español* dedica la mayor atención, con las cotizaciones de los mercados nacionales y extranjeros— y a los anuncios.

La publicidad pagada empieza en estos años, pero es muy escasa y difícilmente puede representar un capítulo importante en los ingresos de los periódicos. *El Español* declaraba el 2 de enero de 1836 su decisión de destinar una parte del periódico a esta función, con dos tipos de tarifas, una «de pobres», para solicitantes de trabajo y similares, y otra para anuncios comerciales. *El Eco del Comercio* es el que inserta más anuncios, la mayoría de libros, pero también de algún producto farmacéutico.

Los periódicos suelen publicar fragmentos o extractos de lo que juzgan más interesante del contenido de los demás periódicos, en una sección bajo títulos como «Revista de la Prensa», «Espíritu de la Prensa», etc., costumbre que, como vimos, había iniciado ya *El Redactor General* en el Cádiz de las Cortes, con protesta de sus colegas. También ahora *La Abeja* amenaza a *El Español* con denunciarle por tal práctica, que en estos años había iniciado *Revista Española* y que según el periódico moderado atentaba contra la «propiedad literaria»[19].

La parte inferior de una o varias páginas aparece en alguno de estos periódicos, y señaladamente en la *Revista*, aislada de la parte de opinión y noticias por una línea negra; constituye el *boletín* o *folletín* dedicado a la literatura con artículos de crítica o creación, disposición tomada de la prensa francesa iniciada por el *Journal des Debats* en la época napoleónica. «Aquellos articulillos que besan humildemente los pies del periódico en el lugar que los técnicos llaman folletín», dice el *Eco del Comercio*[20]. Es el lugar que en la *Revista* ocupan los cuadros de costumbres, cuyas características se explican, como señaló uno de sus principales cultivadores, Mesonero Romanos, porque aquellos «ligeros bosquejos, cuadros de caballete» estaban destinados a esa «parte amena del periódico». En 1836, el gran innovador de la prensa francesa, Girardin, en su afán de atraer nuevos lectores, va a iniciar en su periódico *La Presse* la publicación en el *feuilleton* de novelas en forma seriada, iniciativa que va a tener un enorme éxito y que será rápidamente copiada en España a finales de la década de 1830; va a hacer furor en la década posterior y permanecerá como «inquilino del bajo» a lo largo de todo el siglo.

La fórmula periodística que hemos descrito va a permanecer prácticamente inalterable hasta la década de 1880, en la que el nuevo modelo de prensa de masas introducirá, en ocasiones, los grandes titulares, haciendo más movidas las páginas de los periódicos.

A esta organización externa del periódico debía de corresponder una equivalente organización interna. Aunque no sepamos mucho de ello, el propio léxico específico de la actividad nos lo indica. El *periódico*, que ya ha perdido definitivamente su uso adjetivo («papel periódico») para utilizarse sólo como sustantivo, tiene un *director*, que es quien decide lo que ha decir en sus páginas, y unos *redactores* que han hecho del periodismo su profesión.

No tenemos datos de la difusión de estos diarios. Aunque Mesonero Romanos asegura en sus memorias que el *Semanario Pintoresco* había alcanzado la cifra de cinco mil ejemplares «inverosímil en un periódico literario», parece que tal cifra se alcanzó sólo a finales de la década de 1840, cuando Ángel Fernández de los Ríos se hizo cargo de la revista. En cualquier caso, del mismo testimonio de Mesonero se deduce que tal cifra no era «inverosímil» para un periódico político, pero probablemente ninguno la excedería en mucho.

5. Las primeras revistas ilustradas

5.1 El *Semanario Pintoresco Español*

En los primeros años de la década de 1830 tiene lugar una innovación en la prensa occidental, de dimensiones todavía modestas, pero que supone un fenómeno cultural de largo alcance. Surgen las primeras revistas gráficas, con grabados en madera (xilografía), que suministran imágenes de actualidad (relativa) de forma periódica a audiencias (relativamente) amplias. Empieza la era de la imagen en los medios. El poeta romántico británico William Wordsworth registró y juzgó muy negativamente su trascendencia en 1846 en un soneto «Illustrated Books and Newspapers», iniciando, muy prematuramente, la crítica de la cultura de la imagen. Ese «vil abuso de la página ilustrada» en detrimento de las «palabras escritas» suponía según él un «movimiento de retroceso» hacia «un estadio inferior», un regreso a la vida en las cavernas. Para el gran poeta, ciertamente, una imagen no valía más que mil palabras.

Las primeras publicaciones llevan en el Reino Unido y Francia en sus títulos las palabras *magazine, magasin* (almacén) que corresponden a su contenido misceláneo. Es el caso de los británicos *The Penny Magazine* (1832), *Saturday Magazine* (1833) y del francés *Le Magasin Pittoresque* (1833), en el que el adjetivo *pittoresque* denota su carácter ilustrado. Todos ellos declaran que su propósito es difundir «los conocimientos útiles», instruir deleitando a toda clase de lectores[21]. El editor Ackermann, al que vimos proporcionando trabajo a los escritores españoles exiliados en Inglaterra durante la Década Absolutista, se apresuró a adoptar la fórmula para el mercado de la América de habla española en el que estaba especializado, y en 1834 inició la publicación de *El Instructor o Repertorio de Historia, Bellas Letras y Artes*, que además de en los territorios de ultramar se difundió también en las provincias de Cádiz y Málaga. Este hecho junto a la utilización por parte de las primeras publicaciones españolas de parte de sus grabados y textos, le confieren, según Cecilio Alonso[22], el carácter de puente entre los *magazines* europeos y las primeras publicaciones *pintorescas* españolas.

La primera de ellas fue un modesto y efímero *Almacén Pintoresco o El Instructor*, publicado en Cádiz entre 1834 y 1835[23]. Pero el que logró introducir la fórmula en España de forma duradera y brillante fue el *Semanario Pintoresco*, fundado en 1836 por Mesonero Romanos[24], con el declarado propósito de llenar un hueco ante la excesiva dedicación a la política de toda la prensa periódica[25] y «popularizar entre la multitud aquellos conocimientos útiles o agradables que si son familiares al corto número de los doctos escasean lastimosamente en la inmensa mayoría de la población».

En el viaje que a fines de 1833 había hecho a Francia, Mesonero Romanos había asistido al «furor literario pintoresco» que se había despertado en ese país y se propuso imitar el modelo en España. Tuvo éxito, logrando el «número inverosímil en un periódico literario» de cinco mil suscriptores, según dice en sus memorias, y en seguida surgieron imitadores que, como *El Observador Pintoresco* o el *Museo Artístico y Literario*, no lograron el mismo favor del público.

Hace gala el *Semanario* en todo de un espíritu mesurado, prudente, pequeño-burgués, alejado de toda estridencia como el propio Mesonero, que lo dirigió desde su fundación hasta 1842. Como suele ocurrir, el declarado apoliticismo de la revista era en realidad conservadurismo[26]. Duraría hasta 1857, dirigida en los últimos tiempos por Ángel Fernández de los Ríos.

En lo literario se mostró contrario a los «excesos» románticos; el 10 de septiembre de 1837, Mesonero publicó en él su famosa sátira «El Romanticismo y los románticos». Pero románticos fueron algunos de sus cultivadores y contribuyó a revelar a los lectores la España «pintoresca» con los monumentos artísticos, el carácter, los usos y las costumbres de distintas localidades.

Daba también testimonio de las novedades de aquel Madrid que se transformaba, que, como decía en su primer número, había pasado de la botillería de Canosa al Café Nuevo, de las Cofradías a los Estamentos, del *Diario de Madrid* a *El Español*. «¡Éstos sí que son contrastes románticos!», comentaba.

Pero habrá que esperar a 1849 para que aparezca en España, con notable retraso con respecto de Europa, una nueva fórmula la revista ilustrada de actualidad, que bajo títulos en los que aparece la palabra *Ilustración* seguían, en la medida de lo posible, la pauta de *The Illustrated London News*, fundada en 1842 por Herbert Ingram, que alcanzaría un éxito sin precedentes y llegaría hasta nuestros días.

5.2 *El Artista*

Otro carácter, imitado también de modelos foráneos (en este caso la francesa *L'Artiste*), había tenido la revista que en 1835 publicaron dos jóvenes entusiastas de veinte años escasos: el escritor Eugenio de Ochoa y el pintor

Federico Madrazo. Bellamente editada, con imágenes estampadas por el procedimiento litográfico, mucho más caro que la xilografía, *El Artista*, revista que abanderó el romanticismo, no pretendía ser una publicación popular como sí lo sería el *Semanario*. Esto se reflejó en su precio (30 reales la suscripción por un mes, frente a 4 que costaría el *Semanario*) y en su contenido. Sus doce páginas semanales estaban en parte dedicadas a la crítica e información literarias y en parte a la literatura de creación. En el número 4 del 25 de enero de 1835 se publica «La canción del pirata», de Espronceda, que dio por primera vez para el público la medida del talento del joven poeta, quien en el número 21, del 24 de mayo, hacía una sátira del escritor neoclásico, «el pastor Clasiquino», que de espaldas a la realidad se refugia en un mundo falso de arroyuelos cristalinos y mansos rebaños.

No logró *El Artista* el número suficiente de suscriptores para subsistir, y las dificultades económicas acabaron a los quince meses de su fundación con «el único papel de cuenta que teníamos dedicado exclusivamente a la literatura y a las artes», como diría Antonio María Segovia, *El Estudiante*, en un artículo «necrológico»[27].

6. Libertad con cautelas, 1837-1868

1. Legislación

En el año 1837 se redacta una nucva constitución, y a partir de entonces se sucederán moderados y progresistas en el poder, apelando unos y otros para imponerse, más que a los votantes limitados a una parte exigua de la población en virtud del voto censitario, a los militares. Las disposiciones que se dicten en lo sucesivo, aun partiendo del principio teórico de la libertad de imprenta, estarán en la práctica más o menos cerca de ese ideal según sea la situación progresista o moderada: bajo Espartero será más libre que bajo Narváez.

Esta constitución pretendía establecer la libertad de imprenta «con sujeción a las leyes», si bien una ley anterior de marzo del mismo año la regulaba con muchas cautelas.

Aunque todavía no hacen falta cuantiosas inversiones para publicar un periódico —lo que limitará cuando la prensa se industrialice la teórica capacidad de emitir libremente las opiniones—, los gobiernos ingenian mecanismos a fin de restringir su publicación: para editar un periódico será necesario ser propietario en mayor o menor cuantía, según sea la situación moderada o progresista. La prensa parte así en cierto modo del mismo principio censitario que el voto por el lado del emisor, como si ya no lo estuviera bastante por el lado del lector a causa del elevadísimo índice de analfabetismo que parece haber aumentado en lugar de disminuir en esta primera mitad del siglo —el censo de 1860 arroja un 75% de analfabetos—, y del más que presumible desinterés de la mayor parte del pueblo. La obligatoriedad de entregar un ejemplar del periódico al jefe político o alcalde y otro al promotor fiscal antes de ponerlo en circulación (con dos horas de antelación, según una disposición de junio de 1839) suponía otra limitación de la libertad por cuanto esas autoridades podían prohibir su circulación, si bien razonando la prohibición.

Es interesante señalar que —como ya se había abordado tímidamente en la ley de 1785— se define legalmente en la ley de 1837 qué debe entenderse por periódico:

> Se entenderá por periódico para el objeto de la ley todo impreso que se publique en época o plazos determinados o inciertos, siempre que sea bajo un título adoptado previamente y que no exceda de seis pliegos de impresión del papel de la marca del sellado.

Como vemos, paradójicamente, no se considera esencial en un periódico la periodicidad fija, con lo que se pretendía evitar que cierta prensa menor escapase por ese portillo de la ley. Otras argucias emplearán los periódicos más atrevidos, como veremos.

En los diez años de predominio moderado (1843-1854) que siguieron al trienio progresista de Espartero (1840-1843) se sucedieron disposiciones legales que reflejan una desconfianza y temor de los gobiernos ante la prensa. Se elevan el depósito de fianza para los editores y la cuantía de las penas pecuniarias por los delitos cometidos, y cuando se mantiene o se restablece el jurado (suprimido entre julio de 1845 y enero de 1852) se exige para formar parte de él ser contribuyente en cantidades variables, pero siempre muy importantes, con el evidente propósito de hacerlo más conservador. Lo más significativo del decreto más prolijo de todo el reinado de Isabel II, el dictado por el gobierno de Bravo Murillo en abril de 1852, es la discriminación que fijaba en cuanto a la cantidad establecida para la fianza que debían depositar los periódicos, menos para los de mayor tamaño y precio y, por el contrario, superior para los de formato más reducido y precio inferior. La razón de esta discriminación era el miedo de la burguesía dirigente a un incipiente despertar de la conciencia proletaria, al que podían contribuir los periódicos democráticos, republicanos, obreristas, asociacionistas y socialistas utópicos —que, con vida siempre azarosa, habían comenzado a aparecer en los últimos años treinta— se expresa con claridad meridiana en el texto de la ley:

> Como los periódicos más perjudiciales suelen ser los que por su corto tamaño y baratura penetran hasta las clases menos acomodadas con el determinado intento de difundir entre las masas doctrinas subversivas o con el peligro de llevar los inconvenientes de la lucha política a esa humilde y pacífica esfera, ha parecido necesario aumentar las garantías de semejantes escritos, exigiendo a sus editores un depósito mayor que el establecido para aquellos que en la magnitud de la empresa llevan una prenda más de que su redacción no traspasará los límites de la moderación y el decoro.

La arbitrariedad del gobierno moderado del conde de San Luis en materia de prensa fue una de las causas del descontento generalizado que desembocaría en la revolución de 1854; tras el triunfo de ésta —aparte de algunas medidas concretas, como la devolución a los editores responsables de las multas impuestas por las condenas dictadas en virtud del decreto de Bravo Murillo de 1852—, se restableció la ley de 1837, con la aclaración del decreto de 1842 sobre lo que debía entenderse por periódico. La constitución progresista de 1856, que no llegó a entrar en vigor, en su artículo 3.º, después de afirmar la libertad de imprenta, añadía que no podía ser secuestrado ningún impreso antes de haber empezado a circular.

Tras el fin del bienio progresista —una vez más por un pronunciamiento militar— en los doce años que transcurrieron hasta la revolución de 1868, los gobiernos moderados o de la Unión Liberal que se sucedieron, con los progresistas siempre en la oposición, promulgaron diversas leyes de prensa tendentes a impedir su «desbordamiento». La ley de más larga vigencia en el periodo es la Nocedal de 1857, que establecía una serie de minuciosas disposiciones para frenar a la prensa, sobre todo de carácter pecuniario, como elevados depósitos y sanciones. La ley Cánovas de 1864 suponía una cierta apertura, pero a partir de la sublevación de los sargentos de San Gil en 1866 la situación se endurece. El antiguo periodista González Bravo se distinguió en la persecución a la prensa, con la ley de marzo de 1867, que rigió hasta que la Revolución de Septiembre estableció la más amplia libertad de prensa de que había gozado nunca España. Todas esas medidas represivas no impidieron que cierto periodismo desafiara secuestros y multas y luchase incansable, a partir sobre todo de 1863, contra los «obstáculos tradicionales», frase que hizo fortuna porque en su vaguedad podía significar cosas distintas según quién la emplease. Para los más avanzados, la dinastía y el mismo sistema monárquico (*el* obstáculo tradicional según la expresión de Castelar en *La Democracia*). «No hay ley que valga cuando la prensa no quiere sujetarse a ella», decía un comentarista en 1865. Según él, el Gobierno se veía impotente para hacer cumplir la ley porque si la aplicaba con rigor «se coge al ministerio en flagrante delito de tiránico con la prensa, que es lo que buscan y necesitan determinados periódicos, y en segundo lugar hay delitos que comete la prensa que no pueden ser denunciados y llevados al tribunal sin producir mayor escándalo, lo cual hace que no haya más solución que la impunidad o la previa recogida»[1].

2. Difusión de los periódicos

Aparte de las declaraciones de los propios periódicos, siempre poco de fiar —cuando *El Español* se fundió con *El Universal* en abril de 1846, la nueva empresa decía contar con 12.000 suscripciones, cifra superior, según él, a ningún otro periódico español—, los datos de circulación por correo nos proporcionan un indicio de su difusión, con la limitación, entre otras, de que no proporcionan información sobre los periódicos vendidos en su lugar de publicación. Ya en 1845, Pascual Madoz había utilizado los datos de franqueo para el cálculo de la difusión en provincias de los diarios madrileños, en un artículo en el que criticaba las nuevas tarifas de Correos. Según él, los moderados *El Heraldo* y *El Español* tenían en provincias 4.500 y 2.400 suscripciones, respectivamente. Los progresistas *El Eco del Comercio* y *El Clamor Público,* 1.800; el moderado *El Tiempo,* 1.500; el carlista *La Esperanza* 1.000, y el esparterista *El Espectador,* 800[2].

A partir de 1850, la administración de Correos proporcionaba las cifras que cada periódico pagaba en concepto de timbre por su circulación por aquel medio, cifras que se publicaban en la *Gaceta.* La prensa madrileña suponía casi el 90% de la que circulaba por correo; seguía la de Barcelona con menos de un seis por ciento[3]. En ese mismo año, un comentarista calculaba a partir de esos datos que los doce diarios madrileños tendrían una tirada conjunta aproximada de 100.000 ejemplares y que los más poderosos tiraban de 12 a 15.000, mientras que los más humildes apenas pasaban de los 3.000[4]. Evidentemente, la mayor parte de esos 100.000 ejemplares se vendían fuera de Madrid, que por entonces contaba con poco más de 200.000 habitantes. Según François Botrel, en 1841, veintiocho periódicos publicados en dieciséis capitales fuera de Madrid y Barcelona estaban incluidos en las estadísticas del timbre, es decir, tenían difusión por correo, y en 1859 existía al menos un periódico incluido en las estadísticas en unas cincuenta ciudades. Pero las estadísticas muestran una influencia mínima de todos los centros de edición aparte del hegemónico madrileño, aunque con una tendencia a la menor concentración a partir de 1850 y una tendencia general al crecimiento de la difusión[5].

En una «Revista de la prensa española» publicada en octubre de 1857 en *La América*, José Castro Serrano decía que se publicaban en España aproximadamente 150 periódicos, de los que la mitad correspondían a las provincias reunidas y la otra mitad a Madrid, «que, como centro de la monarquía y de la acción intelectual del país, ejerce casi una dictadura sobre la opinión del conjunto», ya que «los periódicos de provincias [...] son, en su mayor parte, sólo un reflejo de los de Madrid», con la excepción de la prensa barcelonesa, que se caracterizaba por su independencia de la de Madrid, por centrarse en «la vida catalana, que es, como todos saben, o pretenden sus naturales que sea, diferente cuando no rival de la castellana». Lo cierto es que a partir de los últimos años de la década de 1850 surgen en distintas provincias periódicos de cuya solidez da prueba la larga vida que les esperaba. Es el caso de *El Faro de Vigo* (1853) *El Norte de Castilla* de Valladolid (1856), *Las Provincias* de Valencia (1866) o el *Diario de Cádiz* (1867). En Barcelona, el *Diario de Barcelona*, el viejo «Brusi», bajo la dirección desde 1860 de Mañé y Flaquer, que estará a su frente hasta 1901, inicia un despegue que lo convertirá en el periódico por excelencia de la burguesía catalana; en 1865 había alcanzado los 7.000 suscriptores. Además de otros títulos más efímeros, en 1858 nace *El Telégrafo* que, suspendido como tantos otros periódicos liberales en agosto de 1866, como consecuencia de la insurrección de los sargentos de San Gil, reaparecerá bajo el título de *El Principado* para recuperar tras la revolución su antiguo título; con una vida muy accidentada, el periódico, que cambia varias veces de título hasta adoptar durante la Restauración el de *El Diluvio,* durará hasta 1939.

El número de lectores de los periódicos era sin duda muy superior al de ejemplares. Se podían leer en los cafés, numerosos, aunque mucho menos que las tabernas, en los gabinetes de lectura —existentes no sólo en los grandes centros urbanos— y en otros centros privados de sociabilidad, como círculos, liceos y casinos. Era habitual, asimismo, la lectura en voz alta en los talleres (el gobernador civil la prohibiría en Barcelona en 1844) y las suscripciones compartidas. Algunos cafés y, sobre todo, gabinetes de lectura tenían un tinte político muy marcado y consecuentemente también los periódicos que ofrecían[6].

Un viajero inglés, Richard Ford, juzgaba, en tiempos de la regencia de Espartero, excesiva la influencia de la prensa en España —mejor dicho en Madrid—, donde en cambio los libros eran «escasos y caros». En su opinión se había pasado de un extremo al contrario, «de las mordazas de la Inquisición a la libertad más absoluta», creando «un nuevo tirano Frankenstein», «un Calibán emancipado» peor aun que todos los males que habían sido derrocados, porque «las masas populares, después de haber sido enseñadas durante largo tiempo por los curas que eran otros quienes tenían que pensar por ellos, y a causa de no estar acostumbradas a leer ni al debate público, creen lo que les dicen los periódicos sólo por estar impreso»[7].

3. Los periódicos, voz de los partidos

Los periódicos de las primeras décadas del régimen liberal son predominantemente órganos de opinión, de las opiniones cada vez más diversificadas que van apareciendo en el panorama nacional: partidos, fracciones y disidencias dentro de ellos, o movimientos sociales; todos, cualquiera que sea su implantación aspiran a expresarse a través de la prensa. En diciembre de 1850 decía Donoso Cortés:

> Cada uno lee el periódico de sus opiniones; es decir, cada español se entretiene en hablar consigo mismo [...] ¿Queréis saber lo que es un periódico? Pues un periódico es la voz de un partido que está siempre diciendo a sí mismo: Santo, santo, santo[8].

No era muy exagerado el diagnóstico, aunque justamente en ese año y mes Ángel Fernández de los Ríos inauguraba con la fundación de *Las Noveda-*

des un nuevo modelo de diario que se presentaba ya desde su título como un periódico predominantemente informativo.

En ese mismo año, primero en el que disponemos de las estadísticas del timbre, la distribución por tendencias políticas era la siguiente: el 44%, moderada; progresistas y demócratas, el 30% (en épocas de gobierno progresista se invertían los términos), y absolutistas, el 20%. ¿Son estas proporciones representativas de la opinión pública del país? Balmes había rebatido desde las páginas de *El Pensamiento de la Nación* el valor de la prensa, así como de la «representación nacional» en las Cortes como barómetro de la opinión pública. Según él, una cosa era «el ruido» y otra «la realidad»; una, la España «facticia», y otra, la «verdadera», argumentos que se esgrimirán de manera semejante en el futuro (diferencia entre la «opinión pública» y la «opinión publicada»). Balmes, desde luego, afirmaba que la opinión que él no quiere llamar absolutista sino «monárquica» estaba más extendida de lo que podrían hacer creer esos supuestos indicadores.

Entre los muchos periódicos de las distintas tendencias, de vida generalmente efímera, destaca entre los progresistas *El Eco del Comercio*, portavoz de los progresistas radicales que durante la regencia de Espartero encabezó la oposición que desde su propio partido se hizo al Regente, sumándose a la que por razones distintas le hacían moderados y republicanos coalición de las fuerzas más dispares que daría al traste con la regencia del «general del pueblo», de modo semejante a como tres años antes había sido alzado a la cumbre del poder. Entre los escasos defensores en la prensa del Regente, el más caracterizado era *El Espectador,* que fundado en agosto de 1841, portavoz de sus incondicionales, perviviría hasta 1848.

En los años de la Década Moderada, el órgano más destacado del progresismo fue *El Clamor Público* (1844-1864), puesto del que sería desbancado por *La Iberia*, fundado en vísperas de la revolución de 1854 por Pedro Calvo Asensio, sustituido a su muerte en 1863 por el futuro jefe del partido liberal de la Restauración, Práxedes Mateo Sagasta, bajo cuya dirección vivió el periódico sus años de máximo esplendor en los que precedieron a la revolución de 1868, en cuya preparación jugó un importante papel, convertida su redacción en centro de conspiración revolucionaria.

El más representativo de los periódicos moderados, fiel portavoz de la política de Narváez es *El Heraldo* (1842-1854), de Luis Sartorius, futuro conde de San Luis y jefe de Gobierno. Andrés Borrego sigue en *El Correo Naci*onal, que funda en febrero de 1839, la pauta de *El Español*. Su interés por los problemas sociales le hacen dar cabida en sus páginas a artículos de propaganda fourierista de Joaquín Abreu, representante de esta escuela socialista utópica en España. Fue uno de los más firmes defensores de la Constitución de 1837, fruto de una transacción entre progresistas y moderados. Su sustitución por la constitución partidista de 1845 provoca en el partido moderado la escisión de un ala izquierda «puritana» a la que se adscribe Borrego, que vuelve a publicar *El Español* entre 1845 y 1848; a la misma tendencia pertenece *La Patria* (1849-1851). Una postura de centro entre los partidos moderado y progresista, preludio de la futura Unión Liberal, van a adoptar en los últimos años de la Década Moderada dos periódicos a los que les espera una larguísima vida: *La Época*, fundado en 1849 como moderado y que se distanciará del partido y saludará alborozada la revolución de 1854, y *El Diario Español,* fundado en 1852; éste se publicará hasta 1933 y aquél hasta 1936.

Una postura mucho más derechista, lindante con el absolutismo, tenía *La España* (1848-1868). De febrero de 1844 a diciembre de 1846, Balmes defendió como redactor casi único del, primero, semanal y, luego, quincenal *El Pensamiento de la Nación* su postura de un derechismo inteligente, la de un partido monárquico que no se identificaba necesariamente con el carlista, una «política verdaderamente nacional», por «una reconciliación de todos los españoles», cuyo primer paso debía ser, a su parecer, el matrimonio de la reina con el primogénito de don Carlos María Isidro, el conde de Montemolín, candidatura que fue defendida en la debatida cuestión de las bodas reales por los antiguos elementos carlistas que habían aceptado, de mejor o peor gana, la legalidad del trono de Isabel II.

Francamente absolutista, «monárquico puro», era *La Esperanza,* que en 1850 figuraba ya a la cabeza en el pago por franqueo, puesto que le es arrebatado en 1854 por el progresista «noticiero» *Las Novedades*[9]. Ello indica una importante difusión relativa, aun en el supuesto muy verosímil de que su éxito en Madrid fuese menor. La ideología que representa, junto con *El Católico* —dedicado más especialmente a los temas religiosos—, vencida en los campos de batalla, seguía contando con numerosos partidarios. Como decía un comentarista en 1857, *La Esperanza,* a diferencia de otros «periódicos estúpidos cuya tarea estaba circunscrita a lamentarse de la abolición del santo tribunal», había irrumpido «en el campo del periodismo español para infundir con su solo nombre aliento entre las huestes dispersas y para tomar de la tienda de sus propios enemigos armas con que combatirlos y disputarles su victoria», haciendo «prosélitos hasta entre los descontentadizos del ejército contrario», mientras que en su propio campo «hay fanáticos o necios que se la figuran harto liberal y que ha ocasionado disgustos al sistema de gobierno que defiende». «Con gran lucidez de expresión, con envidiables dotes de ciencia y con formas tan intencionadas como decorosas, ha hecho partido de lo que era secta, ha hecho razón de lo que era ig norancia, ha hecho posible lo que era quimérico y absurdo». Es, concluía: «el periódico español que se escribe con más cuidado y la empresa periodística más importante de cuantas se han formado hasta ahora»[10].

En efecto, *La Esperanza*, como *El Debate* en el primer tercio del siglo XX, es un periódico que defiende sus ideas antiguas en un molde moderno, bien escrito, bien hecho, con buena información para su tiempo, con las secciones habituales en los demás periódicos, siempre teñidas de su particular ideología, incluido el folletín, con títulos como *Vida y hechos de don*

Tomás Zumalacárregi, *Vida militar y política de Cabrera*, *Vida de Don Carlos María Isidro de Borbón* entre otros.

A la izquierda del partido progresista surgen a finales de los años treinta grupos demócratas que en algún caso tienen matiz republicano. Pioneros de la prensa republicana fueron *El Centinela de Aragón*, fundado en 1841 en Teruel por Víctor Pruneda, y el madrileño *La Revolución* de Patricio Olavarría, que publicó sólo cinco números en 1840, del 1 al 5 de mayo, en que fue suprimido por real orden. Insistió Olavarría y el 10 de junio del mismo año inició la publicación de *El Huracán*, que logró prolongar su vida siempre azarosa, con numerosas interrupciones hasta julio de 1843[11]. La desilusión ante la política de Espartero hace dar un paso definitivo en los años de su regencia a las corrientes radicales que en 1849 confluirán en la formación del partido demócrata: la socialista utópica, la republicana y la que podríamos llamar propiamente demócrata, que no hace cuestión fundamental de la forma de gobierno, pero coincide con la republicana en una serie de principios básicos, como el sufragio universal, educación primaria para todos, unicameralismo, etc. Tres diputados defienden en las Cortes de 1841 las ideas republicanas y en las elecciones municipales de diciembre del mismo año el incipiente partido pudo presentar candidatos en casi todas las grandes ciudades y en muchas ciudades menores[12]. Además de *El Centinela de Aragón* y *El Huracán*, se publican en Madrid *El Regenerador* de Ordax Avecilla, *El Peninsular* de García Uzal, *Guindilla* de Ayguals de Izco; *El Republicano* en Barcelona, y otros varios en diversas ciudades. Estos primeros republicanos se pronuncian ya claramente por la fórmula federal. El más radical de los madrileños es *El Huracán*, que polemiza por ello con el más posibilista *El Regenerador*. Más radical que ninguno fue el barcelonés *El Republicano*, editado por Juan Manuel Carsy, desde cuyas páginas Abdón Terradas trataba de atraer a las masas obreras a la acción, proponiendo en estilo popular y directo la revolución política y social.

Los periódicos más extremistas de la oposición a Espartero, de cualquier ideología, aprovecharon al máximo el portillo que para escapar a las limitaciones legales de la ley de 1837 les ofrecía la propia ley en su definición de periódico, que incluía la condición de «con un título adoptado previamente». Proliferaron las «hojas innominadas», los cambios de título de periódicos suprimidos, destacar el título en una frase situada en la cabecera del periódico (como «Es EL REPUBLICANO el que quiere menos contribuciones y más libertad»). *El Peninsular* extremó el ingenio componiendo su título con mayúsculas en el texto del artículo relativo a la libertad de imprenta en la constitución de 1837 («todos los EspañoLes PuedEN Imprimir y publicar libremente SUs ideas con sujeción a Las leyes. ARtículo 2.º de la constitución»). Una ley de julio de 1842 vino a acabar con esos procedimientos, disponiendo en su artículo único que «con nombre o sin él» todo impreso que no excediera de seis pliegos podía ser considerado periódico[13].

En abril de 1849 esas corrientes surgidas en la década de 1830 —socialista utópica, republicana y democrática— confluyen en la formación del Partido Demócrata, amalgama de elementos diversos, siempre perceptibles y que acabarán desgarrándolo. El joven partido sale a la palestra en el Bienio Progresista (1854-1856) y es el primero que toma a su cargo la defensa de las clases trabajadoras. La tendencia republicana y obrerista está representada por *La Soberanía Nacional* de Sixto Cámara, ya curtido pese a su juventud en la lucha revolucionaria y periodística[14], cuya postura combativa y nada contemporizadora le hizo sufrir numerosas denuncias y entrar en polémica con el correligionario, mucho más moderado, próximo a la izquierda del Partido Progresista, *La Discusión* de Nicolás María Rivero. *La Soberanía* no sobrevivió al Bienio Progresista mientras que *La Discusión* —órgano fundamental del partido en la década de 1860, junto con *El Pueblo* del unitario García Ruiz, fundado en 1860, y *La Democracia,* de Castelar, en 1864[15]— prolongaría su vida hasta el final del Sexenio Democrático. Desde 1864, sustituido en la dirección Rivero por Pi y Margall, *La Discusión* pasó a ser portavoz del sector «socialista» del partido y sostuvo grandes polémicas con *La Democracia* que no consideraba compatibles los términos de «demócrata» y «socialista».

De tendencia socialista habían sido durante el Bienio Progresista *El Eco de las Barricadas*, de Fernando Garrido, que publicó muy pocos números, todos ellos denunciados a partir de noviembre de 1854, y *La Voz del Pueblo* (1856), dirigido por Roque Barcia y que contó entre sus redactores a Ignacio Cervera, Fernando Garrido y Pi y Margall.

De marzo a noviembre de 1856 publicaron Eugenio García Ruiz y Estanislao Figueras *La Asociación*, cuyo título es significativo de su tendencia obrerista.

> ¿Podéis contener el curso del Tajo y del Guadalquivir? —escribía García Ruiz—. Pues lo mismo conseguiréis si intentáis contener el espíritu de asociación, que se va depositando en todas las cabezas de los proletarios. La época de éstos ha llegado. La fórmula a la vez sencilla y elocuente que expresa esa época es la siguiente: Libertad de Asociación. El obrero no necesita por hoy aspirar a otra cosa mejor para mejorar su condición material, moral e intelectual[16].

La asociación, palabra clave de la época, es el objetivo fundamental del primer periódico obrero español, *El Eco de la Clase Obrera*, publicado en Madrid todos los domingos desde el 5 de agosto de 1855 hasta el 3 de febrero de 1856, en el contexto del cambió de táctica adoptado por el movimiento obrero catalán tras la dura represión de la huelga general de julio de 1855, en un deseo de hacer oír su voz, lo que por entonces resultaba imposible en Cataluña[17]. Supone el periódico un intento de luchar por medios legales, dirigiéndose a la opinión pública en un tono de gran moderación, explicando los problemas y las actitudes de las organizaciones obreras; al mismo tiempo, apelando a los obreros de toda España se pretende crear un vasto movimiento de solidaridad en defensa de los intereses comunes. Es también una elocuente muestra de la colaboración entre elementos obreros y republicanos: editado y en gran parte escrito por el obrero tipógrafo catalán Ramón Simó y Badía, la parte doctrinal más importante se debe a Pi y Margall.

Eslabón entre estos intentos de expresión de la incipiente conciencia obrera y su consolidación a partir de la revolución de 1868 es el semanario *El Obrero*, que pudo publicarse en Barcelona desde septiembre de 1864 hasta entrado el año 1866, gracias a la política tolerante del gobernador general Dulce. Necesariamente moderado, este periódico obrero hace gala de respeto al orden, pero denuncia la explotación sufrida por la clase obrera, cuyo remedio cifra en el asociacionismo[18].

En conjunto, la prensa democrática ocupó en los últimos años del reinado de Isabel II un lugar, si no numéricamente muy importante (no sobrepasaba el 10% en el pago del timbre), sí ideológicamente fundamental en la gestación de la revolución de 1868. El artículo de Castelar «El rasgo», publicado en *La Democracia* el 25 de febrero de 1865, tuvo unas consecuencias demoledoras para el trono de Isabel II. Castelar sostenía que el celebrado «rasgo» de generosidad de la reina, que para salvar de una difícil situación al Tesoro puso en venta parte de los bienes del patrimonio real, reservándose la cuarta parte de su producto, era en realidad un despojo, pues tales bienes eran propiedad de la nación. Tuvo sus secuelas de «rasgueos» y «rasguetes» y provocó las iras del Gobierno, que recogió el periódico y desposeyó a Castelar de su cátedra, llevando así la guerra franca al tema de la libertad de cátedra, que venía discutiéndose desde tiempo atrás. Como consecuencia de estos hechos, se produjeron los disturbios estudiantiles y la sangrienta represión de «la noche de San Daniel», tras la cual el régimen entra en su recta final.

4. Prensa catalanista

Hay que señalar en los años de la regencia de Espartero, pese a su efímera vida, la aparición de los primeros periódicos escritos íntegramente en catalán, como indicio del deseo de recuperar las señas de identidad catalanas revitalizando la lengua. El primero en 1841, el satírico *Lo Pare Arcángel*, que publicó sólo tres números. Seis publicó en 1843 *Lo verdader catalá*, que ha sido considerado el «primer órgano periodístico de la Renaixença». En su introducción hacía la siguiente declaración de principios: «Espanya és la nostra nació, pero Catalunya és la nostra Patria». Cesó por falta de lectores, lamentando el menosprecio en que los catalanes tenían la lengua de su patria.

Víctor Balaguer publica entre diciembre de 1849 y febrero de 1850 *El Catalán*, en el que late según Torrent y Tassis «un vago espíritu de renaixença», pero, excepto alguna charada de la sección recreativa, estaba escrito íntegramente en castellano[19]. El mismo Balaguer publicó en 1851 *La Violeta de Oro*, cuyo título hacía alusión a uno de los premios de los antiguos juegos florales, por cuya restauración luchó, restauración que sería una realidad en 1859, dando así comienzo a la plenitud del movimiento cultural de la Renaixença. Pocos textos en catalán publicó esta revista, que hacía tan apasionada defensa de la lengua patria.

A la iniciativa del mismo Víctor Balaguer se debe la publicación entre noviembre de 1854 y febrero de 1857 de *La Corona de Aragón*, cuyo título es significativo de su pretensión de fomentar la alianza política y económica de los países que habían constituido el antiguo reino aragonés; «en todo, por todo y antes que todo Cataluña», concluía un artículo publicado el 13 de enero de 1855; la frase puede tomarse como lema del periódico.

En los últimos años del reinado, Cataluña vive la plenitud cultural de la Renaixença. De diciembre de 1856 a julio de 1857 se publicó *El Conceller*, en cuyas páginas Víctor Balaguer hizo la apología de las antiguas instituciones catalanas; en el número de 21 de mayo de 1857 publicó, bajo el seudónimo de Lo trovador de Montserrat su famosa poesía «A la Verge de Montserrat».

En 1862 comienza su publicación la *Revista de Cataluña.* Torrent y Tassis comentan:

> Cabe señalar [...] la tradición que creaba con su título una publicación destinada a expresar las actividades, las inquietudes y las aspiraciones de la intelectualidad catalana, sin distinciones de partido, mientras se orientasen al estudio y enaltecimiento del tesoro espiritual de nuestro pueblo. Fieles al espíritu, faltaba, en cambio, a aquellos hombres la fidelidad a la lengua...[20].

Junto a la corriente culta, historicista y tradicional del catalanismo que cristalizó en los juegos florales y en publicaciones del tipo de las mencionadas, existe la corriente popular que defiende «el catalá que ara es parla» y que halla su mejor expresión en el teatro popular y en la prensa satírica y humorística, revolucionaria en política, versión catalana y catalanista del *Gil Blas* y congéneres madrileños. El más importante y duradero representante de ese periodismo satírico, popular y revolucionario catalán, que cuenta con varios títulos, es *La Rambla*, que comenzó su publicación en enero de 1867 y en junio del mismo año se vio obligado a suspenderla para reaparecer bajo el título de *La Pubilla*. Tras el triunfo de la revolución recuperó su antiguo nombre y se declaró «republicano y catalanista».

5. Prensa ilustrada

No era sólo propaganda política lo que ofrecía la prensa a los lectores. En primer lugar, existían otras publicaciones de periodicidad no diaria dedicadas a temas «científicos y literarios», denominación aplicada a los no políticos. Entre ellas, las de mayor difusión son las revistas ilustradas, entre las que, como vimos, fue pionera el *Semanario Pintoresco,* que continuará publicándose hasta 1857. Desde 1843 se publica *El Museo de las Familias,* cuyo subtítulo «Lecturas agradables e instructivas» es significativo de su contenido, más bien pobre e ilustrado con escasos grabados. Gozó no obstante de la suficiente aceptación como para subsistir hasta 1871.

Como avanzábamos en el capítulo anterior, en 1849 aparece en España, con notable retraso con respecto a Europa, una nueva fórmula de revista ilustrada que, bajo títulos en los que aparece la palabra Ilustración, seguían en la medida de lo posible la pauta de *The Illustrated London News* y de *L'Illustration* francesa, sus confesados modelos, que habían traído un concepto nuevo al periodismo ilustrado, con la incorporación del dibujo de actualidad. Fernández de los Ríos, que tenía a su cargo desde 1847 el *Semanario Pintoresco Español,* en lugar de renovarlo adaptándolo al nuevo estilo de la prensa ilustrada extranjera, optó por mantener su viejo carácter y fundar una revista nueva, que se presenta como hermana, asociada y complementaria del *Semanario: La Ilustración,* «Periódico Universal», que se publicó, con periodicidad semanal, entre marzo de 1849 y junio de 1857. De mayor formato, más páginas y mucha mayor proporción de grabados que el *Semanario* y sólo un poco más caro, *La Ilustración* se proponía no ser «un periódico de puro entretenimiento», sino consignar «con la pluma y con el lápiz cuantos acontecimientos de interés tengan lugar en el mundo», presentando no sólo la relación de sucesos notables «sino también la representación material de ellos».

Sin duda superior a todas las revistas ilustradas que la habían precedido, los logros de *La Ilustración* estuvieron por debajo de sus declarados propósitos. Tributaria de sus homónimas extranjeras no sólo en cuanto a su fórmula, sino también en la procedencia de sus grabados (resultaba más barato comprarlos que encargarlos a artistas nacionales), es significativo que dedica mayor lugar a la información extranjera que a la nacional. En 1854 publicó interesantes páginas dedicadas a la revolución, con grabados sobre las barricadas, etc., pero en general los grabados nacionales, en ocasiones reciclados de viejos clichés, son muy inferiores en número e interés a los extranjeros[21].

En 1857 desaparecen el *Semanario Pintoresco* y *La Ilustración* y nace *El Museo Universal,* de los editores Gaspar y Roig, que continuaría publicándose hasta 1869, en que se transformó en *La Ilustración Española y Americana.* Se subtitulaba «Periódico de ciencias, literatura, artes, industria y conocimientos útiles, ilustrado por los mejores artistas españoles» y, en efecto, junto a los grabados tomados de las *Ilustraciones* extranjeras, publicaba dibujos de Perea, Martín Rico, Ortego y Valeriano Bécquer, grabados por Capuz, Bernardo Rico y otros. Los grabados, desde el punto de vista técnico, suponen un avance en relación con las publicaciones anteriores. Fundamentalmente de carácter artístico y literario, la actualidad ocupa un lugar secundario, aunque cubrió acontecimientos nacionales como la campaña de África, e internacionales como la guerra de Italia. Entre sus colaboradores hay que destacar a los hermanos Bécquer. Gustavo Adolfo publicó allí varias de sus *Rimas* y comentó los dibujos de su hermano Valeriano. En 1866 desempeñó el papel de director literario de la publicación y comentó a su manera la actualidad en la sección «Revista de la Semana».

6. La edad de oro del folletín

Tampoco era sólo política lo que ofrecían los diarios en sus cuatro amazacotadas páginas. Ya se hablaba entonces del carácter enciclopédico del periódico.

Las décadas de 1840 y 1850 fueron las del máximo auge del folletín periodístico, coincidiendo con el de las novelas por entregas[22]. En 1888, un periodista comparará la avidez con la que el público devora las sensacionalistas noticias del crimen de la calle de Fuencarral, con la que en 1845 esperaba el capítulo correspondiente de *El judío errante* de Eugenio Sue «preferida y exclusiva materia de conversación y comentario en todas las casas particulares y en todos los círculos»[23]. La mayor parte de las novelas publicadas de este modo eran traducciones de los autores franceses del género —Sue, Dumas, Kock, etc.—, pero también se publicaron así por primera vez muchas novelas románticas y realistas españolas

El hecho no podía por menos que preocupar a los moralistas. Balmes se lamentaba:

> Aunque los periódicos, ni progresistas ni moderados, no dediquen por lo común sus columnas a combatir la religión [...] sea cual fuere la novela, por más que el escritor se entregue a todo género de ataques contra el dogma, contra la moral, [...] los tolerantes periódicos le abren las dilatadas columnas de sus folletines y hasta luchan entre sí con viva emulación para arrebatarse la preferencia en ofrecer al público la seductora leyenda...[24].

El folletín era la parte del periódico destinada sobre todo a las mujeres. Los diarios, cuando anuncian un nuevo título o se disculpan por dejar de insertar algún día el correspondiente capítulo, suelen dirigirse a «las lectoras». Un *Amigo del pueblo* de ideología muy reaccionaria que se publicaba en 1854 se lamentaba de su efecto pernicioso sobre las jóvenes: «de entre esas vírgenes que han aprendido a literatura en Eugenio Sue, traducido en bárbaro castellano, y la moral en Dumas han de salir las esposas a quienes confiemos la honra de nuestro nombre»[25].

En púlpitos y pastorales se tronaba contra el furor folletinesco. En junio de 1853, el obispo de Lérida lanzaba anatemas contra el folletín del periódico *El Trono y la Constitución*. El periódico *La Nación* se indignaba en un artículo de 1850 contra los que creían posible «la destrucción completa de la libertad», pretendiendo entre otras cosas suprimir el folletín del periódico.

> Entonces se arrancaría al pueblo el libro donde se instruye desde que esta parte del periódico se convirtió en cátedra. Y suprimir el folletín es privar a millares de personas de su primer solaz tan lícito como el paseo.

Lo que los enemigos del folletín temían era la difusión de unas ideas políticas y sociales y de una visión de la historia que caracteriza gran parte de estas novelas; las ideas de un vago socialismo utópico, el anticlericalismo y la interpretación progresista de la historia se difundieron a través de estos novelones entre amplias capas populares con una eficacia difícil de evaluar, pero sin duda mucho mayor, pese a su simplismo, y precisamente por él, que la de las formulaciones doctrinales coetáneas. Menéndez Pelayo lo estimaba así en su *Historia de los heterodoxos españoles:*

> Las traducciones de novelas francesas fueron no leve parte en la propagación de malsanas novedades [...]. Las mismas teorías filosófico-sociales y humanitarias proclamadas en Francia llegaban aquí mucho más por las novelas de Jorge Sand o por los indigestos abortos, hoy olvidados, de Eugenio Sue que por libros abstractos y teóricos.

Y añade en nota:

> Una de las pruebas más señaladas de la confusión de ideas y de la poca noticia que en España había de las modernas utopías socialistas nos la da el hecho de haber publicado en sus folletines, periódicos conservadores como *El Heraldo*, novelas socialistas al modo de *Martín el Expósito* o de *Los Misterios de París*, de las cuales hizo luego estupendas imitaciones (*María, la hija de un jornalero; La marquesa de Bellaflor;* etc.) el infatigable D. Wenceslao Ayguals de Izco, comandante de la milicia nacional de Vinaroz[26].

A despecho de adustos moralistas, el folletín siguió ocupando hasta entrado el siglo XX la parte baja de una o varias páginas del diario. Todavía en 1906, Rafael Mainar aconsejaba en *El arte del periodista* no suprimir el capítulo diario del folletín sino en caso de gran necesidad, para no provocar la irritación del lector, sobre todo lectora; que el final de un folletín no coincida en los últimos días del mes, sino dentro de la primera quincena, para evitar bajas en las suscripciones, y situarlo en la cuarta plana, la destinada a los anuncios, para llamar la atención sobre ellos.

7. Los comienzos del telégrafo

Aunque los últimos políticos ilustrados ya se habían interesado por el telégrafo —óptico, por supuesto—, su implantación en España fue muy tardía[27]. Si bien los primeros tendidos se instalaron en 1800, las escasísimas líneas tuvieron un uso exclusivamente militar y policial y para la familia real hasta la década de 1840. La primera línea que unía Madrid con la frontera francesa entró en funcionamiento en octubre de 1846. Se trataba ya de una tecnología obsoleta cuando en los países más avanzados se multiplicaban las líneas de telégrafo eléctrico y tuvo una vida corta: antes de que terminase la instalación de la red óptica, comenzó la de la eléctrica, iniciada en 1852 para uso oficial y abierta al público tres años más tarde. En 1857 se había efectuado totalmente el cambio. El nuevo invento seduce a las imaginaciones: anula las distancias, acerca a los pueblos y los llevará a la fraternidad por la senda del progreso, dicen sus entusiastas cantores, mientras que el apocalíptico Donoso Cortés, en su célebre discurso parlamentario «en defensa de la dictadura», pronunciado el 4 de enero de 1849, lo presenta como uno de los últimos escalones en la gradación en la exposición de su teoría de «los dos termómetros», según la cual la falta de represión religiosa lleva inevitablemente a la represión política:

> Los gobiernos dijeron: No me bastan para reprimir un millón de brazos; no me bastan para reprimir un millón de oídos, necesitamos más; necesitamos tener el privilegio de hallarnos a un mismo tiempo en todas partes. Y lo tuvieron, y se inventó el telégrafo[28].

Otra revolución en las comunicaciones, el ferrocarril, se inicia también en estos años. En la primera Real Orden que autorizaba la creación de empresas de caminos de hierro, de 31 de diciembre de 1844, se preveía ya su utilización para el trasporte del correo. El primer tramo en la Península[29], de 29 kilómetros, fue el de Barcelona —Mataró, que se instaló en 1848 y en 1851 el de Madrid— Aranjuez. La Ley de Ferrocarriles de 1855 dio un gran impulso a la red. En 1868, el tendido de vías alcanzaba los 5.400 kilómetros[30].

Si el telégrafo separa la transmisión de la información del traslado de mercancías, aboliendo el tiempo y el espacio para la recepción de las noticias, convirtiendo el mundo en una aldea global, según la fórmula de McLuhan[31], el ferrocarril va a posibilitar la difusión de los periódicos fuera de su lugar de edición en horas en lugar de en días. Al principio circulaban en los vagones de viajeros; en 1866 se montaron los primeros vagones correo. No menos importante para la difusión de los periódicos fue el gran impulso dado en el reinado de Isabel II a la construcción de carreteras y la mejora de caminos.

Favorecido por estos nuevos factores, a partir de la mitad del siglo, el aspecto informativo va cobrando progresiva importancia en los periódicos. Se postula la necesidad de un periodismo independiente, que no sea portavoz de partido y predominantemente informativo. En 1950, Ángel Fernández de los Ríos, director de el *Semanario Pintoresco*, fundador de *La Ilustración* y de un *Biblioteca Universal* comienza la publicación del diario *Las Novedades*, que se presenta como un periódico de nuevo corte «sin preocupaciones de partidos [...] que cifre su porvenir en el crédito que llegue a adquirir por la prontitud con que de cuenta de LAS NOVEDADES»[32].

A pesar de esta declaración de principios, el periódico, aunque «destinado a satisfacer con la anticipación posible la curiosidad del lector de noticias», como reiteraba un año después, tuvo un claro matiz progresista hasta su desaparición en 1872. El éxito acompañó a la empresa y en 1853 se colocó en cabeza en el pago del timbre de correos, que sólo le sería arrebatado en los años sesenta por *La Correspondencia de España*, nacido en 1858, también predominantemente informativo, sin adscripción política determinada, «ministerial de todos los ministerios», como decían sus detractores. Este diario tuvo un éxito sin precedentes, organizó un servicio de venta callejera muy eficaz, frente al predominio de la suscripción de sus colegas, y constituyó un saneadísimo negocio para su fundador, el marqués de Santa Ana. En 1860 aseguraba tirar 25.000 ejemplares y en 1870 se le suponían más de 50.000. Desde 1867 le había surgido un peligroso competidor en *El Imparcial*, que más comprometido políticamente, en la izquierda del sistema, era también «independiente» y prestaba gran atención a la información.

8. Prensa satírica

Periódico de gran éxito en su tiempo y perdurable fama después fue el satírico político llamado *Fray Gerundio,* como el célebre personaje del padre Isla, escrito íntegramente por el que sería famoso historiador Modesto Lafuente. Comenzó a publicarse en León en abril de 1837, aprovechando la apertura que suponía la ley recién promulgada. En julio de 1838 se trasladó a Madrid, donde pervivió, con interrupciones, hasta enero de 1844. Fray Gerundio es un fraile exclaustrado como consecuencia de la desamortización de Mendizábal, que en charla con su lego Tirabeque va burlándose de todo, en un lenguaje paródico de latín macarrónico y estilo gerundial. La línea del periódico es liberal progresista pero independiente, sin que nadie pueda *a priori* librarse de sus ataques (el futuro general Prim se consideró ofendido y protagonizó un sonoro incidente), dirigidos sobre todo contra los últimos vestigios del Antiguo Régimen. El éxito de *Fray Gerundio* provocó una estela de imitadores: *Fray Junípero, Fray Supino Claridades,* etc.

De breve vida y perdurable mala fama fue *El Guirigay,* que se publicó de 1 de enero a 6 de julio de 1839, en que fue prohibido por una real orden. Lo más notable del periódico eran las «cencerradas», que ocupaban la parte inferior de las dos o tres primeras páginas, el espacio que solía dedicarse al folletín, en las que Ibrahim Clarete, seudónimo de González Bravo, como él mismo declara en su último número, utiliza la libertad de prensa —de la que cuando ocupó el poder había de ser uno de los más tiránicos opresores— para la más desaforada demagogia: desde llamar en alusión transparente a la reina regente «ilustre prostituta» hasta proponer que a los ministros «se les apriete bien la garganta a ver si con la lengua traidora sueltan el dinero que nos han robado».

Tono socializante como su famoso folletín *María o la hija de un jornalero,* tienen las publicaciones satíricas de Ayguals de Izco. En los últimos tiempos de la regencia de Espartero publicó el republicano *Guindilla,* con abundantes caricaturas de autor anónimo que, según Valeriano Bozal, suponen una verdadera innovación, que anticipa la ilustración satírica del Sexenio Democrático. Ministros y militares son los personajes más caricaturizados, incluido el propio Espartero, blanco ideal de la prensa satírica tanto moderada como republicana. Durante el periodo de dominación moderada, Ayguals fustigará a todos los gobiernos que se sucedan, desde las páginas de *La Risa, El Dómine Lucas, El Fandango* y *La Linterna Mágica,* solo o en colaboración con el ingenioso satírico Juan Martínez Villegas, que publicó por su cuenta *El Burro* y *El tío Camorra.*

En vísperas de la revolución de 1854, que contribuyó a fomentar, publicó de forma clandestina y sin periodicidad fija unos pocos números *El Murciélago*[33], que se colaba al parecer por todas partes y era leído con avidez, sin que la policía fuera capaz de impedirlo. Su condición de clandestino le permitía atacar sin ninguna clase de miramientos los sucios negocios que hacían elevados personajes a la sombra del poder. Sus blancos predilectos eran el marqués de Salamanca y la en otro tiempo adorada reina gobernadora y ahora desprestigiada duquesa de Riansares, María Cristina, sin que tampoco se librara la propia Isabel II, blanco fácil por la ligereza con que ejercía sus funciones regias y lo poco edificante de su vida privada.

Durante el bienio progresista, y para combatir con las poderosas armas de la sátira a los gobiernos, se publicó uno de los más célebres periódicos satíricos del siglo XIX, *El Padre Cobos.* Su atrevimiento le valió innumerables denuncias y no pocas condenas: entre ellas una supresión de varios meses en 1855. «Leer públicamente *El Padre Cobos* era hacer cínico alarde de moderantismo; llevarlo en el bolsillo, de ocultis, para leerlo a solas, era hipocresía y traición cobarde, indigna de los hombres del Progreso», pensaba un personaje del *O'Donnell* de Galdós, que se había impuesto la obligación de no leerlo nunca.

Si en el bienio *El Padre Cobos* desde las filas moderadas atacaba con burlas a los gobiernos progresistas, en los últimos años del reinado, cambiadas las tornas, con los moderados en el poder, son periodistas de orientación democrática quienes desempeñan ese papel de guerrilleros contra los gobiernos y «los obstáculos tradicionales». El más famoso de estos periódicos, el semanario *Gil Blas*, comenzó su publicación en noviembre de 1864.

El Jeremías, última publicación del republicano Juan Martínez Villegas, se publicó dos veces por semana a partir del 1 de abril de 1866. Ambos incorporaron como elemento fundamental la caricatura, concepto que entonces englobaba no sólo la caricatura personal, sino también el humorismo gráfico en general, género que, aclimatado en Francia desde los tiempos de Luis Felipe, se consolida en estos años en España. Menos connotado políticamente era *El Cascabel* al que Carlos Frontaura, de mentalidad más bien conservadora, se esforzó por dar un carácter no partidista, burlándose en tono ligero por igual de todos los políticos; fundado en 1863 llegó a tirar de 40 a 50 mil ejemplares, según Julio Nombela, que lo compró cuando ya estaba muy en decadencia a Frontaura en 1876[34].

7. El Sexenio Democrático, 1868-1874

1. Libertad de prensa

La política democrática con respecto a la prensa en el sexenio revolucionario de 1868-1873 refleja una mentalidad opuesta a la desconfianza que había dictado las disposiciones de los últimos años del reinado de Isabel II. No sólo se concedió la más amplia libertad —reconocida en el decreto de 28 de octubre de 1868 y en el artículo 17 de la Constitución de 1869—, sino que además se dictaron una serie de medidas económicas tendentes a fomentar a la prensa en general y especialmente a las publicaciones populares a bajo precio, política basada en el principio de que «el periódico es el libro del obrero [...] la fuente de instrucción del pueblo, a cuyo fácil alcance no se encuentra el libro por el excesivo precio que comparativamente aquí se le señala», según frases del preámbulo de un decreto de mayo de 1871, que reducía muy considerablemente los derechos del timbre que debían pagar los periódicos por su circulación por correo.

Al calor de esta legislación favorable —sólo limitada en los últimos tiempos por las condiciones de la insurrección cantonal y la guerra carlista—, se produjo una multiplicación del número de periódicos de las más variadas tendencias y un gran aumento de las cifras de difusión de los más importantes.

2. Periódicos de información: *La Correspondencia de España* y *El Imparcial*

Decía un articulista de *La Ilustración de Madrid* en 1870[1]:

Los españoles mismos que lo vemos, lo tocamos y lo palpamos no sabemos darnos cuenta de por qué hay en España tantos periódicos políticos y tan pocos literarios. A primera vista parece que el público no quiere más que política; pero pensando que los periódicos de noticias se leen más que los políticos cualquiera cae en la tentación de creer otra cosa.

En efecto, un dato destacable en el periodismo del Sexenio es que la efervescencia política no impide que el noticiero *La Correspondencia de España* sea con diferencia el periódico de mayor difusión y siga ascendiendo a un ritmo cada vez más rápido. Según estimaciones coetáneas, tenía una tirada superior a los 50.000 ejemplares, constituyendo así una «mina periodística» que había hecho ingresar a su fundador y propietario, Manuel María de Santa Ana, en «el privilegiado grupo de los grandes propietarios de España», proporcionándole unos ingresos de 30 o 35 mil duros al año, de los que 18 o 20 mil procedían de los anuncios[2]. *La Correspondencia* fue el primer periódico eminentemente callejero, sistema de venta que pronto se convertiría en habitual en los periódicos populares, frente a los que siguieron vendiéndose sólo por suscripción, como el aristocrático *La Época*. De sus 2.000 repartidores, 400 correspondían a Madrid y eran típicos personajes de la noche madrileña (era vespertino), pregonando su mercancía por todos los rincones.

El interés del público por la noticia, cada vez mejor servida por los medios técnicos, aumenta en estos años de extraordinarios acontecimientos en el interior (triunfo de la Revolución, discusión y proclamación de la Constitución más liberal del siglo, reinado de Amadeo y consiguiente abdicación, proclamación de la Primera República, sublevaciones cantonal y carlista, etc.) y en el exterior (guerra franco-prusiana, Comuna de París…). Esto explica que en estos años de extraordinaria efervescencia política, sea *La Correspondencia*, con su relativa neutralidad informativa, el periódico preferido del público. Sólo al final del periodo, *El Imparcial*, fundado en marzo de 1867 por Eduardo Gasset y Artime, comienza a convertirse en un rival peligroso. Este hecho viene a confirmar el auge de la prensa de información, por cuanto el diario de Gasset debe su éxito creciente, que terminará por convertirle en el periódico de más circulación y prestigio en los años de la Restauración, a la afortunada combinación de periódico de opinión genéricamente democrática, con la atención más cuidadosa al aspecto informativo[3].

Traía *El Imparcial* al periodismo una fórmula nueva, a mitad de camino entre la pretendida asepsia de *La Correspondencia* y la intransigencia doctrinal de los periódicos de partido. En su número del 1 de enero de 1870, se decía:

Procuraremos que en la sección doctrinal aparezca nuestro pobre pensamiento revestido de todos los atavíos que puedan prestarle autoridad, firmeza y sensatez, mientras que en la sección de noticias lo sacrificamos todo a anticipar a nuestros lectores, no ya el suceso importante, sino el rumor más vago, la impresión más fugaz [...]. Entendemos así el periodismo...

El Imparcial fue el más firme apoyo de Amadeo en la prensa, reconoció luego a la República y, hostil al principio frente a la Restauración, acabó integrándose en el sistema. En 1874 inició la publicación de su famoso suplemento literario *Los Lunes de El Imparcial*, por el que habían de desfilar las mejores plumas del país. Decía en su primer número del 27 de abril:

Hay una España, muy numerosa ciertamente, para quien la política es asunto, si no despreciable, por lo menos cansado; una España que por entre las columnas de los periódicos desea encontrar siempre el movimiento de la cultura actual, desnudo de las preocupaciones de escuela y libre de la implacable tiranía de los partidos.

Su primer director, Isidoro Fernández Flórez, «Fernanflor», en su discurso de recepción ante la Real Academia Española en 1899, se mostraba orgulloso de sus méritos de «apóstol» en aquella iniciativa de *El Imparcial*, que «inauguró en sus Hojas literarias semanales el movimiento independiente que ha popularizado a los más contrapuestos autores [...]. Esta forma se impuso: todos los diarios quisieron tener Hojas; difundióse el gusto; entró en todas las casas por debajo de la puerta varia y libre lectura y hoy es imposible sostener un periódico sin el adorno de las letras».

En 1894, Clarín analizaba muy positivamente el fenómeno:

Toda la prensa que quiere hacerse valer, en noble emulación, va comprendiendo que la política, y otros recursos semejantes ya no bastan, y procura atraer al público con suplementos literarios, cuentos, crónicas de arte, crítica, etc. etc., y ofreciendo a los lectores la colaboración asidua (y pagada: único modo de que sea asidua) de las más acreditadas firmas de cada género. / Ése es el camino; por ahí se va al libro [...] / [camino] de gran eficacia para la educación de las masas, que ¡yo lo he visto!, leen muy atentamente los periódicos...[4].

3. Agencias de noticias

Para el desarrollo de este nuevo periodismo en el que prima la información, son imprescindibles las agencias de noticias. En 1867 nace la Agencia Fabra, fundada por Nilo María de Fabra, primera agencia nacional, si exceptuamos la *Carta Autógrafa* —que el que luego sería el fundador de *La Correspondencia*, Santa Ana, había montado muy rudimentaria y artesanalmente en 1848— y el Centro de Corresponsales —que el propio Fabra había establecido dos años antes de la agencia que llevaría su nombre[5]. La primera agencia mundial, prehistoria aparte, fue la Havas fundada en 1832. La generalización de la telegrafía eléctrica facilitó el desarrollo de las grandes agencias: Associated Press (EE.UU., 1848), Wolf (Alemania, 1849) y Reuter (Gran Bretaña, 1851). Desde sus orígenes, estas agencias estuvieron instrumentalizadas por la expansión imperialista de sus respectivos países, hasta el punto de firmar un acuerdo conjunto en 1870 por el que se repartían el mundo en mercados informativos correspondientes a su área de influencia económica y política. España entraba en la órbita de la francesa Havas, a la que se vinculó la agencia Fabra[6].

4. Periódicos de las distintas tendencias políticas

Como en toda situación revolucionaria, se produce en estos años una extrema polarización. Detrás de *La Correspondencia de España* y *El Imparcial*, son el republicano federal *La Igualdad* y los periódicos carlistas los de mayor difusión.

Los elementos más conservadores cierran filas frente a la revolución, y el carlismo recibe una inyección de vitalidad con el reconocimiento de Carlos VII por parte de antiguos moderados y de los católicos ultraderechistas, los llamados neocatólicos, con sus órganos *La Regeneración* y *El Pensamiento Español*, procedentes respectivamente del bienio progresista y de 1860, a los que se sumaron casi un centenar de periódicos de provincias. La fusión entre el antiguo y el nuevo carlismo nunca fue perfecta, pero en estos años *La Regeneración* y *El Pensamiento Español*, junto con el veterano carlista *La Esperanza* y el nuevo *La Reconquista*, combaten a la revolución bajo la bandera de don Carlos, haciendo uso de la «nefanda» libertad de prensa que denostaban. El artículo de Navarro Villoslada «El hombre que se necesita», publicado en *El Pensamiento Español* el 11 de diciembre de 1868, es uno de los textos básicos del carlismo en estos años.

Nada tienen que envidiar en agresividad los periódicos carlistas a los «petroleros» de ultraizquierda, descontentos desde el extremo opuesto con la marcha de la revolución. No se limitaron los carlistas al periodismo serio, representado por los cuatro periódicos editados en Madrid mencionados —todos ellos figuran en lugares muy destacados en el pago del timbre de correos y en conjunto presentan uno de los frentes más poderosos— y por una gran cantidad de periódicos distribuidos prácticamente por toda la geografía nacional, sino que cultivaron también el género satírico, que alcanza su apogeo en estos años, utilizado desde todos los ángulos ideológicos. Los más destacados representantes entre los carlistas son *El Papelito* y

La Gorda, cuyo título hacía alusión a la Revolución, llamada por sus partidarios «Gloriosa» («aquí se va a armar la gorda» era frase habitual en los tiempos prerrevolucionarios). En alusión paródica a *La Gorda*, se publica en Barcelona el federal y anticlerical *La Flaca*. Sus excelentes caricaturas en color contribuyeron a fijar el estilo de la caricatura política.

Tras el decreto de suspensión de la prensa federal y carlista en enero de 1874, ésta quedó limitada, aparte de algunas publicaciones clandestinas madrileñas, a las zonas dominadas por los insurrectos. El más importante fue *El Cuartel Real*, órgano oficial del Pretendiente.

El Partido Demócrata, amalgama según vimos de tendencias diversas, se escinde en estos años entre los «cimbrios», que aceptan la fórmula monárquica, y los que constituyen el Partido Republicano, que se pronunciarán casi unánimemente por la fórmula federal. La fórmula unitaria será defendida casi en solitario por *El Pueblo*. Otra división se producirá entre los «benévolos» que, como Castelar, se muestran dispuestos a colaborar con los monárquicos radicales, postura que defienden *La Discusión* y la mayoría de «intransigentes»; entre ellos, el de mayor difusión, con mucha diferencia, es *La Igualdad*, que llegó a tirar en sus mejores momentos 36.000 ejemplares, distribuidos en un 80% en provincias, según una información del propio periódico el 1 de enero de 1873, pese a que en muchas de ellas se publicaron periódicos federales.

Se distinguió por su extremismo y agresividad *El Combate*, publicado en Madrid a partir del 1 de noviembre de 1870 por el diputado de las Cortes Constituyentes y antiguo conspirador y luchador revolucionario José Paúl y Angulo, que hizo desde él una guerra sin cuartel al general Prim, de cuyo asesinato sería uno de los principales sospechosos.

El federalismo venía a proporcionar a los regionalismos una oportunidad para devolver a las regiones con fuerte sentimiento diferencial su personalidad histórica. No es el caso del País Vasco, que no se había sumado con entusiasmo a la revolución y en el que la presencia del republicanismo fue muy escasa[7]. El debate se da allí entre publicaciones carlistas como *Euscalduna* y liberales como *Irurac-Bat* [tres en una, lema que simbolizaba la unión política de las tres provincias], ambos bilbaínos, que extreman en estos años sus posturas previas y sus respectivas interpretaciones, opuestas, de unos fueros que todos defienden[8].

También en Galicia había nacido el sentimiento regionalista en los años previos a la Revolución. «Ya no se podía decir que sólo de labios catalanes salía la protesta», recordará Manuel Murguía en una necrológica de su esposa Rosalía de Castro, publicada en *La Voz de Galicia* en 1885, refiriéndose a los *Cantares Gallegos* de ésta, publicados en 1863, y al periódico *El Miño* de Vigo (que en 1868 recuperaría el nombre de *La Oliva*, que había llevado de 1856 a 1857) del que fue uno de los inspiradores así como de *El Clamor de Galicia* de La Coruña[9]. Aunque no todos los periódicos republicanos federales que se publicaron en Galicia en estos años fueran galleguistas, en opinión de Xosé R. Barreiro Fernández, a partir de 1868 el regionalismo va a recibir el aporte insuficientemente valorado del federalismo republicano, sobre todo en Santiago[10].

Ninguno de los periódicos que en el País Vasco o Galicia defendían las señas de identidad regionales, entre las cuales figura por supuesto la lengua, la utilizaban, por muy explicables razones.

No ocurre lo mismo en Cataluña, en donde se afianza en estos años el movimiento cultural de la *Renaixença* y surge el catalanismo político, que en estos años se identifica con el republicanismo federal. La publicación más importante del catalanismo cultural, ajeno a la lucha política, es *La Renaixença*, íntegramente escrita en catalán que, iniciada en 1871, tendrá larga vida.

El federalismo radical y catalanista, tiene su más importante representante en Valentí Almirall, que entre julio de 1869 y junio de 1870 publica en castellano el primer diario catalanista *El Estado Catalán*, editado de nuevo en Madrid de mayo a junio de 1873. Fue también uno de los impulsores del semanario satírico republicano y anticlerical *La Campana de Gràcia* —bilingüe en sus primeros números, y después íntegramente en un catalán popular («el català que ara es parla»)—, publicado desde marzo de 1869 por el editor López Bernagosi, prolongaría su vida hasta octubre de 1934[11].

En la zona centrista, entre carlismo y republicanismo radical, se sitúa *El Imparcial* que, como hemos dicho, debe su rápido éxito, tanto al cuidado que puso en los aspectos informativos como a su postura genéricamente democrática y pragmática, que le llevó a aceptar finalmente la República, después de haber sido el más firme defensor de la monarquía de Amadeo de Saboya.

No le sentó demasiado bien el triunfo de la revolución por la que había luchado al órgano de Sagasta *La Iberia*, que inicia un lento descenso. *Las Novedades*, que ya había entrado en decadencia antes del triunfo de la Revolución, defensor luego de la candidatura del duque Montpensier para el trono vacante, quedó completamente desfasado ante la marcha de los acontecimientos. Juzgaba suicida la política de los partidos revolucionarios, cuya consecuencia «lógica e indeclinable» sería la restauración de la derrocada dinastía, y el 4 de julio de 1872 justificaba su desaparición en el convencimiento de que «la Revolución de Septiembre está condenada a morir a manos de sus propios autores».

Los desafectos a la Revolución y partidarios de la derrocada dinastía comenzaron a conspirar en favor de esa restauración que auguraba *Las Novedades*, una vez convencida Isabel II —cuyo regreso parecía inviable— para que abdicase en su hijo adolescente Alfonso. Apoyaban su causa gran parte de la aristocracia, el antiguo partido moderado y algunos elementos procedentes de la Unión Liberal, como el propio Cánovas, que será el gran artífice de la Restauración. El órgano más importante del alfonsismo fue el ya veterano *La Época*, definitivamente ganado para la causa por Cánovas, después de unos meses de vacilación y tras el fracaso de la candidatura de Montpensier.

5. Periódicos de los movimientos obreros

La Revolución, al reconocer el derecho de asociación en toda su extensión, permite la manifestación de una conciencia específicamente proletaria. Al amparo de una legislación liberal, los obreros pueden reunirse (el primer congreso de sociedades obreras se celebró en Barcelona en junio de 1870) y publicar periódicos. La escisión en el seno de la Internacional entre bakuninistas y marxistas tendría su versión española. La visita del discípulo de Bakunin, Fanelli, a España en 1868 encontró un terreno abonado y orientó desde el principio el movimiento obrero español en sentido anarquista.

La Federación, publicado en Barcelona de agosto de 1869 a enero de 1874, es fundamental para estos primeros años de la Internacional en España. De tendencia anarquista desde sus comienzos, a partir de la ruptura entre Marx y Bakunin en el Congreso de La Haya, optó decididamente por el último. Aunque de vida más breve (de enero de 1870 a enero de 1871), *La Solidaridad* de Madrid, de tendencia igualmente anarquista, es también de importancia capital para la historia de los comienzos del internacionalismo en España.

En junio de 1871, el grupo internacionalista madrileño fundó un nuevo periódico, *La Emancipación*, también anarquista en sus comienzos. Pero a finales de ese año, el yerno de Marx, Paul Lafargue, logró crear en Madrid un grupo de tendencia marxista, germen del futuro partido socialista, y orientó en ese sentido a los redactores de *La Emancipación*, Pablo Iglesias, José Joaquín de Mora y José Mesa. El periódico seguiría publicándose hasta abril de 1873. En 1872 se había fundado, para contrarrestar a *La Emancipación*, *El Condenado*, de tendencia anarquista[12].

6. Periodismo ilustrado

El periodismo ilustrado experimenta un extraordinario impulso con la fundación de dos revistas que marcan un hito en este campo: *La Ilustración Española y Americana* y *La Ilustración de Madrid*. La primera fue fundada como continuación del *Museo Universal,* cuya empresa había adquirido Abelardo de Carlos, gaditano que desde hacía muchos años venía editando la revista femenina *La Moda Elegante e Ilustrada*. Su primer número es del 25 de diciembre de 1869. Unos días más tarde, el 12 de enero de 1870 salía a la luz *La Ilustración de Madrid*, ligada empresarialmente a *El Imparcial*.

Duraría sólo dos años, mientras que su rival prolongaría su vida hasta finales de 1921.

Ambas revistas combinan la información sobre sucesos de actualidad con la divulgación de temas culturales. Excelentes en el aspecto gráfico, muy superiores a sus predecesoras, diferían en el tratamiento de los acontecimientos del extranjero: *La Ilustración de Madrid* se preciaba de no utilizar más que dibujos y grabados españoles, «sin acudir, como hasta ahora ha sido y es costumbre, a importar del extranjero las ilustraciones», mientras que *La Ilustración Española y Americana* tomaba la información gráfica de la actualidad extranjera de sus homólogas europeas, con el resultado de que las imágenes que ofrece de la guerra franco-prusiana o de la Comuna de París tienen mucho más interés.

La dirección literaria de *La Ilustración de Madrid* estuvo a cargo de Gustavo Adolfo Bécquer hasta su muerte en diciembre de 1870. Publicó en ella alguna de sus *Rimas* y escribió textos para acompañar a los dibujos de su hermano Valeriano y de algún otro dibujante. En 1872 inicia su colaboración Galdós que se ocupa de la «Crónica de la quincena». «Hechos y nada más que hechos, pura historia contemporánea [....] no hay cosa más hermosa que la realidad ni nada más novelescamente curioso como lo que ha pasado», era la significativa declaración de principios en su primera entrega de 1 de enero del autor que empezaba en esos años su producción novelesca.

Al desaparecer *La Ilustración de Madrid,* la mayor parte de los colaboradores literarios y gráficos (los hermanos Bécquer habían muerto por entonces) pasaron a *La Ilustración Española y Americana*, que sería la publicación hegemónica del género hasta el final del siglo, en que se impone otro concepto de revista gráfica.

8. La Restauración, 1875-1898

1. El sistema canovista

Al inaugurarse las Cortes Constituyentes el 11 de febrero de 1869, el general Prim, en un vibrante discurso, había asegurado que «jamás, jamás, jamás» volverían los Borbones a reinar en España. «Restaurar la dinastía caída imposible, imposible, imposible», insistió. Primer presidente de un Consejo de Ministros de los cinco que en un siglo morirían en un atentado, no pudo ver desmentidas sus frases.

Pero la Restauración de la dinastía no lo fue del estado de cosas del reinado de Isabel II. A diferencia de Fernando VII en 1814, Cánovas, director del sistema o, si se quiere, del «tinglado», no pretendía «quitar de en medio del tiempo», como si nunca hubiera existido, la Revolución, sino que se propuso crear un espacio lo más amplio posible a la monarquía restaurada, tratando de que participasen en el sistema todos los que estuviesen dispuestos a aceptarla. Él mismo encabezará el partido que se llamará primero liberal-conservador y, a partir de 1884, simplemente conservador, que integrará por su derecha a los grupos católicos y tradicionalistas que reconocen a Alfonso XII.

El otro polo del sistema bipartidista que desea Cánovas se irá constituyendo trabajosamente en los primeros años de la Restauración. Su jefatura corresponderá a Sagasta, personaje clave en el Sexenio Democrático como jefe del partido constitucional que, si en principio sigue enarbolando la bandera de la Constitución de 1869, acabará por renunciar a ella, aceptando la de 1876. En 1880, el partido de Sagasta se funde con elementos más moderados para formar el Partido Liberal-Fusionista, que en 1881 ocupará por primera vez el poder. Tras incorporar a elementos más comprometidos con el Sexenio, se denominará definitivamente Partido Liberal.

Quedan de ese modo configurados y delimitados dos partidos dinásticos que, por medio de mutuas concesiones, o «componendas», como preferirán decir sus críticos, se turnarán pacíficamente en el poder, gracias al falseamiento electoral, basado en la estructura caciquil.

Fuera del sistema del turno quedan los partidos no dinásticos, carlistas y republicanos, que no obstante tuvieron su representación parlamentaria y, por supuesto, su prensa.

El sistema montado por Cánovas funciona durante un cuarto de siglo y proporciona al país un periodo de estabilidad que contrasta con la agitación que había convulsionado la vida española desde 1808.

Al inaugurarse las Cortes Constituyentes el 11 de febrero de 1869, el general Prim se había dirigido a los diputados como ministro del Ejército y figura representativa de aquella revolución:

> ¡Ay de nosotros y ay de los que tuvimos la honra de preparar la revolución y lanzarnos los primeros para iniciarla si no supiéramos o no tuviésemos la fortuna de poder crear un nuevo orden de cosas estables y permanentes! El fallo sería tremendo para todos; pero para nosotros sería tan terrible que no sé a qué rincón del mundo podríamos ir a esconder nuestra vergüenza.

Pero lo cierto fue que, a poco que se mostraran «posibilistas», los que habían arrojado del trono a Isabel II terminaron por acomodarse mejor o peor a la nueva situación.

A finales de siglo, todo el sistema hará crisis. Las nuevas fuerzas sociales que es incapaz de integrar —nacionalismos, movimiento obrero— pugnan por romperlo. El Desastre del 98 parece dar la razón a los que venían denunciando su ineficacia. La muerte de las grandes figuras de los partidos turnantes en torno a esa fecha simbólica y la desintegración personalista de estos evidencian también la decadencia del sistema.

2. Legislación

En sus primeros tiempos, la Restauración trajo consigo fuertes restricciones en materia de prensa como medio para a afianzar el nuevo/viejo régimen. Una serie de decretos entre diciembre de 1874 y enero de 1879 establecían prohibiciones, como la de atacar directa o indirectamente el sistema monárquico constitucional, y preveía sanciones que podían llegar a la suspensión del periódico. Tribunales especiales para los delitos de imprenta, licencia previa, sustituida luego por un elevado subsidio industrial, completaban un panorama difícil para la prensa.

Aunque el artículo 13 de la Constitución de 1876 establecía que «todo español tiene derecho de emitir libremente sus ideas y opiniones, ya de palabra, ya por escrito, valiéndose de la imprenta o de otro procedimiento semejante, sin sujeción a censura previa», tal derecho estuvo limitado en la práctica por la normativa específica a que hemos hecho referencia y no comenzó a ser una realidad hasta la llegada al poder de los liberales, en febrero de 1881. Una serie de indultos de periódicos anteriormente suspendidos marcan la política liberal con respecto a la prensa que culminará en 1883.

A partir de entonces, la libertad de prensa estuvo regulada por la Ley de Policía de Imprenta de 26 de julio de 1883, que sometía los delitos cometidos por este medio al Código Penal y a la jurisdicción ordinaria. Tras los vaivenes a que había estado sometida a lo largo del siglo XIX, el *principio* de la libertad queda sólidamente establecido a partir de su promulgación, aunque la aplicación de ese principio en la práctica distaba de ser satisfactoria. Era frecuente y abusivo el recurso al artículo 17 de la Constitución de 1876, que autorizaba a suspender las garantías constitucionales, «cuando así lo exija la seguridad del Estado, en circunstancias extraordinarias». En los últimos años del siglo, el desafío al sistema del anarquismo, por un lado, y los nacionalismos, por otro, provocarán una serie de medidas encaminadas a reprimir esos movimientos. En 1906, fuera ya del periodo que ahora nos ocupa, la Ley de Jurisdicciones supuso una nueva limitación.

Pero no cabe duda de que la ley de 1883 produjo un resultado beneficioso para la prensa y que el brillante periodismo que se inicia en estos últimos años del siglo y que llega hasta la Guerra Civil, años en que estuvo vigente —aunque en suspenso en los años de la dictadura de Primo de Rivera y con las limitaciones impuestas por la Ley de Defensa de la República en los últimos años—, fue posible, entre otras cosas, gracias a ella.

3. Una prensa en transformación. El periódico «industrial»

En todo el mundo occidental, los últimos lustros del XIX y los primeros del XX, conquistadas más o menos las libertades, alfabetizadas las masas, son los de la edad de oro de la prensa, único medio de comunicación social, lejano todavía el día en que la radio y no digamos la televisión vendrían a hacerle competencia. Alcanza en los países más desarrollados tiradas ya millonarias. En 1899, *Le Petit Parisien* tenía una tirada 777.000 ejemplares que en 1914 habían pasado a 1.550.000.

En España, la situación es mucho más modesta, dado el estado de subdesarrollo, escasa urbanización y el elevadísimo índice de analfabetismo, que a finales de siglo estaba en torno al 66%. Con todo, las tiradas de algunos periódicos alcanzaron sin duda en estos años finales del siglo unas cantidades muy superiores a las de cualquier época anterior, pero difíciles de precisar. Los periódicos más importantes se enzarzaban en polémicas sobre los datos del timbre que proporcionaba la *Gaceta,* y todos pretendían ser «el de mayor circulación» y declaraban unas cifras que hay que poner en cuarentena. Podemos estar seguros de que la realidad está muy por debajo. *El Imparcial* se atribuía a finales de siglo 120.000 ejemplares, y en 1906, 140.000. En esta última fecha, el director de la Papelera Española, Nicolás María de Urgoiti, que le proporcionaba el papel, bajaba la cifra a 70 u 80 mil[1]. Probablemente, ningún periódico ni revista alcanzó los 100.000 ejemplares de tirada regular antes del final de la Primera Guerra Mundial. Otra cosa es que en ciertas ocasiones un suceso, normalmente un crimen, convenientemente explotado, apasionaba al público y disparaba las tiradas, como ocurrió en 1888 con el crimen de la calle de Fuencarral, el primer tema que recibió un tratamiento sensacionalista generalizado. Las incidencias de la guerra con los Estados Unidos debieron de repercutir favorablemente en las tiradas de los periódicos y ello debió de contribuir, tras el final del conflicto, al sentimiento de crisis por la pérdida de lectores, como veremos. La inmensa mayoría de los diarios apenas tiraban unos miles, o incluso unos centenares, de ejemplares.

Otros pertenecían a la categoría de lo que en la jerga de la profesión se llamaba «periódico sapo», en la que venían a desembocar a veces tras una más o menos gloriosa historia: periódicos sin periodicidad fija, aunque se titulasen diarios, sin lectores ni redacción, que arrastraban una vida fantasmagórica, para mantener alguna pequeña subvención, o el derecho para su supuesto director a titularse periodista, o por cualquier otra oscura razón.

Basándose en la realidad del relativamente escaso número de sus lectores, podía, y puede, ponerse en duda el valor de aquella prensa como reflejo de la opinión pública. Ya en la década de 1840, como vimos, Balmes se lo había negado. Parecidos argumentos llevarían a Maura, a principios del siglo XX, a desdeñar olímpicamente las campañas de prensa dirigidas contra él, calificándolas de «cacicato de publicidad», «fogata de virutas» etc. Negaba que los periódicos fueran exponentes de la verdadera opinión pública del país, de las masas neutras a las que apelaba, porque, como dijo en el congreso en 1904, quienes no leían periódicos sumaban más votos que sus lectores. Unamuno comentaría días después la frase de Maura, calificándola de perogrullada, pues si bien es cierto —decía— que los que no leen periódicos son incluso mucho más numerosos que los que no saben leer —el 49% según las últimas estadísticas— y, por lo tanto, muchísimos más que los que los leen, aquéllos no tienen opinión; y los que cuentan son la minoría de los que la tienen y leen periódicos[2].

Lo cierto es que si «opinión pública», concepto escurridizo, quiere decir algo, la prensa era su lugar privilegiado de manifestación. Reflejaba al menos —mediatizada, claro está— la opinión, las opiniones, de los que escribían y de los que leían periódicos; si no del *pueblo*, sí de la parte de él que, empleando una expresión de Unamuno, se va haciendo *público*.

A la prensa acuden todos los que quieren influir en esa opinión: partidos políticos, organizaciones obreras, grupos de presión; todo el que quiera ganarse la adhesión de una parte de los españoles ha de salir a la palestra de la prensa, que por otra parte es el gran amplificador de las voces que resuenan en el parlamento, en las conferencias o en los mítines.

Existían periódicos de todas las tendencias, muchos de ellos diarios: los partidos del turno pacífico, liberal y conservador, y los múltiples fraccionamientos personalistas que a finales de siglo se producen en ellos. Los republicanos, a su vez escindidos en varias tendencias por razones de principios, de táctica o de simples rivalidades entre sus jefes; los católicos, no menos escindidos entre los que aceptaban el sistema de la Restauración y constituían el ala derecha del Partido Conservador, y los que lo combatían, a su vez divididos en carlistas e integristas; los movimientos obreros, en sus dos ramas anarquista y socialista; los catalanistas y, ya muy a finales de siglo, los nacionalistas vascos.

Toda la enorme variedad de periódicos de distintas tendencias no oculta el hecho de que la prensa española había iniciado un proceso en el que el periódico llamado «de partido» o «de opinión» iba a perder peso, sustituido por el periódico «de empresa» o «industrial», como entonces se decía. Sólo unos cuantos títulos acaparan a la mayor parte de los lectores y anunciantes y se tiran en máquinas rotativas de papel continuo, que se introducen en el último cuarto de siglo. Son los periódicos autodenominados independientes que asumen decididamente su carácter de empresa mercantil. A finales de siglo, Maeztu y Unamuno daban por concluida la época del «periódico evangelizador» y constataban la aparición en la prensa del *factory system*[3].

Era un reflejo de la transformación de la prensa en los países más desarrollados, en cabeza Gran Bretaña y Estados Unidos, en los que la prensa se industrializa y aumenta sus tiradas, aplicando los progresos técnicos, para atender a las necesidades de un nuevo público popular ya alfabetizado. Pese a la persistencia del analfabetismo, y el retraso en la industrialización y urbanización, en España se va imponiendo también el nuevo tipo de periódico, iniciado, como vimos, con títulos como *La Correspondencia de España* y *El Imparcial* a finales de los cincuenta y en la década de 1860[4].

En el clima de estabilidad política de la Restauración, el fenómeno acabará de consolidarse. Son los periódicos de empresa, concebidos como un negocio, que pretenden atraer a un público heterogéneo, siguiendo el modelo foráneo de la nueva prensa de masas, aunque a enorme distancia en difusión de la de los países más avanzados. Periódicos autodenominados «independientes», que —aunque encuadrables, desde luego, también en tendencias políticas— como decía Eugenio Sellés a finales de siglo, «sin faltar al dogma, no rezan por la liturgia y separan de la religión el culto de las imágenes». Los políticos importantes, tengan o no su pequeño órgano de opinión, tratan por todos los medios de conseguir el apoyo, o al menos la benevolencia, de algún periódico independiente. «Los periódicos que gozan de una existencia y dan dinero a sus propietarios son aquellos que no dependen de ningún partido, de ninguna camarilla», constataba Valentí Almirall[5], empeñado en la creación de periódicos de izquierda catalanista. La «gran prensa», como un poco hiperbólicamente se decía, era la que había asumido decididamente su carácter de empresa mercantil.

Esta transformación del periodismo era percibida muy claramente por todos. Para unos, era un fenómeno claramente positivo; para otros, deplorable. Algo se ganaba y algo se perdía, opinaba Galdós:

> Desde que los periódicos se transformaron trocando la sequedad sectaria del instrumento de partido por la ligereza anecdótica del órgano de información, si se lograron algunas ventajas, perdiéronse cualidades morales y literarias[6].

Para bien o para mal, de ser considerado un «sacerdocio», el periodismo se había convertido en un negocio. Los periódicos que mantienen la pureza del órgano de opinión militante, muy especialmente los de los movimientos obreros, hablarán con desprecio de «la prensa mercenaria» y mirarán con repulsión su competencia por el lector y el anunciante. Los periódicos de empresa defienden su postura y pondrán su orgullo en vivir del favor del público y del anunciante, que es, según ellos, el único medio de mantener su independencia. Es una polémica que se inicia en estos años finales del siglo y que va a dar mucho que hablar en el futuro.

Estos periódicos que presumen de «vivir del favor del público» hacen todo lo que pueden por atraérselo, incluso, algunos, cultivan el tratamiento sensacionalista de los sucesos. Algunas voces, como Sellés, se alzan alarmadas:

> Leyendo estas crónicas del crimen con que la prensa suele llenar columnas y semanas enteras viéndola cultivar el delito y extender por el mundo la humareda de su fama y el vapor de su sangre; mirando el retrato del asesino como si los monstruos de la naturaleza fuesen dignos del pincel al igual que sus privilegiados, ¿no habéis temido el riesgo de encender en la ignorancia o el mal instinto, la apoteosis negra? Viendo esos cuadros de la capilla y del patíbulo, con las impenitencias arrogantes del desdichado reo, con la serenidad de su último sueño y el valor de los últimos instantes ¿no habéis considerado el peligro de la emulación, mayormente en la raza bravía, pues ha escaseado casi siempre su afición a todas las profesiones, para guardársela entera a la profesión del valor y la guapeza?[7]

Estos temas habían sido durante siglos predilectos de la literatura popular de cordel, con preocupación expresada en términos semejantes por parte de moralistas y políticos. Ahora, como mucho antes había sentenciado Balzac para Francia, «el periódico, leído hoy por los cocheros sobre su silla, ha matado esta industria». Porque la prensa va conquistando en estos años finales del siglo a las masas populares urbanas y surgen voces que la acusan de no aprovechar su influencia para educarlo en vez de halagar sus «bajas pasiones». «De la afición rayana en la locura que hoy tiene el público a los toros —decía Eusebio Blasco en 1888[8]— no se busque otra causa que la propaganda colosal hecha por los periódicos a esta fiesta [...] obra de la misma prensa, que de igual modo pudo haber ocupado a nuestro pueblo en aficiones más dignas de una nación ilustrada».

Los diarios de «gran circulación» estaban todos editados en Madrid, pero algunos de ellos eran, en mucha mayor medida que hoy en día, periódicos nacionales y constituían un poderoso vínculo de cohesión, como advertía Maeztu, preocupado por el pasajero descrédito de esta prensa tras el 98.

El más antiguo de estos grandes periódicos editados en Madrid era *La Correspondencia de España —La Corres*, como se lo conocía popularmente—, diario vespertino fundado en 1859. Su fórmula de periódico «noticiero», es decir, predominantemente informativo, no adscrito a ningún partido —«ministerial de todos los ministerios», como decían sus detractores—, había alcanzado, como vimos, rápidamente un gran éxito.

El diario más prestigioso, tanto política como literariamente, probablemente el de mayor difusión y sin duda el más nacional en estos años de la Regencia era *El Imparcial*. Publicar en su célebre suplemento literario de los lunes y no digamos en el propio diario era la máxima aspiración de todo escritor. Para acceder a ello era necesario tener ya un *nombre*, que solía adquirirse colaborando, cobrando poco o nada, en periódicos menores, como ocurrió con los jóvenes del 98.

En el último bienio del siglo, Rafael Gasset, hijo del fundador y principal accionista del diario, en contra de la tradición familiar se adscribió pasajeramente al político conservador Francisco Silvela, que le nombró ministro de Agricultura en su primer gobierno en 1900, pensando probablemente en atraerse el periódico, lo que logró sólo en parte, «hemos traído a Sarasate sin el violín», parece que dijo el político, que gozaba de merecida fama de ingenioso.

El tercer gran periódico era *El Liberal*, surgido en 1879 de una escisión en el seno de *El Imparcial*, protagonizada por un grupo de periodistas republicanos (entre ellos Isidoro Fernández Flórez, «Fernaflor», y Miguel Moya) descontentos con la aceptación por parte de este diario del hecho de la restauración monárquica. Era, pues, *El Liberal* un periódico republicano, sin adscripción a ningún partido concreto, de un republicanismo genérico y sensato, «gubernamental», como se decía, que iría aguándose bastante en el futuro con posturas próximas al Partido Liberal. Se convirtió en el máximo rival de *El Imparcial*, disputándole en los años de la Regencia el derecho a proclamarse «el periódico de mayor circulación de España».

Por último, *Heraldo de Madrid*, fundado en 1890, fue adquirido en 1893 por José Canalejas y un grupo de partidarios de este político, que ocupaba una posición independiente en la izquierda del Partido Liberal. Hasta 1906, en que fue vendido al primer *trust* de prensa que constituyeron las empresas de *El Imparcial* y *El Liberal,* fue en lo político portavoz del programa liberal democrático de su inspirador, lo que no le impidió convertirse en uno de los diarios más populares y de mayor difusión.

Los grandes diarios se situaban, pues, con diversos matices, más bien a la izquierda del sistema. Son los liberales más que los conservadores, y no digamos que los francamente reaccionarios, los que supieron hacer uso del instrumento de la prensa. A este respecto, comenta Gabriel Maura:

El buen burgués entusiasta de Cánovas que leía en *La Época,* sólo accesible por su precio a los pudientes, noticias de sociedad y comentarios a las cotizaciones de bolsa, engolfábase después con devota fruición en el artículo de fondo, eco del pensamiento del jefe, y juzgando indefectible la próxima mudanza política, dormíase tranquilo. El gran público, en cambio, no compraba, ni casi conocía, sino la prensa de izquierda, liberal o republicana...[9]

4. La prensa de partido

Entre los periódicos de los partidos turnantes destaca el conservador *La Época*, portavoz de Cánovas (sorprendido por su asesino mientras lo leía) y lectura predilecta de las clases altas madrileñas. Por su parte, el órgano de Sagasta era *El Correo*. Otros personajes destacados de ambos partidos contaban también con su diario, plataforma para defender sus posturas y sus aspiraciones: *El Tiempo*, fundado en 1893, era el medio de que se servía Francisco Silvela, que redactaba personalmente alguno de sus artículos de fondo; su rival dentro del Partido Conservador, Romero Robledo, contaba con *El Nacional*, fundado en 1894; *El Día*, fundado por el marqués de Riscal en 1880, fue adquirido por el político liberal Segismundo Moret en 1886; la izquierda liberal del general López Domínguez disponía de *El Resumen*[10]. Cuando ya muy a finales de siglo surja dentro del Partido Liberal la escisión capitaneada por Gamazo tendrá en seguida su órgano en *El Español.* Naturalmente, estos periódicos personalistas no lograron el favor del gran público, ni en realidad lo pretendían, pero en el estrecho círculo del mundo político tuvieron una influencia nada desdeñable.

Algunos diarios más radicalmente republicanos que *El Liberal* lograron alcanzar importante difusión. Era el caso de *El Globo*, fundado en 1875 como órgano del republicanismo posibilista de Castelar, que seguiría la evolución de su inspirador hacia una progresiva integración en el régimen de la Restauración. En 1896 fue vendido al conde de Romanones, que ya a principios de siglo lo vendería a su vez a Emiliu Riu, que se llevó a la redacción a Martínez Ruiz y Baroja.

El primer periódico en el que habían coincidido varios de los miembros de la futura Generación del 98 era *El País,* órgano del partido republicano progresista de Ruiz Zorrilla, que durante unos meses, de octubre de 1897 a enero de 1898, al producirse una escisión en el partido tras la muerte del caudillo republicano, adoptó el rimbombante subtítulo de «Diario Republicano Socialista Revolucionario», como portavoz en la prensa diaria del grupo que editaba la revista *Germinal*[11] y desde el que Joaquín Dicenta y Ramiro de Maeztu polemizaron con Unamuno, el futuro Azorín y Bonafoux, que bajo la dirección de Lerroux habían fundado, o resucitado, otro diario, *El Progreso*. Fracasada la etapa autodenominada socialista de *El País* y desaparecido *El Progreso* a finales de 1898, tras breve y agitada vida salpicada de denuncias y procesos, todos coincidieron en los años del cambio de siglo en la redacción de *El País*, del que Rubén Darío aseguraba que «decía las verdades a son de truenos, tambores y trompetas» y que era el que tenía «mayor número de intelectuales en su redacción». El sustantivo *intelectual* es precisamente, un neologismo de estos años, importado de la Francia del proceso Dreyffus, para designar al escritor comprometido socialmente. Tanto *El País* como su rival por breve tiempo *El Progreso* son fundamentales para reconstruir los conflictos éticos, ideológicos y literarios que viven aquellos jóvenes en los años del cambio de siglo, cuando trataban, en palabras de uno de ellos, Baroja, en las páginas de *El País*, de encontrar un elemento común que concretase sus «ideales sin forma» de «rebeldes sin rumbo fijo»[12].

En favor de los presos anarquistas de Montjuich, en torno al conflicto cubano, con motivo del estreno de *Electra* de Galdós ya en el umbral del nuevo siglo, contra las monjas de la Inclusa, contra los jesuitas y contra la Iglesia en general y con motivo de otros muchos temas menores, esos periódicos republicanos madrileños, como sus equivalentes en Barcelona (*La Publicidad* o *El Diluvio*) o en Valencia *El Pueblo* de Blasco Ibáñez, estaban en permanente «campaña», palabra clave en esos años y esta prensa. El anticlericalismo era la nota dominante en el semanario satírico *El Motín*, mientras que *Las Dominicales del Libre Pensamiento* se declaraba enemigo de todas las religiones positivas.

Una figura característica en los periódicos republicanos era la del «director de paja», institución que tenía ya una rancia solera en la prensa española bajo otros nombres y que la ley de 1883 propiciaba, porque atribuía la responsabilidad de los escritos anónimos al director de la publicación. Refiriéndose a la prensa catalanista de principios de siglo, que también adoptió esta útil figura a raíz de que Prat de la Riba sufriera prisión por un artículo de *La Veu de Catalunya*, *Gaziel* lo define así:

> Solía ser un alma de cántaro, un pobre desgraciado, lo suficientemente envilecido para avenirse, por un sueldo misérrimo, a ir a prisión y estar allí todo el tiempo que fuese necesario si el diario que «dirigía» y del cual era legalmente responsable, tenía algún patinazo definido en el Código Penal...[13]

Se cuentan muchas anécdotas tragicómicas de estos directores de paja, representantes como tantos otros que pululaban por aquellas pintorescas redacciones, de la astrosa bohemia que inspiraría a Valle Inclán. Al menos uno de ellos resultó ser cualquier cosa menos un alma de cántaro y un pobre desgraciado: Lerroux inició su brillante carrera en 1892 como director de paja de *El País*, del que poco después se convertiría en director efectivo.

En el polo opuesto a esta prensa republicana y anticlerical están los periódicos que hacen gala de un catolicismo militante. Muy a su pesar, los católicos tienen que descender a ese «cenagal fétido y pestilente» que era la prensa en palabras de Menéndez Pelayo en 1882, en el epílogo a su *Historia de los heterodoxos españoles,* quien lamenta en otro lugar de esta obra que «la negra condición de los tiempos ha lanzado a los católicos al periodismo, eterno incitador de rencores y miserias, obra anónima y tumultuaria, en que se pierde la gloria y hasta el ingenio de los que en ella trabajan». Y concluye exclamando: «¡Quiera Dios que el pestilente vapor que se alza del periodismo y del Parlamento no acabe de emborrachar las cabezas católicas!», tras constatar que «reinan hoy entre nosotros (con todos hablo) divisiones miserables, que agostan y secan en flor todo espíritu bueno»[14].

En efecto, dentro de su común y esencial catolicismo, son periódicos de muy distintas tendencias que van desde el integrismo hasta el catolicismo situado en el ala derecha del partido conservador, tan ocupados en atacarse mutuamente como al enemigo común.

El más antiguo de estos periódicos es *El Siglo Futuro*, fundado en Madrid en 1875 como órgano carlista y portavoz desde 1888 de la disidencia integrista. Opuestos a todo «mestizaje» con el liberalismo, los «íntegros», capitaneados por Ramón Nocedal, no sólo consideraban reos de ese pecado a los representantes de la Unión Católica de Pidal y Mon, partidario de la lucha legal, que terminaría por incorporarse al Partido Conservador, sino al propio don Carlos. Los integristas vienen a ser la culminación de la línea neocatólica que ya en la fecha de su nacimiento, en los últimos años del reinado de Isabel II fue acusada de ser más fanática que el carlismo y que, incorporada a sus filas tras la Revolución de 1868, se independiza ahora nuevamente.

Tras la disidencia de *El Siglo Futuro*, los carlistas crearon en 1888 un nuevo órgano en Madrid, *El Correo Español*, del que será principal inspirador la nueva gran figura del carlismo, Juan Vázquez de Mella. El periódico más importante del carlismo es el barcelonés *El Correo Catalán*, fundado en 1876 y dirigido por Luis María Llauder.

Aparte de las publicaciones estrictamente profesionales y técnicas, existían también unos diarios de «opinión militar» *—La Correspondencia Militar*, *El Ejército Español*, *El Correo Militar—* que enfrentados con frecuencia entre sí, como portavoces de distintos intereses dentro del Ejército, muestran desde los últimos años de la década de 1880 una común insatisfacción y un resentimiento frente a los políticos y a la sociedad civil por los que los militares se sienten abandonados, o incluso agredidos, cuando, según suelen repetir, son la «parte más sana de la nación». Ya en los primeros años de la década de 1890, estos diarios emplean un tono amenazador diciendo cosas como «Hay que entrar en la política... ¡Para acabar con ella», «el Ejército debe hacerse intérprete y ejecutor al mismo tiempo de los designios populares»; «es necesario un hombre que con la espada corte lo que está demostrado que no puede desatarse», etc.

5. Prensa obrera

En el extremo opuesto al periodismo de empresa, cuyo objetivo fundamental era vender muchos ejemplares y resultar un negocio rentable, está, manteniendo la pureza del órgano de opinión, la prensa obrera, publicada con una crónica precariedad de medios, gracias al entusiasmo de los militantes. Así *El Socialista* declaraba en 1888:

> Nuestra «industria» no es como otra cualquiera, sino empresa desinteresada e improductiva, donde la propaganda de ideas lo es todo y los provechos personales nulos. Dejara la prensa obrera de rendir culto exclusivo y honrado a las doctrinas que sustenta, y dedicárase a la explotación del suceso escandaloso, la adulación de los poderosos y al reclamo mercantil, y entonces se confundiría en esta industria periodística que hace de la prensa burguesa inmunda cortesana...[15]

Pero los pocos obreros que leían periódicos preferían los halagos de la inmunda cortesana, de la «prensa mercenaria», de diarios populares como *El Liberal*, a la pureza doctrinal de estos máximos representantes del órgano de opinión. Aunque el entusiasmo proselitista de los militantes de los movimientos obreros extendía la influencia de esta prensa mucho más allá de lo que pudieran hacer pensar sus exiguas tiradas. Ninguna de estas publicaciones obreras logrará periodicidad diaria hasta bien entrado el siglo XX, pero a pesar del analfabetismo de la mayor parte de sus potenciales destinatarios, pudo llegar a muchos de ellos a través de lecturas colectivas, en los lugares de trabajo o en la taberna, como nos muestra el drama obrerista de Joaquín Dicenta *Juan José*. *La Época* comentaba alarmada en 1888:

> Llegan a la villa, al pueblo, a la aldea; uno de los dos o tres que saben leer reúne en derredor a los que no tienen más ideas que las que el otro les transmite; se leen los artículos en que se reniega de todo...

Díaz del Moral en su *Historia de las agitaciones campesinas andaluzas* da testimonio de lo que eran estas lecturas colectivas entre los jornaleros del campo andaluz a comienzos del siglo XX:

En los descansos del trabajo (los cigarros), durante el día, y por la noche, después de la cena, el más instruido leía en voz alta folletos o periódicos que los demás escuchaban con atención. Es verdad que el 70 u 80 por cien no sabía leer; pero el obstáculo no era insuperable. El entusiasta analfabeto compraba su periódico y lo daba a leer a un compañero, a quien hacía marcar el artículo más de su gusto; después rogaba a otro camarada que le leyese el artículo marcado, y al cabo de algunas lecturas terminaba por aprenderlo de memoria y recitarlo a los que no lo conocían[16].

En 1879 se funda el Partido Socialista Obrero Español, que no pudo actuar en la legalidad hasta 1881 con la llegada de Sagasta al poder. En 1886 comenzó la publicación de su órgano oficial semanal, *El Socialista*. Pablo Iglesias marca su línea. Juan José Morato, uno de sus redactores, definiría a este *Socialista* de los primeros tiempos como:

Un periódico de clase contra clase, áspero, hostil a todos, intransigente, escrito en lenguaje claro, duro más bien, y desprovisto de todo adorno y sensiblería; [...] el periódico no se leía y cuantas tentativas se realizaban para difundirle eran baldías, porque no interesaba, ni Iglesias hacía nada para sacarle del tono serio, machacón, de puro razonamiento, sin la menor concesión a lo ligero, a lo gárrulo, a lo sentimental[17].

Publicaba números extraordinarios para conmemorar grandes acontecimientos revolucionarios —Comuna de París, Primero de Mayo— en los que colaboraban las mejores plumas del partido e intelectuales que, sin ser socialistas, simpatizaban con sus ideas. «Estos números —dice Pérez de la Dehesa— constituyeron desde el principio importantísimo vehículo de expresión para lo que, en sentido amplio, cabría llamar la izquierda intelectual española»[18].

Colaboraron entre otros, Benavente, Maeztu, Clarín, Costa, Unamuno, afiliado al partido en 1894, que, aun después de alejarse de él en 1897, siguió enviando artículos para estos números extraordinarios.

Dentro de la geografía del socialismo, más limitada que la del anarquismo, el segundo centro en importancia después de Madrid era Vizcaya. Y en Bilbao se publicó desde octubre de 1894 la más importante y duradera (hasta 1934) revista socialista, *La Lucha de Clases*[19], a cuya altura intelectual contribuyó en sus primeros tiempos también Unamuno[20].

Acracia, *Bandera Social*, *Idea Libre* son títulos de publicaciones anarquistas de los años ochenta en Barcelona, centro de este movimiento. En Madrid se publicó *Revista Social*. El anarquismo estaba a fin de siglo, como señaló Pérez de la Dehesa[21], en un momento de evolución ideológica conducida sin ningún dogmatismo, lo que permitió que en las páginas de sus revistas más intelectuales se discutieran con gran amplitud, tanto las ideas de las dos corrientes anarquistas, colectivismo y comunismo como otras de más amplio espectro. En alguna de ellas colaboraron buena parte de los escritores etiquetados luego como «del 98». Es el caso de *Ciencia*

Social, fundada en 1895 en Barcelona por Anselmo Lorenzo, en la que colaboró asiduamente Unamuno, quien, cuando la revista fue suprimida y encarcelados sus principales redactores —como consecuencia de la represión indiscriminada provocada por el atentado terrorista del 7 de junio de 1896, en que fue arrojada una bomba al paso de la procesión del Corpus en Barcelona—, encabezó el movimiento de solidaridad y protesta de intelectuales.

En julio de 1898, con el mismo carácter de altura intelectual y apertura de ideas, comenzó su publicación en Madrid (aunque la mayor parte de sus ejemplares se distribuía en los feudos anarquistas de Cataluña, el País Valenciano y Andalucía) *La Revista Blanca*. Editada por Juan Montseny («Federico Urales») y su esposa Teresa Mañé («Soledad Gustavo»), colaboraron en sus páginas, junto a las grades figuras del movimiento libertario, intelectuales como Francisco Giner de los Ríos, Manuel Cossío, Gumersindo de Azcárate o Miguel de Unamuno[22].

6. Prensa provincial y nacionalista[23]

Aunque los grandes diarios editados en Madrid, y muy especialmente *El Imparcial*, sean de alcance nacional, la prensa provincial y regional, que ya había iniciado su despegue en la década de 1870, como vimos, se consolida en los años de la Restauración, con títulos como *El Correo Gallego* (1878), *La Voz de Galicia* (1882), *El Adelanto* de Salamanca (1883), *Heraldo de Aragón* (1895).

El viejo *Diario de Barcelona* vive sus mejores años, bajo la dirección de Mañé y Flaquer. Liberal, católico, de un regionalismo moderado, fue el diario orientador de la burguesía conservadora catalana. En la década de los ochenta era el diario catalán de mayor difusión, a mucha distancia de todos los demás. En 1881, Bartolomé Godó fundó, ligado originariamente a los sectores moderados del Partido Liberal, el diario que a comienzos del siglo siguiente iba a desbancar al viejo Brusi, *La Vanguardia*.

Aparte de los republicanos y los carlistas mencionados en su lugar, con vocación de periódico independiente y fundamentalmente informativo, nace en 1888 *El Noticiero Universal*.

En el capítulo de la prensa en catalán, hay que destacar la publicación entre 1879 y 1881 del primer diario en esa lengua, *Diari Català*, situado en la versión izquierdista y radical del catalanismo, como su propietario y director Valentí Almirall, que en 1881 rompería con Pi y Margall y su Partido Republicano Federal para impulsar un proyecto de reivindicaciones específicamente catalanas. Entre el catalán arcaizante de *La Renaixença* (que en 1881 se convierte en diario, continuando con el tono conservador y apolítico que la había caracterizado desde el principio) y «el català que ara es parla», de publicaciones como *La Campana de Gràcia* o *L'Esquella de la*

Torratxa, el *Diario*, se proponía, entre tanteos y contradicciones, ir formando «la llengua pròpia dels catalans d'avui», como decía en su Prospecto[24].

Tras la desaparición de *Diari Català*, el único diario en lengua catalana era *La Renaixença*. A finales de siglo era portavoz de la Unió Catalanista, promotor de la asamblea de Manresa, que elaboró las famosas Bases de 1892. La actitud de apoliticismo de este diario provoca la salida de un grupo encabezado por Prat de la Riba, quien se proponía, en frase de Cambó, hacer salir al catalanismo de las catacumbas. Desde 1892 se venía publicando el semanario *La Veu de Catalunya*, fundado por Narcís Verdaguer, en el que colaboraba el futuro equipo fundador de la Lliga, que compró la cabecera para transformarla en diario. Saldría a la luz el 1 de enero de 1899, más de un año antes de la constitución de la Lliga Regionalista, partido del que sería portavoz durante toda su vida, la más larga hasta hoy de un diario en lengua catalana, hasta enero de 1939.

La primera publicación del nacionalismo vasco precede también a la fundación del PNV. *Bizcaitarra*, fundado y escrito casi íntegramente por Sabino Arana, se publicó, con periodicidad irregular, de 1893 a 1895. A diferencia del catalán, las publicaciones del nacionalismo vasco están mayoritariamente escritas en castellano. La razón reside, naturalmente, en la insuficiente implantación del euskera, sobre todo del euskera escrito, en la sociedad vasca. Los nacionalistas vascos, empezando por Sabino Arana, tenían muy clara conciencia de la importancia de la prensa como medio de propaganda y adoctrinamiento y querían llegar al mayor número posible de destinatarios. Son muy pocas las publicaciones —y ninguna de carácter político o informativo— que estén íntegramente escritas en euskera, aunque incorporan algunas secciones en esa lengua para ir difundiendo su uso y su conocimiento al mismo tiempo que el ideario nacionalista[25].

Después de Madrid y Barcelona, Valencia produce el mayor número de ejemplares de diarios. El carácter de empresa mercantil predomina en los diarios valencianos de mayor difusión, *El Mercantil Valenciano* y *Las Provincias*, sobre sus tendencias políticas, republicana y conservadora, respectivamente.

Con unos diarios que priman cada vez más la información, las agencias cobran progresiva importancia. Desde 1893, la francesa Havas se convirtió en dueña absoluta de la española Fabra, tras comprar sus derechos a su fundador Nilo María de Fabra, que permaneció tras un paréntesis como su director hasta su muerte en 1903. A través de Fabra, Havas tendría el monopolio de la información internacional en España hasta su nacionalización en 1927[26]. La Agencia Mencheta, fundada en 1882 por Francisco Pérez Mencheta, proporcionaba a los periódicos noticias nacionales.

7. Los diarios. Aspectos formales

Casi todos los diarios (con excepciones como el *Diario de Barcelona*, que conserva un anticuado pequeño formato en cuarto, con 32 o más páginas) tienen cuatro páginas —aunque de gran, en algunos casos enorme, formato—, y los grandes diarios publican con frecuencia números de seis páginas. La cuarta y última página era la dedicada a la publicidad. La parte baja de una o varias páginas seguía dedicada al folletín.

La confección de los diarios era amazacotada, con los artículos y las noticias sucediéndose unos a otros verticalmente, sin romper la red de las columnas. Los grandes titulares a toda plana hacen ya su aparición a finales de la década de 1880, en la información sobre el crimen de la calle de Fuencarral, por ejemplo, pero se utilizaban sólo en casos muy excepcionales. Únicamente los sucesos sensacionales se destacaban en primera con grandes titulares en bandera. En enero de 1898, por ejemplo, la habitual grisura de las páginas de un diario como *Heraldo de Madrid*, con titulares poco significativos, que no superan el ancho de la columna, se ve rota el día 13 por un titular a toda plana «Motín militar en La Habana». El 16 de febrero siguiente otro titular a toda plana anuncia con enormes caracteres la voladura del *Maine*.

Los elementos gráficos, excepto algún pequeño dibujo a pluma y alguna caricatura, estaban prácticamente ausentes de los diarios, aunque *El Imparcial*, cuya empresa lanzaría a principios de siglo el primer diario gráfico, venía, según declaraba en su número de 16 de diciembre de 1892: «buscando la manera de unir en las páginas de *El Imparcial* al relato de los sucesos del día, al artículo y al telegrama de actualidad, los grabados y las ilustraciones», para lo cual había encargado a la casa Marinoni «una máquina rotativa cromotípica».

Con ella comenzó a editar a partir de julio de 1893 unos *Lunes Ilustrados*, pero no logró el objetivo de incorporar al diario la información gráfica. Esto se quedaba para los semanarios gráficos tipo *magazine;* el tipo de publicación de mayor difusión después de los grandes diarios, que a finales de siglo van incorporando el grabado en color y la fotografía. La antigua *Ilustración Española y Americana*, que procedía de 1869, testimonio inestimable, con su magníficos grabados, del Sexenio Revolucionario y la Regencia, va cediendo terreno, para desaparecer en 1921, ante las más modernas *Blanco y Negro* (1891) y *Nuevo Mundo* (1894), que en seguida polemizarían entre sí, como los grandes diarios, sobre cuál de ellas era la de mayor circulación.

8. Nuevos géneros a finales de siglo

El género más característico a finales de siglo es el literario-periodístico de la crónica. Rafael Mainar la definiría en 1906: «La crónica es comentario y es información; la crónica es la referencia a un hecho en relación con muchas ideas; es la información comentada y es el comentario como información»[27].

Por las mismas fechas, un autor francés definía la *chronique* como «un texto compuesto sobre el modelo de la conversación, que mezcla a propósito y con un grado de improvisación aparente, los temas y los sucesos más variados, del día, de la víspera y de mañana».

Según decía Maupassant en 1884 «debía ser corta y entrecortada, caprichosa, que salta de una cosa a la otra», «con humor, ligereza, vivacidad e ingenio». José Carlos Mainer atribuye a los modernistas la invención del género, «cuyo arraigo en España hacia 1890 se solía achacar a influencia francesa», y la caracteriza como «mezcla afortunada de impresión vivida, cuento inconcluso y ensayo personal»[28]. Género de contornos imprecisos, es un saco en el que caben muy diversas cosas, desde el célebre «Cristo en Fornos» de Julio Burell, un relato de ficción socio-sentimental con ribetes fantásticos (publicado en el suplemento ilustrado de *Heraldo de Madrid* en febrero de 1894), hasta el reportaje impresionista.

Aunque el diccionario etimológico de Corominas data la palabra *reportaje* en 1923 y *reportero* en 1925, lo cierto es que reportaje y reporter (reportero empezará a alternar con reporter en los años veinte del siguiente siglo) se utilizan ya a finales del XIX, importado a través de Francia, donde Huges de Roux comentaba en 1889:

> El antiguo cronista [...] ha sido destronado por un escritor menos preocupado por brillar, pero mejor informado de los temas que trata: el reporter. Durante años se había tenido a ese reporter en las humildes tareas del periodismo; se le encerraba en el suceso. La voluntad del lector que desde el movimiento naturalista profesa por el documento «verdaderamente verdadero» un gusto muy vivo, ha sacado al hombre de esa oscuridad en que vegetaba [...] el reportaje remonta desde los bajos fondos del periódico a la superficie[29].

Si esta preeminencia del reportaje no era todavía tan cierta en la Francia de la época como aseguraba el comentarista, mucho más tardaría en concedérsele categoría en España. En 1906, Rafael Mainar lamentaba:

> Aquí, como consecuencia de la larga y no todavía remota preponderancia del periodismo de ideas, se considera más al articulista que al reporter, al que aún se llama, despectivamente, gacetillero; cuando fuera de aquí, concediendo a la información ser el alma del periodismo, el reporter es el que tiene más consideración profesional, mientras es ocasional el articulista...[30]

La crónica taurina, tan severamente juzgada por Eusebio Blasco, que había sentado plaza en los periódicos desde los tiempos de *Abenamar* y *El Solitario* en la década de 1830, alcanza en estos años su máximo esplendor. Mariano de Cavia, con el seudónimo de «Sobaquillo» y otros ilustres periodistas se ocuparon de esta sección inevitable en los periódicos para servir a una afición apasionadamente dividida en los bandos irreconciliables de Frascuelo y Lagartijo. Entre las revistas especializadas destacan *El Toreo* y sobre todo *La Lidia*.

A finales siglo empezaba a aparecer con carácter minoritario la extranjerizante afición al deporte, «signo de diversión elegante y sólo propio de cierta clase», como decía un comentarista en 1895, «moda a la que sólo rinden tributo los muy desocupados, los millonarios, o los que viven como si lo fuesen», afirmaba Pardo Bazán[31]. En los diarios aparece una pequeña sección, titulada habitualmente «De Sport», y surgen las primeras revistas especializadas. En una de ellas, editada en Barcelona, que reivindica muy tempranamente desde su título —*Los Deportes*— la palabra española desenterrada frente al barbarismo *sport* (así llamado, decía en 1896 Carlos Frontaura, «sin duda por no tener palabra equivalente en castellano»[32]), se decía en enero de 1898 que el *foot-ball* «juego extranjero importado por las colonias que los individuos generalmente ingleses y alemanes constituyen en esta ciudad» era «higiénico y aceptable pero dotado de cierta seriedad que no encaja en nuestras costumbres y que difícilmente llegará a aclimatarse». Era la opinión general, profecía sobre la que sobran comentarios.

Revistas había para todos los públicos y de todos los temas. En el terreno de las humorísticas, en contraste con épocas anteriores en las que predominaba la sátira política, la publicación de más éxito es *Madrid Cómico* (1880-1923), que representa un periodismo festivo, amable y sin acidez, del que están proscritos los temas políticos, por decisión de su propietario y director Sinesio Delgado. La sección más ácida eran los «Paliques» de Clarín, desde la que el gran novelista y temible y no siempre acertado crítico se dedicaba a fustigar a los escritores de su tiempo[33]. Se distinguió *Madrid Cómico* por su fobia antimodernista, por lo que se convirtió a su vez en blanco de los ataques de los jóvenes escritores adscritos a ese movimiento, lanzados desde las páginas de las revistas «de vida efímera y loca», en frase de Manuel Machado, que fundaron en los años del cambio de siglo.

Las revistas culturales más prestigiosas son *Revista Contemporánea* y *La España Moderna*. La primera, fundada por José del Perojo en 1875, es durante los años de su dirección, hasta 1879, fundamental para el conocimiento del movimiento neokantiano y positivista en España. *La España Moderna* fue fundada y sostenida por el entusiasmo y el dinero del mecenas Lázaro Galdeano. Inició su publicación en enero de 1889, con el propósito explícito de ser: «para nuestra patria lo que a Francia la *Revue des Deux Mondes:* suma intelectual de la edad contemporánea, sin perder por ello, antes cultivándolo y extremándolo hasta donde razonablemente quepa, el carácter castizo y nacional».

Fue, en efecto, una revista de gran altura, ecléctica y heterogénea, que dio a conocer —si no podemos decir que divulgó— en sus páginas y en la editorial homónima, a autores como Tolstoi, Turguenev o Ibsen. El prestigio y la calidad ya reconocida son los criterios que presiden la selección de autores españoles: Valera, Pardo Bazán, Galdós, Clarín, Menéndez Pelayo, etc. Unamuno empieza a colaborar en 1894 y en 1895 ve la luz en sus páginas *En torno al casticismo*. Ya en el nuevo siglo, en 1911, publicaría *Del sentimiento trágico de la vida*. De lo enteco del panorama cultural da idea el que en sus veinticinco años de vida no sobrepasó nunca los 750 ejemplares, 500 de ellos suscripciones, la mayor parte de ellas en América y Europa[34].

9. La prensa ante el «Desastre» del 98

1. Las «responsabilidades» de una prensa irresponsable

La guerra hispano-norteamericana fue una de las primeras en que la prensa demostró su enorme poder. Un poder del que venía enorgulleciéndose desde que, hacía un siglo, con el advenimiento de los regímenes liberales, se había introducido, y finalmente popularizado hasta hacerse tópica, la expresión «cuarto poder». Poder que se había presentado en los orígenes del liberalismo como garantía frente a los abusos de los otros poderes. La prensa, que se atribuía la alta misión de ser a la vez portavoz y educadora de la opinión pública, esencial en todo régimen liberal, aparecía ahora como manipuladora de esa opinión con fines bastardos. Un poder, en fin, nefasto y temible.

En el caso americano, no toda, pero sí la prensa más leída, la más sensacionalista, la «amarilla», tuvo un papel muy destacado en que la declaración de guerra a España resultase inevitable. En cuanto a la española, desde el momento mismo en que se consumó la derrota, fue un lugar común culparla por su actitud de patrioterismo insensato, antes y durante el conflicto. Todo el mundo buscaba entonces «echar el muerto al vecino», como dijo el diario *El Tiempo*[1], y el tema de «las responsabilidades» constituía, como apuntaba Maeztu, «la obsesión, la monomanía y el delirio de cuantos escriben fondos en los diarios y de cuantos peroran en los cafés». Coro de las responsabilidades en el que «el *Yo pecador* apenas se reza»[2].

La prensa fue señalada en sus propias páginas como uno de los principales culpables de aquella «catástrofe», «hecatombe», a la que todos coincidieron en seguida en denominar, entre todos esos posibles sinónimos, «el Desastre» por antonomasia, palabra que se cargó de connotaciones metafísicas: era el mismo ser de España el que estaba en cuestión y cada cual proponía una medicina o una cirugía regeneradora para sanar al enfermo.

Unos lustros antes, también la derrota en la guerra franco-prusiana fue juzgada por muchos franceses como el resultado, sí, de imprevisiones gubernamentales, pero también de la presión de la parte más ruidosa y peor informada de la prensa que había querido la guerra. La prensa francesa, o parte de ella, fue acusada de haber excitado, con sus lamentables fanfarronadas, el sentimiento nacional, apelando al «honor de Francia», y de haber contribuido a una intoxicación de la que era a la vez artífice y víctima, propalando absurdas noticias sobre la debilidad del enemigo, con un ejército en desorden, diezmado por la disentería y con un rey que se había vuelto loco.

2. Malos días para la prensa

Sea como sea, lo cierto es que, en la general búsqueda de responsabilidades, la prensa no se llevó la mejor parte. El tópico de una prensa responsable por irresponsable está, como decíamos, bien asentado desde el principio.

En un artículo publicado el día 16 de julio en el *Diario de Barcelona*, uno de los pocos periódicos que se habían mostrado sensatos durante el conflicto, como veremos, el publicista navarro Arturo Campión proponía el provincialismo «deshecha», de raigambre carlista, que a su entender era tan expresivo como el francés *débacle*. «Después de la "deshecha"» titulaba su artículo, que comenzaba presentando España como un suicida que, tras arrojarse de un quinto piso, «montón de carne sangrienta» a punto de expirar, blasfema y maldice como si hubiera sido víctima de un homicidio. Entre los coadyuvantes a ese suicidio, señala, muy en primer lugar, a la prensa de casi todos los matices. Hubiera sido necesario haber amordazado a aquella prensa, afirmaba por su parte Echegaray[3].

Convencido de la «justicia» de la causa española frente a EE.UU., el joven Maeztu había sido consciente de que la «fuerza» estaba del otro lado y, salvo un explicable contagio patriótico en los momentos decisivos, en los que se dejó arrastrar por «la tendencia histórica, guerrera y heroica», se había mostrado en general, siguiendo «la tendencia contemporánea, conservadora y positivista», partidario de una paz «quizás no muy gloriosa», pero paz en fin, «en que cesara ese derroche de hombres y dinero empleados con tan poco provecho». Tras el mensaje de McKinley era, en su opinión, «la hora de pensar si vale una colonia que tanto nos cuesta y seguirá costando, una guerra internacional». Pero la pluma del escritor que a principios de siglo va a saltar, la primera entre los de su generación, a los grandes diarios, no tenía en las fechas de la guerra gran resonancia. Los artículos de entonces, recogidos en 1899 en *Hacia otra España*, vieron la luz en publicaciones de escasa difusión, o quedaron inéditos hasta la aparición de éste su primer libro.

En vísperas del conflicto, había señalado Maeztu el divorcio entre una prensa «de palabras hueras» y la verdadera opinión:

Si consultamos a las redacciones de los periódicos no encontraremos más que a partidarios de la guerra; pero seamos francos, si consultamos a las clase sociales que envían sus hijos a la guerra, las cuatro partes de España optarán por la paz.

No sólo querían la paz los pobres, «cansados de dar sus hijos para defender una isla, en la que ni tienen ascensos que conquistar ni empleos que conseguir», sino también «las clases acomodadas, los hombres de negocios, para proseguir en su obra de colocar la industria y el comercio españoles a la altura que corresponde a una nación civilizada». Según él, tanto en los Estados Unidos como en España sólo querían la guerra «aventureros de la política y de la prensa, cuyo juicio está falseado por la excitación artificial en la que viven».

Pero a tales aventureros —se lamentaba— estaban entregados los destinos de las naciones. Consumado el previsto desastre, Maeztu acusó a los periódicos más leídos de haber lanzado a los españoles a la guerra o, cuando menos, no haber hecho nada para evitarla, «suponiendo que pervivía en el país el espíritu del Cid Campeador y el concepto calderoniano del honor». Habían faltado a su deber de «suplir, con informaciones concienzudas, la ignorancia de nuestras clases gobernantes, formadas de leguleyos y oradores, respecto de las fuerzas navales de la República norteamericana y de las causas determinantes de las insurrecciones cubanas».

Porque la gente pedía ya al gran periódico no doctrinario —añadía— no sólo que le diera noticias, informándole de cuanto ocurriera de notable, sino también comentario de los hechos y previsión de sus consecuencias. Su violenta requisitoria contra el general Blanco, que había propuesto resistir hasta morir o vencer después del hundimiento de la escuadra de Cervera, se convierte en realidad en una grandilocuente diatriba contra la prensa, culpable con sus críticas del cambio de actitud de un general prudente en un «general Leyenda, resucitador de las muertas historias del pasado».

Si damos crédito a numerosos testimonios coetáneos se creó durante un tiempo un vacío en torno a la prensa. En las redacciones de los grandes periódicos se hablaba de crisis; sus tiradas bajaban, como si los lectores estuvieran cansados, y se apartasen de aquella prosa periodística que antes les apasionaba y ahora les parecía hueca y sin sentido.

Algunos ilustres periodistas, como Isidoro Fernández Flórez —«Fernanflor»— o Julio Burell, sin dejar de entonar el *mea culpa*, trataron de justificar a los periódicos, argumentando que, más que en arrastrar a la opinión, su pecado había consistido en dejarse arrastrar por ella. No sería, según ellos, la prensa, sino la opinión, la «omnipotente». El primero, empresario de uno de los diarios de mayor circulación, *El Liberal*, diría en su discurso de entrada en la Real Academia de la Lengua a finales del *año triste*:

> Malos días son éstos para los diarios y los redactores de ellos. Su culpa fue sin embargo la de todos. Cuántos lectores suyos hay en España son sus lectores, no por mejorar su juicio, sino por recrearse viendo sobre el papel, impreso con mayor elocuencia, su propio sentir: que el público sólo ama su opinión y sólo a ella escucha y favorece, y de cualquier otra murmura y se aparta; de donde viene a resultar que para un diario combatir las preocupaciones y afrontar a la masa es decrecer en recursos y morir.

El Nacional, uno de los periódicos que se había mostrado más belicoso, reconocía, sin embargo, que era la prensa quien había inventado una opinión y luego se había puesto de rodillas ante ella[4].

Un periódico gubernamental dijo en vísperas de la definitiva derrota, y se repitió después, que el gobierno había ido a la guerra como «galeote de la opinión», jaleada por quienes no temían apelar a las multitudes para imponer sus puntos de vista por linchamiento de los que pensaban de otro modo. Por ello —decía *El Correo*—, «lo más fracasado que hay en el país son los periódicos, por sus exageraciones, sus injusticias y sus errores».

Está claro, pues, que todo el mundo dirigía entonces su dedo acusador hacia la prensa. Los historiadores han estado luego de acuerdo. Jesús Pabón, al preguntarse en *Cambó* cómo se había fraguado «la antipatriótica y colosal mentira que llevó a España al desastre», la señala:

> Pienso que en 1898, por modo espontáneo y merced a razones ignoradas, formóse y funcionó en España un mecanismo que hemos conocido en diversos países, confesado, legitimado y estable: mecanismo de una Prensa al servicio de una consigna esencialmente falsa, porque aparenta representar una opinión cuando la está creando en la mentira.

¿Eran merecidas todas esas acusaciones y ese pasajero desvío del público? Podemos dudar de la «omnipotencia» de la prensa española para arrastrar a las masas y crear en ellas una opinión favorable a la guerra, por la sencilla razón de que las masas no leían periódicos. Sobre cuál era la real opinión de esas masas, o si tenían alguna, los testimonios son contradictorios.

Uno de los tópicos que los periódicos comenzaron a difundir fue el de apatía, cuando no la «indiferencia canallesca», con que «el país» o «el pueblo» había recibido la noticia de los desastres de Cavite, primero, y de Santiago de Cuba, después. Lo cierto es que la mayor parte de ese pueblo trabajaba en silencio «ignorante de cuanto a la guerra se refiere». Pero no era ese pueblo el que veían los periodistas madrileños, sino al que en la capital y otras ciudades importantes, según comentaban escandalizados, seguía asistiendo al teatro y a los toros, y conmoviéndose más por la cogida del

Regaterín que por las desgracias de la patria. *El Liberal* creía que todo ello era señal de «irremediable incapacidad mental», y que si no se producía una reacción habría que responder al lamento «¡No hay gobierno en España!», con un «¡Y país tampoco!»[5].

En agosto, mes especialmente festivo en toda la geografía nacional, menudearon esos comentarios. El día 16, *El Tiempo*, en el célebre editorial «Sin pulso», debido a la pluma de Francisco Silvela, sólo advertía: «una nube general de silenciosa tristeza que presta como un fondo gris al cuadro, pero sin alterar vida ni costumbres, ni diversiones».

Pocos días después ya no era tristeza lo que advertía el diario sino «¡Alegría!». Así titulaba un nuevo editorial en el que comentaba festejos en Bilbao y Madrid: música, cohetes y los inevitables toros, «esa extraña alegría que tan honda tristeza produce, esa absurda indiferencia nuncio seguro [...] de disgregación y de muerte».

Seguiría insistiendo en días sucesivos en «la desesperante indiferencia ante las desdichas de la patria», «espectáculo indigno de un pueblo que por su carácter austero ha sido tantas veces admirado»[6]. A *El Imparcial* tanta danza y algazara le recordaba la embriaguez a que a veces se entregaban los pasajeros de los buques próximos al naufragio, el anestésico que permite aguardar la muerte sin sentirla y sin temerla.

No cabe duda de que, si hubo culpa, a la prensa le corresponde una buena porción de ella, a repartir con los políticos. En su inmensa mayoría, esa prensa jaleó a los más belicosos, mentirosos o ignorantes, y lanzó reproches sobre los que lo parecían menos. Y, a diferencia de las masas, los políticos sí leían periódicos. Políticos y periodistas, encerrados en el mismo ambiente enrarecido, se influían mutuamente. «Los indoctos y los delirantes» que, según Ramón y Cajal[7], habían arrastrado a la guerra, habían expresado su ignorancia y su delirio fundamentalmente a través de la prensa, o ella les había servido de caja de resonancia.

Desde el hundimiento del *Maine*, el 15 de febrero hasta la destrucción de la escuadra mandada por Cervera a comienzos de julio, sin que el desastre de Cavite el 1 de de mayo hubiera servido para abrirles los ojos, se dijeron muchas tonterías patrioteras en aquella prensa. Y aun más allá, hasta la firma del Tratado de París, porque ni los amargos días de julio convencieron a todos de que había que rendirse a la evidencia, abandonar la mentira y desposarse con la verdad, según frase de Silvela en su mencionado artículo «Sin Pulso».

3. Más y menos culpables

Sin embargo, se impone hacer matizaciones. No toda la prensa se mostró igualmente belicosa, insensata e ignorante de la realidad. Como hemos dicho, había periódicos de las más variadas tendencias, y no podía por menos que existir diferencias en sus respectivas posturas.

La palma de la insensatez se la llevó un periodiquito carlista, *La Escoba*, que proponía en vísperas de la declaración de guerra:

Que se abran inmediatamente las puertas de todos los presidios de España, que se alisten los barcos de la Trasatlántia para conducir a América a los presidiarios, y que los suelten allí dándoles cuchillos y navajas. ¡Presidiarios españoles! Al llegar allí seréis libres; en las puntas de vuestros puñales tenéis la comida y la riqueza... Cuanto más robéis, mejor... Exterminad a las mujeres enemigas de la patria y no perdonéis a ninguna, que donde hay yeguas, potros nacen[8].

Pero, al fin, ejemplos así no pasan de delirios pintorescos. Lo más grave, desde el punto de vista de su posible impacto en la opinión pública, fue la actitud de los grandes periódicos de empresa que se preciaban de su independencia, y eran, con muchísima diferencia, los más leídos por un público heterogéneo. *El Imparcial*, *El Liberal* y *Heraldo de Madrid* contribuyeron sin duda en mayor medida que otros de menor difusión a crear el clima emocional que condujo a la guerra como algo inexorable. Poco tenía que envidiar en desinformación y bravuconería *El Imparcial*, el diario más nacional y más prestigioso de la Regencia —que asombró a propios y extraños gastándose dos mil duros en tansmitir el mensaje de McKinley— a los más insensatos periodiquitos de los partidos extremos, cuando se burlaba del «reclamo bélico» de los americanos y aseguraba que la mayor parte de sus efectivos navales eran «género del Rastro, y aun lo que tienen de más lucidito, se encargan ellos de que no sirva»[9], ya que se trataba de unas tropas indisciplinadas que desertarían a las primeras de cambio. Y, en cualquier caso, aunque los Estados Unidos tuvieran más fuerza material, más tenía un toro con respecto al hombre, y en España «al toro se le torea»[10]; España había hecho su historia «peleando contra lo imposible», etc. Quizá fue el diario más afectado por el general desprestigio, precisamente porque era el más prestigioso. Fue también uno de los menos dispuestos a rezar el «yo pecador»: se indignaba contra los políticos «que habían labrado la desdicha de España» y ahora intentaban decargar sobre los periódicos su culpa, como la vieja que arrojaba al suelo el espejo en que veía reflejadas sus canas y sus arrugas[11].

Heraldo de Madrid se burlaba por ejemplo el 30 de abril de la potencia militar de la escuadra americana mandada por Dewey que al día siguiente iba a destruir a la española en Cavite.

Entre los grandes diarios, sólo la más aséptica *La Correspondencia de España* se mostró más realista, aunque dio también acogida en sus páginas a partidarios acérrimos de la guerra.

No puede extrañar que los diarios llamados de «opinión militar» se expresaran en términos extremadamente belicosos, exigiendo hacer «hasta lo imposible», «hasta vencer o morir», porque «España debe luchar hasta que muera el último de sus artilleros y sea echado a pique el último de sus barcos». Los partidarios de la paz eran calificados el 11 de julio por *El Ejército Español* de «sinvergüenzas», que se imponían a las «gentes de honor», dispuestos a continuar la guerra hasta sus últimas consecuencias. Las amenazas nada veladas a los políticos en general, y al Gobierno en particular, son continuas en los periódicos militares en los días que median entre la certidumbre de la derrota de Santiago de Cuba y la suspensión de la garantías constitucionales, con la consiguiente implantación de la censura el 15 de julio. Cuando Sagasta salió al paso de estos excesos afirmando que la prensa militar no era intérprete de la opinión del Ejército, *El Ejército Español* le respondió con un insolente «Tiene usted razón»: la prensa militar era intérprete de la opinión de la gente común; la opinión del Ejército era aun mucho más negativa para los políticos y el gobierno[12].

Poco menos belicosos se mostraron los diarios republicanos *El País* y *El Progreso*, aunque en tan vivos y atrabiliarios diarios apareciesen textos contrarios al discurso general del periódico, como los del futuro Azorín, que en las páginas de *El Progreso* disentía de los que llamaban cerdos a los americanos «porque tienen grandes mataderos y exportan la carne de ese bruto, ¿no seremos nosotros curdas porque poseemos dilatadas viñas y comerciamos con el vino?»[13]. En las páginas del festivo semanario *Madrid Cómico*, que participaba del general belicismo, se preguntaba si «ni tenemos dinero, ni tenemos barcos. ¿Cómo vamos a pelear con nación tan poderosa?», y se burlaba de los que enarbolaban «la gloriosa bandera de Pavía y de Bailén»[14].

Nada más parecido en belicosidad a los diarios republicanos que, en el otro extremo del espectro político, el carlista *El Correo Español* o el integrista *El Siglo Futuro* todos gritan «¡guerra!» y amenazan al Gobierno por su incertidumbre y su debilidad con parecidas expresiones, si deja «arrastrar por el fango la bandera de España», o se humilla ante «un pueblo de avaros y soeces negociantes».

Frente a esta postura decididamente belicista de la «gran prensa» y de la mayor parte de los periódicos de los partidos extremos, la prensa de los partidos del turno pacífico —el conservador *La Época* y el liberal *El Correo*— y los portavoces de las tendencias personalistas en que se estaban fragmentando se mostraron en general más cautos y prudentes, con la excepción de *El Nacional* de Romero Robledo, a quien la enemistad con Silvela, al que disputaba la jefatura del Partido Conservador, tras el asesinato de Cánovas —y quizá los intereses de la familia de su mujer en Cuba—, había llevado por estas fechas a una postura de francotirador, que más parecía de republicano que de prohombre del sistema. Fluctuó esta prensa en sus posturas —sobre todo la afecta al gobierno liberal— según que las vicisitudes de aquellos tensos meses parecieran ofrecer una posibilidad de alcanzar una paz honrosa u obligaran, a su parecer, a aceptar la guerra como un mal menor, como un destino fatal. La prensa gubernamental daba la impresión, como el gobierno mismo, tal como lo presentaba una caricatura de *El Progreso*[15], de un torero con ganas de ocultarse tras la barrera, al que el público le gritaba amenazante: «¡Al toro!». Llegado el momento, estos periódicos contribuyeron, como los demás, a extraviar a la opinión sobre las verdaderas posibilidades de España apelando a su gloriosa historia pasada.

El diario más leído entonces en Cataluña, el vetusto *Diario de Barcelona,* que pronto iba a ser desplazado por *La Vanguardia*, llevó a cabo una campaña pacifista. La guerra, decía su director Mañé y Flaquer, en una serie de artículos publicados en junio y primeros de julio, era «una cuestión matemática», y en ella todos los datos eran desfavorables para España, pero «a nuestro pueblo se le mantiene con mentiras —diario alimento que le suministra la prensa— pintándole la marina y el ejército americanos incapaces de resistir nuestro choque».

Tan profunda era su convicción en favor de la paz, que incluso afirmaba: «si el día de mañana nuestras escuadras echaran a pique las escuadras americanas y a la del almirante Dewey la arrebatara un milagroso ciclón, nosotros seguiríamos invocando la paz, la paz a toda costa, la paz por ser lo que más necesita la nación española».

Pensando sin duda en este diario, Miguel de los Santos Oliver, que sucedería a Mañé en su dirección, diría que el gran pecado del periódico madrileño, de la «prensa rotativa», había sido no haber escuchado la voz de la provincia, reflexiva, pacífica y trabajadora, frente a la de la «golfería» cortesana, perezosa, romántica y guerrera. No puede, sin embargo, generalizarse a toda «la voz de la provincia», ni a la catalana en particular, esta actitud reflexiva y pacífica.

Los catalanistas y los nacionalistas vascos, de escasa influencia todavía en sus respectivas áreas, no podían simpatizar, obviamente, con la exaltación patriótica española. El radical antiespañolismo de Sabino Arana, más que un anticolonialismo no exento de ambigüedades, le lleva no a oponerse a la guerra con los insurrectos cubanos, asunto en sí mismo ajeno a los intereses de «Bizkaya», sino a desear que tenga el peor resultado para España, porque, cuanto más postrada se encuentre ésta, más cerca estará el triunfo de sus ideas. Suspendida la segunda publicación del incipiente partido nacionalista vasco, *Baserritara*, en agosto de 1897, no disponía éste en el periodo de la guerra con los Estados Unidos de ninguna tribuna periodística, que no tendría hasta la fundación de *El Correo Vasco* en 1899. El telegrama de felicitación a Roosevelt, con motivo de la proclamación de la República de Cuba, llevaría a su fundador a la cárcel en 1902.

Mucho más moderada, la actitud catalanista había fluctuado en sus publicaciones —*La Renaixensa*, *La Veu de Catalunya* y algunas comarcales— entre la simpatía por los insurrectos cubanos, la expresión al filo de ella de sus propias aspiraciones descentralizadoras, y la esperanza en la solución al conflicto por medio de medidas conciliadoras, como la tardía autonomía concedida por el gobierno de Sagasta a finales de 1897. La actitud de los catalanistas sería considerada por Cambó en sus *Memorias* como inoperante para «orientar una opinión, vilmente engañada por la prensa de gran circulación, o para dejar pública y clara constancia de una actitud». Al fin y al cabo, a Cataluña le iba mucho en Cuba. Durante la guerra con los Estados Unidos, pidieron inequívocamente la paz, dando muestras de *seny*, y atacaron a la insensata prensa «patriotera». Pero *La Renaixensa* reconocía que sus pronunciamientos tenían poca influencia en la opinión pública de Cataluña, donde había «tantos Quijotes como en las llanuras de la Mancha»[16]. Desde sus pequeños semanarios de muy escasos lectores, los socialistas y los republicanos federales de Pi y Margall se opusieron radicalmente y en todo momento a la guerra. Los anarquistas estaban silenciados como resultado de la represión subsiguiente a sonados atentados (junto con el tema de la guerra, la campaña pro revisión del proceso de Montjuich ocupará también la atención de los periódicos radicales en este año). *La Revista Blanca*, de Federico Urales y Soledad Gustavo, empieza a publicarse en junio de este año, como «revista de sociología», dedicada a los grandes temas teóricos, menos problemáticos. El tema de la guerra sólo se roza —desde luego en sentido pacifista e internacionalista— en la sección abierta «Tribuna del obrero».

Es la vanguardia del movimiento obrero en su versión socialista, de escasa implantación todavía, la que expresa a través de sus publicaciones su oposición a una guerra en la que —dicen— los proletarios no tienen nada que defender, porque los pobres no tienen patria, o no tienen «más patria que el hoyo que ha de recibir su cadáver», como decía Unamuno en el bilbaíno *La Lucha de Clases* en 1895[17]. Les correspondía en cambio ir a morir por los intereses burgueses, mientras los hijos de los ricos se quedaban gritando «¡Viva Cuba española!», porque tenían las 2.000 pesetas necesarias para librarse del servicio militar.

En cuanto a la guerra con Estados Unidos, los socialistas se opusieron decididamente a ella. Consecuentes con el ideal internacionalista, proclaman la esencial fraternidad entre la clase obrera de los dos países, que debe imponerse a «las pasiones patrioteras». Por otra parte, las publicaciones del partido expresan la convicción de que, en el conflicto entre ambas naciones, la derrota de España sería inevitable, por más que se pretenda «engañar a las gentes» haciendo creer lo contrario.

Más clara fue todavía la actitud antibelicista de los republicanos federales, que desde *El Nuevo Régimen*, con Pi y Margall a la cabeza, se opusieron a la guerra con una enorme coherencia con su ideario, y con un tesón y un valor en aquel ir contra corriente, que entonces pudo parecer a la mayoría una extravagancia, y luego se había de revelar como acorde con el momento histórico. Porque, mientras casi todo el mundo veía a los insurrectos cubanos como unos hijos ingratos en trance de cometer parricidio, Pi y Margall defendió, por principio, su derecho a la emancipación.

Poco audibles eran estas débiles voces disidentes en el vocinglero coro patriotero de todos los demás periódicos, de modo que las acusaciones que se dirigieron a la prensa como colectivo aparecen claramente justificadas.

Hay que decir, no obstante, en su descargo que —aunque había razones para pensar que, al aceptar el reto de los Estados Unidos, España se enfrentaría a un enemigo muy superior— tal enfrentamiento no presentaba el carácter de una lucha de David contra Goliat, porque todavía aquel país no aparecía a los ojos del mundo como el gigante que a partir precisamente de esta guerra se va a revelar. No fue sólo la prensa española, sino también la de otros países europeos, la que echó mal las cuentas de las posibilidades de uno y otro contendiente.

Pero es poco probable que si Cánovas no hubiera sido asesinado y continuara siendo jefe de Gobierno hubiera evitado a toda costa la guerra con los Estados Unidos. A pesar de estar convencido, como reitera en su obra histórica, de que la decadencia de España era el resultado de haberse metido en empresas que excedían a sus fuerzas, temeroso de que la negativa a la guerra pusiera en peligro el sistema todo que con tanto empeño había construido, hubiera juzgado «dado el duro temple del carácter nacional, inevitable», aunque «impolítico y funesto» intentar retener aquel último vestigio de nuestro imperio, como los gobernantes del siglo XVII habían procurado retener todo lo adquirido.

La guerra era, a pesar de todo, evitable, con no mayor deshonor para la nación que el que trajo consigo la humillante derrota y sus no menos humillantes consecuencias. Y la prensa pudo al menos contribuir a evitarla, con un mejor conocimiento de la realidad y una visión menos tópica y falsa de la historia.

Cuarta parte

Siglo XX

10. Algunas generalidades sobre la prensa del primer tercio del siglo, 1898-1936

1. Prensa y cultura. Escritores y periodistas

Pese a todos los cambios políticos, la prensa había seguido desde los últimos años del siglo XIX una evolución sostenida sin soluciones de continuidad. El hachazo brutal de la Guerra Civil y el régimen implantado a su final vendrían a quebrar esa continuidad.

En su primer número, del 16 de diciembre de 1930, el diario *Ahora* decía en su editorial de presentación:

> En nosotros no puede tomarse a vanagloria decir que la Prensa es una de las actividades de tono más alto de la vida nacional. No sólo porque en cuanto a medios materiales se halla a la altura de la de otros países más ricos y prósperos, sino por el gran decoro con que cumple su misión. El periódico español puede afrontar, en efecto, la comparación con cualquiera de las manifestaciones de la vida española.

Al menos en la última afirmación, no pecaba de optimismo el recién llegado a ese en muchos aspectos brillante panorama periodístico que en seis años iba a cambiar radicalmente. La prensa, copartícipe del esplendor cultural de la llamada *edad de plata* de la cultura española, no sólo estuvo, en este primer tercio del siglo XX, a la altura, sino por encima de otros aspectos de la vida española.

En efecto, el periodismo español de estos años, deficiente por el lado de la información, sobre todo si se lo compara con el del ámbito anglosajón, brilla a extraordinaria altura en el aspecto intelectual y literario porque se nutre en gran medida de las plumas de escritores e intelectuales, en una época excepcional de la cultura española. Como decía un editorial de *El Sol,* polemizando con su más distinguido colaborador, José Ortega y Gasset:

> En la prensa alcanzan la difusión que no puede prestarles el libro, los escritos de los hombres más cultos: de los catedráticos, de los investigadores, de todos los especializados en cualquier rama del saber; es decir, la Universidad, en su más amplia acepción. Como que podría decirse, sin grave hipérbole, que quien menos hace hoy los periódicos son los periodistas, salvo aquella parte en que ellos también son especialistas insustituibles[1].

Un escritor periodista consideraba el hecho como una fatalidad de los tiempos:

> Todos los escritores españoles contemporáneos, los mismos especialistas de las ciencias, los profesores, los médicos y los filósofos; todos los que tienen algo que decir o que enseñar afluyen actualmente al periodismo. / Todos prestan o alquilan sus plumas jornaleras a esos monstruos que van cada mañana y cada noche gritando por las calles [...]. La fatalidad de los tiempos ordena que el periódico devore al libro, y que, mientras el libro concede cada día menos la posibilidad de una flaca ganancia, el periódico pague, si no precisamente estipendios fastuosos, por lo menos cantidades decorosas y al contado. / Otorga también al contado el éxito [...]. Estamos en el momento de la «civilización periodística» y la literatura, es claro, ha tenido que rendirse a la fatalidad. Todos los escritores españoles, con sus cuartillas bajo el brazo, tienen que desfilar ante las mesas directivas de los diarios [...]. Desde Ortega y Gasset al último pelafustán[2].

No sólo periódicos de corte intelectual, como *El Sol* y, ya en la época republicana, *Crisol* y *Luz*, sino periódicos más populares, como *El Liberal* o *La Libertad* —y, por supuesto, las revistas ilustradas de información general, o las más intelectuales y de espíritu más renovador, como *España*— publican en cada número varios artículos de escritores, que comentan la actualidad política o social, o escriben sobre temas estrictamente literarios, científicos, o filosóficos. Puede afirmarse sin exageración que el ámbito natural de escritor es el periódico más que el libro. Todos tenían muy claro que la prensa era el único medio de darse a conocer y de realizar una labor cultural eficaz, «dado el horror al libro que en España domina», en frase de Unamuno, y el carácter minoritario y elitista de la Universidad. «Siete volúmenes, entre chicos y grandes, llevo publicados —comentaría melancólicamente Unamuno en el mismo artículo en 1904— y he podido percatarme de que los que más me habían seguido en la prensa no conocían ninguno de ellos»[3]. No sólo los ensayos breves —artículos periodísticos en su origen—, sino también muchas obras de más largo aliento, novelas y ensayos filosóficos vieron por primera vez la luz en forma de series de artículos, en folletines o folletones de periódicos y revistas. La filosofía española del primer tercio del siglo XX se hizo en gran parte en los periódicos. Ello explica algunas de sus características: su índole fragmentaria, su arraigo en la experiencia cotidiana[4]. Es indudable igualmente que el auge del ensayo sobre otros géneros en las generaciones del 98 y del 14 se debe a la mutua dependencia, a la simbiosis entre periódico y escritor

Para los periódicos, a los que la modestia de sus tiradas y la insuficiente publicidad no permite grandes dispendios, la colaboración literaria resulta más barata que los grandes alardes informativos. Para el escritor que no tenga medios de fortuna —como es el caso de la inmensa mayoría—, el periódico es la fuente de ingresos primordial, dada la insuficiencia del mercado del libro. Incluso para los que tienen otra actividad profesional —frecuentemente la de catedrático, como Unamuno y Ortega—, la colaboración periodística es una fuente de ingresos complementaria. Imprescindible para el que vive sólo de la pluma. Como dijo Gómez de la Serna:

> El literato aquí, por mucho que trabaje, tiene que cubrir sus gastos de primero de mes con el sueldo periodístico, y después sufragar cada semana con los artículos de las revistas acogedoras y salvadoras [...]. Sólo sé que sólo gracias al periódico vive el escritor pues los libros son largos de escribir y cortos de venta[5].

Pero no son sólo esas razones *alimentarias*, con ser tan importantes, las que llevan a los escritores a escribir en los periódicos. Es también el deseo de salir del reducido círculo del libro, para llegar a un público mucho más amplio. En algunos casos, el imperativo moral de predicar sus ideas a sus conciudadanos, desde la tribuna pública que es el periódico. Es inevitable recurrir una vez más a la tan trillada cita de Ortega:

> Las formas de aristocratismo «aparte» han sido siempre estériles en esta península. Quien quiera crear algo [...] tiene que ser aristócrata en la plazuela. He aquí por qué, dócil a la circunstancia, he hecho que mi obra brote en la plazuela intelectual que es el periódico[6].

El caso de Ortega como el de Unamuno, los dos intelectuales más influyentes del siglo, son bien significativos. Ambos publicaron gran parte de su obra en los periódicos. Como decía el segundo en carta al primero en 1908, le llevaban a ello «ineludibles necesidades de padre de familia»; pero afirmaba en otro lugar también el deseo de «agitar los espíritus para crear opinión pública»[7]. Azorín, Baroja, Maeztu, los Machado, Pérez de Ayala, Eugenio d'Ors, Ramón Gómez de la Serna, Maragall fueron colaboradores asiduos de los periódicos, e incluso algunos de ellos periodistas en sentido estricto. La lista equivaldría casi a la nómina completa de los escritores del 98 y del 14. En cuanto a la del 27, además de poetas, dio, sobre todo, articulistas[8]. Los escritores jóvenes, que aún no tienen un *nombre*, hallan fácil acogida en periódicos menores, que les pagan poco o nada, pero les dan la satisfacción de ver su nombre en letra impresa. Pasaban luego a la «gran prensa». A principios de siglo, publicar en *El Imparcial*, después en *ABC* o *El Sol* supone ya la consagración. La prensa española es por ello una prensa muy intelectualizada. El hecho es más acentuado, si cabe, en los periódicos en lengua catalana. Escritores y periódicos se son mutuamente aún más imprescindibles. Como ha señalado Joan Fuster, escribir en catalán hasta muy avanzado el siglo era cosa casi exclusiva de los literatos profesionales. Apenas existía la fauna intermedia del aficionado y del periodista[9]. Lo mismo ocurría en las otras regiones, o nacionalidades, con lengua propia.

Sobre si esta simbiosis entre el escritor y el periódico era buena o mala para el uno y para el otro había opiniones para todos los gustos[10]. Pero todo el mundo estaba de acuerdo en que había que aceptarlo. Nicolás María de Urgoiti, el empresario de *El Sol*, se encontraba con dificultades para aplicar criterios estrictamente empresariales en este tipo peculiar de empresa que es un periódico. Decía en 1926, en un informe para uso interno:

> Ha sido mi criterio en los negocios, que el personal debe en lo posible rendir todo su esfuerzo a la Empresa, remunerándolo a este efecto en forma conveniente. / Con el de redacción de periódicos y por la índole de sus trabajos, esto no es fácil. Hay directores y redactores que son poetas, literatos, autores dramáticos, músicos y colaboradores de revistas o periódicos americanos y aún de revistas madrileñas y diarios de provincias, a los que es difícil sustraer de sus aficiones y compromisos, que en definitiva les ayudan económicamente y les dan la fama que en el fondo de su alma complace a todo hombre[11].

Casi por esas mismas fechas, el periodista Chaves Nogales daba un tanto prematuramente por concluida la época del «articulista clásico que todas las mañanas ponía el paño al púlpito y discurseaba a su albedrío»: «no tienen nada que hacer en el periódico —decía— los literatos al viejo modo, esos caballeros necios y magníficos que se sacan artículos de la cabeza sobre todo lo divino y lo humano», que «todas las mañanas meten por debajo de la puerta sus impertinentes prosas»[12].

Era más la expresión de un deseo, quizás el principio de un cambio, que una realidad.

2. La profesión periodística: una profesión de perfiles indefinidos

A medida que la prensa se transforma en una industria, el periodismo se va convirtiendo en una profesión. Muy lenta y deficientemente. En 1916, la revista *España* en un artículo titulado significativamente «Dos grandes grúas políticas: nepotismo y periodismo» pasaba revista a todos los periódicos de

Madrid, en ninguno de los cuales dejaba de haber varios periodistas que se presentaban a las elecciones para diputados. Todavía al proclamarse la República las redacciones de los periódicos de izquierdas proporcionaron ministros, diputados, embajadores; en febrero de 1936, Azaña anota en su diario:

La talla ha bajado tanto, que hombres muy modestos se ofenden si se les ofrece un Gobierno civil. Así hoy Lezama, subdirector de *La Libertad*. Marcelino Domingo ha propuesto en Consejo que le hiciéramos gobernador de Valladolid; se le consultó por teléfono y rehusó, haciendo saber al intermediario que la oferta le molestaba como una vejación. Aspirará a una embajada, como todo periodista que se respete[13].

Claro que esto ocurría con los más o menos distinguidos. Los humildes, a los que con expresión despectiva se denomina «los chicos de la prensa», se reclutan entre fracasados en otras profesiones, o los que se quedan allí varados, reducidas a cenizas las ilusiones con que se iniciaron en el periodismo. «Suele ser el periodismo —decía Lerroux en 1901— refugio de fracasados en la literatura, hospital de inválidos de otras carreras, o camino por donde marchan en carrera desenfrenada las ambiciones políticas»[14].

En 1915, Urgoiti atribuía la escasa tirada de los periódicos españoles (poco más de la décima parte de la francesa), que ni la diferencia de población ni de cultura justificaban, a la falta de interés de las informaciones y ello al mal planteamiento económico que no permitía pagar adecuadamente a los periodistas: «la retribución por los trabajos periodísticos no es la suficiente para llevar a este importantísimo órgano de educación popular a hombres que no tengan otra aspiración que la puramente profesional del periodismo»[15].

Desde luego no era una profesión que pudiese atraer a quien no tuviese el gusanillo de la literatura o de la política. Así presentaba en 1919 las condiciones de trabajo de los periodistas uno de ellos, nada sospechoso de veleidades izquierdistas:

Sus contratos de trabajo no se escriben porque abochornarían a los mismos que los imponen. No hay para ellos más seguridad de ocupación cierta que la voluntad o el capricho de las empresas. No hay jornada de trabajo razonable [...]. No hay descanso dominical ni hebdomadario [habría que añadir, ni vacaciones anuales]. Una porción de sujetos que buscan en el periodismo medio de escalar otras posiciones, les hacen una concurrencia desleal, inadmisible en ningún otro oficio, que consiste en sustituirlos gratuitamente. Y empresas que liquidan su presupuesto mensual con 25, 30 o 40 mil pesetas de déficit, regatean o niegan a sus redactores lo suficiente para vivir con modestia». En otro orden «la libertad de opinión de los periodistas es completamente ilusoria [...tienen que] decir lo que a las empresas conviene o presentar la dimisión[16].

En efecto, el sueldo de un periodista medio no era suficiente para vivir con modestia. Los primeros periódicos que empiezan a pagar decorosamente son los diarios de empresa nacidos ya en el siglo XX. Los que proceden del XIX, aun en el caso de los de gran circulación, mantienen hasta el final una redacción aún muy teñida de bohemia y picaresca y no retribuyen adecuadamente a los redactores, excepto a una o dos figuras. En los pequeños periódicos de opinión, sobre todo en los republicanos, campea la bohemia más astrosa, la que serviría de modelo a Valle Inclán en *Luces de Bohemia*. Gaziel describe la situación lamentable de los periodistas que trabajaban en la lóbrega redacción de *La Veu de Catalunya*, en la que él entró cobrando 18 o 20 duros al mes hacia 1910:

> Dependientes administrativos y obreros tenían la suerte de regirse por los sueldos y jornales establecidos en sus estamentos. Los redactores, no; eran una gente pobre y atribulada que para poder atar cabos hacía dos, tres o más oficios [...] y todos, especialmente los cargados con mujer e hijos, vivían muy estrechamente y se las arreglaban como podían.

Según Víctor Ruiz Albéniz («Chispero»), en la redacción del republicano madrileño *España Nueva,* había días en que los redactores esperaban la llegada del capataz de venta para lanzarse sobre la bolsa de calderilla que traía a la administración[17].

Los grandes periódicos de empresa pagaban sin duda con más regularidad, pero no con mucha mayor generosidad. A comienzos de 1920 se acusaba a la Sociedad Editorial de España de pagar sueldos miserables, de 75 y 100 pesetas al mes; 125 a una periodista distinguida, Carmen de Burgos, «Colombine»[18]. La cantidad que se suele mencionar como más normal desde principios de siglo hasta 1920 es la de 150 pesetas. *ABC* era una excepción, con 250 pesetas, con prohibición expresa de dedicarse a ninguna otra cosa. La renuncia a la picaresca dejaba a sus redactores, según Cansinos Assens[19], en peores condiciones que a los demás. Porque, claro está, los periodistas espabilados se buscaban la vida como podían: fondos reservados del Ministerio de Gobernación (los llamados *fondos de reptiles*), algún puesto en cualquier otro ministerio, o en el ayuntamiento, cuya única obligación consistía en ir a cobrar a cargo del presupuesto. Se contaban anécdotas de extremo pintoresquismo, probablemente apócrifas: Manuel Bueno cobraría del ayuntamiento como ama de cría y, más difícil todavía, otro periodista cobraba del Ministerio de la Guerra la cantidad que le correspondía para alfalfa en su calidad de asno. Cuando Cambó se hizo cargo de Ministerio de Hacienda, en agosto de 1921, se encontró con que había gran número de periodistas que figuraban en el escalafón sin aparecer por las oficinas. Cuando dispuso que todos debían estar a las nueve, muchos de ellos presentaron su dimisión. El famoso cronista de salones que se firmaba Montecristo, que había alcanzado las primeras jerarquías del funcionariado sin haber aparecido jamás por el ministerio —se le enviaba incluso el sueldo a su casa— se resistió y en su favor intercedieron las más distinguidas damas de la corte[20].

Gozaban además los periodistas de algunas modestas sinecuras, como entradas para el teatro, pases en los ferrocarriles, el tranvía y, en su momento, el metro, suprimidos durante la República por Indalecio Prieto. Existía un carné de periodista que proporcionaba la Asociación de la Prensa de Madrid, según resolución acordada en marzo de 1910[21].

La carrera solía empezar no cobrando absolutamente nada. Los periódicos se aprovechaban de la pequeña vanidad de los neófitos. José Venegas enviaba artículos no solicitados a *El Liberal*, y tuvo la fortuna de ver alguno publicado, por supuesto sin cobrar. Le ofrecieron un puesto en el periódico. El director le dio a elegir entre escribir artículos firmados y no cobrar, recibiendo como única recompensa la categoría que la firma otorgaba, o cobrar un sueldo y hacer trabajos de redacción sin firma. «No se podía organizar una vida seria y estable perteneciendo a un periódico —comenta el mismo periodista—. Nos divertíamos aparentemente, pero en realidad vivíamos a golpes con la penuria». «Esto no es una profesión»[22].

La huelga de periodistas de diciembre de 1919 sentó unas condiciones mínimas, que iban desde 300 a 150 pesetas, según la categoría del periódico. Pero podían burlarse contratando como «aspirante a periodista» a un periodista experimentado[23]. El sueldo del director podía cuadriplicar esa cifra; así ocurría en *El Sol* en 1922[24]. En 1919, el sueldo de un redactor en *El Sol* era, según Eugenio Xammar, de 350 pesetas, y excepcional, incluso un poco disparatado, el de 600 que cobró, bien que por poco tiempo, como redactor jefe en *El Fígaro*. En 1920 cobraría la cantidad poco habitual de 500 pesetas, como redactor de política exterior de *La Correspondencia de España*[25].

La dictadura de Primo de Rivera, a cambio de la supresión de su libertad de expresión, concedió ventajas materiales a los periodistas. Como decía Gómez de Baquero en septiembre de 1925:

> [...] su ideal en la materia sería ver a la Prensa satisfecha o resignada con la censura, quiero decir, más resignada todavía, ya que la protesta no ha podido ser más débil. Cuando las Asociaciones Benéficas de la Prensa, guiadas por su celo corporativo, pero equivocándose, a mi parecer, en la apreciación del momento, pues no sólo de pan vive el hombre, ni de casas en la Gran Vía[26], han acudido con solicitudes al Directorio, han sido acogidas con la mayor obsequiosidad. Según las señales, el Gobierno desearía atender y favorecer en todo lo posible a los periodistas salvo en un solo punto: la libertad de imprenta. Pero la libertad de imprenta es más importante desde el punto de vista del interés público y de la función profesional que todas las atenciones y favores de que puedan ser objeto los periodistas[27].

Los Comités Paritarios, creados en noviembre de 1926, mejoraron las condiciones laborales, y en abril de 1928 se fijaban las bases mínimas a que deberían ajustarse los contratos de trabajo obligatorios, que suponían un notable progreso sobre la situación anterior (pago del sueldo íntegro durante dos meses de enfermedad, medio otros dos más y conservación del puesto hasta un año; vacaciones pagadas de un mínimo de veinte días; condiciones e indemnizaciones en caso de despido sin causa justificada, etc.)[28]. En la República, los comités paritarios serían sustituidos por los jurados mixtos.

La indefinición del periodista como profesional específico, más bien a caballo entre la política y la literatura, hace de él una clase poco reivindicativa, poco proclive a asociarse en defensa de sus intereses, al contrario que los obreros que convierten en producto terminado sus escritos. La idea de la necesidad de una asociación ronda desde finales del siglo XIX por algunas cabezas, pero tropieza con la inercia y el desclasamiento pequeño burgués de la inmensa mayoría. La Asociación de la Prensa, creada en Madrid en 1895, estaba muy lejos de cumplir esa función. Concebida como sociedad de socorros mutuos, su director durante muchísimos años, Miguel Moya, era además empresario periodístico, presidente de la poderosa Sociedad Editorial de España.

Ya no se considera el periodismo como un «sacerdocio» («hasta la frase se ha hecho ridícula y ha habido que archivarla», decía Gómez de Baquero en 1898[29]), pero el mismo periodista se resiste a verse a sí mismo como un simple asalariado, un «obrero intelectual». En 1896, Unamuno decía que puesto que los periódicos de partido, pequeñas industrias domésticas, cedían su lugar a los grandes diarios mercantiles, grandes fábricas montadas por el *factory sistem* —que incluso comenzaban a asociarse en vastos *trusts,* aún tácitos—, era necesario «el principio de corrección» de la asociación, la *trade union* de los periodistas, oponer «a la concentración del capital la concentración del trabajo, las *trade unions* frente a los *trust*»[30]. «Los caballeros andantes de 1812 y 1834, los misioneros y predicadores de 1860 a 1880, nos vemos trocados en jornaleros que ponemos precio a nuestro trabajo sin otra esperanza de encumbramiento [....] los jornaleros de la pluma nos disponemos en Madrid a emprender la lucha de clases», decía muy prematuramente en 1904 Dionisio Pérez[31].

Con motivo de los conflictos suscitados en la empresa de *El Imparcial* en el verano de 1917 comentaba la revista *España*:

Patentemente se ha visto que la suerte de estos obreros intelectuales está a merced del capricho de cualquier empresa, sin que sirvan a garantizar su empleo, antes bien le perjudiquen, veinte o treinta años de labor en un periódico donde han dejado lo mejor de su vida. ¿Pueden seguir indefensos, totalmente indefensos los periodistas...? [...] La Asociación de la Prensa es una Sociedad de beneficencia y compañerismo que [...] no puede, ni debe, intervenir en los conflictos entre la empresa de un periódico y sus redactores [...]. He ahí la clave: junto a la Asociación de la Prensa, en buena armonía con ella, pero con absoluta independencia, una sociedad de redactores de periódico [...]. Toda España se está constituyendo en junta defensiva. ¿Y han de ser una excepción los obreros de la pluma?[32]

La agitación social que se produjo en los años posteriores a la Primera Guerra Mundial no podía dejar de remover aquellas tranquilas aguas. En 1919, algunos periodistas de Madrid y Barcelona crearon sendos sindicatos, afiliados, respectivamente, a UGT y CNT, que a finales de ese año conmocionaron el mundo periodístico declarándose en huelga, aliados a sus compañeros del Arte de Imprimir. En junio de 1920, los periodistas madrileños del sindicato lucharon en las elecciones de la Asociación de la Prensa en contra de Miguel Moya, que fue sustituido por Francos Rodríguez (se le concedió el título de presidente honorario)[33], pero luego las aguas volvieron a su cauce, y el sindicato no volvió a dar muchas señales de vida, que sepamos.

Una de las reivindicaciones de los periodistas en huelga cra el descanso dominical. Ya en los años del cambio de siglo se habían realizado campañas en pro de ese descanso para aquellos oficios y profesiones que no lo disfrutaban, entre ellos el periodismo. Una ley de marzo de 1904 lo estableció. Esta primera implantación duró sólo unos meses. Un nuevo reglamento aprobado por Real Decreto del 19 de abril de 1905 excluía a las empresas periodísticas, las corridas de toros y los establecimientos de comer y beber. En enero de 1920 se decretaba el descanso, lo que suponía que los diarios de la tarde no podían salir el domingo, ni los de la mañana, el lunes.

La anómala costumbre de privar a los diarios del contacto con su público un día a la semana, insatisfactoriamente paliada con los *Noticieros* u *Hojas de los Lunes*[34], resistió a todos los cambios políticos hasta que en los últimos años setenta los diarios dieron la batalla combatiendo el monopolio informativo de las *Hojas* en ese día de la semana, invocando el artículo 20.1 de la Constitución de 1978.

En 1927 se fundó como sindicato profesional la Agrupación Profesional de Periodistas, que en noviembre de 1932 entraría en la UGT, y contaría con más de 350 afiliados. En la misma fecha de 1927 se constituyó un sindicato católico muy minoritario, cuyos esfuerzos para combatir la hegemonía de la Agrupación Profesional fracasaron. Su inoperancia, ya manifiesta en los años de la Dictadura, lo fue mucho más en los de la República[35].

No existía una formación específica para la profesión. La idea que predominaba era la de que el periodista *nace*, y se forma en la práctica del periódico. Algunos tímidos intentos para fundar escuelas tropezaron con la indiferencia o la oposición de la mayoría. En 1913 se reseña en las actas de la Asociación de la Prensa de Madrid la propuesta de llevar a la práctica una idea apuntada por Segismundo Moret en una conferencia pronunciada en su sede en 1911, de crear una escuela, con becados que estudiarían en el extranjero y estarían después obligados a enseñar lo que aprendieron, idea de la que nunca más se supo.

En septiembre de 1919, el ministro de Instrucción Pública, Santiago Alba, anunció el propósito de crear una escuela de periodismo. Hubo opiniones a favor y en contra. Julio Camba comentaba con su habitual humor: «siempre que se trata de fundar en España una escuela de periodismo se me cita como un ejemplo en contra [...]. Parece que yo soy un caso genial de analfabetismo y que si hubiera estudiado alguna cosa me hubiese vuelto completamente estúpido», y se mostraba a favor de una escuela en la que se enseñasen saberes prácticos, pero no del proyecto, al parecer demasiado cargado de política, literatura y «fantasmones»[36]. Quizá pensaba en Ramiro de Maeztu, cuyo nombre sonaba para rector.

El Debate informaba del proyecto y anunciaba que había enviado a uno de sus redactores, el Sr. Graña, a Estados Unidos para estudiar las escuelas que allí florecían. El proyecto del ministro nunca se realizó, pero *El Debate*, que defendía en solitario en la prensa de Madrid la necesidad de exigir para la práctica de la profesión determinados conocimientos y «limpieza de conducta», fundó en 1926 su propia escuela, que funcionó hasta la Guerra Civil, de la que se nutrirían las redacciones de *El Debate* y del resto de los de la cadena de la Editorial Católica. En los años de la República recibía muchas más solicitudes de las que podía atender, con un cupo de 25 alumnos por curso[37].

A comienzos de 1928 vuelve a plantearse la cuestión. En el proyecto de reforma universitaria presentado a la Asamblea Nacional de la Dictadura se encomendaba a la Facultad de Filosofía y Letras la elaboración de un plan para crear en un plazo de un año una escuela de periodismo que, como la intención de crear una Dirección General de Prensa, tropezó con la oposición casi unánime de los periódicos, que veían en ello un propósito de control por parte del gobierno. Según *ABC*:

> Crear periodistas desde las aulas se nos antoja tan peregrino como hacer poetas desde una clase de Retórica o novelistas desde una empresa editorial [...]. Si por añadidura se pretende instituir con la escuela el título de periodista, entonces el proyecto puede llegar no sólo a lo absurdo, sino a lo grotesco[38].

El Debate se mostraba naturalmente a favor, aunque admitiendo que era absurdo pensar que los títulos otorgados por las escuelas fueran indispensables para el ejercicio de la profesión y afirmando que la escuela de periodismo práctico tenía su lugar adecuado en el periódico[39].

Tampoco este proyecto se llevó a cabo y habría que esperar al franquismo, en el que el afán de control y adoctrinamiento, que los periódicos temían de la «afable» dictadura de Primo de Rivera, llevaría a regular los estudios de periodismo.

11. Del «Desastre» a la Dictadura, 1898-1923

1. Hacia el modelo del periódico de masas

En los años inmediatamente posteriores al Desastre del 98, la gran prensa madrileña entra en un periodo de desorientación, de pérdida de credibilidad y de lectores. Multitud de testimonios coetáneos coinciden en diagnosticar esa situación como de *crisis* («La crisis de la prensa madrileña» titulaba un artículo sin firma *Nuevo Mundo*[1]) y tratan de indagar en sus causas: aparte de su actitud ante el reciente conflicto bélico, el «periódico industrial» no era independiente, como pretendía, sino que, sin ser estrictamente de partido seguía la política personalista de su principal propietario (Rafael Gasset en el caso de *El Imparcial*, Canalejas en el de *Heraldo de Madrid*); no era, en fin, todavía, como decía un artículista en *La España Moderna* un gran órgano social, sino la manifestación de una «detentación oligárquica del poder parlamentario y periodístico»[2].

La tan traída y llevada crisis del gran periódico madrileño no tenía una única causa. En primer lugar, en los años anteriores, el lógico interés despertado por el conflicto cubano y la guerra con los EE.UU. habían disparado las tiradas de los grandes diarios y ahora venía el natural reflujo. En segundo lugar, los periódicos madrileños tienen que competir cada vez más duramente en el mercado provincial con la prensa local. Las regiones más desarrolladas, singularmente Cataluña, viven cada vez más su vida propia, de espaldas a la capital o en confrontación con ella. Al final de este periodo, ningún diario madrileño puede competir en Cataluña con *La Vanguardia*, que había iniciado su espectacular despegue a principios de siglo convirtiéndose en el más acabado representante del periodismo de empresa. Si en el siglo XIX el ferrocarril había venido a favorecer a la prensa de Madrid frente a la prensa local, el teléfono viene ahora a sumarse al telégrafo como vehículo de las noticias que vuelan de la capital a las provincias.

No obstante, para el conjunto de la gran prensa madrileña, la crisis de los años del cambio de siglo fue pasajera. Sólo los dos grandes diarios hegemónicos en las últimas décadas del siglo XIX, *La Correspondencia de España* y *El Imparcial* se deslizan por la pendiente de una decadencia lenta pero inexorable. Otros nacen en el nuevo siglo, el primero y de más éxito, *ABC*, en 1905. Gran parte de la prensa editada en Madrid era prensa de alcance nacional. En 1918 se editaban en España 233 diarios con una tirada global, según datos mucho más fiables que los de las estadísticas oficiales, de aproximadamente 1.600.000 ejemplares[3]. Los 32 diarios madrileños sumaban un total de 656.000 ejemplares[4]. Como Madrid tenía por esas fechas una población en torno a 600.000 habitantes y el resto de su provincia estaba poco poblada, es evidente que gran parte de esos ejemplares se destinaban a otras provincias. En conjunto puede estimarse que al menos dos tercios de los diarios editados en Madrid se distribuían en el resto de España. En ese mismo año de 1918, los diarios de Barcelona suponían 311.000 ejemplares. Madrid y Barcelona sumaban en torno al 60% del total de los diarios españoles. Las proporciones no debieron de variar mucho hasta la Guerra Civil, aunque sí las cifras absolutas, que habrían aumentado en torno al 75% desde esa fecha hasta los años republicanos. Algunos de los diarios editados en Madrid eran incluso muy poco madrileños. Los casos más notorios eran los de *El Sol* y *El Debate*, cuya falta de sintonía con el público popular madrileño, que constituía la clave del éxito de periódicos como *El Liberal* o más tarde *La Libertad*, no tiene nada de extraño. Aquellos dos periódicos, dentro de sus posturas ideológicas opuestas— y enfrentadas—, guardaban muchas semejanzas. Laicista y progresista *El Sol,* clerical y tradicionalista en las ideas, aunque posibilista en la práctica, *El Debate*, ambos coincidían en ser periódicos de altura, serios y densos, cualidades poco atractivas para el lector medio. Las ideas que defendía el periódico católico tenían que encontrar más eco en las clases medias de la España profunda que en las grandes concentraciones urbanas. En cuanto a *El Sol*, diario en el que colaboraba la flor y nata de la intelectualidad de aquella brillante época de la cultura, empezando por su principal mentor, José Ortega y Gasset, reclutaba con toda probabilidad su selecto público entre los intelectuales, profesionales progresistas y la burguesía dinámica y reformista de las provincias más desarrolladas (José María Salaverría lo definía como «un periódico como para españoles del porvenir, o también como para catalanistas o bizcaitarras»[5]). Clases poco numerosas en la España de la época, desafortunadamente para la rentabilidad del periódico. Para mejorar su cuenta de resultados, la empresa EL SOL C.A. fundó en 1920 el vespertino *La Voz*, mucho más popular, cuyo público, más numeroso, se distribuía bastante equitativamente entre Madrid y provincias; pronto sería el periódico más leído por los madrileños. *ABC* que en pocos años se convirtió en el diario de mayor difusión, situaba en los años veinte el 75% de su tirada en provincias[6].

Existen unas estadísticas oficiales para los años 1913, 1920 y 1927, que proporcionan el dato de cifra de tirada[7]. Pero su fiabilidad es muy escasa: las cifras reales eran muy inferiores a las que en ellas figuran. Los datos eran proporcionados por los directores de los periódicos en respuesta a un cuestionario y es evidente que todos exageraban por razones propagandísticas. Basta leer la declaración de impotencia que los encargados de elaborarlas reiteraban en sus preámbulos, con frases repetidas como «el dato del número de ejemplares es sospechoso e inaceptable en la mayoría de los casos»; sobre todo en los diarios de gran circulación, en los cuales «el dato de tirada viene considerablemente exagerado». Los propios periódicos proporcionaban con frecuencia en sus páginas sus supuestas cifras de tirada; nadie se fiaba de estas declaraciones. El director de *El Sol*, Félix Lorenzo, decía en una entrevista en 1927: «La gente —con harta razón— desconfía de las declaraciones espontáneas sobre la circulación de un periódico, por los mil fraudes de que fue víctima. Hay quien ni dividiendo por diez cree hallar la verdad»[8].

Si no por diez, por dos sí se pueden dividir las cifras que daban los periódicos o las estadísticas, basándose en sus datos. Un periodista muy bien informado e interesado en los asuntos económicos de la prensa afirmaba en 1905: «No hay en España periódico que haya alcanzado una circulación fija y segura de cien mil ejemplares, ni llegan a cuatro los que tengan la de cincuenta mil». Sólo *La Vanguardia* y *ABC* y casi *El Liberal* de Madrid alcanzaban los 100.000 en octubre de 1918[9].

Ya en los años veinte, varios diarios superaron con creces esa cifra, para llegar en vísperas de la Guerra Civil —*ABC*, *La Vanguardia*, *Ahora*— a superar incluso los 200.000.

Un dato llamativo es el gran número de cabeceras de periódicos diarios para un relativamente escaso número de lectores. Lo cierto es que cada vez más unos cuantos títulos acaparan a la inmensa mayoría de lectores y, por supuesto de anunciantes, siguiendo la tendencia iniciada, según vimos, en las últimas décadas del siglo XIX. Son los grandes diarios sostenidos por empresas sólidas capaces de hacer las cuantiosas inversiones en maquinaria que exigen el progreso técnico de la industria y las relativamente elevadas tiradas: las rotativas habían empezado a introducirse en el último cuarto del siglo XIX, las linotipias en los primeros años del XX[10]. Estos diarios siguen una marcha ascendente, aumentando el número de sus ejemplares, su paginación, diversificando sus secciones, haciendo su discurso más ambiguo para captar a un público amplio y heterogéneo. A su lado, los diarios «de opinión», personalistas o de fuerte impregnación política o ideológica cumplen su función como portavoces de los partidos, movimientos o personalidades políticas que los sostienen, pero arrastran una vida cada vez más precaria. A principios de siglo todavía algunos de estos periódicos, como los republicanos *El País* o *España Nueva*, alcanzan tiradas muy estimables, pero la tendencia es a romperse ese sistema dual con un progresivo afianzamiento de la prensa de empresa en detrimento de la prensa de partido, bien se trate de los partidos del sistema de turno, bien de los exteriores a él por la derecha o por la izquierda.

Tampoco las fuerzas emergentes, el movimiento obrero o el nacionalista, lograrán implantarse sólidamente en el mundo de la prensa diaria. *El Socialista*, que se convierte en diario en 1913, llevará siempre una vida precaria; lo mismo ocurre con el barcelonés anarcosindicalista *Solidaridad Obrera*, que nacido en 1907 inicia su publicación diaria en 1916. Los obreros que compraban periódicos, excepto los muy «conscientes», se inclinaban por diarios populares de gran circulación como *El Liberal* o, a partir de 1920, *La Libertad*, en el caso de Madrid.

En Cataluña, la hegemonía política del nacionalismo no tuvo su correlación proporcional en la prensa de esa tendencia, hablando en términos no de títulos, numerosos, sino de difusión. Claudi Ametlla lo lamentaba en sus *Memòries*:

> Fora edificant y ple d'ensenyament de conèixer la xifra dels ferotges catalanistes dels anys 1908 y 1909 que no eren subscriptors de cap dels dos diaris catalans [*La Veu de Catalunya* y *El Poble Català*] y que en canvi ho eren de *La Vanguardia* o de *Las Noticias*, als quals no exigien pas que els servis opinions coincidentes amb la llur[11].

Cada vez más claramente, cualquiera que sea su ideología o su adscripción partidista, el público no busca adoctrinamiento y sermones políticos, sino información variada, colaboración literaria, entretenimiento. Y eso lo ofrecían los periódicos de empresa. La revista *España* comentaba en 1917: «La prensa española no podía ser una excepción dentro de una regla universal y a la postre, si bien tardíamente, ha comenzado a dejarse invadir por el capitalismo»[12]. Los pequeños periódicos de izquierda, que presumían de pureza ideológica y de espíritu desinteresado, clamaban contra «la prensa de la plutocracia»; los católicos se lamentaban de que la prensa «impía» o «neutra» fuera la más popular. Inevitablemente, la época romántica del periodismo tocaba a su fin. Las transformaciones sociales demandan un nuevo tipo de periódico que exige una fuerte inversión económica. Los periódicos se industrializan y se constituyen como sociedades anónimas, la forma empresarial más característica del capitalismo. Luca de Tena, animado por el éxito del semanario *Blanco y Negro*, fundado por él en 1891, se compromete en la empresa de fundar *ABC* en 1903 (con periodicidad diaria desde 1905) un capital procedente de otros sectores industriales y organiza una administración con criterios de eficacia comercial. A ello, además de incorporar el material gráfico a la prensa diaria, a su cuidada redacción y colaboración y a ocupar un lugar un poco más a la derecha que *El Imparcial*, el más «burgués» de los grandes diarios existentes, en una prensa madrileña fundamentalmente escorada a la izquierda, debió su éxito.

Una mentalidad típicamente capitalista supone la creación en 1906 de la Sociedad Editorial de España, que aunó las empresas de los tres diarios madrileños de mayor circulación procedentes del siglo anterior, *El Imparcial*, *El Liberal* y *Heraldo de Madrid*, con varios diarios de provincias y alguna revista. *El Sol* y *La Voz* nacen con el respaldo de la poderosa Papelera Española en 1917 y 1920, respectivamente. Como consecuencia de la primera huelga de periodistas de finales de 1919 surgen dos periódicos como por generación espontánea, al viejo estilo: *La Libertad* y *Hoy*, fundados por sendos grupos de periodistas disidentes, respectivamente, de *El Liberal* y *Heraldo de Madrid*. Sólo el primero se afianzará, gracias al dinero proporcionado por Santiago Alba que, ya interesado en otros negocios periodísticos —era propietario de *El Norte de Castilla* y accionista de la Sociedad Editorial de España—, necesita un periódico que defienda las posturas de su nuevo partido de Izquierda Liberal; no hubiera bastado el entusiasmo de los periodistas fundadores, que comenzaron a editar el diario en los talleres de *La Correspondencia de España* y con el papel proporcionado a crédito por la Papelera Española. Fracasó, falto de respaldo económico, otro intento posterior de origen semejante, *Diario del Pueblo*, fundado por periodistas disidentes de *La Libertad* que en sus dos fugaces apariciones, en enero de 1923 y en julio de 1925, había arremetido contra «esos Urgoiti, esos March, esos Alba, que pagan y dirigen nuestros periódicos desde la sombra», y se declaró dispuesto a desenmascarar a «esa prensa copada por los grupos políticos y financieros», «para que se sepa que los periódicos que circulan con el mote de populares, demócratas, etc., son sólo plataformas de gentes sin escrúpulos que con esos periódicos valorizan sus acciones en estos o aquellos negocios».

Informaciones, fundado en 1922 por Leopoldo Romeo, tras su ruptura con la empresa de la vetusta *Correspondencia de España* de la que había sido director, no hubiera podido asentarse sin el dinero de Juan March.

Los argumentos de los defensores del «periódico industrial» pueden resumirse en la idea de que sólo la solidez económica garantiza la independencia y de que la concepción del periódico como negocio y su exclusiva dependencia del público y del anunciante garantiza su honradez. Sus detractores alegan que la industrialización somete a la prensa a los poderes financieros, que actúan en la sombra, en el anonimato, cuyas motivaciones son desconocidas para el público que es así víctima inconsciente de manipulación, tomando por posturas independientes del periódico lo que en realidad responde a oscuros intereses. La polémica se hacía especialmente agria cuando algunos entresijos empresariales salían a la luz pública. Tal fue el caso de la constitución de la Sociedad Editorial de España, el llamado por sus detractores *trust* de prensa, que puso en pie de guerra a los otros periódicos o los conflictos de la empresa de *El Imparcial* en el verano de 1917, que dieron lugar a la salida de gran parte del equipo redaccional y de colaboradores para fundar *El Sol*. Éste a su vez, como su filial vespertino *La Voz*, era considerado el diario de la Papelera Española su «boletín» según sus adversarios, y si ello no era jurídicamente exacto, su dependencia de aquella empresa enfrentaría en vísperas de la República a los accionistas con el equipo fundacional y provocaría la salida de este equipo de los periódicos. En 1920 fueron los rumores de la adquisición del recién nacido *La Libertad* por Santiago Alba y ya en los años de la Dictadura la adquisición de este diario y de *Informaciones* por Juan March.

Lo cierto es que si la entrada en las empresas periodísticas del gran capital, con intereses en otros sectores financieros e industriales, hacen del «periódico industrial» presa más o menos fácil de los grupos de presión económicos, la crónica penuria del periódico de opinión o de partido hace a éste proclive a todo género de venalidades, desde la picaresca más trivial a las más graves indignidades, tanto por parte de la dirección como de los periodistas, peor pagados que los de los grandes periódicos, reclutados frecuentemente entre la bohemia semimendicante. Es conocida la corruptela de los *fondos de reptiles*, los fondos reservados del Ministerio de la Gobernación para en control de la prensa. O las subvenciones de los gobiernos extranjeros. Durante la Primera Guerra Mundial fueron los periódicos más débiles económicamente los más proclives a dejarse comprar por los servicios de propaganda de los países beligerantes; algunos de ellos se vendieron al mejor postor, incluso en flagrante contradicción con su adscripción ideológica, como fue el caso del republicano *España Nueva* o del anarcosindicalista *Solidaridad Obrera*[13].

La primacía en la captación del mercado de lectores por parte del periódico de empresa no significa que el periódico de opinión carezca de importancia. Los periódicos más que de partidos de personajes de la élite política, de las distintas tendencias en que aquellos se fragmentan, tienen escasa circulación, se sirven por suscripción y no tienen —o apenas— venta callejera; su información no estrictamente política, en el más estrecho sentido, era escasa y de segunda mano —de «tijera»—, y sus escasos lectores lo eran sin duda también de otros diarios más informativos. Pero su escasa circulación se ve hasta cierto punto compensada por los circuitos en que se realiza: clase política, medios parlamentarios, embajadas (los embajadores en sus despachos conceden a veces gran importancia a sus opiniones), redacciones de periódicos de mayor circulación que, al hacerse en ocasiones eco de sus posturas, amplifican su difusión, etc. Su importancia variaba según que su «inspirador» estuviese o no en el poder. *La Época*, el antiguo órgano de Cánovas, estuvo, tras su muerte, siempre al lado del jefe del sector mayoritario del partido: Silvela, primero, Maura, después (que se desprendieron de sus respectivos órganos personales, *El Tiempo* y *El Español*). Tras la crisis del Partido Conservador en 1913, siguió al jefe de los *idóneos*, el para los *mauristas* traidor Eduardo Dato y, tras el asesinato de éste en 1920 sería portavoz de las posturas de Sánchez Guerra. Además de sus editoriales y artículos de fondo y de la información sobre el partido y la vida parlamentaria, tenía el interés, muy importante para su público aristocrático, de su crónica de sociedad, de la que se ocupaba su director, hijo del fundador, Alfredo Escobar, segundo marqués de Valdeiglesias, que firmaba con el seudónimo de «Mascarilla» y tenía acceso por derecho propio a los más altos salones. Una fina crítica literaria y teatral —Eduardo Gómez de Baquero, «Andrenio» formó parte de su redacción hasta 1922— completaban la oferta de este diario de «buen tono», cuyo público era, según su biógrafo[14], un «público señor», constituido por «una minoría selecta de aristócratas, financieros, gentes de mundo, políticos, damas hermosas y elegantes...». Como órgano de Romanones, *Diario Universal*, fundado en 1903, tiene en estos años la importancia que le da en los círculos políticos, la personalidad de su inspirador, ministro o jefe de gobierno en cualquier situación liberal.

En cuanto a los periódicos de los movimientos obreros, su influencia sobre los lectores es sin duda más intensa que la de los menos marcados ideológicamente. Ya nos hemos referido en capítulos anteriores al fenómeno de la lectura colectiva que hacía que el analfabetismo de muchos de sus destinatarios no fuera un obstáculo para que les llegara su mensaje. Sus hojas además no eran tan «volanderas» como las de los periódicos de la burguesía. Maeztu llamó la atención sobre ello:

> Se leen infinitamente mayor número de periódicos burgueses, pero en estos la actualidad lo ocupa todo [...] y el interés que despiertan es puramente momentáneo. No sucede lo mismo con los periódicos anarquistas. Lo que hay de actualidad en ellos, referentes casi siempre a constituciones de sociedades obreras, a conflictos entre el capital y el trabajo, no ocupa sino la tercera o cuarta parte del número y como lo restante se dedica a cuestiones doctrinales, el ejemplar se guarda[15].

La primera lectura de alguno de estos periódicos suele tener, en el recuerdo de los líderes obreros, el valor de una revelación capaz de decidir un destino[16].

Del mismo modo, la prensa catalanista o la nacionalista vasca, pese a lo reducido de sus tiradas, tuvieron sin duda una enorme influencia en la formación de la conciencia nacionalista. Francesc Espinet ha realizado un estudio sobre las referencias a la prensa en las autobiografías de autores catalanes del primer tercio del siglo XX[17]. Con mucha diferencia, el periódico más citado resulta ser *La Veu de Catalunya*, mientras que *La Vanguardia* ocupa el sexto lugar. Es evidentemente absurdo que *La Veu* fuese más leído que *La Vanguardia*, pero no que su impacto, al menos consciente, fuese mayor. También los pequeños periódicos católicos anteriores a *El Debate*, o coexistentes con él —muchos de los cuales apenas superaban el espíritu de hoja parroquial—, contribuyeron a configurar la estrecha mentalidad del catolicismo español.

Los grandes diarios, sea cual sea su tendencia, son respetuosos con las instituciones y defensores del sistema. En sus páginas no se pueden traspasar ciertos límites. El cronista más famoso de su tiempo, hoy olvidado, Luis Bonafoux, escribía de manera muy distinta para un gran diario como *Heraldo de Madrid* que para un modesto periódico republicano[18]. «Respeto los intereses de empresa —decía Eusebio Blasco—, me resigno a la tiranía del que paga, me limito, como habrá usted podido ver, a escribir de lo que no pueda mermar suscriptores a las grandes empresas»[19]. El joven Ortega buscaba a veces refugio en periódicos republicanos, como *El País* o *El Radical*, para tratar temas de los que «no podía hablar» en su «casa solariega», *El Imparcial*, entre los cuales se encontraban desde luego la institución monárquica y la Iglesia[20]. En aquellos periódicos eran todavía posibles las «enérgicas vociferaciones» que echaba de menos en los grandes periódicos, seducidos por las virtudes de «mesura y graveza» impropias, en su opinión, del papel que correspondía en la sociedad a una prensa que, en conferencia en la sociedad El Sitio de Bilbao, «En defensa de Unamuno», calificaba en 1914 de «silenciaria».

El proceso de transformación de la prensa española desde el modelo decimonónico —de predominio ideológico, de escasa paginación, con secciones poco racionalizadas— al modelo de la nueva prensa de masas —concebida como negocio, con una variedad temática de carácter enciclopédico, que pretende satisfacer los más diversos intereses de una gran y heterogénea cantidad de lectores— es un proceso lento, iniciado tímidamente, como vimos, en pleno siglo XIX y que se consolidará en los años veinte del siglo siguiente[21].

El punto de inflexión se produce en los años de la Primera Guerra Mundial, en los que se hace definitiva la crisis de la prensa del viejo estilo. La sed de información que despierta el conflicto bélico, la apertura a Europa que lleva consigo obligan a los periódicos a hacer un esfuerzo que no todos saben o pueden llevar a cabo. La ruptura del sistema de turno pacífico, producida también en estos años, acentúa la decadencia de los periódicos de los viejos partidos o sostenidos por personalidades políticas. Los resultados de esos cambios se evidenciarán en los años inmediatamente posteriores a la guerra. Durante su transcurso, las dificultades que provoca —encarecimiento del papel, si bien subsanado por la subvención estatal del «anticipo reintegrable»; la imposibilidad de importar nueva maquinaria; el descenso de la publicidad extranjera— frenan en cierta medida la expansión de los grandes diarios, mientras que las subvenciones de los servicios de propaganda de los países beligerantes sostienen artificialmente a periódicos sentenciados a muerte, resucitan viejas cabeceras o crean algunas nuevas, que serán efímeras.

En los años de la posguerra se produce un reajuste en el mundo de la prensa. Se afianzan periódicos como *ABC* o *El Debate*, el primer diario católico a la altura de los tiempos, publicado desde 1811 por la Asociación Católica Nacional de Propagandistas y dirigido por Ángel Herrera, y en Barcelona, *La Vanguardia*. Surgen, como vimos, nuevos grandes diarios: *El Sol*, *La Libertad*, *La Voz*, *Informaciones*, nacidos entre 1917 y 1922. Desaparecen muchos periódicos pequeños o quedan reducidos a la categoría de *sapos*, como se designaba a ciertos periódicos de vida fantasmagórica. La crisis afecta también a los grandes diarios madrileños procedentes del siglo anterior: *La Correspondencia de España* se hunde en una decadencia que acabará con su vida en 1925; *El Imparcial*, que en 1916 se había independizado de la Sociedad Editorial de España, llevaba años en una cuesta abajo imparable, dejó de pertenecer a la familia Gasset en 1927 y prolongaría su vida en lamentable agonía hasta 1933. *El Liberal* y *Heraldo de Madrid*, tras la huelga de periodistas de 1919 —signo de los nuevos tiempos, la prensa se industrializa y sufre los conflictos propios de la industria—, pasan unos años de travesía del desierto.

La Sociedad Editorial de España, el famoso *trust* de prensa, había resultado finalmente un fracaso. Tras el abandono de *El Imparcial*, había ido desprendiéndose de la mayor parte de sus diarios de provincias, y la huelga acabó de hundirla. A finales de 1922, la situación económica era insostenible, y fue vendido a unos industriales catalanes, los hermanos Busquets. La nueva sociedad se denominó entonces Sociedad Editora Universal.

El panorama periodístico cambia, pues, sustancialmente en estos años. Los nuevos periódicos, singularmente *El Sol* y *La Voz*, se refieren con desprecio a la «vieja prensa», que replica airada, pero con evidente complejo de inferioridad. Oposición «prensa vieja/prensa nueva», correlativa a la establecida entre «vieja y nueva política» —título del resonante discurso de Ortega en el acto fundacional de la Liga de Educación Política en 1914—, pero que no se refiere aquí sólo, ni fundamentalmente, a aspectos políticos, sino también de estilo periodístico. Los nuevos periódicos y los que se renuevan «rompen corondeles» haciendo una confección más horizontal, con titulares de varias columnas y varias líneas, con antetítulos y subtítulos que contribuyen con sus espacios en blanco intermedio a agilizar las páginas y distribuyen la publicidad por todas las, ya numerosas, páginas.

Finalmente, y a medida que las técnicas de reproducción se van perfeccionando, hacen uso generalizado de los fotograbados (a mediados de la década de 1920, la agencia Havas empieza a proporcionar reportajes gráficos a los periódicos), aunque no sin resistencia por parte de los periódicos «serios». *ABC*, que había apostado desde su fundación por los elementos gráficos, presumía en su décimo aniversario de su nueva «rotativa para la impresión del nuevo procedimiento de huecograbado, última palabra de las artes gráficas» y polemizaba al respecto con *El Día Gráfico* de Barcelona, fundado dos años antes, que recababa para sí el honor de haber sido el primero en utilizar el procedimiento en la prensa diaria[22]. Pero cuando Nicolás María de Urgoiti, el inminente fundador de *El Sol*, redacta en enero de 1917 su «Memoria para la fundación de un periódico diario» tiene claro que ese terreno debe dejarse para los semanarios ilustrados; «aunque el éxito ha acompañado a algunos diarios gráficos —escribe— no hay entre ellos periódicos de gran autoridad y es natural que así sea, porque a igual superficie impresa, el grabado resta espacio para la información y colaboración». Y en 1926, reflexionando sobre los cambios que habría que introducir en el periódico, demasiado intelectual para atraer a un público masivo, sigue insistiendo: «debemos evitar a toda costa los grabados directos que no permiten una impresión clara y limpia»[23].

En la década de 1920, en algunos diarios, la primera página empieza a funcionar como escaparate de aquellos contenidos interiores que se quieren destacar. En otros, en cambio, como *La Vanguardia*, todavía se dedica a anuncios y esquelas y así seguirá en los años treinta, de modo que la noticia en portada del 15 de abril de 1931 no es la proclamación de la República, sino el fallecimiento del señor Pere Rovira y la señora Dolores Borrás.

Si va variando el aspecto de los periódicos, no menos sus contenidos. Si la política nacional sigue ocupando un lugar privilegiado en sus páginas, la tradicional falta de interés de la prensa española por los temas internacionales va dando paso a una cierta apertura. Hacia 1915, algunos diarios empiezan a publicar páginas semanales especializadas que buscan atraer a un público sectorial o satisfacer a los distintos miembros de la familia. La costumbre se generaliza en los años treinta: páginas femeninas, infantiles, teatrales, taurinas, de turismo, de agricultura, de higiene y medicina, de cine, de deportes.

La prensa contribuye en gran medida a despertar la afición a los nuevos espectáculos de masas. El cine, que en los años del cambio de siglo, es una mera curiosidad, atrae ya a finales de los años diez la atención del público y de la prensa, y merece páginas especiales en algunos periódicos. Los años veinte son ya los del fervor popular por el deporte espectáculo, el fútbol, sobre todo, y el cine. Publicaciones especializadas se ocupan de ellos y la prensa diaria le dedica páginas semanales. Muchos de los intelectuales de las generaciones del 98, y del 14 sobre todo, militantemente antitaurinos, reciben en principio con entusiasmo estos signos de modernidad. Los toros son el símbolo de la «vieja España» que urge desterrar. Cine y deporte lo son de la apertura a «lo nuevo». La revista *España*, fundada por Ortega y Gasset en 1915 y portavoz de los intelectuales europeístas, no desperdicia ocasión para atacar a la «fiesta nacional». Desde su primer número dedicó en cambio atención al cine como «uno de los fenómenos más extraordinarios de la vida moderna». En la misma línea, *El Sol*, que tendrá entre sus principios irrenunciables no ocuparse de los toros, dedicará en cambio gran atención a los deportes —incluido el boxeo— y al cine. Veremos en los años de la Dictadura crecer la afición y el espacio que los periódicos dedican a estos temas.

2. El marco legal

Otras leyes vinieron a limitar la liberal ley de 1883. La de mayor alcance, por su larga vigencia, fue la Ley Jurisdicciones que, promulgada en 1906 —tras el asalto de los oficiales de la guarnición de Barcelona a las sedes de las publicaciones catalanistas *Cu-cut* y *La Veu de Catalunya* y orientada fundamentalmente a reprimir la agitación nacionalista—, duró, siempre contestada, hasta su derogación por el Gobierno Provisional de la República en 1931. Con esta ley, el estamento militar lograba, entre otras cosas, imponer su criterio de que fueran sometidos a la jurisdicción castrense los delitos de imprenta comprendidos en la vaga denominación de «injurias u ofensas claras o encubiertas al Ejército».

Más grave aún era el frecuente y abusivo recurso al artículo 17 de la Constitución, que autorizaba a suspender las garantías constitucionales en circunstancias extraordinarias. Veintitrés suspensiones de garantías fueron decretadas desde el estallido de la guerra con EE.UU. en 1898 hasta la implantación de la dictadura de Primo de Rivera, que impuso la censura previa durante siete largos años. De estas veintitrés, nueve afectaron a todo el Estado, y las restantes, a las provincias más conflictivas: Barcelona muy en primer lugar, seguida a distancia por Vizcaya. Poco importaba que el gobierno fuera conservador o liberal. Ante la creciente agitación política y social, todos recurrían al socorrido artículo 17; «en vista de la presión de la caldera», como dijo Unamuno, optaban por «quitar el manómetro»[24]. En 1909, desde la oposición, Canalejas declaraba: «No he abundado nunca en la opinión de los que, considerando sin duda que la política expansiva y el régimen de publicidad sólo sirven para los días de bonanza, los reputan peligrosos en los de tormenta»[25]. Poco más tarde, como jefe de Gobierno, le tocó a él el turno de ser tachado de «liberticida» por recurrir, como todos, al consabido recurso de la suspensión de garantías ante la agitación huelguística y la inquietud producida por la guerra de Melilla.

Otro medio, vergonzante en este caso, de ejercer la censura por parte de los gobiernos, consistía en la interrupción de las comunicaciones telegráficas o telefónicas, para evitar en situaciones más o menos críticas la difusión de noticias alarmantes, bien fuera un revés en Marruecos, o una bomba en Barcelona. Las quejas de los periódicos por estos procedimientos son continuas. Pero pese a todas estas limitaciones, y otras en las que no podemos detenernos, la prensa gozó en este periodo de una libertad suficiente como para permitirle un relativo desarrollo y una innegable brillantez. Cuando sentía limitada o en peligro su libertad, protestaba airadamente, y como los políticos —que por lo demás tenían fuertes intereses y conexiones más o menos explícitos o soterrados con ella— no querían tenerla como enemiga, era precisamente la libertad de prensa la primera de las garantías constitucionales que solía restablecerse. Por otra parte, las materias sometidas a silencio durante los periodos de excepción se limitaban a las relacionadas con los conflictos que los provocaban, aunque inevitablemente el poder tendía a ampliar abusivamente su extensión.

12. Dictadura y vísperas republicanas, 1923-1931

La Dictadura, instaurada con el golpe de Estado del 13 de septiembre de 1923, fue en palabras de Gaziel una «dictadura afable». En el terreno de la prensa no supuso una ruptura en su evolución. Precipitó la caída de los periódicos de la «vieja política», artificiosamente mantenidos por los partidos, y reprimió duramente a la prensa anarquista, a la incipiente comunista y a la nacionalista. Pero el proceso de modernización de los grandes diarios, lejos de detenerse, acaba de consolidarse. Durante el largo periodo de excepción que supuso, la censura fue relativamente benévola, sin comparación posible en extensión, rigor y cerrilismo con la que regiría durante tres décadas después de la Guerra Civil. Permitía tratar muchos temas, especialmente en el terreno doctrinal y, en primer lugar, que se atacase su misma existencia, cuestionada en realidad por los mismos encargados de ejercerla[1]. En la medida en que limita los temas políticos, obliga a buscar otros temas de interés, propios de la prensa de masas. La sociedad de aquellos años, bajo su aparente inmovilidad política, es muy dinámica. Nuevas modas y nuevos modos de vida, incorporación de la mujer a la vida pública, auge del arte de vanguardia y de los espectáculos de masas, extensión de la red de carreteras, aumento del número de automóviles que obliga a una nueva ordenación del tráfico (la obligación de circular por la derecha dará lugar a bromas de doble sentido), etc.

1. La censura previa

La censura, aunque benévola, suponía sin duda una traba de la que casi todos los periódicos protestaron reiteradamente, con notorias excepciones como las de *La Nación,* órgano oficioso la Dictadura, y el católico *El Debate.* Actuaba con arbitrariedad prohibiendo en ocasiones a un periódico lo que había autorizado a otro, actuando en cada provincia con distintos criterios, según el talante del correspondiente censor o del gobernador militar; mostrándose unas veces muy severa y permitiendo, y aun propiciando, en otras la discusión de temas políticos. En un discurso distinguía Primo de Rivera entre los «abstractos temas políticos y filosóficos» y «las vivas realidades de la gobernación, de la moral, del crédito público y aun a veces del personal»[2]. Era en este segundo terreno donde no se consentían críticas ni desviaciones de las normas. En el mismo sentido se daban instrucciones en una circular dirigida a los gobernadores militares sobre los principios a que debía atenerse la censura[3]. Así pues, se podía criticar el hecho mismo de la Dictadura e incluso el régimen monárquico, pero no los actos del Gobierno, ni dar noticia de ningún suceso —huelga, delitos[4], escándalos, incluso circunstancias meteorológicas— que pudiera perturbar la imagen de tranquilidad que se presentaba como uno de los mayores logros de la situación. De modo que, en 1929, un periódico podía declararse partidario de la república, pero no referirse al terrible calor que hacía en Andalucía, para no comprometer el éxito de la Exposición de Sevilla.

De acuerdo con su carácter, algunos periódicos intentaron salvar la barrera de la censura por elevación, corriendo el peligro de aburrir al lector abusando de asuntos teóricos escasamente periodísticos. Otros trataban de burlarla por abajo, utilizando todos los recursos de la picaresca periodística: la anfibología, el acróstico, la ironía, la reticencia, todos los modos del decir oblicuo, del guiño al lector. Así se fue creando, según un periodista de la época, la convicción de que el mejor periodismo era el ingenioso, el del «alarde contrabandista y el gusto por la zumba», de modo que cierta prensa de la época «marchaba con ritmo de sainete»[5].

Una actitud muy común en los periódicos y periodistas humillados por la censura era la de guardar silencio ante los acontecimientos y los temas sobre los que el Gobierno tenía interés en que se hablase —a su modo, claro está—, invitando con frecuencia explícitamente a ello. El semanario *España*, dirigido desde unos meses antes por Azaña, encabezaba su primer número después del golpe de Estado con el título «Nuestro silencio».

El día 25 del mismo mes de septiembre de 1923, Luis de Zulueta escribía en *La Libertad*: «Por mucho bueno que hiciera el poder, mi conciencia me vedaría alabárselo, mientras no me dejen censurarle lo malo [...]. El silencio no carece de dignidad. No la tiene en cambio un pensamiento mutilado o contrahecho...» (seguían unas líneas de puntos suspensivos, que indicaban que la censura había impuesto un silencio forzoso al resto de su pensamientos sobre el silencio voluntario; a partir de mayo de 1927 se prohibieron los puntos suspensivos o los espacios en blanco, que evidenciaban la acción de la censura). Aunque en principio favorable al Directorio, *ABC* mostraba la misma actitud frente a la censura: «Nos conviene hacer constar —decía el 26 de septiembre— que el silencio será la norma de *ABC* si con la libertad de aplaudir no halla este órgano de la nación la libertad indispensable para su crítica noble y circunspecta, imparcial y moderadora».

Primo de Rivera, por medio de notas oficiosas, se lamenta o se indigna en muchas ocasiones de la parquedad informativa de la mayor parte de la prensa (según él, contaba con la hostilidad del noventa por ciento de los periódicos) en temas como las muestras de adhesión popular que recibía; las operaciones victoriosas en Marruecos; la actividad del partido oficialista de Unión Patriótica; la Asamblea Nacional Consultiva, de carácter corporativo, que había sustituido al parlamento; el viaje de los Reyes a Marruecos en 1927; la organización de las exposiciones de Sevilla y Barcelona, etc.

El Debate denunciaba ese silencio de los periódicos, lo que para *El Sol* constituía «un espectáculo insólito» y para *La Libertad* le convertía en «más papista que el Papa», ya que «la censura se limita a no dejarnos decir ciertas cosas [...] y *El Debate* quisiera que se nos forzase a decir las contrarias»[6].

2. Las notas oficiosas

La celebración en Madrid del V Congreso de la Prensa Latina encontró una oposición desmesurada por parte de numerosos periódicos, que, amparándose en el rechazo a la idea y al término «latino» frente a «hispanoamericano», encontraron una ocasión para combatir un proyecto en el que el dictador había puesto gran interés. Cuando se celebró a comienzos de julio de 1927, periódicos como *El Sol*, *La Voz*, *La Libertad*, *El Socialista* no dieron la menor información acerca de él, y otros lo ridiculizaron o informaron muy parcamente.

En el banquete ofrecido a los asistentes a este congreso, Primo de Rivera se declaró, como en otras ocasiones, periodista «veterano y viejo periodista, porque he sido corresponsal de guerra y he fundado periódicos y es a las hojas de estos periódicos a las que he aportado siempre mis ideas para transmitirlas a mis conciudadanos».

En efecto, parece que había sido aficionado a colaborar en periódicos, sin firma (no les estaba permitido a los militares, prohibición más que razonable pero incongruente con la existencia de diarios de «opinión militar»), entre ellos, según propia declaración, en la *Revista Financiera*, y en 1913 había fundado o contribuido a fundar un efímero periódico titulado *La Nación*. Ese sería también el título del órgano oficioso de la Dictadura, que inició su publicación en octubre de 1925.

Durante su gobierno pudo dar rienda suelta a esas confesadas aficiones periodísticas, enviando artículos a *La Nación*, al *Noticiero de los Lunes* y, sobre todo, a través de sus célebres «notas oficiosas». Como decía en el preámbulo de un decreto que concedía un indulto para delitos de opinión, quería evitar «mediante el ejercicio discreto de la censura, la publicidad de toda noticia inexacta y de todo rumor peligroso, y facilitando en cambio mediante notas oficiosas el conocimiento de cuanto al país interesa»[7].

Tras su caída, Ortega comentaría que el dictador no se había contentado con prohibir y mandar, sino que además «se ha entretenido en escribir todo género de opiniones estultísimas, hasta sobre la literatura de los poetas españoles»[8].

Como padre severo o cariñoso, reprendía a sus adversarios, agradecía las muestras de afecto y adhesión. A falta de los, a veces, chuscos episodios de la «vieja política», que él había venido a extirpar, y de las más o menos animadas sesiones del cerrado Parlamento, las notas del dictador daban un aire de sainete a las páginas de la prensa. De vez en cuando permitía la publicación de algún artículo atrevido para darse la satisfacción de responder al autor.

A la caída de la Dictadura, el periodista Dionisio Pérez publicó una antología de las notas que tenían un interés político, en un libro titulado *La Dictadura a través de las notas oficiosas*. Pero su objeto no eran sólo los temas políticos. Apenas hubo un aspecto de la vida nacional del que no se ocupara, con su habitual facundia, en un estilo familiar que a veces rozaba lo chulesco, como cuando amenazó con «meter en cintura» a Unamuno[9], no exento en ocasiones de acierto en las frases, como cuando calificó a Valle Inclán de «eximio escritor y extravagante ciudadano».

No existían normas claras sobre si era o no obligatoria la inserción de las notas, y *Heraldo de Madrid* polemizó al respecto con el oficioso *La Nación* a finales de mayo de 1928. Primo de Rivera respondió en noviembre de ese año a un escrito que le dirigieron varios periodistas en petición de aclaración sobre éste y otros temas que sólo era obligatoria la inserción de las que tuvieran interés público, concepto ciertamente vago. Por fin, un tardío decreto ley publicado en *La Gaceta* el 4 de febrero de 1929 obligaba a los periódicos a poner a disposición del Gobierno un espacio máximo de una dieciseisava parte de su superficie.

En definitiva, la censura y las pintorescas notas oficiosas eran una imposición intolerable y una humillación para unos periódicos y periodistas acostumbrados a un sistema liberal, pero muchos de ellos tendrían ocasión de añorarlos cuando les tocó vivir una censura mucho más dura y en lugar de unas notas que no ocultaban su carácter de oficiosas, hubieron de someterse a unas consignas rigurosas, cuya impuesta condición era que no se percibiesen como tales. Entonces sí que no sólo no fue posible ninguna crítica, sino que además fue obligatorio el elogio desmesurado, que debía aparecer como fruto de un entusiasmo espontáneo.

3. Los periódicos ante la Dictadura

En un principio la Dictadura, que se presentaba como una situación transitoria, «un paréntesis», una «letra a noventa días», fue benévolamente recibida por gran parte de la prensa, incluido un diario de centro izquierda, obra de intelectuales como *El Sol*, cuya actitud inicial ante el golpe de Estado estaba ya prefigurada en fecha tan temprana como 1920 en un editorial sin firma debido a la pluma de Ortega, de 20 de febrero, titulado «La situación político-militar. La hora de Hércules». Ya que las Juntas Militares de Defensa, constituidas en 1917, venían ejerciendo de forma soterrada el poder, consideraba preferible que «lo que es realidad oculta, pase a ser realidad proclamada». Era el «que gobiernen los que no dejan gobernar» de Maura, al que se citaba en el editorial. Había en él algo más que la irritación producida por el poder ilegal de las Juntas, de vuelta ya el periódico de las ilusiones que había puesto en ellas en sus primeros tiempos; había también la esperanza de que un gobierno claramente militar pudiera ser beneficioso para el país, cortando con la espada el nudo gordiano de la inoperante «vieja política». Desde luego, *El Sol* defendía una solución legal, apelando a «la España vital», a las fuerzas emergentes, la «burguesía inteligente», el socialismo y el regionalismo —que no tenían cabida en las caducas estructuras políticas— y cuando se aproximaba la hora de la Dictadura, se pronunció en contra de esa solución de fuerza. «Nada tan criminal como alentar al Ejército, en cualquiera de sus organismos, a que desbordándose y corriéndose más allá de las líneas que cierran su demarcación peculiar, inunde territorios extraños, prohibidos», decía el 17 de mayo de 1923. Pero, una vez consumado el golpe, lo aceptó como un «mal menor». En la madrugada del 13 de septiembre, el director, Félix Lorenzo, había telefoneado a Urgoiti, que estaba en Biarritz, pidiéndole instrucciones. Le contestó que ni *El Sol* ni *La Voz* debían hacer oposición, puesto que Primo se había manifestado en contra de los «viejos partidos» que ellos venían combatiendo[10].

La coincidencia de *El Sol* con la Dictadura no podía ser más que de signo negativo: el rechazo de la «vieja política». Se congratulaba de la desaparición de los caducos partidos de la Restauración, que habían evidenciado su incapacidad para la renovación de la vida nacional y, ahora, llamaba a la constitución de otros nuevos, a la altura de los tiempos: un nuevo liberalismo y un nuevo socialismo. Siguiendo una alegoría de Ortega en el editorial de 1920 mencionado, Hércules había hecho su trabajo de «limpiar el establo» y ahora llegaba la hora de Platón. Pero aquel Hércules doméstico no daba muestras de conformarse con aquella faena de limpieza. A medida que el régimen iba dando señales de querer perpetuarse, *El Sol* se fue distanciando de él hasta llegar a la franca oposición, sobre todo a partir de septiembre de 1927, al ser convocada la Asamblea Nacional Consultiva, con la pretensión de dotar al país de una nueva constitución, confirmación de que la Dictadura pretendía institucionalizarse. A partir de entonces sus encontronazos con la censura, antes relativamente esporádicos, gracias a su postura benevolente y a la altura doctrinal de sus editoriales y de muchos de sus artículos, se intensificaron. El censor recordará que *El Sol* y *La Voz*, tras el crédito concedido a la Dictadura, fueron serios enemigos, y anotará incesantes polémicas con sus respectivos directores, Félix Lorenzo y Fabián Vidal. El dibujante Bagaría era uno de los más afectados por el lápiz rojo. «Mis queridos Bagaría y Lorenzo con sus editoriales y sus *Charlas* [*al Sol*, sección iniciada en julio de 1928, bajo el seudónimo de «Heliófilo»] han enriquecido la historia episódica de la censura»[11].

No benevolencia sino entusiasmo mostró *El Debate* ante el golpe de Estado. Una vez instaurada la Dictadura, su postura fue de entusiasta apoyo. Creía llegada la hora para el triunfo de sus ideas, que con ella desaparecería la vieja política caciquil y que los católicos serían llamados a sustituirla: «cuando se restablezca [la legalidad] y renazca en España la vida ciudadana, serán nuestros hombres y nuestras organizaciones las que ocupen los nuevos cauces de la ciudadanía», decía en un editorial el 19 de septiembre de 1923.

En la medida en que no fue así, puesto que la Dictadura no propició la creación del gran partido católico que *El Debate* propugnaba, empezó a aparecer un tono de desilusión, que se fue acrecentando. En el terreno sindical, le dolía que Primo de Rivera favoreciese a la UGT en vez de a los sindicatos católicos. Apoyó, en cambio, totalmente al Gobierno en el tema de la censura previa, que juzgaba indispensable, dada «la crítica temeraria, apasionada, banderiza, pérfida y venenosa» que, en su opinión, practicaban la mayor parte de los periódicos, lo que no obstaba para que en las escasas ocasiones en que algún artículo suyo era objeto de ella, luchase por defender su integridad. Apoyó igualmente la Asamblea Nacional Consultiva y el sistema corporativo.

Su progresivo desencanto con la Dictadura, que no respondió a sus expectativas, hizo que el diario, que en los primeros tiempos era casi un órgano oficioso del régimen, fuera distanciándose de él. En un editorial del 13 de septiembre de 1928, hacía «un breve resumen de los reparos más importantes que la obra del general nos merece», entre los cuales destacaban los religiosos:

> Hubiéramos querido una más eficaz atención a los valores espirituales de España [...]. Es manifiesto que las justísimas demandas de la España católica a favor del clero no han merecido gran atención de parte del Gobierno. No se ha visto tampoco en la reforma de los estudios medios una seria preocupación por la educación religiosa y moral de la juventud.

Cuando cayó la Dictadura, hizo su elogio, pero lamentó lo que a su parecer fueron sus errores, la ocasión perdida para la reconstrucción política del país de acuerdo con los principios católicos que *El Debate* defendía.

Según Urgoiti, su difusión tendía a disminuir en estos años. Si en 1918 le atribuía 40 o 50 mil, en 1926, 35 mil, de los que a Madrid correspondían sólo el 16%, es decir, 5.600, la mayor parte por suscripción. De hecho casi no lo tiene en cuenta por lo que a Madrid se refiere: «Como se ve —comenta— en tanto los lectores del sector de la izquierda se distribuyen entre cuatro periódicos [está refiriéndose sólo a los matutinos], los de la derecha son absorbidos en su mayor parte por un solo periódico: *ABC*»[12].

En efecto, *ABC* siguió aumentando su difusión en estos años. En 1926, Urgoiti le atribuía 120 mil ejemplares, que en 1929, según los datos de la Memoria Anual de Prensa Española se habrían elevado a más de 180 mil[13]. En 1930 alcanzaría su cifra máxima de ingresos por publicidad, 7.788.000 pesetas, muy probablemente la cifra más alta de todos los periódicos españoles antes de la Guerra Civil.

El Liberal y *Heraldo de Madrid,* que en enero de 1923 habían pasado a una nueva empresa, Sociedad Editora Universal, de los catalanes hermanos Busquets, intensificaron su línea izquierdista y coincidieron en su oposición a la Dictadura desde el principio. Hasta 1927 se encargó de los diarios el abogado barcelonés Amadeu Hurtado, que había intervenido en toda la operación de traspaso de una sociedad a otra y que ejerció una dirección en la sombra, teniendo cuidado, como explica en sus memorias, de no firmar jamás un artículo, ni permitir que se le mencionara para no dar argumentos a los que desconfiaban de la nueva empresa catalana y «evitar los peligros de dar a un público receloso la impresión desastrosa de un hombre venido de fuera a hacer carrera en la Corte desde la plataforma visible de unos diarios»[14].

El Liberal recibió el golpe de Estado con unos gritos salidos «del fondo del alma»: «¡Viva España!, y ¡Viva la libertad!». «Ha triunfado la sedición» decía al día siguiente. Todavía el día 18, ya declarado el Estado de guerra y en vigor la censura, pudo publicar un duro artículo de Ángel Osorio sobre la nueva situación.

En sus diferentes estilos, más serio *El Liberal* y más ligero *Heraldo de Madrid,* se las ingeniaron para burlar la censura. El censor juzgaba a los periodistas de *Heraldo* como los que más se distinguían en el uso del «dardo diario, y, revoltosos e inquietos, deslizaban hábilmente algún titular o en el texto intencionadas alusiones que eran la preocupación del censor, burlado a veces por la habilidad del periodista y ganado otras por su gracia y su oportunidad». De *El Liberal* opinaba que era el que «ha hecho una labor más constante y eficaz contra la Dictadura», combatiendo «sin interrupción» toda su obra[15].

La Libertad fue uno de los diarios que acogió más negativamente a la Dictadura. No es extraño, ya que su inspirador, Santiago Alba —que se apresuró a cruzar la frontera al producirse el golpe de Estado, que, como ministro de Estado en el último gobierno constitucional, había enfocado el problema de Marruecos con criterios civiles que habían producido gran irritación en el estamento militar y que el 29 de agosto anterior al golpe de Estado había pedido la sustitución de Primo de Rivera por insubordinación— era el miembro del gobierno derrocado más odiado por el dictador, el único con el que se ensañó.

El 13 de septiembre, *La Libertad* daba la noticia del golpe de Estado presentándolo como un movimiento impunista provocado por la exigencia de responsabilidades por el desastre de Annual. Los editoriales de los días 14 y 15, titulados, respectivamente, «Ante la razón de la fuerza» y «¡Ahora más que nunca!», se situaban en una decidida oposición. En ellos se declaraban los responsables del diario «más liberales que nunca, más constitucionales, más demócratas, más espiritualmente unidos al Pueblo, más entusiastas que lo fuimos jamás de la soberanía del Poder civil».

En marzo de 1925 se produjo un importante cambio en la empresa del periódico. Por medio de una ampliación de capital, el grupo financiero de Juan March se hizo con el control de periódico y Luis de Oteyza fue sustituido en la dirección por Joaquín Aznar. Pero mantuvo una postura de oposición y en 1928 se declaraba republicano[16].

Fue, pues, el diario de izquierdas de Juan March, mientras que *Informaciones*, de reciente fundación, que pasó a sus manos también en 1925, fue el de derechas. Este diario vespertino, que había acogido muy positivamente a la Dictadura, siguió apoyándola. Según su director, Juan Sarradell, era «un fenómeno político como tantos otros, por lo que estimamos exagerados, por no decir incomprensibles, los aspavientos de algunos frente a su realidad»; no cabía más que «admitirla con todas sus secuelas»[17].

La Dictadura quitó la poca razón de ser que tenían los periódicos de la «vieja política» al suprimir la vida parlamentaria y la alternancia en el poder de los políticos que los sustentaban. Aun así, diarios como los liberales *Diario Universal* o *La Prensa*, o el conservador *La Época*, siguieron existiendo con una vida aún más fantasmagórica. Durante los días en que pudieron hacerlo, hasta el establecimiento de la censura, protestaron más bien débilmente por el golpe de Estado (el más enérgico *La Prensa*, órgano de García Prieto, presidente del último gobierno constitucional, que lo calificó de «Una vergüenza nacional»). Luego, sus inspiradores siguieron manteniéndolos en espera de tiempos mejores, que nunca llegarían.

La Época provocó las iras del dictador en abril de 1926 por silenciar la condecoración que el Rey le había impuesto por la pacificación de Marruecos e informar sólo de las que en el mismo acto se había otorgado a los tripulantes del *Plus Ultra;* pero la sangre no llegó al río. La opinión que el veterano órgano conservador merecía a los jóvenes escritores que iniciaron allí su carrera periodística y literaria es bien significativa. Francisco Ayala evoca en *Recuerdos y olvidos* sus primeros artículos «impresos y no me atrevo a considerarlos publicados», en un periódico que «se repartía, según creo, entre los miembros del partido, que serían unos cuantos carcamales y sólo llevaban unos pocos ejemplares a un quiosco, no por casualidad cerca del casino de Madrid». César González Ruano, en *Mi medio siglo se confiesa a medias*, retrata en esa época su redacción a la que perteneció por un tiempo sin sueldo «como de otra época, como si fuera a entrar Larra», aunque seguía siendo «algo así como el diario de buen tono de la vieja sociedad, aunque para enterarse un poco más de lo que pasaba en el mundo tuviera que comprar otro diario menos distinguido».

En Barcelona, *La Vanguardia* acogió el golpe de Estado calurosamente, esperando de ella que no sólo impondría el orden público, especialmente alterado en aquella ciudad, en los años precedentes, sino que además sentaría las bases para una regeneración política. Luego fue distanciándose de él hasta colocarse en una franca oposición.

Cuando Primo de Rivera dio el golpe de Estado que puso fin al sistema constitucional, era capitán general de Cataluña, cargo que desempeñaba desde marzo de 1922. Durante el tiempo que lo ejerció se había granjeado la simpatía de la burguesía catalana. Se le suponía favorable al regionalismo, lo que unido a los desórdenes sociales que perturbaban la vida de Barcelona y el terror ante el «peligro bolchevique» hizo que aquella burguesía acogiese favorablemente el Manifiesto del 13 de septiembre. En el caso de la Lliga venía, además, en un momento en que su hegemonía empezaba a verse seriamente amenazada por Acció Catalana, nacida de una escisión izquierdista en su seno. La burguesía catalanista esperaba de la dictadura la imposición del orden público, una elevación de aranceles en una línea proteccionista que favoreciera a la industria catalana, e incluso la concesión de algún tipo de autonomía. Por esas razones, la Lliga apoyó el golpe. Pero, como dice Cambó en sus *Memorias*, la supuesta catalanofilia del general desapareció al pasar Guadalajara, e inició desde los primeros días una política de persecución del catalanismo en nombre del rígido concepto militar de la «unidad de la Patria». El resultado fue que el sentimiento catalanista se avivó y se desplazó hacia la izquierda. Acció Catalana se fortalecía y más a la izquierda se consolidaba Estat Català, la organización claramente separatista y partidaria de la lucha armada, fundada en 1922 por Francesc Macià.

El panorama de la prensa en lengua catalana sigue dominado por los portavoces de la Lliga y de Acció Catalana, *La Veu de Catalunya* y *La Publicitat*, respectivamente. Ambos diarios juntos no sobrepasaban el 15% del total de los leídos en Cataluña, según Claudi Ametlla, que añade que *La Publicitat* alcanzó en algunos meses de 1930 la cifra récord en un diario en lengua catalana de 28 o 30 mil ejemplares[18].

La Veu acogió con satisfacción el nuevo régimen, pero cuando éste decepcionó sus esperanzas, manifestó su oposición en la medida de lo posible. Pero el diario que mejor representa el catalanismo antidictatorial es *La Publicitat*, que, con un tono muy intelectual y literario, se distinguió por su habilidad para burlar la censura. Otras publicaciones en lengua catalana fueron los diarios catalanistas de izquierda *La Nau* y *L'Opinió*, el católico *El Matí* y la revista *Mirador*.

En el País Vasco, la tendencia más extremista del nacionalismo tuvo que pasar a la clandestinidad o al exilio. Desaparecieron *Aberri* y el efímero *Diario Vasco*, con el que se pretendió sustituirlo. La más moderada Comunión Nacionalista conserva en cambio su prensa, *Euzkadi,* muy en primer lugar, y *La Tarde,* que adquiere un carácter claramente nacionalista.

La Dictadura supuso un freno para el nacionalismo gallego, nacido en 1916 con la creación del movimiento cultural y político de las Irmandades da Fala. Este movimiento venía publicando desde ese año *A Nosa Terra* y desde 1920 la más importante revista cultural gallega *Nós*, dirigida por Vicente Risco y Castelao, que se proponía, en palabras del primero «poner la cultura europea en gallego». También había encontrado eco en diversos diarios, sobre todo el vigués *Galicia*, la empresa más ambiciosa del nacionalismo, «nunca superada por el galleguismo hasta hoy», según Beramendi[19]. *A Nosa Terra* tuvo que reducir su periodicidad y su tirada y refugiarse en temas culturales; *Nós*, que había interrumpido su publicación en julio de 1923, no la recuperó hasta 1925. El diario *Galicia* desapareció en 1926, aunque esa desaparición se vio compensada en parte por la presencia de escritos de tendencia nacionalista en las páginas de *El Pueblo Gallego*, fundado en Vigo en 1924 por Manuel Portela Valladares.

Los tres sectores del movimiento obrero recibieron un trato muy distinto de la Dictadura y reaccionaron ante ella con muy diversas actitudes.

La organización cenetista, había entrado en los primeros años veinte en una profunda crisis, dividida por razones ideológicas y de táctica, víctima de los excesos de una parte de sus componentes, lanzados a un pistolerismo suicida, del terrorismo de signo opuesto desatado por la patronal y de la represión gubernamental. La agitación revolucionaria anarquista fue una de las causas del golpe de Estado. A pesar de ello, la CNT no fue ilegalizada formalmente, aunque tras el asesinato del verdugo de Barcelona en mayo de 1924 y la fulminante reacción subsiguiente, pasó prácticamente a la clandestinidad. Dejó de publicarse su único portavoz diario, *Solidaridad Obrera*, que no reaparecería hasta agosto de 1930. Pudo seguir publicándose en cambio, gracias a su carácter teórico, *La Revista Blanca*, que había iniciado su segunda época en Barcelona en junio de 1923, siempre a cargo de Federico Urales y Soledad Gustavo. Se publicaron también diversos órganos locales, la mayor parte de ellos en Cataluña, pero también en Andalucía, Levante o Galicia.

En 1923, el joven Partido Comunista de España contaba con un reducido número de militantes. La «impune propaganda comunista» era citada como una de las causas del golpe en el Manifiesto del 13 de septiembre, lo que suponía darle una importancia desproporcionada, sólo explicable por el terror que despiertan los acontecimientos rusos. A finales de ese año, el partido pasaba a la ilegalidad. Pudo, sin embargo, seguir publicándose hasta 1928 el órgano del partido *La Antorcha*. En agosto de 1930 se fundaba en la clandestinidad *Mundo Obrero.*

Muy distinta fue la suerte del Partido Socialista y la UGT. Su actitud inhibicionista, primero, y colaboracionista, después, ante la Dictadura, situaron al partido y a la central sindical en una postura de privilegio. A finales del mismo mes de septiembre, Primo de Rivera agradecía a los trabajadores su actitud y les llamaba a abandonar las organizaciones que les conducían «por caminos de rencor». Era un implícito ofrecimiento a la UGT para que colaborase con el régimen y se convirtiese en la única organización de la clase obrera. El sindicato socialista estuvo representado en diversos organismos estatales, ocupó puestos en ayuntamientos, diputaciones, el Consejo de Estado, el Consejo de Trabajo y fue hegemónico por la parte obrera en los Comités Paritarios, establecidos en noviembre de 1926 para pactar contratos salariales y bases de trabajo y negociar indemnizaciones por despido. Se justificaba la colaboración con el argumento de que sería absurdo arriesgar la existencia de los sindicatos y los logros de la legislación social para salvar el degenerado sistema parlamentario, haciendo el juego a la oligarquía. Tanto Largo Caballero, secretario general de la UGT, como Julián Besteiro, quien, a la muerte de Pablo Iglesias en 1925, pasó a desempeñar la presidencia del partido y de la UGT, fueron partidarios de la colaboración, por pragmatismo sindicalista el primero y por ortodoxo análisis marxista el segundo, uno de los pocos teóricos del partido. La postura anticolaboracionista se produce en el ala derecha del partido, la menos socialista y más demócrata, cuyas figuras más destacadas son Indalecio Prieto y Fernando de los Ríos, para quienes la libertad y los derechos democráticos eran un valor en sí mismos.

El descontento en las filas socialistas con el régimen empieza a manifestarse claramente en 1927, ante la evidencia de que el dictador pretendía perpetuar el régimen. Los socialistas rechazaron entonces los seis puestos que les habían sido ofrecidos en la Asamblea Constituyente. Un manifiesto redactado por Besteiro y suscrito por el PSOE y la UGT en agosto de 1929, que circuló clandestinamente, consagró la ruptura. El PSOE apostaba por la república.

A través de su órgano oficial, *El Socialista,* pueden seguirse estas distintas actitudes del Partido Socialista ante la Dictadura. Su actitud tolerante en los primeros tiempos suscitó comentarios agresivos de *El Debate*, cuyas críticas al colaboracionismo socialista, que pueden parecer paradójicas, eran muy coherentes con la indignación que le producía ver ocupar a la UGT el puesto que creían destinado a los sindicatos católicos. *El Sol*, en cambio, mostraba su aprobación: «No podemos ocultar la satisfacción que nos produce la posición en que se han colocado los gobernantes y los obreros. Porque reconocemos que es la Unión de Trabajadores la única fuerza organizada de España, nos parece su actitud más digna del reconocimiento del país», comentaba el 3 de octubre de 1923, con motivo de la significativa entrevista del dictador con Manuel Llaneza, presidente del sindicato minero asturiano.

Además de otras pequeñas publicaciones, los socialistas contaron en estos años con el independiente diario *El Liberal* de Bilbao, que bajo la directa inspiración de Indalecio Prieto, que en 1932 se convertirá en su propietario, defiende unas posturas muy próximas al socialismo reformista. También en Bilbao, el viejo semanario *La Lucha de Clases* sigue en la brecha.

4. Prensa clandestina

Entre las numerosas publicaciones clandestinas que circularon, como ocurre en toda situación de prensa amordazada, merecen especial mención *Hojas Libres*, editada en Hendaya por Eduardo Ortega y Gasset y Unamuno, que publicó diecinueve números entre 1927 y 1929. Se nos ofrece en ellas la faceta de «libelista» de Unamuno, el intelectual que más temprana y radicalmente se enfrentó a la Dictadura, lo que le valió el destierro y le convirtió en un mito antidictatorial.

Las *Hojas*, de periodicidad mensual, publicaron su primer número en abril de 1927. Inmediatamente, el dictador les dedicó una de sus más expresivas notas oficiosas[20]. Causaron problemas al Gobierno francés, que quería prohibirlas para complacer al Gobierno español, pero no se atrevía a importunar a Unamuno, en atención a su postura combativamente aliadófila durante la Primera Guerra Mundial. Unamuno y Eduardo Ortega habían colaborado también en *España con honra*, dirigido por Carlos Esplá y financiado por Blasco Ibáñez en 1925.

5. Las revistas

5.1 Revistas de información general

En el terreno de las revistas gráficas de información general, en enero de 1928, el empresario Luis Montiel lanzó una nueva, *Estampa*, que iba a constituir un gran éxito y una peligrosa competencia para las publicaciones de Prensa Gráfica (*Mundo Gráfico* y *Nuevo Mundo*) y la de Prensa Española (*Blanco y Negro*).

En 1926, Valle Inclán pasaba el contenido de *Blanco y Negro* por el espejo cóncavo del esperpento en *Las galas del difunto*, en boca de El Rapista:

> Retratos de las celebridades más célebre: La Familia Real, *Machaquito*, la Imperio. ¡El célebre toro *Coronel*! ¡El fenómeno más grande de las plazas españolas, que tomó quince varas y mató once caballos! En bodas y fotografías publica fotografías de lo mejor. Un emporio de recetas: ¡Allí culinarias! ¡Allí composturas para toda clase de vidrios y porcelanas! ¡Allí quitamanchas!...

Hay sarcasmo en el «¡De todo!» con el que resume el personaje todas esas trivialidades para uso de una burguesía de cortos horizontes. Descontada la exageración y la consiguiente injusticia, podría aplicarse a las otras revistas de su género.

Estampa suponía un nuevo concepto de revista ilustrada, más moderna, más variada menos bien pensante, más periodística incluso en su presentación y más barata, que tuvo un éxito inmediato. En su primer aniversario, publicaba un reportaje profusamente ilustrado con fotografías de los talleres. Aseguraba vender en esas fechas 200.000 ejemplares, que podrían ser más y lo serían en cuanto recibieran «la nueva y potentísima maquinaria que está acabando de construir para nosotros la casa Winkler». Atribuía su éxito a su bajo precio (30 céntimos, las más caras, *Blanco y Negro* y *La Esfera*, costaban una peseta) en relación con su número de páginas (48) y la calidad, variedad, amenidad y rigor de sus contenidos. Creía haber obtenido el favor de las mujeres, sobre las que informaba «en el hogar, en los talleres, en los centros de cultura, en la Beneficencia, en los deportes» y a las que servía algo más que «lectura entretenida y fotografías bonitas», emprendiendo «conscientemente una grande y eficaz campaña feminista ("feminista" en el buen sentido de la palabra)»[21].

Si exageraba en sus cifras de difusión, seguramente menos que las demás. *Blanco y Negro*, por ejemplo, figuraba en las estadísticas de 1927 con 100.000 ejemplares, y Luca de Tena declaraba en una entrevista en *Estampa* a comienzos de 1928, 85.000. Pero las Memorias de Prensa Española, mucho más fiables obviamente, expresan una preocupación por el descenso de las tiradas que en 1927 eran de 52.978; en 1928, de 46.995, y en 1930, habían llegado a 38.034.

La empresa Prensa Gráfica no podía quedarse atrás en el mercado en que era hegemónica desde 1914, y lanzó en noviembre de 1929, en vísperas del fin de la Dictadura, *Crónica*, una revista de características similares a las de *Estampa*. Ambas serían las principales publicaciones en su género en los años de la República y prolongarían su vida hasta 1938. *Estampa* era más conservadora en todos los aspectos. Inequívocamente monárquica en sus primeros tiempos, aceptó el nuevo régimen, como el diario de la misma empresa, *Ahora*, y mantuvo luego una postura de centro derecha. *Crónica* acogió con entusiasmo la República y, progresivamente politizada, se situó en un espacio de genérica izquierda republicana que la llevaría a apoyar las candidaturas del Frente Popular en las elecciones de febrero de 1936. Era también mucho más atrevida en otros aspectos. A partir del número extraordinario de Navidad de 1934 empezó a publicar «Fotografías de Arte» del vienés Manase, con mujeres escasas de ropa y en actitudes sugerentes. Otros fotógrafos nacionales especializados en fotografías suavemente eróticas pasaron también por las páginas de la revista, así como el dibujante de desnudos femeninos Federico Ribas, habitual ilustrador de las colecciones de novelas de tema erótico[22]. Aunque Gómez Aparicio[23] asegura que tales atrevidas innovaciones, que el director Antonio García de Linares había importado de «sus experiencias en París», «le ocasionó considerables mermas en la venta», parece probable que si pudieron retraer a una clase de lectores, atraerían en cambio a otros en aquellos años de «destape». Lo cierto es que ambas revistas, estampa y crónica de unos años agitados, esperanzados y dramáticos, compiten entre sí y se imponen sobre todas las demás. Aunque no disponemos de más datos que sus propias declaraciones es posible que se movieran, como los más grandes diarios, en torno a los 200.000 ejemplares.

5.2 Revistas culturales y literarias

En enero de 1923, Manuel Azaña había sucedido a Luis Araquistain en la dirección de la revista *España*, cuyo crónico déficit económico la ponía en trance de desaparecer. Se acudió a solicitar el auxilio del senador liberal Amós Salvador, gran amigo de Azaña, que venía financiando su revista literaria *La Pluma*, en aras de la plataforma política que *España*, «con su indudable peso en la opinión», podía representar para el futuro presidente de la República[24]. Pero la situación económica de la revista se vio agravada por los problemas que le ocasionaba la censura, que se ensañaba especialmente con ella. Tuvo que acentuar su carácter literario y «la clientela del aguerrido semanario había de llamarse a engaño»[25]. Tras una suspensión gubernativa, dejo de publicarse en marzo de 1924 la revista que en sus nueve años de vida, bajo sus tres sucesivos directores había «machacado sin tregua en la recia costra de la insensibilidad nacional», tropezando con «la apática reserva de nuestro público», como había dicho *La Pluma* en marzo de 1921, en una de las crisis que, antes de la definitiva, la habían puesto al borde de la muerte. Aunque su éxito no respondió a las expectativas de su fundador, Ortega y Gasset, sigue siendo hoy válida la afirmación de *La Pluma* en esa ocasión:

> Quien pretenda conocer las inquietudes, las esperanzas que, en una fase crítica de la vida espiritual española, han agitado a lo más selecto de la generación que ahora llega a la madurez, tendrá que buscarlo en estas páginas.

En julio de 1923 había iniciado Ortega la publicación de *Revista de Occidente* con un propósito muy distinto al que ocho años antes le había llevado a la fundación de *España.* Mediaba la desilusión sufrida en los años transcurridos sobre la eficacia de la acción política del intelectual, pero también el hecho de que desde diciembre de 1917 contaba con la tribuna de *El Sol*.

Revista de Occidente, que seguiría publicándose en esta primera época hasta la Guerra Civil, con periodicidad mensual, era una publicación conscientemente elitista, de alta cultura, que, como diría Ortega en su primer número:

De espaldas a toda política, ya que la política no aspira nunca a entender las cosas, procurará [...] ir presentando a sus lectores el panorama esencial de la vida europea y americana.

España, dirigida ahora por Azaña, le dedicaba un comentario casi sarcástico, en el que, tras ironizar sobre «la empresa no baladí» que la *Revista* se había propuesto, encontraba «extravagante en grado sumo» que pretendiera presentar a sus lectores «el panorama esencial de la vida europea y americana» prescindiendo totalmente de la política[26].

Ironías aparte, y salvadas las reticencias ante su asepsia política y social, *Revista de Occidente* fue lo que se propuso, la mejor revista cultural española y una de las mejores europeas, en la que colaboraron los más destacados escritores españoles y europeos del momento, abierta a todas las corrientes de la época, pero especialmente, como podía esperarse de su fundador, en el terreno filosófico al pensamiento alemán y en el literario a los movimientos de vanguardia. Para completar la ambiciosa tarea, Ortega fundó la editorial homónima que publicó importantes obras españolas y extranjeras.

Entre los varios nombres que se han propuesto como alternativa para la denominación de grupo o generación del 27 (por el tercer centenario de la muerte de Góngora, cuya celebración adquirió el carácter de acontecimiento generacional) está el de «generación de la Dictadura» que, si no parece adecuado porque pudiera sugerir una concordancia ideológica con aquel sistema, no deja de ser cronológicamente exacto. Es en estos años cuando hace su aparición la nueva generación, cuando la mayoría de sus componentes publican sus primeros libros importantes y, sobre todo, son los años en que se lanzan con entusiasmo a publicar revistas en las que expresan, tanto en trabajos de creación como de crítica, la nueva estética que combina la vanguardia con la tradición literaria española[27].

Revistas que surgen por todas partes, allí donde hay un grupo de representantes de la «nueva poesía». En Málaga, *Litoral;* en Sevilla, *Mediodía;* en Granada, *Gallo;* en Murcia, *La Verdad*... etc.

Más amplia de contenidos que estas pequeñas revistas de cenáculo es *La Gaceta Literaria*, que pretendía ser un «periódico de las letras» más que una revista minoritaria y es un documento fundamental para seguir la evolución de la estética de estos años y los conflictos ideológicos a ella ligados. Fundada por Ernesto Giménez Caballero y Guillermo de Torre, publicó su primer número el 1 de enero de 1927. Tribuna de la vanguardia intelectual y artística, con una gran variedad en sus secciones, reunió a las mejores plumas del país, con importantes colaboradores extranjeros. Es un ejemplo de la convivencia entre escritores de muy distintas tendencias y opiniones en «aquella década ejemplar de unión, amor, de juventud y entusiasmo», evocada por Rafael Alberti en *La arboleda perdida*, al final de la cual «las amistades puras empiezan a resquebrajarse. El escritor por primera vez va a unirse al escritor por afinidades políticas y no profesionales».

Los escritores de izquierdas y de derechas expondrán su concepto de un arte y una literatura comprometidos política y socialmente en nuevas revistas. *La Gaceta Literaria* sufrirá la escisión en su propio seno. La ruptura se produjo cuando Giménez Caballero publicó el 15 de febrero de 1929 su «Carta a un compañero de la Joven España», que fue, en palabras de su autor «el primer Manifiesto de lo que sería el Nacional-Sindicalismo»[28].

El concepto del arte por el arte, el arte «puro», que caracteriza a los años veinte y que Ortega diagnosticó en *La deshumanización del arte*, empieza a ser contestado en los últimos años de la Dictadura, paralelamente a la agitación en contra del régimen. El concepto de un arte comprometido, de una literatura «sin pureza», lleva a escritores unidos por afinidades políticas a lanzar revistas como *Post-Guerra* o *Nueva España*, bajo la nueva divisa de un arte proletario, alejado de la cultura burguesa.

La polémica entre los partidarios de una literatura «pura» y una literatura «rehumanizada» —que en el terreno de la poesía se decanta entre los seguidores de Juan Ramón Jiménez y los de Neruda, que en octubre de 1935 lanzará desde su revista *Caballo Verde para la Poesía* su manifiesto «Sobre una poesía sin pureza»— se agudiza en los años republicanos. Entre las revistas que apuestan por una «rehumanización del arte», entendiendo por tal un compromiso con la izquierda, la más famosa es *Octubre*, fundada por Rafael Alberti y María Teresa León a su regreso de la Unión Soviética, de donde volvieron «otros», en palabras del primero: «nuevo concepto de todo, y como era natural, del poeta y de la poesía»[29]. En Valencia, un grupo de intelectuales comunistas edita *Nueva Cultura*, dirigida por José Renau.

Un caso singular sería el de *Cruz y Raya*, dirigida por José Bergamín, representante de un catolicismo progresista, abierto al mundo moderno y a la izquierda.

6. Prensa y espectáculos de masas

La dieta política impuesta a la prensa por la Dictadura favoreció el desarrollo de los temas de los viejos y sobre todo nuevos espectáculos de masas. Se estableció en la época, por algunos opositores al régimen, como ocurriría luego en el franquismo, una relación de causa a efecto, entre el hecho de la Dictadura y la afición supuestamente embrutecedora a los espectáculos deportivos, aunque el fenómeno se había iniciado antes y en los años de la República, pese a la extrema politización, seguiría creciendo. Ortega reitera en los años veinte la idea de que el deporte es el signo del espíritu de los nuevos tiempos y prodiga las metáforas deportivas. En *La deshumanización del arte*, publicada como tantas obras suyas en el folletín de *El Sol* en forma seriada en 1924, relaciona el sentido lúdico del arte nuevo con el deporte y constata su invasión de las páginas de los periódicos:

En pocos años hemos visto crecer la marea del deporte en las planas de los periódicos, haciendo naufragar casi todas las carabelas de la seriedad. Los artículos de fondo amenazan con descender a su abismo titular y sobre la superficie cinglan victoriosas las yolas de regata[30].

Pero a la altura de 1930 estaba ya harto:

Está bien alguna dosis de fútbol. Pero ya tanto es intolerable. La prueba está en los periódicos [...]. Son ya demasiadas las columnas y las páginas que dedican a los ejercicios corporales. Los muchachos no se ocupan más que de su cuerpo y se están volviendo estúpidos[31].

Sin embargo, también jóvenes que no llevaban ningún camino de volverse estúpidos, los artistas y los escritores de la Generación del 27, muy en la onda futurista, proclamaban su entusiasmo por todos los

[...] nuevos hechos dc intensa alegría y jovialidad [que] reclaman la atención de los jóvenes de hoy: el cinema, el estadio, el boxeo, el rugby, el «tennis» y demás deportes [...] el jazz y la danza actual; el salón del automóvil y de la aeronáutica; los juegos en las playas; los concursos de belleza [...] el gramófono [...] el aparato de fotografiar[32].

Alberti, impresionado, como el resto de los espectadores de aquel memorable partido, por la actuación del guardameta húngaro del Barcelona ante la Real Sociedad en mayo de 1928, en una final de Copa, le dedicará un poema, «Oda a Platko».

En 1927 comentaba un periodista: «Entre un partido de fútbol de emoción y una corrida de primer orden, influye más el primero. Si en la corrida hubo "hule" [cogida], entonces si se nota bastante en la venta»[33]. «Fervor, lo que se llama afición y entusiasmo vital, actualmente existe sólo para los deportes y el fútbol», decía por esas mismas fechas José María Salaverría[34].

Al fin, el nuevo espectáculo no era, desde el punto de vista sociológico, tan distinto como habían supuesto algunos de sus entusiastas primeros defensores (el civilizado europeísmo frente a la barbarie nacional) al tradicional espectáculo taurino: «Lo que se saludó en principio por algunos como reacción europea frente al flamenquismo indígena —decía un editorial de *El Sol* en 1928— no ha hecho más, en cierto modo, que resolver la cuadratura del círculo taurino: ha cambiado la geometría de las arenas, pero el tendido de sol conserva su idiosincrasia en las gradas de los estadios»[35].

La radio, con las retransmisiones de partidos de fútbol desde mayo de 1927, y más desde que se inició el campeonato de Liga en 1929, fue sin duda un factor decisivo para que la pasión futbolística alcanzara a todos los estratos sociales[36] (en su parte masculina).

El cine se convierte en estos años definitivamente en un espectáculo de masas, y la asistencia a las salas cinematográficas, que proliferan, se convierte en una costumbre. Los grandes diarios y las revistas de información general les dedican secciones. También las revistas más intelectuales como *La Gaceta Literaria* e incluso la orteguiana *Revista de Occidente* le dedican atención.

No sólo interesan al público las películas, sino también la vida de las grandes estrellas. Hasta *El Sol*, habitualmente tan lleno de «artículos de alto vuelo, que hacen fatigosa su lectura», según el análisis de su empresario Urgoiti, se hace un poco más frívolo en estos años tratando de ampliar su público y, sin renunciar a «la ausencia de crítica de toros y el dar menos importancia que otros periódicos más populares a crímenes y sucesos análogos»[37], publica, por ejemplo, en los meses de agosto y septiembre una larga serie, a toda plana, con fotografías, sobre la vida de Rodolfo Valentino, contada por su viuda Natalia Rambova, que, según informaba el 6 de septiembre, había complacido a «las lectoras», pero había hecho «fruncir el ceño» a algunos lectores que habían protestado con «ímpetu» ante ese abandono de la «indiscutida seriedad» de su periódico.

Revistas especializadas en deporte existían desde los últimos años del siglo XIX y en cine desde la primera década del XX, pero ahora proliferan, compartiendo quiosco con las dedicadas a los más tradicionales espectáculos del teatro y los toros. En el caso del deporte, algunas son de periodicidad diaria: *Excelsior* editado en Bilbao a partir de marzo de 1924, *Mundo Deportivo* en Barcelona (1929) o el efímero *Gran Sport* en Madrid (1930).

7. Los comienzos de la radio[38]

El 24 de septiembre de 1924, un veterano y distinguido periodista, José Francos Rodríguez, pronunciaba su discurso de ingreso en la Real Academia de la Lengua, titulado *Del periódico y su desenvolvimiento en España*. Para concluir su exposición, se preguntaba por el destino que aguardaba al objeto de su estudio histórico:

> Algunos predicen su muerte [...]. La hora de la prensa concluye para que triunfe la escrita en el aire, arrastrada por los vientos y perdida en las sonoridades del infinito. El ímpetu abreviador llegará a los mayores extremos: el de ahorrarnos la necesidad de leer. Pero tal supresión es imposible; en el periódico hay más que notas informativas...[39]

Tan sólo unos días antes habían sido inauguradas oficialmente las primeras emisoras de radio españolas, aunque algunas venían emitiendo, provisional pero regularmente, con anterioridad.

Un año antes del discurso de Francos Rodríguez, en octubre de 1923, Corpus Barga, corresponsal de *El Sol* en París, donde funcionaba desde noviembre de 1921 una emisora en la Torre Eiffel, a la que se había sumado en junio de 1922 otra, «Radiola», informaba sobre la gran novedad que se anunciaba: una emisora informativa, distinta a las hasta entonces existentes, que «tienen un carácter de programa teatral más que periodístico, de concierto, de velada artística». Y comentaba:

> La utilización periodística de la telefonía sin hilos es el desconcierto, la sorpresa de la noticia. Hará imposible la descubierta de la ojeada sobre las planas. Resultará un periódico de una nueva dimensión: sus noticias irán en fila india[40].

Mientras que en Francia «el uso de la telefonía sin hilos ha llegado a producir más que suficiente número de auditores para un periódico» —decía Corpus en el mismo artículo—, «en España no se usa todavía ese ultrasentido». Empezaba a usarse justamente por entonces. En septiembre de 1923, la primera emisora española, Radio Ibérica, había empezado a emitir en Madrid esporádicamente conferencias, anuncios de los receptores fabricados por la empresa[41] y música de gramófono. De octubre a diciembre retransmitió alguna ópera desde el Teatro Real, conciertos de banda, pequeñas piezas teatrales, recitales de poesía y el sorteo de Navidad de 1923. En mayo de 1924 emite ya de manera regular diariamente con programación fija y anunciada. Por la misma emisora transmitía programas Radio Madrid, agrupación de comerciantes del ramo de la radiodifusión y, a partir de junio, Radio Libertad, del diario del mismo nombre, cuyo director, Luis de Oteyza, era un entusiasta del nuevo medio.

Una real orden de 14 de junio de 1924 establecía con carácter provisional un «Reglamento para el establecimiento y el régimen de estaciones radioeléctricas particulares». La primera de las concesiones, un mes después, con el indicativo EAJ-1 fue para Radio Barcelona, que empezó a emitir en pruebas a finales de septiembre y se inauguró con todas las formalidades, una vez obtenida la autorización expresa de la Dirección General de Comunicaciones el 14 de noviembre, según recogían los diarios al día siguiente[42].

La segunda concesión fue para Radio España de Madrid, que empezó a emitir el 16 de octubre con el indicativo EAJ-2 y se inauguró oficialmente el 10 de noviembre. En 1964, con ocasión del cuarenta aniversario de la radio en España, surgió una polémica entre ambas emisoras, que se disputaban el decanato (Radio Ibérica, la pionera indiscutible, que emitió una vez regularizada legalmente con el indicativo EAJ-6, había desaparecido en 1927). La cuestión carece de importancia, dada su práctica simultaneidad, pero parece que, aparte del formulismo de la inauguración oficial, el pleito debe resolverse en favor de Radio Barcelona[43].

Al terminar el año inaugural de 1924 había cuatro emisoras en España: Radio Ibérica y Radio España en Madrid, Radio Barcelona y Radio Club Sevillano. Otras fueron surgiendo en el año siguiente. Un hito fue la creación de Unión Radio. La sociedad anónima del mismo nombre, de la que formaban parte importantes empresas multinacionales del ramo, se constituyó a finales de 1924. La primera emisora, con el indicativo EAJ-7, Unión Radio Madrid, empezó a funcionar en junio de 1925. El simple anuncio de la constitución de la empresa levantó recelos de posible monopolio. En el debate que se suscitó en la prensa, se distinguieron *El Sol* y *La Voz* en la defensa de Unión Radio, postura a la que sin duda no era ajeno el hecho de que su director general, el ingeniero Ricardo M. de Urgoiti, era hijo del empresario de EL SOL C.A. Pero era cierto que, como decía *El Sol*, «la nueva entidad es la adecuada para dar a la radiodifusión española el gran impulso que todos esperamos»[44].

Si no en empresa monopolística, Unión Radio se convirtió en los años siguientes en la radio hegemónica en España, mediante una política de expansión por medio de adquisición de emisoras —trasladando algunas, cerrando otras— y nuevas creaciones para cubrir el territorio nacional. A la pionera Radio Ibérica, de la que Unión Radio se convirtió en accionista mayoritario, le tocó desaparecer, no sin un intento de resistencia numantina por parte del personal[45]. Al concluir el periodo dictatorial contaba con una red con cabeza en Unión Radio Madrid y con estaciones en Barcelona (había absorbido a Radio Barcelona y a su posterior rival Radio Catalana), Sevilla, San Sebastián y Bilbao. En 1932 tenía también emisoras en Valencia y en Santiago. En la posguerra, Unión Radio se convirtió en la Sociedad Española de Radiodifusión (SER).

Los primeros pasos de la radio recibieron la atención de la prensa escrita, pero, en principio, no sus recelos como un posible competidor. La posibilidad de que el «periódico etéreo» sustituyese al de papel no pasaba de ser un juego de la imaginación. Dadas las primeras programaciones, la radio se presentaba más como un competidor de las empresas dedicadas al ocio y como un coadyuvante para la difusión cultural: retransmisiones teatrales y musicales, crítica literaria, conferencias, entrevistas, programas femeninos e infantiles, etc. La primera transmisión de una corrida de toros (actuaba Belmonte) la realizó Unión Radio desde la plaza de toros de Madrid el 8 de octubre de 1925. El 15 de mayo de 1926, Radio Barcelona transmitió un combate del ídolo del boxeo Paulino Uzcudum, y en mayo de 1927, Unión Radio transmitió para las emisoras de la cadena, desde Zaragoza, un partido de fútbol entre el equipo de aquella ciudad y el Real Madrid.

Un reportaje de Magda Donato en abril de 1927 se refería al desprecio hipócrita del intelectual por el nuevo medio, considerado como un simple entretenimiento popular, una «radio de recreo», y da interesantes datos sobre el funcionamiento de «una de las principales emisoras de Madrid» [sin duda Unión Radio] y los gustos de los «radioescuchas» o «radioyentes»[46].

Dado el éxito de la radio, es hora de pensar en el paso siguiente. Es lo que hacían los autores de los escasos libros que en el año 1929 llevaban en sus títulos la palabra «televisión»[47].

> La idea de un sistema práctico para transmitir sonidos a distancia por medio de variaciones eléctricas, ha venido acompañada de la de utilizar la misma clase de impulsos para transmitir eléctricamente las imágenes de los objetos. La primera de estas ideas ha sido coronada de éxito y la segunda empieza a serlo.

Los autores proponían un aparatito receptor de fotografías del evento radiado, que al parecer podría fabricarse por el usuario:

> No es ya suficiente oír los sonidos que las emisoras de telegrafía sin hilos nos emitan dándonos las noticias de mayor actualidad. Desde el momento en que es posible acompañar a la palabra una completa ilustración gráfica, el esfuerzo del *speaker* o del conferenciante ha de venir auxiliado enormemente con la reseña fotográfica de lo que se describa.
>
> El radioescucha que sigue con emoción las incidencias de un partido de fútbol y oye con alegría el primer tanto ganado por el equipo de su predilección, pondrá en marcha al primer aviso su aparato receptor de fototelegrafía conectado previamente en paralelo con el altavoz, y de este modo, sin perder palabra ni detalle, en breves momentos recibirá la fotografía que muestre al balón incrustado en la red enemiga.
>
> El aficionado a los toros que oiga con interés el relato de la gran faena de su diestro preferido podrá saborear a su placer los momentos culminantes de la tarde [...].
>
> La desgracia lejana cuyo relato nos conmueve será puesta ante nosotros en breves instantes, y la piedad brotará con mayor auge hacia aquellos que inmolaron su vida en aras de un ideal[48].

Fue en el terreno de la información y en el de la publicidad para su financiación donde saltaron las señales de alarma en la prensa escrita. En agosto de 1924, Radio Ibérica incluyó en su información meteorológica la lectura de las principales noticias que aparecían en la prensa del día y en febrero de 1925 inició el programa «Gaceta Radio», que se emitió de dos y media a tres y media de la tarde, y era presentado por la emisora como el «periódico del porvenir»[49]. A partir del 13 de diciembre de 1924, Radio Barcelona emitió a las 8 de la tarde un programa informativo diario, «Últimas noticias importantes», con una duración de diez minutos a los que seguían otros cinco de «Crónica de los Deportes». Un hito en la historia de la radio como medio informativo supuso el diario hablado «La Palabra» de Unión Radio, dirigido por Eduardo Ruiz de Velasco, que se transmitió por primera vez para toda la cadena tres semanas después de la supresión de la censura, el 7 de octubre de 1930, de 8 a 9 de la mañana, en tres ediciones de veinte minutos cada una. En los años republicanos tenía también una edición a las 7 de la tarde y unas «Noticias de última hora» a medianoche. Muchos españoles recibieron la primera información de los convulsos acontecimientos de los años treinta por ese medio. Un radioyente describe muy vívidamente en la sección «Radiotelefonía» de *El Sol* de 15 de octubre de 1934 lo que supuso la radio en las agitadas recientes jornadas revolucionarias:

> Suenan tiros y se tiene la impresión de que estar en la calle es peligroso a ciertas horas. La Prensa de la noche resulta inaccesible en estos días, en que más allá de las seis de la tarde salir es peligroso. ¡Ah! ¡Mi radio que útil va a serme ahora! Y en efecto, ante ella paso mis horas vespertinas, que tan largas se me hacen. Oigo las noticias que el Gobierno nos da desde Madrid. Oigo en francés las informaciones de Toulouse, París y otras. Oigo en inglés boletines que van dando la marcha de los sucesos de España. Oigo también, puesto previamente al acecho de lo que pudiera acontecer, lo que pasa en Barcelona y el desarrollo de la tragicomedia aquí representada. Mi radio en estos días cumple su deber. Estoy enormemente satisfecho de tenerla. Vivo para ella, como junto a ella, leo con la vista en la lectura, pero con el oído en la palabra de la radio: No duermo apenas, pendiente de las noticias...[50].

No menos importante fue en las mismas fechas para el director de *La Vanguardia,* Gaziel, que escribió «Para los catalanes de mañana» unos «Apuntes de una noche interminable», en la que estuvo pegado hasta la extenuación a «ese aparato infernal, pendiente de las cosas fantásticas, monstruosas, enloquecedoras, que de él van brotando»; «esa caja demente que nos lanza discursos inflamados, sardanas, rumor de descargas y boletines de victoria»[51].

Por esas fechas, eran ya muchos los españoles que tenían su receptor: 213.000 declarados en ese año 1934, más de 300.000 en 1936, en el que también a través de la radio se enteraron la mayoría de los ciudadanos de la rebelión militar. Probablemente, muchos más no declarados por no pagar la preceptiva licencia. La radio había ganado ya la batalla informativa a la prensa.

Si la competencia informativa del nuevo medio constituía ya un motivo de preocupación para las empresa periodísticas, que presionaron para que se le impusieran límites, la publicidad, fuente de financiación esencial, no lo era menos. El Reglamento de 14 de junio de 1924 la limitaba a cinco minutos por hora. Una circular de 6 de noviembre de 1925 establecía un máximo de sesenta palabras por minuto en los mensajes publicitarios, o sea trescientas palabras en los cinco minutos autorizados por cada hora. Parece que no se respetaba el límite; la Asociación de Empresas Periodísticas protestó reiteradamente por ello[52]; sobre todo cuando el número de emisoras aumentó extraordinariamente al autorizarse en diciembre de 1932 las radios locales de pequeña potencia.

8. La mujer y los medios

Una feminista, Teresa Escoriaza, confiaba en una conferencia en mayo de 1924 ante los micrófonos de Radio Ibérica en la importancia que podría tener la radio para acabar con «el aislamiento espiritual de la mujer», apartada por «unas costumbres absurdas» de la vida activa, confinada en el hogar, «convertido así en una cárcel»:

> Las ondas redentoras, portadoras del alimento espiritual, llegarán de hoy en adelante hasta nosotras, trayendo unas veces las palabras del sabio que iluminen nuestra inteligencia, los acordes del virtuoso que eleven nuestra alma o los trinos del divo que hagan vibrar nuestro corazón. Y así, por medio del invento maravilloso, se operará el milagro de nuestra transformación...[53].

No cabe duda de que esas prisioneras del hogar tenían una ventana abierta al mundo en el nuevo medio que, como comentaba en 1928 una portada de la revista *Radio Barcelona* —que presentaba a una mujer de la burguesía haciendo punto, fumando y vigilando a su bebé mientras oía la radio—, le permitía conciliarlo «con sus deberes domésticos, fumando inclusive...»[54], y que entre los primeros «radioescuchas» o «radioyentes» debían de figurar muchas mujeres.

Pero los primeros programas dedicados específicamente a ellas no pretendían abrirle nuevos horizontes, sino mantenerla en su espacio tradicional: el hogar, la moda, el cuidado de los niños y los consejos para resolver problemas sentimentales[55].

La Dictadura fue una época positiva para el movimiento feminista, iniciado tímidamente en España a principios de siglo (el neologismo *feminismo* hace su aparición en España a finales del siglo XIX[56]). El dictador combinaba la exaltación de los valores viriles propios de una dictadura militar, con expresiones de deferencia hacia las mujeres. No se quedaron en simples gestos de galantería. El estatuto municipal de 1924 otorgaba el voto activo y pasivo a la mujer cabeza de familia en las elecciones municipales. En virtud de él hubo mujeres alcaldesas en pequeños pueblos y concejalas en numerosos ayuntamientos. Para la Asamblea Nacional Consultiva nombró a trece mujeres de un total de 385 miembros. Las feministas agradecieron en general esas disposiciones, aunque desde luego las consideraron insuficientes.

Por otra parte, la mujer incrementa en estos años su presencia en el mundo del trabajo. Algún caso excepcional adquirió el valor de símbolo. En abril de 1925, la actuación por primera vez como abogada ante los tribunales de una mujer, Victoria Kent, es objeto de información y comentario en todos los periódicos. La periodista «Magda Donato» (Eva María Nelken) saca una conclusión: «Las feministas pueden dividirse en dos categorías: la turba inmensa de las que hablan y el pequeño núcleo de las que obran», y la misma Kent avala esa interpretación asegurando en una entrevista que no había encontrado ninguna dificultad especial en su carrera por el hecho de ser mujer[57].

Las revistas feministas destacaron como propio este éxito de una mujer. Eran estas revistas por entonces *La Voz de la Mujer* y *Mundo Femenino*.

La primera, fundada en 1917 por Consuelo García Ramos, «Celsia Regis», notoriamente conservadora en el terreno político y religioso, era, sin embargo, bastante avanzada por lo que respecta a la reivindicación de la igualdad de derechos entre los sexos: no sólo reclamaba el derecho al voto y al trabajo, sino que además recomendaba a las madres que no establecieran discriminaciones en el hogar entre hijos e hijas.

Más progresista era *Mundo Femenino*, órgano de la Asociación de Mujeres Españolas, fundada en 1921 por Benita Asas Manterola, que con anterioridad había publicado *Pensamiento Femenino* (1913-1916).

Ambas revistas se mostraron reconocidas a Primo de Rivera por la concesión del voto municipal a la mujer cabeza de familia, pero reclamaron su extensión a la mujer casada y a las elecciones legislativas. *Mundo Femenino* recordaría «en la hora del triunfo», cuando la República estableció al fin, no sin fuertes resistencias, el tan reclamado derecho, que, pese al odio que le inspiraba la Dictadura, había agradecido al dictador aquel primer paso, publicando su fotografía con todos los honores. En realidad, pese a ese verosímil odio, la revista no se había colocado en oposición al régimen, sino que había aprovechado las oportunidades que ofrecía para mejorar la condición de la mujer, con la misma táctica, en su terreno, que había adoptado el colaboracionismo ugetista. Mientras que *La Voz de la Mujer* no sobrevivió a la proclamación de la República, *Mundo Femenino* siguió publicándose hasta la Guerra Civil. También dejó de publicarse en abril de 1931, rehusando continuar en una España republicana, la muy derechista *Mujeres Españolas*, que había iniciado su publicación dos años antes.

En los años republicanos, mujeres de izquierda y de derecha se organizan y publican revistas político-feministas. En el campo republicano junto a *Mundo Femenino*, se sitúan *Cultura Integral y Femenina* y *Mujer*. En la extrema izquierda, *Nosotras*, *Compañera* y *Mujeres* (de tendencia comunista) y, en vísperas de la Guerra Civil, *Mujeres Libres*, primera publicación libertaria por y para mujeres. Las dos últimas seguirán publicándose durante la guerra.

Antirrepublicana y ultraderechista es *Aspiraciones*, obra de Carmen Velacorracho y Carmen Fernández de Lara, madre e hija, que combinan un aguerrido feminismo con un violentísimo ultraderechismo fascistoide. Otro carácter tiene *Ellas*, dirigida por José María Pemán, que sólo anima a las mujeres a movilizarse políticamente, aprovechando «el regalo del voto», como «una triste necesidad» impuesta por las circunstancias, hasta que llegue el momento de que «reintegradas a vuestro papel», «no elegiréis los

Gobiernos con vuestros votos», pero «vuestra admiración volverá a ser premio de los héroes»[58].

Toda esta agitación feminista y política no deja de ser minoritaria, y este tipo de publicaciones tenía sin duda escasa difusión. Las que tenían un mercado más amplio y una vida más desahogada eran las revistas dedicadas a la mujer en su espacio tradicional, *El Hogar y la Moda*, que es significativamente el título de la más duradera y de mayor difusión (1909-1987, con una interrupción en la Guerra Civil[59]). *La Moda Práctica*, fundada en 1907 por la Sociedad Editorial de España continúa su publicación hasta la Guerra Civil. Las más veteranas, *La Moda Elegante e Ilustrada* y *La Última Moda*, desaparecen el 1927. Todo sigue igual y todo cambia en estas revistas. Se acortan las faldas y los cabellos —al menos, como decía un periódico, ya no tenía sentido la célebre frase misógina de Schopenhauer sobre la relación entre los cabellos largos y las ideas cortas—; aparecen signos de modernidad en los hogares y mujeres en actitudes deportivas —los éxitos internacionales de la tenista Lilí Álvarez servían de estímulo para esa nueva imagen de la mujer—. De ideología subyacente conservadora, no pueden dejar de reflejar el cambio que se va produciendo en la vida de las mujeres, con un impulso decidido en los años veinte.

Este tipo de revistas no estaba exclusiva ni aun fundamentalmente escrita por mujeres. Si bien ya se había superado la dificultad con que tropezaban los editores del siglo XIX de encontrar mujeres que supiesen escribir y quisieran emplear su pluma en hacerlo sobre temas de moda, labores y hogar, porque las pocas escritoras que había «desdeñaban como cosa vulgar cuanto podía hacerse con la aguja, incompatible con la pluma»[60], todavía las escasas periodistas profesionales y las escritoras colaboradoras de periódicos preferían escribir en la prensa de información general sobre temas no tan tradicional y específicamente femeninos.

9. Vísperas republicanas

Los años de la Dictadura hundieron el prestigio de la Monarquía. Ya no era posible esperar la renovación del sistema en un sentido democrático desde dentro. La idea republicana resurgió con brío atrayendo cada vez más adeptos, republicanos de nuevo cuño, que aparecerán por todas partes no bien caiga la Dictadura desplazando a los representantes del antiguo republicanismo. *El Liberal*, cuyo republicanismo había estado siempre lindante con el Partido Liberal, reivindica su tradición republicana. El otro diario de la Sociedad Editorial Universal, *Heraldo de Madrid*, así como *La Libertad*, controlada desde 1925 por Juan March, se declaran también republicanos ya desde 1927 (el planteamiento de la cuestión del régimen en el terreno teórico era permitido, aunque no la agitación y la propaganda republicana).

Fueron los periódicos madrileños que más contribuyeron a la movilización antimonárquica en cuanto cayó la Dictadura.

Con la agitación política que sucedió a la caída de la Dictadura, y sobre todo tras la supresión de la censura previa por el gobierno del general Berenguer en septiembre de 1930, las tiradas de la mayor parte de los periódicos, que habían permanecido globalmente estancadas, aumentaron. Algunos de ellos vivieron en aquellos meses de esperanzadas vísperas republicanas su mejor época.

Fue el caso de *El Sol*, siempre de gran prestigio, pero no mucha difusión, cuyas tiradas no llegaban en los años de la Dictadura a los 80.000 ejemplares y que en 1930 superó los 95.000, con un pico de más de 121.444 en diciembre. A la caída de la Dictadura, el periódico había tardado en «definirse», según la expresión entonces en boga, ante la gran cuestión: monarquía o república. La Papelera Española era por entonces su principal accionista y la redacción del periódico mostraba prudencia, por recomendación del presidente del Consejo de Administración de El SOL C.A., Urgoiti. Un primer encontronazo se había producido con motivo de una encuesta a las juventudes sobre sus actitudes ante la vida, la cultura, el amor, el deporte, la política y el trabajo, lanzada por el diario a finales de octubre de 1929, cuyas respuestas se publicaron entre el 22 de diciembre de ese año y el 11 de febrero de 1930. Respuestas que escandalizaron a los conservadores. *El Debate* se referiría a ellas meses después entre otros muchos reproches dirigidos al antagónico colega:

> Reciente está aquella famosa encuesta entre la juventud. Aceptó y publicó una serie de desahogos contra la familia, el orden social, la Religión, la Patria, un verdadero catálogo del desenfreno de unos cuantos muchachos sin formación, inclinados al anarquismo. Le dio aire, le dio las columnas de su primera plana, eligió los textos y pretendió demostrar que la juventud española no tenía Patria ni temía a Dios[61].

Urgoiti se vio precisado a dar una justificación ante la protesta de La Papelera[62].

Tras nuevos incidentes, un artículo de Ortega, publicado el 15 de noviembre de 1930 marcó el decidido cambio de rumbo y fue el detonante del conflicto. Titulado «El error Berenguer» era una durísima requisitoria contra la Monarquía y terminaba con un contundente «Delenda est Monarquia». Ortega se había «definido», y aunque el artículo llevase su firma, comprometía al periódico. Parece ser que desde las alturas —se pensó que el propio Rey—, se presionó al Consejo de Administración de La Papelera, amenazando con arruinarla suprimiendo la protección arancelaria y una subvención directa que venía recibiendo. El 11 de febrero de 1931 publicaba el diario el manifiesto fundacional de la Agrupación al Servicio de la República, firmado por Ortega, Marañón y Pérez de Ayala.

La Papelera y los accionistas relacionados con ella vendieron sus acciones a un grupo monárquico y forzaron a Urgoiti, a sus hijos y a otros miembros de su familia a hacerlo también. La operación quedó ultimada a finales de marzo de 1931. El día 24, un artículo de «Heliófilo», seudónimo del director Félix Lorenzo, que venía haciendo insinuaciones desde días atrás, arremetía violentamente contra el Consejo de Administración de La Papelera, «los señoritos de Bilbao», «católicos y monárquicos» y hacía una transparente alusión a las supuestas presiones del Rey. El del día 25 fue el último número del diario a cargo del equipo fundacional. «Heliófilo» se despedía con un irónico «Saludo y me voy»; el gran dibujante Luis Bagaría, que había sido una de sus señas de identidad, con un «Y a Dios, muy buenas», y Ortega, con un «Adiós a los lectores de *El Sol*». El diario, como decía, había «soportado casi entera» su obra desde 1917. El editorial del día 26 y un suelto anónimo daban cuenta en primera página del cambio de empresa y los nombres de los redactores y colaboradores que habían presentado su dimisión.

La mayor parte del equipo de *El Sol*, redactores y colaboradores, encabezados por su director Félix Lorenzo, abandonaron el periódico con Urgoiti y diez días después, el 4 de abril, empezaron la publicación de *Crisol*, improvisado precipitadamente, con periodicidad en principio trisemanal y al precio de 20 céntimos, el doble que los diarios. En el primer número se daba cuenta de la constitución de la Sociedad Editorial Fulmen, editora del periódico. En un artículo de presentación, Urgoiti aludía a las circunstancias que le habían obligado a desprenderse de *El Sol* y *La Voz*. Y hacía un llamamiento para la suscripción pública de acciones, que encontró escaso eco. La falta de medios suficientes sería una de las dificultades con que tropezaría *Crisol* al convertirse en diario, y *Luz*, que como ya se anunciaba en este primer número, había de sucederle. Libre ya de las presiones que pesaban sobre *El Sol*, *Crisol* se declaró desde el principio republicano: «Somos republicanos, y ésta es, por ahora, nuestra única afirmación. Republicanos de una República que signifique el triunfo de la voluntad nacional».

Diez días después se proclamaba la República.

13. La Segunda República, 1931-1936

1. La libertad de prensa y sus limitaciones

La primera disposición en materia de prensa del Gobierno Provisional de la República fue la abolición el día 17 de abril de la Ley de Jurisdicciones, tan contestada durante los veinticinco años de su vigencia. La Ley de Prensa de 1883 continuó formalmente vigente durante todo el periodo, y el artículo 34 de la Constitución de 1931 garantizaba sin restricciones la libertad de prensa. Pero, en contradicción con él, la Ley de Defensa de la República promulgada el 21 de octubre de 1931, antes de la Constitución —e incorporada a su texto como disposición transitoria— y, posteriormente, la Ley de Orden Público de 28 de julio de 1933 concedían amplias facultades a los gobiernos para imponer sanciones a los periódicos, facultades que los distintos gobiernos que se sucedieron ejercieron con frecuencia y dureza[1].

La primera fue la que estuvo vigente durante el primer bienio, de gobiernos republicano-socialistas. En el discurso que pronunció Azaña en su defensa en las Cortes, aseguraba que nada tenía que temer de su aplicación «la Prensa digna de ese nombre, la Prensa que vive a la luz del día», la «legal y decentemente establecida», sino «las hojas facciosas y las pequeñas bellacadas clandestinas que andan circulando por toda España, llevando a todas partes el descrédito de la institución republicana». Lo cierto es que la prensa legalmente establecida, desde *El Debate* o *ABC* hasta *Mundo Obrero*, sí se vio afectada por la ley, que supuso una grave cortapisa a la libertad de expresión, por cuanto, según establecía su artículo 1.º, quedaban tipificados como actos de agresión a la República y por ello como delitos, entre otros, «la difusión de noticias que puedan quebrantar el crédito o perturbar la paz o el orden público», «toda acción o expresión que redunde en menosprecio de las Instituciones u organismos del Estado», «la apología del régimen monárquico o de las personas en que se pretenda vincular su representación». En definitiva, durante el primer bienio, el Gobierno actuó de acuerdo con el principio de «no libertad para los enemigos de la República». Azaña estaba decidido a «romper el espinazo al que toque a la República», como les manifestó en noviembre de 1931 a los directores de *El Debate*, *Heraldo de Madrid* y *La Época*, que fueron a visitarle para tratar de problemas relacionados con la prensa[2].

Ya antes de la promulgación de la ley se produjeron suspensiones de periódicos: *ABC*, *El Debate* y *Mundo Obrero* estuvieron entre los primeros, en el mes de mayo de 1931. La medida más grave fue la adoptada el 20 de agosto por el Consejo de Ministros, que acordó la suspensión de varios periódicos del País Vasco y Navarra (tradicionalistas y nacionalistas) que hacían una labor subversiva con motivo de la cuestión religiosa.

Durante el periodo de vigencia de la Ley de Defensa, el Gobierno hizo amplio uso de las facultades que le confería, aun en circunstancias ordinarias, imponiendo multas y suspensiones. Mucho más cuando un movimiento subversivo amenazaba al régimen. La insurrección anarquista del Bajo Llobregat en enero de 1932 provocó la suspensión de muchos periódicos obreros. Como consecuencia de la sublevación del general Sanjurjo, el 10 de agosto del mismo año, la suspensión, en este caso de publicaciones derechistas, tuvo una amplitud sin precedentes —entre 114 y 128 publicaciones, según las fuentes—. El último en poder reanudar su publicación, el 30 de noviembre, fue *ABC*.

Otra ley de marzo de 1932 había suprimido los periódicos de opinión militar. En el momento de proclamarse la República existían tres diarios que no sólo llevaban en sus títulos inequívocas referencias castrenses, sino que se decían portavoces del Ejército, o de una parte de él: *La Correspondencia Militar*, que procedía de 1876 y que en 1928 había absorbido a *El Ejército Español*; *Ejército y Armada*, fundado en 1905, y *Diario de la Marina,* en 1901. Con la supresión de estos periódicos de opinión político militar por las Cortes republicanas a iniciativa de Azaña, se ponía fin a una antigua situación que venía siendo denunciada como anómala e ilegítima al menos desde la crisis de 1898 y muy especialmente desde el episodio del asalto por parte de oficiales de la guarnición de Barcelona a las publicaciones catalanistas en noviembre de 1905. «Pero ¿es que se puede consentir, señores diputados —decía Azaña en su discurso en defensa de la ley—, que se publique un periódico titulándose *Ejército y Armada* y debajo "órgano de la revisión constitucional"? Pero ¿es que yo voy a permitir que el Ejército y la Armada, infundadamente, ficticiamente además, puedan aparecer a los ojos de nadie como defensores de la revisión constitucional?». *El Diario de la Marina*, el menos importante, se resignó a desaparecer, pero *La Correspondencia Militar* y *Ejército y Armada* continuaron bajo los respectivos títulos de *La Correspondencia* y *Marte*. El primero, antes y después de perder el adjetivo «militar», fue motivo de continua preocupación para Azaña, como se aprecia en las referencias de sus diarios.

La Ley de Orden Público preveía tres situaciones excepcionales: los estados de prevención, alarma y guerra. En el primero, el Gobierno podía ordenar la presentación de todos los impresos, con excepción de los libros, dos horas antes de su puesta a la venta, tiempo reducido a una hora para los diarios. Durante el estado de alarma, podía decretarse la suspensión de garantías constitucionales, entre ellas el artículo 34 de la Constitución, y la autoridad civil podía someter a previa censura todos los impresos y proponer al Gobierno —y en caso urgente acordar inmediatamente, dando cuenta al Gobierno— la suspensión de publicaciones.

Gracias a las facultades que concedía a los gobiernos esta ley, durante el segundo bienio republicano (radical-cedista), la libertad de prensa se vio mucho más constreñida que en el primero, hasta el punto de que la censura previa fue la situación habitual. Censura que fue impuesta, mediante la declaración del estado de alarma, en diciembre de 1933 y en marzo de 1934. Pero la situación más grave fue la provocada por la revolución de octubre de este último año, como consecuencia de la cual sufrieron largas suspensiones muchos periódicos obreros, republicanos de izquierdas y nacionalistas catalanes. Toda la prensa fue sometida a censura previa durante quince meses, hasta el 9 de enero de 1936, en vísperas de las elecciones que dieron el triunfo al Frente Popular. Tras un breve periodo de libertad para dar lugar a la campaña electoral, el Gobierno, ante el clima de violencia social preludio de la Guerra Civil, impuso de nuevo la censura previa. La única sección no sometida a censura era la parlamentaria; los líderes derechistas utilizaron por ello los debates parlamentarios para llegar a la opinión pública, presentando con tintes apocalípticos los conflictos de orden público en discursos que sus periódicos se encargaban de airear.

2. Prensa y República. Continuidad y cambio

La República no supuso ningún giro radical en la evolución de la prensa española, en la que, como hemos venido viendo, cada vez cobraban más peso los grandes periódicos de empresa. En el clima de entusiasmo que sucedió a la represión de la dictadura de Primo de Rivera, se pudo creer que volvían los tiempos de los diarios políticos, de opinión apasionada, republicana e izquierdista. Ramón Sender preguntaba poco antes del 14 de abril:

> ¿Qué busca el público en los periódicos? ¿El artículo doctrinal, la prosa fina e intencionada, la inteligencia? No. Lo que busca [...] es el eco de la pasión que a todos domina.

El público de *El Sol*, *La Voz* —avanzadas de ayer— se ha corrido más a la izquierda. El lector de la ingeniosa «cena de las burlas» [alusión al título de la colaboración diaria, anónima, frecuentemente en verso, de Enrique Díez-Canedo en *La Voz*, en la que comentaba con humor temas de la actualidad] deja el ingenio y se va con los apasionados, con los rebeldes, que sólo tienen su rebeldía. Así en todo[3].

Después vino el desencanto. Es indudable que en la época republicana, como ha dicho Santos Juliá, «la pasión política encontró en la prensa su privilegiada arena» y que la prensa obrera multiplicó el número de sus cabeceras; pero no tanto el de sus lectores; su vida siguió siendo precaria y azarosa; en parte por la persecución de que fue objeto, pero no sólo por ello. Tampoco los partidos gobernantes del primer bienio, faltos de respaldo económico, lograron hacerse con una prensa adicta importante. Los que siguieron atrayendo al lector y al anunciante fueron los grandes periódicos de empresa procedentes del periodo anterior, algunos de los cuales se situaron ante el nuevo régimen en actitud de tibia o insincera aceptación, caso de *El Debate*, o le fueron manifiestamente hostiles, como *ABC*. Entre los que se adhirieron claramente a la República se mantuvieron y prosperaron aquellos que, repaldados por empresas sólidas, pudieron mantener una postura independiente, fluctuante en sus simpatías entre unos u otros partidos republicanos. Los que, acuciados por problemas empresariales, buscaron la protección de un partido o de un político, acabaron de hundirse, como fue el caso de *El Sol*, *La Voz* y *Luz*.

La prensa de izquierdas se enorgullecía en los primeros tiempos de su papel decisivo en el advenimiento de la República. También las derechas, si bien, claro está, su valoración de ese hecho fuese negativa. Según Gil Robles, «esta revolución, que ha sido social, moral y jurídica, la han hecho [...] unos cuantos periódicos de izquierda». Para Ángel Herrera «una gran parte de la revolución ha sido fruto de la Prensa. La prensa, que junto a las Casas del Pueblo, ha estado a las órdenes de la masonería, explica perfectamente los sucesos del año 1931». En 1935 decía el fundador de la Asociación Católica Nacional de Propagandistas, Ángel Ayala:

A la hora presente no hay cosa más clara que esta verdad: *la revolución española que trajo la República fue obra de la prensa de Madrid* [...]: *El Sol*, *La Voz*, el *Heraldo*, *El Liberal*, *La Libertad*, *La Tierra* [...]. Toda esta prensa difundiría por España diariamente 700.000 hojas subversivas. En cambio, para contrarrestar esa acción demoledora no existían más periódicos que el *ABC*, *El Debate*, *La Nación*, *El Siglo Futuro*, cuyas tiradas no sumaban seguramente ni la mitad de los otros[4].

En vísperas de la Guerra Civil, el cardenal Gomá estimaba que «si la prensa no había sido el único factor de esta obra nefasta, ha sido, por lo menos, uno de los principales»[5].

Pero pronto empiezan a ser un lugar común entre políticos y periodistas republicanos frases como «no tenemos prensa adicta» (Azaña); «ningún órgano hay en la prensa republicana que se pueda poner en frente de los grandes acorazados adversos» (Corpus Barga); «vivimos en la revolución, pero seguimos en la prensa de la monarquía» (Luis Bello). El tema es especialmente recurrente en este periodista adscrito al partido de Azaña (Acción Republicana, primero; a partir de 1934, Izquierda Republicana), que reitera en numerosos artículos[6] que la República está entregada a sus enemigos, porque el capital tiene copada a la prensa española; en este terreno, «toda la cera que arde está en el altar de la derecha», porque «los periódicos no se hacen sólo con espíritu sino con dinero que compra máquinas y hombres».

No son sólo lamentaciones desde la izquierda. También la prensa de la derecha, ya antes del triunfo electoral de noviembre de 1933, presume de su creciente popularidad y vaticina el hundimiento de la prensa republicana[7].

¿Había razones para ese pesimismo de los unos y consiguiente optimismo de los otros? De los partidos gobernantes del primer bienio, los socialistas tenían «prensa adicta», el órgano oficial del partido y una extensa red nacional (únicamente en Soria no ha localizado Checa Godoy ninguna publicación socialista en estos años[8]). Pero aunque *El Socialista*, bajo la dirección de Zugazagoitia, superó el tono exclusivamente obrerista anterior y aumentó considerablemente su tirada, ésta seguía siendo escasa (treinta y tantos mil ejemplares) y seguía dirigiéndose, como todo periódico de partido, a lectores ya convencidos, entre los cuales, por cierto, parece que no se contaban los ministros socialistas[9]. *El Liberal* de Bilbao, desde 1932 propiedad de Indalecio Prieto, es uno de los diarios más leídos en aquella ciudad, en la que sigue publicándose también el veterano *La Lucha de Clases*. Desde noviembre de 1931 se publica en Oviedo el diario *Avance*, con el apoyo del sindicato minero, que desde que asumió su dirección Javier Bueno se radicaliza. Suspendido tras la revolución de octubre de 1934, a cuyo clima emocional había contribuido, no reapareció hasta junio de 1936, haciendo una bandera de aquella revolución, que había pretendido derribar «el Gobierno capitalista para sustituirlo por el poder de los trabajadores. No para sustituir un Gobierno republicano por otro Gobierno republicano»[10].

Las distintas tendencias dentro del socialismo se hacen evidentes tras el triunfo de las derechas en 1933: el centro, en torno a Indalecio Prieto, la izquierda de Largo Caballero y la derecha de Julián Besteiro, que no harán sino extremar sus divergencias, que se traducirán en polémicas en sus respectivas publicaciones[11]. Portavoces del sector caballerista fueron la revista *Leviatán* y el, primero, semanario y, después, diario *Claridad*. *Leviatán*[12], fundada y dirigida por Luis Araquistain, inició su publicación en mayo de 1934 y, pese a su progresivo radicalismo, su carácter teórico (se subtitulaba «Revista mensual de hechos e ideas») le evitó sufrir las peores consecuencias de la represión subsiguiente a la revolución de octubre; no fue suspendida y la rígida censura no le impidió seguir exponiendo las ideas de un socialismo revolucionario, opuesto a la postura reformista de Besteiro, que a partir de mayo de 1935 le replica desde *Democracia*, la publicación de su grupo. La izquierda socialista contó además desde julio de 1935 con el semanario *Claridad* que, convertido en diario en abril de 1936 bajo la dirección de Araquistain, defiende posturas extremadamente radicales, entre ellas el fin de la colaboración con la república burguesa. Suspendido voluntariamente *Democracia* en aras de la concordia cuando pudo reaparecer *El Socialista* a finales de 1935, tras la larga suspensión que siguió a la revolución de octubre de 1934, *Claridad* polemiza ahora con el órgano oficial del partido, polémica que en esas vísperas de la Guerra Civil llega a su mayor virulencia.

En cuanto a Azaña, su partido (Acción Republicana, Izquierda Republicana) no tuvo su propio órgano, *Política*, hasta 1935, pero sí más diarios de gran circulación que le prestaron su apoyo. Es notable su actitud despectiva hacia la prensa, aun —y sobre todo— hacia la que le es más o menos adicta, tanto en sus diarios como en conversaciones privadas o intervenciones públicas. Reitera afirmaciones como que su periódico es únicamente la *Gaceta*, que los periódicos le interesan medianamente, que no inspira ni da instrucciones a ninguno, etc. Pero como se evidencia en sus mismos diarios, no es cierto —no podía serlo— que los periódicos no le interesasen y que no tratase de inspirar ni dar instrucciones a ninguno. Tiene su círculo de periodistas a los que «infiltra ideas». Y sobre todo cuenta con el intelectual mejicano Martín Luis Guzmán, persona de su mayor intimidad en estos años, su principal intermediario con la prensa y personaje clave en las negociaciones que en el verano de 1932 llevaron a hacer de *El Sol*, *La Voz* y *Luz*, aunque por poco tiempo, periódicos de decidida adhesión a su política. Desde su giro monárquico, a finales de marzo de 1931, después de que su fundador, Urgoiti, se viera obligado a desprenderse de ellos, *El Sol* y *La Voz* sufrieron una serie de complicadas vicisitudes empresariales, al mismo tiempo que perdían lectores, y, en el caso de *El Sol,* prestigio. A las dos semanas de producirse aquel cambio se proclamaba la República, y los periódicos, aceptando el «veredicto» del pueblo y la «voluntad nacional», se alineaban en el campo republicano, convirtiéndose en «periódicos frigios» —expresión acuñada en estos primeros tiempos republicanos para designar a los republicanos de después del 14 de abril—, con la consiguiente indignación tanto de los que permanecían fieles a la monarquía, caso de *ABC*, como de los más o menos antiguos republicanos. Muy especialmente de *Crisol* y, posteriormente, *Luz*, fundados por Urgoiti sucesivamente, con poco éxito, para sustituir al perdido *El Sol*. La apurada situación económica de ambas empresas propició los planes de un recién llegado a estas lides Luis Miquel que en colaboración con Martín Luis Guzmán, el amigo mexicano de Azaña, idearon un plan que haría de

Miquel un gran empresario periodístico y dotaría a Azaña de una gran prensa adicta a su política.

Tras una serie de negociaciones con Fulmen, editora de *Luz,* y con EL SOL C.A., en septiembre de 1932 quedaba constituido lo que los demás periódicos designaron como el *trust* de prensa azañista, con *El Sol*, *La Voz* y *Luz*. La operación fue un fracaso desde todos los puntos de vista. Los periódicos perdían tirada y anunciantes; «la política los ha dejado en seco», comentaba Azaña[13], que se mostraba molesto de la poca habilidad que mostraban, prodigando continuos elogios a su persona y de que todo lo que se publicaba en ellos fuese interpretado en los círculos políticos como directamente inspirado por él. El aumento del precio de los periódicos a 15 céntimos, con el que contaba Miquel y que debía decretar el Gobierno, no se producía (no lo haría hasta 1935 en un gobierno Lerroux), y éste, desesperado y después de una serie de rocambolescas intrigas, abandonó la política azañista antes de transcurrir un año y terminó desprendiéndose ruinosamente de los periódicos, que siguieron deslizándose, tras más vicisitudes empresariales, por la pendiente de la pérdida de lectores y el descrédito.

No menos errática fue la trayectoria empresarial de los dos diarios que Juan March había adquirido en los años de la Dictadura, uno de izquierdas, *La Libertad*, y otro de derechas, *Informaciones.* Procesado por la República, durante su defensa ante la Comisión de Responsabilidades de las Cortes, el 8 de junio de 1932, March alegó, como prueba de sus «notorios ideales de izquierdas», su contribución al «sostenimiento decoroso de *La Libertad*». Como era de esperar, en seguida se le echó encima la prensa adversa sacando a relucir *Informaciones* —al que Prieto había denominado meses antes en las mismas Cortes «la jaca del contrabandista»[14]— y acusándole de «encender una vela a Dios y otra al diablo». El 4 de noviembre de 1933, *La Libertad* anunciaba a toda plana: «Don Juan March abandona la prisión de Alcalá para atender al restablecimiento de su salud», y una carta del financiero justificando su fuga. En mayo de 1934 se desprendería de este periódico. Con anterioridad había cedido la cabecera de *Informaciones*, aunque al parecer no las instalaciones, a su director, Juan Pujol. Ambos periódicos, siempre en sus respectivas posturas de izquierda y derecha, siguieron luego una complicada trayectoria empresarial. Cuando estalló la guerra, la cabecera de *Informaciones* pertenecía al ex ministro del Partido Radical, Salazar Alonso y lo dirigía Víctor de la Serna, que volvería a hacerse cargo de él en la posguerra. La influencia de March se extendió a otros periódicos, incluido quizá el filoanarquista *La Tierra*, del que corría el rumor de que era financiado por él. El fiscal general Galarza hizo en las Cortes un juego de palabras acerca de ello[15]. Azaña se hace eco repetidamente en sus diarios de ese rumor, y recordando, ya en plena guerra, las violentas campañas que el periódico había hecho contra él con motivo de los sucesos de Casas Viejas, lo califica una vez más de «periódico de March». Sainz Rodríguez asegura por su parte en sus memorias que él personalmente entregaba a su director, Cánovas Cervantes, las directrices y «una muestra de nuestro agradecimiento» para estimular esas campañas contra el gobierno Azaña[16].

En contraste con la errática trayectoria de estos periódicos, los dos diarios de la Sociedad Editora Universal muestran una gran estabilidad empresarial y política. Dirigidos a un público popular, representan la política de un republicanismo de izquierda. *El Liberal* no logró recuperar el lugar preeminente que había perdido en 1920, pero *Heraldo de Madrid* siguió la trayectoria ascendente que había iniciado en los últimos años de la Dictadura, hasta convertirse en uno de los diarios de más circulación a nivel nacional. Tendencia que se acentuaría tras la revolución de octubre de 1934, cuando los periódicos republicanos de tendencia izquierdista y popular, *Heraldo* muy en primer lugar, actuaron como sustitutos de la prensa obrera suspendida. En 1935 ocupaba el segundo lugar en el pago de franqueo concertado, después de *ABC;* es decir, era el diario republicano más difundido fuera de Madrid, y ocupaba el primer lugar absoluto en Oviedo y León, según un informe para Prensa Española, que lo atribuía al «predominio que en la mayoría de las poblaciones deben de tener los elementos izquierdistas» y a «sus campañas halagando a los elementos socialistas y sindicalistas en momentos en que éstos tienen sus periódicos suspendidos»[17].

Los años treinta son los de la explosión del fotograbado. La introducción de las primeras máquinas Leica, de paso universal y mucho más ligeras que el pesadísimo equipo con que antes tenían que cargar facilitan la labor de los fotógrafos. El mayor éxito periodístico de estos años es el nuevo diario gráfico madrileño *Ahora*, fundado en diciembre de 1930 por Luis Montiel, propietario de los talleres Sucesores de Rivadenayra y editor, entre otras publicaciones, de la revista *Estampa*. Su primer número coincidió con un gran suceso informativo, las sublevaciones de Jaca y Cuatro Vientos, lo que le dio ocasión de manifestarse, en aquel «momento dramático de la vida española», contrario a toda violencia y partidario de las vías legales. Lo cierto es que ese respeto a la legalidad fue mantenido por el periódico en toda su corta vida. Claramente monárquico en los meses que precedieron a la proclamación de la República, cuando ésta se produjo la aceptó sin reservas, aceptación criticada por los «republicanos de toda la vida», que se apresuraron a tildarlo de periódico «frigio», y sobre todo de los monárquicos. Pero sintonizaba con los sentimientos de muchos republicanos nuevos, con el gran público de los que no eran entusiastas republicanos, pero tampoco se sentían monárquicos. En sus malas relaciones con *ABC*[18] influían sin duda no sólo las distintas posturas políticas, sino también el hecho de que el nuevo diario venía a hacerle competencia, con éxito, al viejo en el terreno del diarismo gráfico. Con su excelente calidad técnica, buena información, ágiles reportajes y colaboradores de primera línea (Unamuno, Baroja, Valle Inclán, Madariaga, entre ellos), *Ahora* venía a ser una especie de *ABC* republicano y uno de los diarios más leídos; superaba en ventas en algunas poblaciones a su rival monárquico[19]. Mantuvo siempre una postura de centro derecha, enemiga de todos los extremismos, e inequívocamente legalista. Significativamente, en su número de 14 de julio de 1936, publicó en portada, partida en dos mitades, las fotografías de los asesinados Calvo Sotelo y el teniente Castillo y dio en páginas interiores el mismo relieve a la información de los «dos crímenes abominables»[20].

En el caso de Lerroux, como en el de Azaña, mucha mayor importancia que los periódicos directamente adscritos a su partido tenía su capacidad de presión sobre los grandes diarios republicanos independientes, y los ofrecimientos, interesados o no, que éstos le hacían para defender su política. Varios de los periódicos mencionados, y alguno más como *El Imparcial*, estuvieron en algún momento bajo influencia lerrouxista. Ningún otro personaje republicano tuvo ascendiente semejante a estos dos sobre la prensa.

Acción Popular y la CEDA, en su momento, pese a ser organizaciones nuevas, contaron con el importante apoyo de los periódicos católicos preexistentes, que aceptaron el hecho consumado del cambio de régimen, adhiriéndose, con mayor o menor convencimiento, a las tesis accidentalistas del más importante de todos ellos, *El Debate,* que, celoso de su siempre pregonada independencia y consciente de que pretender ser un gran periódico dirigido a un público amplio era incompatible con declararse órgano de ningún partido, negó siempre serlo de las grandes organizaciones católicas nacidas bajo su tutela. En los años republicanos vive *El Debate* su mejor época. Siguiendo su postura de siempre, contrarrevolucionaria pero posibilista; es entonces cuando alcanza mayor difusión e influencia, aglutinando a la formidable reacción católica frente a la política de los gobiernos del primer bienio, y apoyando la contrarreformista de los del segundo. El catolicismo político se convierte en estos años en un movimiento de masas y *El Debate* es su más significado portavoz. En enero de 1935 iniciaba su publicación *Ya*, el vespertino de la misma empresa, Editorial Católica —que contaba también con varios diarios en provincias—, siguiendo el modelo del típico tándem —un diario de la mañana, serio y reflexivo, y uno de la tarde más ligero e informativo— que en la prensa madrileña tenía los ejemplos de *El Liberal/Heraldo de Madrid* y *El Sol/La Voz*.

La Monarquía caída contó con un formidable defensor en la prensa. *ABC* era el diario de alcance nacional más difundido en España y siguió siéndolo en los años republicanos. Francisco Iglesias, que ha analizado a fondo los archivos de su editora Prensa Española, calcula su venta media diaria en 1931 en 201.756 ejemplares, para continuar en los años siguientes en una línea de moderado ascenso sostenido, excepto un ligero y temporal descenso en 1935, por el aumento en ese año del precio de los periódicos, que le afectó menos que a otros[21]. A estas cifras habría que añadir las de *ABC* de Sevilla, fundado en 1929, que superaba los 30.000 ejemplares de venta.

Más lentamente que en otros periódicos monárquicos, se produjo en *ABC* en los años republicanos un desplazamiento hacia posturas ultraderechistas que desdecían de su historia. Fue coherente en su fidelidad a la dinastía y a la persona de Alfonso XIII, pero no a la monarquía liberal, constitucional y parlamentaria que, pese a todas sus corruptelas y falseamientos, era, formalmente al menos, el régimen que existía cuando el periódico vio la luz en 1903 y que siguió existiendo hasta la ruptura constitucional de 1923. Ruptura que el diario había aceptado como solución temporal, pero cuya pretensión de perpetuarse había acabado por rechazar, pidiendo un regreso a la normalidad constitucional monárquica.

Pero la monarquía que ahora defendía era ya otra, basada en unos principios semejantes a los de los tradicionalistas. La postura no sólo antirrepublicana sino antidemocrática de *ABC* se definía cada vez con mayor claridad, aunque otros periódicos monárquicos, como *La Época* o *La Nación* fueran más lejos en esa línea. Polemizando muy cortésmente con este último, que le reprochaba sostener principios liberales, aclaraba «una vez más» en 1934 su posición:

> En una palabra: nuestro liberalismo es muy español [...]. Y por ser muy español no se involucra en el concepto exótico de la democracia, que hace posible un sufragio universal inorgánico en el cual vemos la negación más rotunda del espíritu y la estructura de las gloriosas Cortes de Castilla y de tantas y tantas instituciones políticas de la España tradicional[22].

La instauración de la República supuso una revitalización de las tres ramas desgajadas del antiguo carlismo —integristas, jaimistas y tradicionalistas—, y creó un ambiente favorable a la reunificación que, culminada en enero de 1932, dio lugar a la Comunión Carlista Tradicionalista que contó con una extensa red de periódicos: unos preexistentes, procedentes de las distintas ramas, y otros de nueva creación que se distribuían preferentemente por las regiones de tradicional arraigo del carlismo —Navarra, País Vasco y Cataluña— y por Andalucía, en la que adquiere una considerable implantación en estos años. En su inmensa mayoría de periodicidad no diaria, tienen escasísima difusión, incluidos los más importantes, los veteranos diarios *El Siglo Futuro* y *El Correo Catalán*, que no superarían los 5.000 ejemplares de tirada. Tras la reintegración de las tres ramas, el integrista *El Siglo Futuro* se convierte de hecho en el órgano oficial de la Comunión. El tópico común a toda la extrema derecha —la denuncia de una siniestra alianza de la masonería, el judaísmo y el comunismo— es especialmente obsesivo en sus páginas: la revolución comunista, financiada por el comunismo internacional y difundida con el auxilio de la masonería, movía los hilos de la España republicana, que contaba en su gobierno con tres judíos, Alcalá Zamora, Miguel Maura y Fernando de los Ríos[23].

En este capítulo de la prensa antirrepublicana merece la pena detenerse en una revista, *Acción Española*, en la que, como dice el subtítulo del estudio que le dedicó Raúl Morodo[24], están presentes los «orígenes ideológicos del franquismo». Esta revista —que publicó 88 números de diciembre de 1931 a junio de 1936, con periodicidad, primero, quincenal y, luego, mensual— es el lugar de encuentro de intelectuales de distintas tendencias ultraderechistas que elaboraron en sus páginas una doctrina contrarrevolucionaria de tinte tradicionalista, que, según uno de esos intelectuales, «venía a representar en el mundo político español algo semejante a lo que Maurras en la República francesa»[25], en cuyo movimiento, Action Française, se inspira su nombre. Desde el número 33 figuraba en portada el emblema de un caballero medieval, leyendo sobre su caballo, bajo la cruz de Santiago y el lema «Santiago y cierra España».

El núcleo fundamental de *Acción Española* lo constituyen intelectuales de las dos ramas monárquicas que, independientemente de las diferencias que todavía pueda suponer la cuestión dinástica, coinciden ahora en la concepción de una monarquía tradicional y autoritaria, antiliberal y antiparlamentaria y en la identificación de España con un catolicismo integrista. Fundada por el marqués de Quintanar, con Eugenio Vegas Latapié y Ramiro de Maeztu, fueron sus sucesivos directores el primero y el último. De su equipo directivo formaron parte Pedro Sainz Rodríguez, Víctor Pradera y José María Pemán.

En el homenaje a Maeztu por la concesión del premio Luca de Tena de 1932 (por el artículo presentación de la revista) dice Quintanar: «en este joven crisol de *Acción Española* van a fundirse metales diversos, para dar lugar a una doctrina nueva, que no será, en resumidas cuentas, más que el retorno a nuestra tradición vista con ojos actuales»[26].

En efecto, en su propósito de aglutinar a todas las derechas, de fundir esos «metales diversos», la revista da cabida a una variedad relativamente heterogénea de colaboradores, desde cedistas como Ibáñez Martín, Fernández Ladreda y el marqués de Lozoya, hasta jonsistas y falangistas como Eugenio Montes, Emiliano Aguado, Rafael Sánchez Mazas y los mismos Ramiro Ledesma y José Antonio Primo de Rivera. Las diferencias doctrinales entre los diversos grupos que confluyen en la revista, así como con los movimientos afines extranjeros —Action Française, integralismo portugués, fascismo, nazismo—, se diluyen o enmascaran en beneficio de lo que tienen en común.

En marzo de 1937 se publicó en Burgos un número 89 que en más de cuatrocientas páginas ofrecía una antología, un ensayo sobre su significación debido a la pluma de José Pemartín, con una bendición del primado cardenal Gomá y un autógrafo de Franco: («*Acción Española*, fiel a su título, representó en el transcurso de los últimos años el refugio donde encontraron asilo los esforzados paladines de la inteligencia puesta al servicio de la Patria. En el martirologio nacional la sangre de aquellos pensadores y sus gestas heroicas hicieron más vigoroso el marcial gesto de "Santiago y cierra España"»), seguido de un comentario en el que se informaba de que «el insigne caudillo del movimiento nacional y Jefe del Estado» había sido suscriptor desde el primer número de la revista, viviendo «en un noble desasosiego, atento a las voces autorizadas que, desde estas páginas, diagnosticaban males y predicaban remedios». De ser eso cierto, Franco formaría parte de esos más de 2.000 suscriptores que, según Vegas Latapié, tenía la revista[27].

Más que por la escasa importancia que en su momento tuvieron, por lo que habían de significar en la Guerra Civil y la posguerra es preciso referirse a las publicaciones de Falange Española en los años republicanos. El 29 de octubre, en un acto electoral, el mitin del teatro de la Comedia, en el que José Antonio Primo de Rivera[28] pronunció un elaborado discurso, adquirió el valor simbólico de acto fundacional del partido, cuya constitución formal se produjo unos días después y el 7 de diciembre inicia la publicación de un semanario *F.E.*, dirigido por Primo de Rivera, cuyo primer número contiene sus nueve «puntos iniciales», que publicó quince números hasta el 19 de julio de 1934. En febrero anterior, Falange se había fusionado con las JONS (Juntas de Ofensiva Nacional Sindicalista), fundadas por Ramiro Ledesma Ramos en octubre de 1931. Ese mes había terminado la publicación de *La Conquista del Estado*, iniciada el 14 de marzo de 1931, justo un mes antes de la proclamación de la República. En noviembre de 1931, las JONS se habían fusionado con las Juntas Castellanas de Actuación Hispánica, fundadas en Valladolid por Onésimo Redondo, vinculado al catolicismo social y miembro de la ACNP, que venía publicando desde junio de 1931 el semanario *Libertad*. En mayo de 1933 se inició la publicación se la revista mensual *JONS*, como «órgano teórico de las Juntas de Ofensiva Nacional Sindicalista» que continuó después de la unificación con Falange, hasta agosto de 1934.

Falange Española y de las JONS estaban, pues, constituidas por estos tres grupos, que tenían en común el «juvelinismo violento» que Ortega veía recorriendo España, más o menos inspirados en el fascismo o el nazismo que recorrían Europa. El ascenso de Hitler al poder en enero de 1933 supuso una inyección de entusiasmo para estos incipientes grupos fascistas o fascistoides españoles. Ledesma y José Antonio Primo de Rivera habían entrado en contacto en el proyecto del semanario *El Fascio*, editado en los talleres de *La Nación* y por iniciativa de su director Manuel Delgado Barreto, que no pudo publicar más que un número el 16 de marzo de 1933, porque el Gobierno ordenó su inmediata suspensión y la recogida de ejemplares. Pero ya antes de la fusión, muchos jonsistas procedentes del grupo de *La Conquista del Estado* con su líder Ledesma a la cabeza —sin duda dentro del pretendido sincretismo entre derechas e izquierdas que todos los fascismos proclamaban el más izquierdista y entre el «costado futurista» y el «costado tradicionalista», nunca resuelto del todo en el fascismo español, en frase de Dionisio Ridruejo[29] el más «futurista»— consideraban a Falange una agrupación de «señoritos», lastrada por la tradición monárquica y reaccionaria de muchos de sus militantes, alejado del verdadero fascismo revolucionario que ellos querían representar. Las diferencias permanecieron en el nuevo organismo y finalmente llevaron, antes de un año, en enero de 1935 a la escisión de Ledesma y un grupo de antigos jonsistas.

Tras la escisión, Ledesma fracasó en su intento de recrear unas JONS independientes de Falange y de impedir que ésta siguiese utilizando sus siglas. Entre 6 de febrero y el 30 de marzo de 1935, los disidentes publicaron siete números de un semanario, *Patria Libre*, dedicados sobre todo a reafirmar la personalidad de las JONS como movimiento revolucionario, que se dirigía a los proletarios y a la clase media proletarizada, frente a Falange, dirigida por unos «señoritos», «seres residuales a extramuros de toda emoción patriótica», cuyo fascismo era del tipo de los «fascismos imitativos», «blandos, pastosos, algodonosos». No volvió a aparecer ningún periódico jonsista hasta el 11 de julio de 1936, *Nuestra Revolución*, un único número por el estallido de la guerra.

Bajo el control ya indiscutido de Primo de Rivera, Falange inicia la publicación de un nuevo semanario, *Arriba* el 21 de marzo de 1935, a tiempo de responder con el sarcasmo —en un artículo anónimo, pero salido de la pluma de Primo de Rivera, titulado «Aviso a los navegantes. Arte de identificar "revolucionarios"»— a los ataques de los jonsistas de *Patria Libre*, «revolucionarios afectadamente mal vestidos y sucios, con la boca llena de demagogias "corajudas", que pretendían dirigirse a "imaginarias masas", cuya simpática escasez permitiría de sobra la celebración de juntas generales en la plataforma de un tranvía». El acariciado proyecto de convertirlo en diario, reiterado hasta el último número que pudo ver la luz, el 21 de febrero de 1936, no se haría realidad hasta después de la guerra, en los talleres incautados a *El Sol* en la calle Larra.

Tras el triunfo del Frente Popular y como consecuencia de un atentado perpetrado por un grupo falangista contra el catedrático socialista Jiménez de Asúa, Falange fue disuelta y sus principales dirigentes, incluido Primo de Rivera, detenidos. El órgano clandestino del partido *No Importa*, subtitulado «Boletín de los días de persecución», publicó tres números de 20 de mayo a 20 de junio.

Las publicaciones de Falange, como iba a seguir sucediendo en el futuro, tenían un estilo muy literario que no era del agrado de algunos. Ledesma Ramos calificaría a *F.E.* de

> Semanario relamido, en el que se advertía el sumo propósito de conseguir una sintaxis académica y cierto rango intelectual [...] una revista de pulcritud literaria, en la que se hablaba de Roma, de Platón y se abordaba la política con mentalidad, estilo y retórica de aficionados a las letras,

lo que en su opinión constituía un grave error «cuando sectores extensos de España esperaban que el periódico de Falange les orientase políticamente con consignas eficaces y certeras»[30].

Primo de Rivera que, según Ledesma Ramos, era quien imponía esas características, salía al paso de ese tipo de críticas en el número XI, de 19 de abril de 1934, en un artículo titulado «Carta a un estudiante que se queja de que *F.E.* no es duro»: «No te tuvo Dios de su mano, camarada, cuando escribiste: "Si *F.E.* sigue en ese tono literario e intelectual, no valdría la pena arriesgar la vida por venderlo" [...] ¿por qué arriesgarías con gusto la vida?, ¿por un libelo en que se llamara a Azaña invertido y ladrones a los ex ministros socialistas?» [probable alusión al semanario satírico *Gracia y Justicia*, publicado por la Editorial Católica y dirigido por Delgado Barreto].

La vida de estas publicaciones estuvo salpicada de violentas vicisitudes. Objeto de suspensiones gubernativas, la censura les creaba continuos problemas. Eran vendidos en las calles por los propios militantes, enfrentados con otros jóvenes izquierdistas que intentaban impedirlo. En uno de los más graves de estos incidentes, el 9 de febrero de 1934, fue asesinado el estudiante falangista Matías Montero.

En el extremo opuesto, anarquistas y comunistas no lo tuvieron tampoco fácil. Su prensa sufrió numerosas suspensiones en virtud de la Ley de Defensa de la República, primero, y de la de Orden Público, después. Unos y otros se vieron además desgarrados por graves disputas internas (entre sindicalistas y la FAI en el anarquismo, entre troskistas y obedientes a la disciplina soviética los comunistas).

El anarquismo, tan previamente arraigado en regiones como Cataluña y Andalucía, experimenta en los años de la República un extraordinario crecimiento. Las distintas tendencias presentes siempre en el movimiento libertario se radicalizan también entonces. Por un lado, el anarcosindicalismo moderado, cuyos más caracterizados representantes eran Pestaña y Peiró, «hombres de realidades», como diría Pestaña, que creen que aún no ha llegado el momento de la revolución. Por otro, el anarquismo «puro» de la FAI, fundada en 1927 en la clandestinidad, que postula la revolución social inmediata. Pronto se impondrá el radicalismo de la FAI con el progresivo desplazamiento de los sindicalistas hasta su expulsión de la Federación en marzo de 1933. Anarcosindicalistas y faístas se disputarán la dirección ideológica del diario *Solidaridad Obrera* —que salía de nuevo a la calle el 31 de agosto de 1930, tras una larga ausencia—, disputa que se resolvería definitivamente a favor de los segundos. También en Barcelona, los Montseny, entre los que ahora alcanza mayor protagonismo la hija Federica, siguen publicando *La Revista Blanca*, que por su carácter teórico había logrado capear los años de la Dictadura. Como exponente del ideal libertario, radical e intransigente, denunciará el desviacionismo sindicalista. En Madrid se publica desde noviembre de 1932 el diario *CNT*. La mayor parte de las muchas publicaciones, de vida siempre azarosa, que se publican en diversos lugares se adscriben a la tendencia del anarquismo «puro», pero también los sindicalistas tienen sus periódicos, como *El Sindicalista*, órgano del Partido Sindicalista, fundado por Ángel Pestaña.

El Partido Comunista, cuya andadura, apenas iniciada, se había visto extraordinariamente dificultada por las circunstancias de la Dictadura, funda en la clandestinidad, en Madrid, en agosto de 1930 el semanario *Mundo Obrero*, «Órgano Central del Partido Comunista (SEIC)», que en noviembre de 1931 se convierte en diario. En Cataluña, el Bloc Obrer i Camperol, desligado del comunismo oficial y cuyo secretario general y principal ideólogo era Joaquín Maurín publicó *La Batalla*, *La Nueva Era*, *L'Hora* y *Adelante*. La Izquierda Comunista, en la que militaba Andreu Nin, publicaba *Comunismo*. Unificados en septiembre de 1935 el Bloc y la Izquierda Comunista en el Partido Obrero de Unificación Marxista (POUM), *La Batalla* y *La Nueva Era* se convirtieron en portavoces del nuevo partido.

Entre las publicaciones comunistas en otras regiones españolas, destacaremos *Euskadi Roja*, que inició su publicación en San Sebastián en marzo de 1933, por la novedad que supone la utilización del término *Euskadi* para designar al País Vasco, hasta entonces exclusivo del nacionalismo, coherente con la estrategia de la Internacional Comunista de «coordinar la aplicación de la doctrina leninista sobre la autodeterminación con la instrumentalización del tema nacional al servicio de la revolución a corto plazo», de acuerdo con la cual el periódico declaraba su propósito de ser «el bravo defensor de los derechos nacionales de los obreros y campesinos vascos contra el imperialismo español [...] por la conquista de su derecho de autodeterminación»[31], equiparando así la lucha nacionalista con la lucha de clases.

El nacionalismo vasco, en el que a finales de 1930 se había producido la reunificación de la Comunión Tradicionalista y el grupo *Aberri*, bajo el nombre tradicional de Partido Nacionalista Vasco, se produce una nueva escisión, la de un grupo minoritario, intelectual, revisionista, aconfesional y progresivamente inclinado a la izquierda, Acción Nacionalista Vasca, similar a Acció Catalana, más próximo a los partidos republicanos nacionales que el PNV, al que separaba de aquéllos la cuestión religiosa. Una enconada disputa por el control de los diarios con que contaba el nacionalismo se resolvió en favor del PNV, que contaba así con *Euzkadi*, ya previamente con una gran difusión, equiparable a la de *El Liberal* o *La Gaceta del Norte*, que aumentó en estos años. Representa la línea oficial, católica y derechista del PNV, enfrentado a Acción Nacionalista Vasca, que edita en San Sebastián *Tierra Vasca* de enero de 1933 a marzo de 1934 y con el nacionalismo radical, independentista y de intransigente antiespañolismo del semanario *Jagi-Jagi*, cuya indisciplina con respecto a la línea oficial del PNV condujo a una nueva disidencia en enero de 1934, del mismo signo que la de *Aberri* en los años veinte: en ambos casos tendría protagonismo Elías de Gallastegui, «Gudari». Suspendido con frecuencia

Jagi-Jagi hizo de esa persecución, de la existencia de presos nacionalistas [...] una mítica del sufrimiento por la patria vasca, una escuela de sacrificio e incluso de martirio al servicio del ideal, que ayudaba a incrementar las filas independentistas dentro del campo nacionalista[32].

Además de *Euzkadi*, el PNV contaba en el mismo Bilbao con el vespertino *La Tarde*, más informativo y menos doctrinal, y con el deportivo *Excelsior*. En San Sebastián, *El Día*, uno de los diarios de mayor difusión en Guipúzcoa, aunque no órgano oficial del partido actuaba de hecho como su portavoz. Lo mismo ocurría con *La Voz de Navarra* de Pamplona, aunque en este caso su difusión era muy escasa. El partido tenía además varios semanarios políticos, revistas culturales e infantiles.

Varias son también las corrientes del nacionalismo catalán. La Dictadura supuso el final del predominio político de la Lliga Regionalista. Pero tampoco será el partido de Acció Catalana, fundado en 1922, que parecía llamado a sucederla, el que predomine en la República. Esquerra Republicana de Catalunya, unión de las fuerzas de izquierda catalanista, que se había constituido como partido en marzo de 1931 bajo la dirección de Francesc Macià, consigue un éxito inesperado y espectacular el 12 de abril y se convierte en el partido hegemónico en Cataluña. A la formación del partido había contribuido decisivamente el Grupo de *L'Opinió*, formado por redactores de este semanario fundado en 1928, que había servido de tribuna a todas las fuerzas progresistas de Cataluña en los últimos años de la Dictadura, y se convirtió en diario con el subtítulo de «Diari d'Esquerra Republicana de Catalunya». El progresivo distanciamiento entre el Grupo y la dirección del partido llevó a su expulsión y a la creación por parte de los disidentes del Partit Nacionalista Republicà d'Esquerra, del que fue portavoz *L'Opinió* hasta su desaparición en octubre de 1934. Desde noviembre de 1931, bajo la dirección de Companys y como portavoz de la tendencia mayoritaria del partido se publicaba *La Humanitat*, que tras la escisión de 1933 se convirtió en el órgano oficial (durante su suspensión en octubre de 1934 fue sustituido por *La Ciutat*). En octubre de 1935, su editora Editorial Libertad, propietaria también por breve tiempo (1933-1934) del veterano semanario *La Campana de Gracia*, inició la publicación de un vespertino más ligero, menos explícitamente partidista, *Última Hora*.

La Veu de Catalunya continuó siendo el portavoz de la Lliga Regionalista que, derrotada en las elecciones de 1931, se reorganizó y pasó a llamarse en febrero de 1933 Lliga Catalana. De 1933 a 1934 publicó un vespertino más informativo y menos político *La Veu del Vespre*, sustituido luego por *L'Instant*.

La Publicitat, portavoz de Acció Catalana desde 1922, continúa siéndolo del partido, ahora denominado Acció Catalana Republicana. Con una redacción brillante y una excelente factura, ocupaba, en opinión de Josep Pla en diciembre de 1932 «el primer lugar en cuanto tiraje e influencia» entre los de lengua catalana[33]. Sin embargo, según Amadeu Hurtado, que se hizo cargo del periódico en septiembre de ese año, distaba de ser un éxito porque al correligionario le parecía «demasiado republicano y poco catalanista», y el público en general lo consideraba un periódico partidista[34].

El semanario *Mirador* estaba también próximo a las posturas de Acció y salió con periodicidad diaria como sustituto de *La Publicitat*, durante su suspensión tras los sucesos del 6 de octubre de 1934. Muchos colaboradores de *La Publicitat* y de *Mirador* lo eran también del semanario satírico *El Be Negre*, el más popular de la época, cuya desenfadada sátira se dirigía sobre todo contra los diputados de Esquerra, lo que dio lugar a un asalto a su imprenta de los *escamots* de este partido. «Riendo, riendo —decía el semanario— *El Be Negre* ha hecho durante estos tres años una tarea de catalanismo irreductible»[35].

No era ésta la opinión de una personalidad del partido, Claudi Ametlla, para quien el humorismo excesivo y a veces irresponsable y procaz de *El Be Negre*, muy celebrado por el hombre de la calle, provocó el odio de sus víctimas y no fue una contribución positiva para la causa catalana[36].

El pequeño partido demócrata cristiano Unió Democràtica de Catalunya contó en diversos momentos con *La Nau*, el boletín *UDC* y el semanario *El Temps*. Próximo a él estaba también el católico y catalanista independiente *El Matí*, representante de un «catolicismo de tipo europeo [...] frente al tradicionalismo extremista e intransigente de *El Correo catalán*, el viejo órgano del carlismo»[37]. *La Paraula Cristiana* (1925-1936) era, en opinión de Tusell, la revista de mayor altura intelectual entre las que de inspiración católica se publicaron durante la Segunda República[38].

Otros varios periódicos se publicaron en lengua catalana, entre ellos el veterano *Diario* (ahora *Diari*) *Mercantil* y un primer *Avui*, que duró sólo unos meses. El último diario en lengua catalana que apareció antes de la Guerra Civil, en enero de 1936, fue *La Rambla*, «Diari catalanista de les esquerres», continuador del semanario del mismo nombre que se publicaba desde 1930.

Pero también allí se confirma que pese a la efervescencia política y el predominio del catalanismo en general y de Esquerra en particular, sigue siendo *La Vanguardia* el preferido a la hora de comprar un diario y por supuesto de anunciarse en él, a mucha distancia de todos los demás. Bajo la dirección de Gaziel, el periódico, que se adhirió a la República y defendió el Estatuto, siempre desde una postura moderada y equilibrada, alcanzó las mayores tiradas de su historia hasta entonces.

La caída de la Dictadura había producido una reactivación del nacionalismo gallego, dividido en distintas tendencias. Ya en la República, el autonomismo de la ORGA (Organización Republicana Gallega Autónoma), que entró a formar parte de los gobiernos del primer bienio, en los que Casares Quiroga desempeñó cargos ministeriales, era un autonomismo aguado para los galleguistas que en diciembre de 1931 constituyeron en Pontevedra el

Partido Galeguista, un «verdadero partido autonomista», en cuyo seno, como había ocurrido desde los comienzos del nacionalismo gallego con el nacimiento de las Irmandades da Fala en 1916, conviven muy distintas ideologías, origen de tensiones internas y de escisiones, con el correspondiente reflejo en su prensa. Prensa que tiene una muy escasa entidad cuantitativa en relación con la presencia del nacionalismo, que alcanza en el periodo un peso político muy superior al de etapas anteriores. Poco más de la mitad de los periódicos están escritos íntegramente en gallego. Pese a sus progresos como lengua de cultura y comunicación pública, todavía quedaba mucho camino por recorrer, como observa Justo Beramendi[39]. *A Nosa Terra*, el órgano de las Irmandades da Fala, pasa desde abril de 1932 a convertirse el órgano oficial del Partido Galeguista y abandona los contenidos culturales de etapas anteriores (*Nos* sigue cumpliendo esa función) para convertirse en una publicación exclusivamente política. Portavoz del ala neotradicionalista y católica del partido, en conflicto cada vez más acentuado con la tendencia mayoritaria, es *Heraldo de Galicia* de Orense, inspirado por Vicente Risco y Ramón Otero Pedrayo, mientras que su ala izquierda publica en 1935 en Santiago *Ser*.

Más que éstas y otras pequeñas publicaciones partidistas, contribuyó a que fueran conocidos los ideales del nacionalismo *El Pueblo Gallego* de Vigo que, fundado en 1924 por Portela Valladares, es en estos años, con 30.000 ejemplares, el diario de mayor difusión de Galicia.

14. La Guerra Civil

Relativamente fracasada la sublevación militar contra el gobierno del Frente Popular, iniciada el 17 de julio de 1936 en las posesiones españolas del norte de África y extendida a la Península el día 18, y dividido el territorio español en dos zonas, de acuerdo con el triunfo o el fracaso de la rebelión, la guerra se hizo inevitable. No la «guerra relámpago» que pronosticaban los más optimistas de los sublevados, sino una «guerra de los mil días», devastadora en su transcurso y en sus consecuencias. Las primeras noticias de aquel acontecimiento que iba a alterar tan profundamente sus vidas las recibieron los españoles por la radio. Empezaremos también por ella la descripción de las alteraciones que sufrió el sistema comunicativo, un auténtico cataclismo en realidad.

1. La radio

«Entre las enseñanzas que de la guerra hemos recibido, no es la de menos cuenta la de la importancia de la radio», se diría en un artículo de la revista *Radio Nacional* a comienzos de 1939[1]. Más adecuada a las circunstancias de la guerra que la prensa escrita por su inmediatez, su capacidad de traspasar las barreras y de apelar a las emociones con mensajes simples, la radio fue durante la guerra el medio sin duda más popular. Oídas en público o en privado, con grandes altavoces instalados en lugares públicos, sistema propiciado por las autoridades, o con el sonido muy bajo cuando se trataba de oír clandestinamente las emisoras del otro bando[2], los españoles, al menos los que vivían en concentraciones urbanas, estuvieron pendientes del todavía reciente medio, que alcanza en estos años su definitiva mayoría de edad.

Todos pendientes del todavía novedoso aparato, desde el 18 de julio de 1936 —en que desde las emisoras canarias, del norte de África y Radio Sevilla, los generales sublevados lanzan el Manifiesto justificando la rebelión, mientras que el Gobierno desmentía desde Unión Radio Madrid la gravedad de la situación— hasta el 1 de abril de 1939, en que, a las 11 y cuarto de la noche Fernando Fernández de Córdoba leía ante los micrófonos de Radio Nacional de España en Burgos, el célebre parte oficial, firmado por el «Generalísimo, Franco», en el que se comunicaba que «cautivo y desarmado el Ejército rojo, han alcanzado las tropas nacionales sus últimos objetivos. La guerra ha terminado».

Y en el medio, de los hechos trascendentes o menudos de la marcha de la guerra, escuchados a veces en emisoras del bando enemigo, sintonizadas intencionadamente o por casualidad. Es significativa la anotación de Azaña en su diario, el 20 de junio de 1937 de la manera cómo «he sabido la pérdida de Bilbao»:

> Anoche alguien de esta casa abrió la radio, contra lo que se usa. Salió una estación hablando en catalán. Creíamos un momento que sería Barcelona. Pero no: bien pronto se advirtió que era una estación de los enemigos. Describía la entrada del ejército victorioso en Bilbao [...] Después, repitieron el relato en castellano [...] Serían las doce de la noche cuando un ayudante mío habló con un jefe del Estado Mayor. No tenían noticias de la caída de Bilbao. Telegramas oficiales no habían llegado ninguno. Noticias particulares se recibían algunas, pero eran contradictorias[3].

Que el presidente de la República, no muy aficionado a la radio, se enterase por ella de un desastre de tal calibre es de una elocuencia que no necesita ser ponderada sobre el papel de este medio en aquellas circunstancias.

En julio de 1936 había en España 67 emisoras comerciales de onda media, integradas en su mayor parte en la cadena Unión Radio que, como hemos visto, venía ejerciendo una hegemonía lindante con el monopolio. Todas ellas fueron incautadas desde el primer momento; en la zona republicana por el Gobierno (el de la Generalitat en Cataluña); en la autodenominada nacional por el ejército, la Falange o, en menor medida, los requetés. Las emisoras de mayor potencia quedaron en poder de la República, puesto que en las más grandes ciudades fracasó la rebelión. Únicamente Radio Sevilla, desde donde lanzaba sus famosas charlas el general Queipo de Llano, tenía una potencia relativamente importante. Este desequilibrio quedaría subsanado con la creación de Radio Nacional de España, más potente que todas las demás, instalada con la inestimable colaboración material y técnica alemana en enero de 1937; primero, en Salamanca y, a partir de 1938, en Burgos.

Existían además en el momento de estallar la guerra centenares de emisoras de onda corta, pertenecientes a partidos, sindicatos u otras organizaciones, que coexistieron con las emisoras de onda media, especializadas sobre todo en la contrapropaganda, la interferencia de emisoras del bando contrario o servicios se socorro[4]. Las numerosas emisoras de radioaficionados, de onda corta y extra-corta, fueron prohibidas en ambas zonas, pero siguieron actuando clandestinamente y cumplieron su misión en manos de los quintacolumnistas en Barcelona o Madrid, por ejemplo[5].

Al igual que, como veremos, ocurrió con la prensa, en la zona «nacional», tras unos primeros meses de relativa pluralidad de voces a través de la radio, a partir del decreto de Unificación de abril de 1937 y más todavía con la constitución del primer gobierno de Franco el 30 enero de 1938, con Serrano Suñer como ministro del Interior, y Antonio Tovar como jefe de la Sección de Radiodifusión —dependiente de la Delegación Nacional de Propaganda, a cargo de Dionisio Ridruejo— con competencias sobre todas las emisoras de la España franquista, se produjo aquí también la unificación, una centralización con Radio Nacional de España como protagonista, con sus «partes de guerra» de obligada conexión para todas las emisoras (obligación que se mantendría hasta octubre de 1977).

Ya no serían posibles sucesos como el de 2 de febrero de 1937, cuando la Delegación del Estado para Prensa y Propaganda (dirigida por entonces por Vicente Gay) prohibió dar publicidad al discurso que José Antonio Primo de Rivera había pronunciado un año antes, durante la campaña electoral, el más «revolucionario» de los suyos[6] (proponía el «desmontaje revolucionario del capitalismo»); a pesar de lo cual, la Junta de Mando de Falange lo imprimió y distribuyó y su texto fue leído ante los micrófonos de Radio Valladolid, precisamente por Antonio Tovar, por decisión de Dionisio Ridruejo. Ambos fueron detenidos, junto con otros falangistas, aunque en seguida se dio «carpetazo» al asunto[7].

Dos días después de constituirse aquel primer Gobierno, el 1 de febrero de 1938, daba fin el fenómeno más singular de la utilización de la radio en la Guerra Civil, un éxito comunicativo único, las charlas que el general Queipo de Llano venía dando todas las noches, desde el mismo momento de la rebelión militar, desde los micrófonos de Unión Radio Sevilla[8]. El general, díscolo con todos los gobiernos, actuaba a su aire en la capital andaluza como un virrey, como se dijo. Sus charlas, espontáneas, en tono familiar, con un desgarrado estilo popular —intencionadamente chabacano, que combinaban la ferocidad con la campechanería y un humor de trazo grueso, todo ello potenciado por su voz aguardentosa—, eran muy escuchadas en ambos bandos, manteniendo la esperanza o sembrando la inquietud y el desánimo. Los que residiendo en zona republicana se sentían identificados con el otro bando, sintonizaban clandestinamente sus receptores con Radio Sevilla para oír las soflamas del general. A veces, en los primeros tiempos y en determinadas zonas, se atrevían incluso a hacerlo públicamente. Carmelo Garitaonandía cita el caso de Andoain en Guipúzcoa, donde los dos más significados derechistas «solían poner a Queipo de Llano en voz alta, para que la gente lo oyese desde la calle, y a los que se les terminó incautando el receptor». Desde luego, tal cosa no hubiera sido posible en Madrid o Barcelona, o los osados hubieran corrido peor suerte que la incautación del aparato. En cualquier caso, el 11 de septiembre de 1936 una orden del director general de Comunicaciones trataba de poner fin a ese tipo de prácticas, mandando requisar el receptor de radio de todas las familias «donde no exista una persona que esté afiliada a uno de los partidos que integran el Frente Popular o Agrupaciones afectas al mismo», medida justificada por *El Liberal* de Bilbao el día 17, con el argumento de que «la excesiva tolerancia en el uso de las máquinas receptoras había llevado a que

> los elementos desafectos al régimen llegaban en su osadía a lanzar a las calles, por los balcones y ventanas de sus domicilios las voces destempladas de los generales facciosos, propalando mentiras y calumnias y groseros insultos contra los hombres representativos de la República Española [...]. La España republicana no puede oír más voces que las que llevan el entusiasmo a los corazones y levantan el espíritu y animan a la lucha[9].

Sin duda, muchos aparatos, bastantes no declarados, escaparon a esa disposición.

En uno y otro bando, si las autoridades trataban de controlar las audiciones clandestinas de las emisoras enemigas, fomentaban en cambio las audiciones públicas de las emisoras propias, colocando altavoces en balcones de edificios públicos. Miles de madrileños se concentraron en la Puerta del Sol y en otros lugares para oír desde los micrófonos instalados por el Gobierno, los despachos oficiales falsamente tranquilizadores y los discursos de los líderes políticos (el célebre «No pasarán» de Pasionaria), mientras que los barceloneses hacían lo propio en la plaza de Sant Jaume para oír el discurso de Companys. En Monforte de Lemos, según cuenta en sus memorias el periodista Luis Moure Mariño, las autoridades republicanas requisaron la radio de su familia, la única que había en el pueblo para ponerla en el balcón de la plaza, sintonizando Unión Radio Madrid[10]. Un decreto de 13 de septiembre de 1937 en la zona nacional, eximía de pagar la licencia de 75 pesetas anuales a los propietarios de cafés, bares, restaurantes y otros establecimientos públicos que instalasen receptores con altavoces en sus locales[11].

Mientras en el bando «nacional» la disciplina que impone una única voz es la norma cada vez más claramente impuesta, en el republicano, las distintas autoridades, fuera la Junta de Defensa de Madrid, los gobiernos centrales que se sucedieron, o la Generalitat no fueron capaces de imponer un criterio único. Partidos y sindicatos emiten por sus emisoras de onda corta sus mensajes, distintos, con frecuencia contradictorios, cuando no francamente enfrentados entre sí y con el Gobierno.

La situación de guerra encarnizada no supone que las emisoras de una y otra zona prescindan de una programación «normal»: junto a los partes de guerra, la propaganda, las alertas de bombardeo, etc., los atribulados radioyentes podían distraerse de sus preocupaciones con programas musicales, dramáticos, humorísticos, femeninos infantiles, retransmisiones deportivas....

También en las trincheras, los soldados podían evadirse en los momentos de descanso escuchando los programas específicamente destinados a ellos por emisoras suyas o del enemigo, bien desde la retaguardia o con unidades móviles, colocadas en las proximidades de los frentes para que pudieran ser oídas tanto desde las propias trincheras como desde las del enemigo, para levantar su moral o para tratar de hundirla y animar a la deserción. O simplemente para entretenerlos, y para eso valía tanto el programa amigo como el enemigo («Esta parte hablada es muy aburrida, pero no durará mucho, luego viene la música», le dijo un soldado republicano a la corresponsal de guerra norteamericana Martha Gellhorn, en el frente de Madrid, mientras oían una emisora franquista por los altavoces escondidos cerca de las trincheras[12]). Hubo así una guerra de altavoces en los frentes, en la que el protagonismo correspondió en el lado republicano al «Altavoz del Frente», organizado por el Partido Comunista, mientras que en el lado «nacional» su organización correspondía a las Compañías de Radiodifusión y Propaganda en los Frentes.

2. La prensa

Los condicionamientos que impone una situación bélica son siempre negativos para la prensa. La información veraz es su primera víctima mortal, sustituida por la propaganda[13]; es inevitable la imposición de la censura, tanto sobre la información como sobre la opinión, centrando el objetivo en la denigración del enemigo y la elevación de la moral del propio bando, bien sea entre los combatientes o en la retaguardia; se dificultan, cuando no se imposibilitan, los sistemas de recepción de noticias y de distribución de ejemplares; el aprovisionamiento de papel puede convertirse en un problema acuciante, etc.

Todo ello agudizado en una guerra civil de la duración y de la ferocidad de la nuestra, que supuso un hachazo, una brutal solución de continuidad en la evolución sin fisuras que venía experimentando la prensa desde las últimas décadas del siglo XIX. La ruptura se produjo desde el mismo momento de la rebelión, en el que en uno y otro bando, del mismo modo que se producía la sangrienta represión sobre las personas sospechosas de simpatías con el contrario, se procedía a la incautación de los periódicos considerados desafectos al propio. En las localidades en que inicialmente fracasó la sublevación, pero fueron luego conquistadas por las tropas franquistas, a las incautaciones de un signo sucedieron las de otro, hecho naturalmente generalizado al final de la contienda. El caso más notorio de las incautaciones por parte republicana, seguidas por las franquistas es el de el País Vasco: en Álava triunfó desde el principio la sublevación, pero San Sebastián permaneció en el bando republicano hasta el 13 de septiembre de 1936 y Bilbao hasta junio de 1937, con los consiguientes cambios radicales en la prensa[14]. Si tras la aprobación del Estatuto de autonomía, en octubre de 1936, la prensa nacionalista alcanzó su máxima expansión, sus periódicos serían incautados, como los de los partidos republicanos y centrales sindicales a medida que el territorio vasco era conquistado por las fuerzas rebeldes. El PNV publicaría en Barcelona desde diciembre de 1937 hasta enero de 1939 el diario *Euzkadi*.

2.1 La prensa en la zona republicana

La estructura del gobierno republicano del Frente Popular se desmoronó no sólo en la zona sublevada, sino también en la resistente, en la que la movilización espontánea de las masas produjo un desbordamiento del poder de las fuerzas políticas y sindicales, más o menos organizadas en juntas y comités, que vinieron en principio a llenar el vacío de un Gobierno desconcertando e inoperante[15]. El «pueblo en armas» frenó la sublevación, pero estas organizaciones se convirtieron en el poder *de facto*, con objetivos y conceptos distintos sobre la guerra y el modelo de sociedad que habría de surgir de ella, con la consiguiente falta de la unidad necesaria para enfrentarse al enemigo. El gobierno de Largo Caballero, que se proponía recomponer los organismos del Estado, se vio minado por la falta de consenso en su mismo seno, y el de Negrín, con una idea clara, sustentada por los comunistas, de renuncia a la revolución para ganar la guerra, no logró que sus tesis fueran aceptadas por todos, ni mucho menos ganar la guerra. Añádanse los conflictos del gobierno central con la Junta de Madrid y con los gobiernos autónomos, el de Cataluña sobre todo, y el de el País Vasco en su momento. Lo cierto es que, pese a los intentos y a las declaraciones de unidad, cada uno hacía la guerra por su cuenta y si ésa no fue la única, ni quizá la principal causa de que se perdiese, sin duda fue una de ellas.

Las consecuencias en el terreno de la prensa fueron la existencia de periódicos de muy distintas tendencias, desde el simple republicanismo calificado de «burgués» por los órganos de los movimientos obreros hasta el anarquismo más izquierdista y revolucionario, tendencias frecuentemente enfrentadas, pese a una censura no siempre imparcial[16], en agrias polémicas, como fue el caso más notorio, pero no el único, de la feroz hostilidad entre los comunistas de la línea oficialista estalinista de un lado y los comunistas heterodoxos del POUM y los anarquistas de otro. Todos los partidos y todas las organizaciones obreras tuvieron su o sus periódicos.

Muchos de ellos lo lograron o mejoraron sus instalaciones gracias a las incautaciones de los periódicos preexistentes antirrepublicanos, o no afectos al Frente Popular. Algunas personas perdieron la vida o corrieron el riesgo de perderla, pese a su lealtad republicana, a no haber aprobado la rebelión ni mucho menos estar comprometidas con ella; la misma suerte corrieron algunos periódicos, cuyo republicanismo moderado no era aval suficiente en una situación revolucionaria. Los periódicos de empresa inequívocamente republicanos fueron sometidos, para evitar posibles desviaciones, al control de comités obreros de su misma redacción y talleres, dependientes del sindicato correspondiente.

El 18 de julio se publicaban en Madrid 14 diarios; otros dos, *La Época* y *Ya* habían sido suspendidos unos días antes (el último número que vio la luz de *La Época* fue el del día 11, y el de *Ya,* el del día 15[17]).

Los más importantes eran periódicos de empresa: los matutinos *ABC*, *Ahora*, *La Libertad, El Debate*, cuya empresa Editorial Católica editaba también el vespertino *Ya; El Liberal* de la Sociedad Editora Universal como el vespertino *Heraldo de Madrid*; *El Sol* y el vespertino de la misma Compañía Editorial Española *La Voz*. Vespertino era *Informaciones*.

Portavoces de organizaciones políticas eran *Política* (de la Izquierda Republicana de Azaña), *El Socialista;* el también socialista, en el ala izquierda del partido *Claridad;* el comunista *Mundo Obrero,* y, en el polo opuesto del espectro el carlista integrista, *El Siglo Futuro*.

Naturalmente, fracasada en Madrid la rebelión, algunos periódicos tenían las horas contadas. El 20 de julio a las 2 y media de la tarde el Ministerio de la Gobernación informaba a través de Unión Radio de que el Gobierno se había incautado de *ABC*, de los diarios de la Editorial Católica, de *Informaciones* y de *El Siglo Futuro*. En realidad, las incautaciones se producirían en las horas y días siguientes y no por el Gobierno, sino por los sindicatos, sobre todo por UGT, mayoritario en Madrid y concretamente entre los obreros tipógrafos. El primero fue *Informaciones*, cuya cabecera había sido adquirida poco antes por el ex ministro del Partido Radical, Salazar Alonso (que sería condenado a muerte y ejecutado en el mes de septiembre), pero cuyas instalaciones seguían perteneciendo a Juan March: esa misma tarde del día 20 salía con un «¡Viva el Frente Popular!», convertido en portavoz del sector centrista del PSOE, que sumaba así un vespertino al matutino órgano oficial *El Socialista*.

ABC, incautado también por UGT, se adscribiría al más moderado de los partidos del Frente Popular, Unión Republicana, bajo la dirección en los primeros días de Augusto Vivero y después de Elfidio Alonso, aunque esa adscripción no se haría explícita hasta el 5 de mayo de 1937, en que añadió al subtítulo «Diario Republicano de Izquierdas», que llevaba desde el 25 de julio, el de «Órgano de la Unión Republicana», sustituidos ambos en agosto de 1938 —cuando dejó de ser portavoz del partido—, por el más genérico «Diario al servicio de la democracia».

La revista de la misma empresa, *Blanco y Negro*, que había suspendido su publicación en los primeros días de la guerra, la reanudó en abril de 1938.

La edición que el diario venía editando en Sevilla desde el 12 de octubre de 1929 quedó en poder de Prensa Española, cuyo máximo representante, Juan Ignacio Luca de Tena, había tenido un papel significativo en los preparativos de la sublevación, y fue uno de los periódicos más importantes de la zona franquista. En 1979, el diario publicaría en ochenta fascículos, bajo la dirección de Javier Tusell y bajo el título de «*ABC,* doble diario de la guerra civil», una selección de lo publicado por ambos diarios desde sus antagónicas posturas en aquellos tres años[18].

ABC e *Informaciones* fueron los únicos que conservaron sus nombres, al servicio ahora de posturas políticas contrapuestas a las que hasta entonces habían defendido. Los talleres de los diarios de Editorial Católica dejaron de imprimir *El Debate* y *Ya*, para ser ocupados por *Mundo Obrero* y *Política*. Las vetustas instalaciones de *La Época* fueron para *El Sindicalista* de Ángel Pestaña. Y las del diario más reaccionario, *El Siglo Futuro* para el anarquista *CNT* que suspendido en octubre de 1934 reaparece el 24 de julio, resaltando con comentarios muy irreverentes el contraste entre «El olor de santidad de la casa y el materialismo ateo de nuestra redacción». En febrero de 1937 inicia su publicación otro diario anarquista *Castilla Libre*, dirigido por Eduardo de Guzmán.

Era inevitable la incautación de todos estos diarios francamente derechistas. Pero no corrió mejor suerte, en aquella situación revolucionaria, *Ahora*, de Editorial Estampa, que —aunque desde luego no identificado con la política del Frente Popular— había mantenido una postura legalista, bajo la dirección de su empresario, Luis Montiel y la subdirección del gran periodista Manuel Chaves Nogales. Ambos estaban fuera de España el 18 de julio. Ante los intentos de la CNT de hacerse con el diario y los ataques de *Claridad*, que instaba al Gobierno el día 21 a incluirlo en la lista de periódicos incautados por ser «el enemigo periodístico número uno», el «más peligroso —por fingir lealtad— de todos», los delegados obreros de la empresa incautaron formalmente ante notario todas las publicaciones de Editorial Estampa. El nombre de Montiel desapareció, no el de Chaves que a su regreso siguió al frente del periódico, aunque muy mediatizado, y en noviembre de 1936, cuando el Gobierno abandonó la capital optó por abandonar él también el periódico y exiliarse. El 1 de enero de 1937, el diario pasaba a ser portavoz de las Juventudes Socialistas Unificadas, bajo la dirección de Fernando Claudín. La revista *Estampa*, de la misma empresa, seguiría publicándose hasta agosto de 1938 (su competidora de Prensa Gráfica S.A., *Crónica,* hasta diciembre del mismo año).

En los otros periódicos de empresa a los que no se les podían atribuir actitudes antirrepublicanas, ni siquiera solapadas, se establecieron comités obreros encargados de velar para que no se produjeran desviaciones, lo que no dejaba de ser una manera de expropiación, bien que sólo moral e ideológica. Dependiendo de sus posturas antes de la guerra, unos periódicos fueron *incautados* y otros *intervenidos*, según la terminología del Decreto del 23 de febrero de 1937 sobre Intervención e Incautación de Industrias. La intervención fueron los casos de *La Libertad*, *El Liberal* y *Heraldo de Madrid*, *El Sol* y *La Voz*. Pero también se produjo en los órganos de partidos o sindicatos como *Política*, *El Socialista*, *Mundo Obrero* y *Claridad*. Pero, a diferencia de estos últimos, la vida de los diarios de empresa estaba amenazada porque, ante la angustiosa falta de papel, que obligó a reducir al mínimo la paginación (a dos o cuatro páginas en los días del asedio en noviembre de 1936), pendía sobre ellos la espada de Damocles de la suspensión, que se proyectó en varias ocasiones, aunque no llegó a llevarse a cabo. En noviembre de 1936, el consejero de Orden Público de la Junta de Madrid, Santiago Carrillo, propuso permitir sólo la edición de los periódicos correspondientes a las organizaciones políticas y sindicales y suprimir los demás[19]. Un año más tarde, el presidente del Gobierno, Juan Negrín, en una visita a Madrid pronunció el 22 de octubre un discurso ante los micrófonos de Unión Radio que tuvo que crear inquietud en los periódicos, por cuanto tras señalar que la prensa «prolonga y amplia las polémicas, y no es raro que según el voltaje pasional de quienes escriben en los periódicos, el examen desapasionado de las cuestiones doctrinales ceda lugar al comentario iracundo y agrio de las anécdotas» advertía de que

> el Gobierno se dispone a estudiar si es llegado el momento de que se sacrifique [...]. Son demasiado abundantes los esfuerzos inteligentes que monopoliza la prensa. Son muy numerosos los periódicos que se editan. Ese exceso de papel impreso no siempre está plenamente justificado[20].

No acababan ahí las tribulaciones de la prensa en el Madrid de la guerra. Los bombardeos dañaron las instalaciones de algunos periódicos, obligándoles a cobijarse temporalmente en las de otros colegas (*Informaciones,* en las de *El Socialista; La Libertad* y *Ahora,* en las de *ABC; CNT,* en las de *El Sol* y *La Voz*). Las redacciones se quedaron en cuadro: unos periodistas optaron por abandonar Madrid, otros fueron movilizados y algunos murieron en los frentes[21]. Antes de la guerra, la prensa editada en Madrid, o gran parte de ella, era más que prensa «madrileña», prensa nacional, que distribuía la mayor parte de sus ejemplares fuera de la capital y de la provincia, cosa que por razones obvias era ahora imposible en algunas zonas y muy difícil en las demás; las tiradas hubieran descendido drásticamente por esta causa, pero fue sobre todo la falta de papel la que hizo que el descenso fuera vertiginoso, hasta situarse por debajo de los 10.000 ejemplares, cuando varios de esos periódicos habían superado ampliamente los 100.000, e incluso un par de ellos los 200.000. Los ingresos por publicidad, fuente fundamental de financiación, se redujeron extraordinariamente.

Uno de los posibles arbitrios de esta prensa independiente para subsistir era dejar de serlo para ponerse bajo la protección y la subvención de una organización política y convertirse en su portavoz oficial u oficioso. Casi todos lo intentaron en algún momento. Lo hicieron *El Sol* y *La Voz*, cuya situación era ya crítica antes de la guerra, tras las múltiples vicisitudes empresariales y la imparable decadencia que habían experimentado en los años republicanos. Tras fracasar las negociaciones con el PNV, que aspiraba a tener un órgano en Madrid[22], a finales de mayo de 1937, *El Sol* y *La Voz* se convertían, mediante la aportación de 8.000 pesetas semanales a cada uno de ellos, en portavoces, respectivamente, del Partido Comunista (que añadía así un diario matutino al vespertino *Mundo Obrero*) y de la también comunista Alianza de Intelectuales Antifascistas, que pasó a publicar en la última página de *La Voz*, con periodicidad semanal su revista literaria, «hoja de combate», *El Mono Azul*, que a cargo sobre todo de Rafael Alberti y María Teresa León venía publicándose desde agosto de 1936[23]. Pero el acuerdo fue roto al cabo de un año por el Partido Comunista y la Alianza; *El Sol* cambió su subtítulo de «Diario de la mañana del Partido Comunista de España, sección española de la Internacional Comunista» por el genérico de «Órgano de expresión de la democracia nacional» el 15 de junio de 1938, y la empresa subsistió a duras penas, gracias a las publicaciones ajenas que se tiraban en su imprenta[24] y a la reducción de personal y de salarios.

Como los habitantes de la ciudad, los periódicos se las arreglaron como pudieron para resistir en circunstancias de extrema penuria hasta el final de la guerra. En la mañana del 28 de marzo de 1939, con la ciudad ya ocupada por los quintacolumnistas que habían salido de sus refugios y las tropas franquistas a punto de entrar en ella (lo harían aquella misma tarde) se publicaron aún *ABC, Castilla Libre*, *El Liberal*, *Política* y *El Socialista*.

Vicisitudes semejantes, *mutatis mutandis*, a las de la prensa madrileña experimentó la de las otras grandes ciudades que permanecieron en la zona republicana. En Barcelona[25] correspondió la labor incautadora al gobierno de la Generalitat, a los partidos de izquierdas —Ezquerra Republicana, el POUM— o al sindicato hegemónico, CNT.

En aquella situación revolucionaria, sólo tenían asegurada su continuación las publicaciones republicanas de izquierda, como las de Esquerra Republicana de Catalunya *La Humanitat*, *Última Hora*, *La Rambla*[26]; *La Publicitat,* de Acció Catalana; el veterano republicano independiente *El Diluvio;* o el órgano de la CNT, *Solidaridad Obrera*.

En el polo opuesto, el carlista *El Correo Catalán* estaba destinado a la inmediata incautación, que corrió a cargo del partido comunista antiestalinista POUM, que editó en sus instalaciones sucesivamente *Avant* y *La Batalla*.

El órgano de la Lliga, *La Veu de Catalunya*, cuyo máximo representante, Francesc Cambó, apoyó la sublevación[27], fue incautado por el gobierno de la Generalitat, para pasar después al control de la CNT y desaparecer en 1937. El vespertino del mismo partido *L'Instant* fue también incautado por el sindicato anarquista. En sus instalaciones se publicaron *Catalunya* y *CNT*.

El diario más difundido con mucha diferencia en Cataluña, y uno de los más difundidos de España, *La Vanguardia*, que bajo la dirección de Agustín Calvet, «Gaziel», se había adaptado a la República, siempre con el espíritu de moderación y pragmatismo que lo ha caracterizado a lo largo de sus hoy 125 años de vida, fue incautado en un primer momento, por la Generalitat, para evitar, como en el caso de *La Veu* el desbordamiento de las milicias, y su director Gaziel, que había permanecido a su frente, fue conminado a exiliarse para evitar males mayores[28]. Se hizo cargo después del diario un Comité Obrero, que nombró directora a la redactora María Luz Morales. Luego sería sustituida por Paulino Masip. Tras el traslado del gobierno central a Barcelona en 1938, estuvo en la órbita de su presidente, Negrín.

El independiente *Las Noticias* se convirtió en portavoz de UGT y *El Noticiero Universal* fue sometido al control de un comité obrero. El veterano *Diario de Barcelona*, incautado por Estat Català, pasó a publicarse en catalán, con la consiguiente catalanización de su nombre: *Diari de Barcelona*.

Menos justificada estaba la incautación de *El Matí*, diario de Unió Democrática Catalanista, partido inequívocamente situado en el campo republicano. Sólo su condición de católico explica su expropiación por el PSUC, que editó en sus instalaciones *Treball*.

En Valencia[29], el periódico más próximo a la política del Frente Popular era *El Mercantil Valenciano*, diario independiente republicano, próximo a la Izquierda Republicana de Manuel Azaña. Intervenido en principio por un Comité sindical mixto de CNT y UGT, tras la llegada del Gobierno a Valencia en noviembre de 1936 se produjo una lucha por su control entre los sindicatos y el partido de Izquierda Republicana, resuelto finalmente a favor de éste; de acuerdo con el carácter del partido mostró una postura moderada.

Aunque también republicano, *El Pueblo*, el diario fundado por Vicente Blasco Ibáñez[30] —del que desde 1929 era propietario y director su hijo Sigfrido—, como portavoz del Partido Autonomista muy próximo al Radical de Lerroux, no podía continuar en la nueva situación desencadenada por la guerra. Incautado primero por el partido de Unión Republicana, fue luego órgano del Partido Sindicalista.

En las instalaciones del monárquico *Las Provincias*, se publicó durante unos días el órgano sindical unitario *UGT-CNT*, pero la pretendida unidad se hizo imposible y a partir del mes de agosto se editó el anarcosindicalista *Fragua Social*, que defendió la postura anarquista de la necesaria simultaneidad de la guerra con la revolución y se opuso violentamente a los comunistas y al gobierno Negrín.

En las instalaciones de *Diario de Valencia*, órgano de la Derecha Regional Valenciana, integrada en la CEDA, se editó *Verdad*, que pretendía ser, según decía su subtítulo, un «Diario político de unificación editado por los Partidos Comunista y Socialista»; unificación también difícil: los socialistas editaron *Adelante,* y los comunistas, *Frente Rojo* y nuevamente *Verdad*, ya íntegramente comunista (en los talleres del monárquico *La Voz Valenciana*), además del órgano de las Juventudes *La Hora*.

La Correspondencia de Valencia fue portavoz de la UGT, en una línea plenamente identificada con Largo Caballero. Tras la caída de su gobierno y su sustitución por el de Negrín, se entabló una lucha por la dirección del periódico, que se resolvería a finales de noviembre de 1937 en contra del sector largocaballerista y a favor del liderado por González Peña, que se haría con el control del diario.

2.2 Prensa «nacional»

En un reciente artículo citaba Baltasar Porcel las palabras de «un amigo de Barcelona rico y culto», que se había pasado a la zona nacional en la guerra:

> Nosotros tuvimos una cosa importante: luchábamos por España y por Dios. Esto convencía. Mientras los otros eran rojos, republicanos, comunistas, anarquistas, catalanistas, no había una idea ni un nombre que los unificara y los trascendiera[31].

Es cierto que frente al pluralismo de tendencias y objetivos, frecuentemente enfrentados, que hemos descrito someramente en el bando republicano, en el sublevado se impuso bastante rápidamente la disciplina y la unidad política. No sin dificultades, porque lo cierto es que entre los diversos sectores sociales y políticos que se sumaron a la rebelión militar —monárquicos alfonsinos, tradicionalistas, falangistas, cedistas, la Iglesia— había también no pocas diferencias, que se daban incluso en el seno de cada uno de los grupos.

En ese luchar «por Dios y por España» (o por su concepto de ambas abstractas entidades), cada grupo ponía más énfasis en uno u otro de los términos. El totalitarismo político y el integrismo religioso no eran lo mismo y se expresaban en lenguajes muy distintos[32]. El cardenal Gomá lo exponía con claridad en un informe al cardenal Pacelli, secretario de Estado del Vaticano y futuro papa Pío XII en agosto de 1936:

> [...] no puede precisarse el móvil que ha impulsado a cada uno de los directores del movimiento. Unos se mueven, sin duda, por el ideal religioso al ver profundamente herida su conciencia católica por las leyes sectarias y laicizantes y por las desenfrenadas persecuciones; otros, por ver amenazados sus intereses materiales por un posible régimen comunista; muchos, por el anhelo de una paz social justa y por el restablecimiento del orden material profundamente perturbado; otros, por el sentimiento de unidad nacional amenazado por las tendencias separatistas de algunas regiones...[33]

Pero una vez concentrado el poder militar y el político en la persona de Franco, tras su designación el 1 de octubre de 1936 como jefe del Estado, del Gobierno y Generalísimo de los ejércitos, se fue creando la estructura del Nuevo Estado dictatorial, que integra en una unidad aceptada de mejor o peor grado a todas las «familias» del régimen. Culmina ese proceso el Decreto de Unificación de abril de 1937, que crea el partido único por fusión de los dos grupos más activos, la Falange y los tradicionalistas, bajo el título de Falange Española Tradicionalista y de las Juntas de Ofensiva Nacional Sindicalista (FET y de las JONS), bajo la jefatura de Franco, integrando así «la fuerza tradicional» en «la fuerza nueva», como decía el preámbulo del decreto, que en su artículo 1 disponía: «Quedan disueltas las demás organizaciones y partidos políticos».

En efecto, frente al añejo reaccionarismo de los otros grupos, la Falange anterior a la guerra era una «fuerza nueva», un partido «moderno», un fascismo a la española, con un discurso de radicalidad social, que pretendía atraer a las masas proletarias, una pretendida síntesis «vaga y retórica» «entre los valores nacionales y tradicionales y los valores sociales y revolucionarios»[34]. Partido minúsculo pero muy activo en los años republicanos, bajo el liderazgo indiscutido de José Antonio Primo de Rivera, experimentó, ya tras el triunfo del Frente Popular, y más tras el estallido de la guerra, un crecimiento desmesurado, al producirse una desbandada hacia sus filas desde las otras organizaciones y la adhesión de muchos que hasta entonces no habían militado en ninguna, con la consiguiente difuminación de su ideología, de por sí confusa: empezó a distinguirse ya entonces entre unos falangistas que se atribuían el calificativo de «auténticos» de los de adhesión equívoca[35]. El papel fundamental que adquiriría Serrano Suñer, procedente de la CEDA, desde que apareció en Salamanca, evadido de Madrid, en febrero de 1937, es significativo del giro del partido.

Ejecutado José Antonio en noviembre de 1936, convertido en mito como «el Ausente» por los que o no sabían, o no querían admitir, o dar publicidad a aquel hecho[36], que de todo había; muerto también Onésimo Redondo en los primeros días de la guerra, la jefatura de la Junta de Mando provisional en la persona del poco carismático Manuel Hedilla estaba lejos de ser unánimemente aceptada. Tras el decreto de Unificación sería procesado, acusado de conspiración y aunque su condena a muerte fue conmutada, desapareció de la vida pública. La «revolución» falangista quedaría definitivamente «pendiente» y Falange se convertiría en un instrumento del franquismo, que incorporó su lenguaje, sus símbolos: el saludo brazo en alto, el yugo y las flechas, el *Cara al sol*, la camisa azul, el grito *¡Arriba España!*, etc. El Nuevo Estado en construcción adoptó así, más en las formas que en el fondo, el modelo fascista, propiciado por la ayuda que al bando autodenominado nacional prestaron Italia y Alemania, y una Falange, no todo lo «auténtica» que algunos de sus componentes quisieran, adquirió un protagonismo que se prolongaría en los primeros años de la posguerra.

Protagonismo claro en el terreno de la prensa y la propaganda, existió en las primeras etapas de la guerra, una dualidad de estructuras en este terreno: una Delegación de Prensa y Propaganda falangista —dirigida antes del decreto de unificación de abril de 1937 por Vicente Cadenas y a partir de él por el sacerdote Fermín Yzurdiaga— y otra de los organismos militares, la Junta de Defensa presidida por el general Cabanellas primero y, tras la concentración de poderes en Franco, la de la Secretaría General desempeñada por su hermano Nicolás[37], mientras que en su «virreinato» sevillano Queipo de Llano actuaba a su aire. En una y otra delegaciones tuvo decisiva influencia desde febrero de 1937 el cuñado de Franco y falangista «nuevo» Ramón Serrano Suñer. Tras la constitución del primer gobierno de Franco, en Burgos, en febrero de 1938, la estructura de Prensa y Propaganda de Falange quedaba subsumida en la del Estado, dependiente del Ministerio de Interior —de Gobernación tras asumir a la muerte de Martínez Anido las competencias de Orden Público—, cuyo titular era Serrano Suñer y estaba desempeñada por falangistas. De la Dirección General de Prensa se ocupó José Antonio Giménez-Arnau, y de la de Propaganda, Dionisio Ridruejo; de él dependía, entre otras, la Jefatura de Radiodifusión, a cargo de Antonio Tovar.

Poco después, en abril de 1938, se promulgaba una Ley de Prensa, de la que su autor, el director general de Prensa, diría muchos años después en sus memorias que había sido concebida con carácter transitorio[38], pero que, nacida en las circunstancias extraordinarias de la guerra, prolongó su vigencia durante veintiocho años. Inspirada en la legislación fascista italiana, el extenso preámbulo de la ley sentaba las bases ideológicas de un concepto totalitario de la prensa como «institución nacional» al servicio del Estado, al que correspondía su «organización, vigilancia y control», como decía su artículo primero. De ese modo, aseguraba con la rotundidad del que puede decir que lo negro es blanco sin que nadie le contradiga, «redimido el periodismo de la servidumbre capitalista de las clientelas reaccionarias o marxistas, es hoy cuando auténtica y solemnemente puede declararse la libertad de Prensa». Curiosa libertad de prensa, en la que correspondía al Gobierno qué periódicos podían publicarse; nombrar a sus directores; decidir no sólo lo que no podía decirse mediante el sistema de censura previa, sino también qué había que decir y cómo, mediante el de consignas, y quién podía ser periodista, «digno trabajador al servicio de España», para lo cual se estableció inmediatamente el Registro Oficial de Periodistas, en cuya lista figuraba con el número uno Francisco Franco.

El número cinco correspondió en este primer Registro al antiguo director de *El Sol*, Manuel Aznar, que se había apresurado a pedir su inscripción y saludó la ley en una «Carta a mis compañeros los periodistas de la España nacional», publicada en *Heraldo de Aragón* el 1 de mayo:

La prensa no puede quedar fuera del Estado porque nada queda fuera de él [...]. Si el Ejército, y los órganos de la justicia (privada o social), y la universidad, y el arte, y la investigación, y la Marina, y las academias, y en fin, cuanto constituye la realidad y el tejido político, social cultural, moral y económico de España sólo pueden existir dentro del Estado, ¡absolutamente dentro del Estado!, ¿quién podrá sostener que la prensa debe significar una excepción o un privilegio? [...]. Y yo os digo, compañeros periodistas, que no habrá para perfeccionar la Ley de Prensa medio más eficaz que nuestra propia conducta, nuestra sinceridad en el cumplimiento y nuestro entusiasmo leal hacia ese «apostolado del pensamiento», para el que el Estado español nos confiere una solemne investidura[39].

En aplicación de la Ley de Prensa, se dictó una Orden el 10 de agosto de 1938, que disponía la intervención por el Servicio Nacional de Prensa del Ministerio del Interior de todo el material de imprenta de las ciudades que fueran ocupadas. Era la primera cobertura legal de las incautaciones de empresas periodísticas desafectas a la ideología del bando nacionalista, incautaciones que se habían producido desde el mismo momento de la insurrección en las ciudades en que triunfó y en las que sucesivamente se fueron conquistando y de las que fue beneficiaria Falange (en más o menos sorda competencia antes de la unificación con los tradicionalistas). Las instalaciones de periódicos de los distintos partidos republicanos, de los sindicatos y nacionalistas vascos fueron así ya durante la guerra engrosando las filas de lo que sería la cadena de Prensa del Movimiento, a la que daría definitiva sanción legal en la posguerra la ley de 13 de julio de 1940, cuyo artículo primero disponía que:

Pasarán al Patrimonio de la Delegación Nacional de Prensa y Propaganda de Falange Española Tradicionalista y de las JONS, con facultades de libre disposición, las máquinas y demás material de talleres de imprenta o editoriales incautadas por el Ministerio de la Gobernación y su Dirección General de Prensa, en virtud de la Orden de 10 de agosto de 1938, o intervenidos por los mismos con anterioridad a dicha fecha, siempre que se trate de material perteneciente a empresas o entidades contrarias al Movimiento Nacional, aunque sean actualmente poseídas o disfrutadas en precario por entidades que no dependen del expresado Ministerio o de la Delegación Nacional de Prensa y Propaganda del Partido, y aquellas que aunque no hubiesen sido materialmente incautadas debieron serlo en cumplimiento de la Orden ministerial referida.

Entre los muchos diarios que pasaron a constituir esa incipiente Prensa del Movimiento[40], el primero fue *Arriba España*, de Pamplona, que empezó a publicarse el 1 de agosto de 1936 en los talleres incautados al nacionalista *La Voz de Navarra*. Fue su alma el sacerdote falangista Fermín Yzurdiaga, «el más retórico y meloso de los discípulos que Eugenio d'Ors ha padecido», según Dionisio Ridruejo. Le auxiliaba en la tarea el joven Ángel María Pascual; ambos marcaban la línea ideológica y literaria del diario. Formaban parte del equipo redaccional, entre otros, Pedro Laín Entralgo y Rafael García Serrano, que en sus respectivas memorias se han referido a esta experiencia[41]. La lista de colaboradores equivaldría casi a la de todos los que manejaban la pluma en el lado nacionalista, entre ellos Eugenio d'Ors, recién ingresado en la Falange en un acto de increíble parafernalia, que publicó en sus páginas como sección diaria un nuevo «Glosario», muy a tono con los tópicos ideológicos del momento, Gonzalo Torrente Ballester, Ernesto Giménez Caballero, Dionisio Ridruejo, Luis Rosales, Luis Felipe Vivanco…

El rebuscado esteticismo, el barroquismo lírico, la exquisitez verbal, la manía arcaizante que se apoderó de los más asiduos colaboradores del periódico, bajo la inspiración de aquel «vaso de prosa imperial», que, a decir del diario era su Ductor, que no prosaico director, don Fermín Yzurdiaga, llegaban hasta los titulares de las secciones: «Tugurio Impar» se denominaba la de sucesos; «Gesto de la ciudad», la crónica municipal; «La vida breve», la de ecos de sociedad; «La vida eterna», la necrológica. «Relox de Príncipes», «Cartas de Cosmosia», «Silva curiosa de varia lección» eran los títulos de algunas de sus colaboraciones habituales: «Blasón Impar de femeninas lides» una información sobre Pilar Primo de Rivera, y con el título de «Don Fermín Yzurdiaga en el mármol del estilo» se daba cuenta de la concesión del premio Mariano de Cavia a aquella máquina de retórica. No todos los falangistas debían de estar de acuerdo con ese «estilo» del grupo de Pamplona, que uno de ellos, cierto que muchos años después y en un libro polémico, califica de «hermético y pseudoaristocrático», que deshumanizaba el pensamiento de la Falange «por medio de una mala retórica, en la que había imitaciones de José Antonio, Ortega, D'Ors»[42]. Como dice Rafael García Serrano, nadie murió por ello[43]. Otros aspectos del periódico, como la sorprendente violencia antisemita de alguno de sus colaboradores, hubieran sido menos inofensivos si hubiera habido judíos en Navarra.

Obra del mismo equipo, o «escuadra» para emplear su lenguaje, de *Arriba España*, era la revista *Jerarquía*, subtitulada «La Revista Negra de la Falange. Guía Sindicalista de la Sabiduría y de los Oficios». Se proponían sus fundadores que saliese con periodicidad trimestral, de ahí que se presentase como «Gozo y flor de las cuatro estaciones», pero publicó sus cuatro números, fastuosamente editados, más distanciadamente. El título reproducía el de la revista que en Italia congregaba a la intelectualidad fascista. Por si eso, su negro subtítulo y su negra portada, fuesen indicios poco claros de su deseo de emparentarse con el fascismo italiano, se databa además de con el año cristiano con el de «Año XV de la Nueva Roma». Ensayo y poesía eran los géneros que ocupaban todos sus números, encabezados siempre por el soneto imperial de Hernando de Acuña.

Inmediatamente después de la toma de San Sebastián, los falangistas procedieron a la incautación del pronacionalista *El Día*, para editar en sus talleres *Unidad*, mientras que los tradicionalistas editaron *La Voz de Espa-*

ña en los del republicano *La Voz de Guipúzcoa* y se mantuvo la propiedad (en la que tenía mayoría la empresa editora de *ABC*) del monárquico *Diario Vasco.* La capital donostiarra, paso obligado de quienes huyendo de la zona republicana se incorporaban a la nacionalista vía Francia, se convirtió en el centro de la vida cultural y en ella se publicaron, además de los diarios mencionados, varias revistas, desde la efímera revista doctrinal *FE* al lujoso *magazine Vértice*, las más populares *Fotos*[44] o *Domingo*, el humorístico *La Ametralladora*, o el infantil *Flechas y Pelayos* (producto de la forzada fusión de la falangista *Flecha* y la tradicionalista *Pelayos*), o el semanario deportivo *Marca;* todas éstas, excepto *La Ametralladora* (que tendría en cierto modo su continuidad en *La Codorniz*), trasladadas a Madrid, continuarían su publicación en la posguerra.

Pero más importante papel que esta cadena de periódicos de Falange, que llegó a alcanzar los cuarenta diarios, tuvieron quizá los diarios de empresa preexistentes, cuya trayectoria anterior a la guerra no justificaba una incautación y que continuaron perteneciendo a sus propietarios, si bien sometidos a «severas normas de conducta», como recuerda Giménez Arnau; para asegurarse el cumplimiento de ellas se imponía el director, situación contradictoria con el concepto de propiedad, pero que, al amparo de la Ley de Prensa seguirá siendo la norma durante largos años en la posguerra[45]. El falangista Maximiliano García Venero, nombrado en agosto de 1937 director de *La Voz de Galicia*, periódico que pese a su postura de republicanismo moderado a partir de 1931 se libró de ser incautado, tuvo pésimas relaciones con el representante de la propiedad, Emilio Rey. Para él, como decía, «el dueño del periódico es la Jefatura de Prensa de Burgos[46]. Meses antes había expresado contundentemente su postura, bajo su habitual seudónimo, Tresgallo de Souza, en la revista *FE* de San Sebastián:

> La Revolución Nacional que encarna la Falange destruirá el periodismo antiespañol de empresa, destruirá asimismo el periodismo de partido. No existirá en España otra prensa que la dirigida por el Estado Nacional-Sindicalista[47].

Sin duda significó más para la causa que *F.E.*, editado en los talleres incautados a *El Liberal* de Sevilla, el *ABC* de aquella ciudad, que dirigió, excepto unos meses en que lo hizo Luis de Galinsoga (que ya había dirigido el *ABC* de Madrid tras el triunfo del Frente Popular, por dimisión de Juan Ignacio Luca de Tena), un miembro de la familia propietaria, Juan Carretero y Luca de Tena.

Otros diarios de empresa, convertidos en entusiastas propagandistas más o menos voluntarios fueron *Heraldo de Aragón*, *La Gaceta del Norte* de Bilbao, *El Norte de Castilla* de Valladolid, el *Diario de Burgos, La Gaceta Regional* de Salamanca, de la Editorial Católica (convertidos de hecho los tres últimos en portavoces de Falange, como dice García Venero[48]) o el mencionado *Diario Vasco* de San Sebastián, del que el director general de

Prensa, Giménez Arnau, en vista de que la guerra se prolongaba se propuso hacer el «diario nacional», para lo que nombró director en octubre en 1938 a Manuel Aznar[49] que, con la ayuda de José Pla, se rodeó de un selecto plantel de colaboradores entre los escritores adscritos al bando nacional.

2.3 Prensa de trinchera

Los periódicos de la retaguardia eran leídos también por los soldados en los frentes, y algunos de los que se editaban cerca de alguna línea de fuego cuidaban especialmente este aspecto. Según Díaz Noci, buena parte de la tirada del primer diario publicado íntegramente en lengua vasca, *Eguna*, que se publicó entre enero y junio de 1937, se repartía en las trincheras[50].

Pero había, además, una serie de periódicos destinados exclusivamente a los combatientes, una «prensa de trinchera», que constituye uno de los fenómenos más originales de esta guerra. En el campo republicano son mucho más numerosos: 511 contabilizó Serge Salaün, algunos menos Mirta Núñez en su exhaustivo trabajo sobre el tema[51], si bien muchos de ellos no pasaron de unos pocos números a ciclostil. Las dificultades por los desplazamientos de los regimientos y la escasez de papel hacen que esta singular prensa sea en su mayor parte efímera. Surgidos de manera espontánea desde el comienzo de la guerra, en los primeros meses —en que son las milicias de voluntarios, organizadas por partidos y sindicatos quienes toman las armas contra los sublevados—, tienen un carácter mucho más político y plural. Cuando se crea el ejército regular, en el que de mejor o peor grado (de peor en el caso de los anarquistas y los comunistas no estalinistas del POUM) se integran las milicias, la prensa, dirigida desde el comisariado de guerra, es mucho más uniforme, aunque mucho más numerosa: cada división, brigada o batallón tiene su periódico.

En una reunión que tuvo lugar en julio de 1937 con responsables de cuarenta y dos periódicos de guerra y representantes de dieciocho boletines de las Brigadas Internacionales se aprobaron las «nuevas normas de orientación», adecuadas a «las nuevas modalidades de nuestra lucha». Se partía de una premisa: «Nuestra Prensa debe sostener una sola línea, que es ésta "Ganar pronto la guerra"». El periódico del frente debía ser «un agitador y un organizador de la unidad», «elevar la capacidad técnico-militar del soldado». Las reflexiones que allí se hicieron, recogidas en un interesante folleto[52], son elocuentes de las dificultades que planteaba el paso de unas milicias formadas por voluntarios que tenían una «conciencia revolucionaria» a un ejército regular con reclutas que «son gente que no pertenece a ninguna organización y que, así como se hallan en la España leal y forman parte del Ejército republicano, si se encontrasen en Burgos o en Sevilla formarían, posiblemente, en el Ejército rebelde y serían fascistas», cuyo «nivel cultural es muy bajo», que «no saben por qué luchan». Incluso se previene de que hay en algunas brigadas «amplias organizaciones», «grupos considerables» de Falange Española, «quinta columna en nuestro Ejército», contra los que hay que mantener una actitud vigilante para descubrirlos y denunciarlos.

A los reclutas hay que explicarles «lo que es la España leal y la España rebelde», «lo que es el fascismo de una manera concreta y con ejemplos vivos»; «introducir artículos sencillos sobre el manejo de las armas automáticas». Ante preocupantes

> casos de fraternización en algunos sectores del frente del Centro entre nuestros soldados y las huestes del Ejército rebelde [...] hay que hacer comprender a nuestros soldados la enorme diferencia que hay entre la propaganda en las filas enemigas y la fraternización con ellos. Hay que explicar que nosotros tratamos bien a los evadidos cuando se pasan a nuestro lado; pero mientras estén enfrente de nosotros [...] los trataremos implacablemente [...] de trinchera a trinchera no cabe otro contacto que el de las armas.

Entre los periódicos de la etapa miliciana tiene especial interés *Milicia Popular* «Diario del 5.º Regimiento de Milicias Populares», la famosa organización militar del PCE, que publicó 169 números entre el 26 de julio de 1936 y el 26 de enero de 1937. Distribuía gratuitamente sus ejemplares, que llegaban posiblemente a los 40.000, entre los milicianos de Madrid y los del frente, su principal objetivo, pero con dificultades en este último caso, ya que se editaba en Madrid en los talleres de Prensa Española. Colaboraron en él autores de la talla de Alberti, Bergamín, Sender, José Herrera Petere y periodistas de éxito como Antonio Zozaya o Luis de Tapia.

Una vez constituido el ejército regular, los de mayor envergadura son *La Voz del Combatiente* y *Vanguardia*, órganos en cierto modo oficiales como «Diario de los comisarios de guerra del Ejército del Pueblo» y «Diario del Comisariado General de Guerra al servicio del Ejército del Pueblo», como rezaban sus respectivos subtítulos. Periódicos más «para» los frentes que «de» los frentes, a diferencia de otras modestas hojas elaboradas en los propios batallones, *La Voz del Combatiente* se editaba en Madrid, impreso en los talleres que habían sido de *El Debate,* y *Vanguardia,* en Valencia en los de *La Correspondencia de Valencia*. Destinados, respectivamente, a los combatientes del Ejército del Centro y del Ejército de Levante tuvieron tiradas muy importantes; sobre todo, *La Voz*, que se publicó hasta las vísperas del final de la guerra y llegó en sus mejores momentos en 1938 a sobrepasar ampliamente los 600 mil ejemplares de cuatro páginas, pese a la escasez de papel, con ilustraciones y secciones informativas, de orientación política, educación técnico militar y sanitaria y humor, aspirando en fin a que los combatientes no necesitaran leer otro periódico, porque, como declaraba, «en el suyo encuentran todo lo que pueden encontrar en los demás en cuanto a información y algo más que en los demás de orientación política, moral y técnica hecha por y para ellos»[53].

Especial interés tiene *Avance*, entre otras razones porque su publicación (500 números entre el 23 de julio de 1936 y el 13 de enero de 1938) atraviesa las etapas miliciana y de ejército regular y permite, por lo tanto, ver la evolución de la etapa más espontánea a la más dirigida[54]. Publicado en sus primeros dieciocho números en multicopista, luego en una modesta imprenta de campaña que seguía a la unidad en sus desplazamientos, desde el frente del Centro hasta el de Aragón, empezó siendo el órgano de la columna que dirigía el carismático coronel Julio Mangada, y en enero de 1937 se convierte en órgano de la 32 Brigada del ejército regular, no sin haber manifestado antes ciertas reticencias.

Entre los escasos periódicos publicados en los frentes en la zona franquista, hay que mencionar a *El Alcázar*, publicado a ciclostil —de 400 a 700 ejemplares de una sola hoja, con noticias captadas por radio— durante el asedio al Alcázar de Toledo desde el 26 de julio hasta el 26 de septiembre de 1936. Ocupado Toledo el 28 de septiembre por el general Varela, la cabecera fue utilizada por los carlistas como «Órgano de los Requetés»; luego, «Diario Tradicionalista». En vísperas del decreto de Unificación de abril de 1937, y probablemente con la intención de evitar sus consecuencias[55], se constituyó la Sociedad Anónima El Alcázar. Como diario de empresa no tuvo que integrarse en la red del nuevo partido unitario, aunque sí añadir el subtítulo «Diario de Falange Española Tradicionalista y de las JONS». Enviaba muchos ejemplares al frente. Para cumplir mejor ese objetivo trasladó parte de su redacción a Leganés y en enero de 1939 adoptó el subtítulo de «Diario del Frente de Madrid al servicio de Falange Española Tradicionalista y de las JONS». Declaraba al terminar la guerra tiradas entre 40 y 50 mil ejemplares. En junio de 1939 se trasladaría a Madrid, iniciando una historia llena de complicadas vicisitudes hasta su desaparición en 1988.

Según muchos testimonios, las secciones de humor de los periódicos tenían gran éxito entre los soldados de ambos bandos. No es extraño. Considerando sin duda que el humor es una eficaz arma de propaganda y muy apropiada para elevar la moral de los soldados, la Delegación de Prensa y Propaganda del Estado crea la revista subtitulada «Semanario de los Soldados», que empezó con el nombre de *La Trinchera* y a partir del n.º 3 se convertiría en *La Ametralladora*, advertidos al parecer sus responsables de que con aquel título existía una publicación en el bando contrario[56]. Trasladada a San Sebastián, en noviembre de 1937 se hizo cargo de ella Miguel Mihura (que hasta diciembre de 1938 firmaría Lilo) y bajo su dirección y con la colaboración de humoristas como Tono, Edgar Neville, Enrique Herreros y un jovencísimo Álvaro de Laiglesia, la revista derivó progresivamente, hasta su desaparición en mayo de 1939, hacia un humor vanguardista, basado en la incongruencia y el absurdo, que será la seña de identidad de *La Codorniz*, que en la posguerra crearán los mismos autores. *La Ametralladora*, que se repartía gratis en los frentes, se vendía también en la retaguardia y llegó a alcanzar los 100.000 ejemplares.

Algunos juzgaban inadecuado el humor en tiempos de guerra. El diario *Arriba España* de Pamplona, muy imbuido de un estilo que definía como «austero, áspero, violento e impecable», alzó su voz contra «la frivolidad estúpida» que suponía

la existencia de ciertos periódicos llamados humorísticos, impropios del momento, de mal gusto y hasta en grado de tentativa pornográficos, que son, en definitiva, un sarcasmo en circunstancias en que, siquiera por pudor, se impone un concepto serio de la vida[57].

3. Las agencias de prensa

La más importante y veterana agencia de noticias española, la Fabra, se vio duplicada en la guerra. Incautada en la zona republicana por el Gobierno, en octubre de 1936, la dirigió Carlos Esplá, mientras que su antiguo director, Luis Amato, la puso en marcha en la zona nacional: en Salamanca, primero, y en Burgos, después. En la zona republicana actuó además la Agencia Febus, de la empresa de *El Sol,* y en la nacional, precariamente, la Dux de Falange.

Sobre la base de la Agencia Fabra, a la que absorbió mediante la entrega de 360 acciones de la nueva sociedad a los antiguos accionistas, se creó ya en la etapa final de la guerra en la zona nacional una agencia a la que le esperaba una larga vida, hasta nuestros días: EFE, constituida como Sociedad Anónima el 3 de enero de 1939. Su primer director fue Vicente Gállego, que había sido director en 1935 de la Agencia de la Editorial Católica Logos[58].

El nombre de la Agencia ha sido objeto de cierta polémica. Su impulsor, el director general de Prensa, José Antonio Giménez Arnau, niega en sus memorias que fuese, como todo el mundo piensa, por la inicial de Falange o de Franco, o una mezcla de ambas, y hace crípticas alusiones a un significado que sólo él, autor de la idea conocería[59] —al parecer sería por el nombre de un querido hermano suyo, llamado Faustino, prematuramente fallecido—; algunos posteriores responsables de la agencia, que preferirían olvidar aquellos orígenes, suponen que sería por conservar la inicial de Fabra (e incluso de Febus y Faro, lo que es más absurdo); lo cierto es que lo más probable, y lo que alguien tan autorizado como Serrano Suñer ha asegurado siempre, es que fuese en efecto por la inicial de Falange, si acaso reforzada por la feliz coincidencia con la inicial de Franco[60].

4. Literatura en tiempos de guerra[61]

Con el final de la Guerra Civil concluyó también un periodo de esplendor cultural, iniciado a fines del siglo XIX. Sin ninguna hipérbole ha sido llamado «edad de plata» o «segundo medio siglo de oro». Por lo que a la literatura se refiere, se habían ido acumulando las generaciones conocidas en nuestra historia literaria con las más o menos afortunadas designaciones «del 98», «del 14» o «novecentista» y «del 27», a las que se suma en los años de la inmediata preguerra y de la guerra misma la que será conocida como «del 36»; todas ellas estaban en activo en el periodo bélico.

Una de las manifestaciones de esa extraordinaria vitalidad cultural había sido la creación de revistas, que florecieron por doquier desde los años del cambio de siglo hasta 1936. La mayoría de ellas de «vida efímera y loca», como diría Manuel Machado, basadas sólo en el entusiasmo de sus fundadores, faltas de medios económicos y de un público mínimamente amplio que las sustentase.

Prácticamente, todas las que se publicaban en julio de 1936 fueron derribadas por el empujón brutal de la guerra. Otras, sin embargo, nacieron y vivieron durante ella, porque la vida cultural no desapareció en el fragor de la contienda. *El Mono Azul*, *Hora de España*, *Madrid* y *Nueva Cultura* son las más destacadas del lado republicano. *Jerarquía*, *Vértice* y *Destino,* las del lado nacionalista.

El Mono Azul, a la que ya nos hemos referido tangencialmente, publicó sus 47 números en Madrid, entre agosto de 1936 y febrero de 1939, con intermitencias y formato variable. Era una «hoja de combate», que llegaba a los combatientes en los camiones de Cultura Popular y se proponía —según decía— llevar a la calle y a los frentes y traer de ellos «el sentido claro, vivaz y fuerte de nuestra lucha antifascista». Abierta a la colaboración espontánea de combatientes y trabajadores, los numerosos escritores profesionales que, encabezados por sus principales responsables Rafael Alberti y María Teresa León, colaboraban en ella empleaban un estilo claro y directo. Su sección más célebre era el «romancero de la guerra», que ocupaba las páginas centrales en sus once primeros números[62].

A finales de noviembre de 1936 tiene lugar la evacuación de intelectuales y artistas a Valencia, que se convierte así en centro cultural de la España republicana. Allí se publica mensualmente, a partir de enero de 1937, *Hora de España* hasta que en enero de 1938 se traslada a Barcelona; su último número está fechado en noviembre de 1938. Su joven equipo de redacción (Rafael Dieste, Antonio Sánchez Barbudo, Ramón Gaya, Juan Gil-Albert y Manuel Altolaguirre, a los que luego se sumaron Arturo Serrano Plaja y María Zambrano) se esforzó por dar a la revista un tono de serenidad y altura intelectual que sorprenden en época de guerra. Colaboraban escritores de todas las generaciones en activo, desde Antonio Machado hasta Miguel Hernández; entre los hispanoamericanos Octavio Paz y César Vallejo.

La Casa de la Cultura, creada en Valencia por el Ministerio de Instrucción Pública para dar alojamiento y un mínimo de condiciones para continuar su labor a una veintena de escritores, artistas y científicos evacuados de Madrid, publicó una revista puesta bajo la advocación del nombre de resonancias entonces casi míticas de *Madrid* y como subtítulo «Cuadernos de la Casa de la Cultura», que publicó tres números, el último en Barcelona, en mayo de 1938.

La tercera revista publicada en Valencia no es obra como las anteriores de intelectuales procedentes de Madrid, sino de un grupo de intelectuales comunistas valencianos, capitaneados por José Renau, y continuación de la que el mismo grupo había publicado durante todo el año 1935 y hasta julio de 1936. *Nueva Cultura* publicó en esta segunda época cinco números de marzo a octubre de 1937. Mucho más política que *Hora de España* tiene una clara inspiración comunista, aunque abierta a colaboradores no comunistas. Tiene especial interés en el aspecto gráfico y artístico, cosa lógica dada la personalidad de José Renau, extraordinario cartelista y director general de Bellas Artes.

La producción literaria y en general cultural en el bando nacionalista es de inferior calidad que la republicana. Aunque hubo intelectuales y escritores de valía, la mayor y mejor parte de ellos permanecieron fieles a la República. Como ha dicho Dionisio Ridruejo, «el hacha furiosa de la guerra había desmembrado la comunidad intelectual y los residuos de ella en el lado nacionalista eran meras astillas o a lo más ramas mutiladas del árbol herido». Cuando entró en Barcelona con las tropas franquistas encontró «todas las publicaciones catalanas y castellanas producidas durante la guerra, incluidas las revistas de mayor relieve, como *Hora de España*». «A simple vista se veía —comenta— que los medios de propaganda republicanos habían sido muy superiores a los nuestros y su asistencia intelectual mucho más extensa, valiosa y organizada»[63].

Ya nos hemos referido a *Jerarquía* y hemos mencionado a *Vértice,* que en su carácter misceláneo de *magazine* incluía la literatura. En sus doce primeros números ofrecía una novela corta como anexo y desde septiembre de 1938 un suplemento literario «La Novela de *Vértice*»[64].

En marzo de 1937, dos falangistas catalanes refugiados en Burgos, José María Fontana y Xavier de Salas, fundaron en aquella capital política de la España nacionalista la revista *Destino*, título inspirado en el joseantoniano «España es una unidad de destino en lo universal», cuyo objetivo era, según manifestaba en su primer número, «guiar a todos los alejados de Cataluña en esta dulce comunión de nuestra fe nacional-sindicalista». Algo más tarde se incorporaron otros catalanes que iban llegando a la zona nacional, adscritos a otros sectores afectos a la sublevación, desde el carlismo a la Lliga, o simplemente conservadores, como José Ramón Masoliver, Ignacio Agustí —que sería su director— o Josep Vergés, que en 1957 se convertiría en su propietario único (lo era ya en parte desde 1940) y haría de la revista un reducto de liberalismo y de «resistencia silenciosa» al franquismo[65]. Su número cien se publicaría ya en la Barcelona «liberada» el 24 de junio de 1939. Colaboraron en esta época autores catalanes como Eugenio d'Ors y Santiago Nadal y no catalanes como Torrente Ballester, Álvaro Cunqueiro, Pemán, Laín Entralgo o Luis Rosales.

El debate entre arte puro y arte social, iniciado como vimos en los años veinte, no desaparece con la guerra, contra lo que pudiera pensarse, aunque adquiere modulaciones distintas; ni toda la literatura que aparece en las páginas de estas revistas pertenece al género de literatura militante, comprometida con las respectivas ideologías enfrentadas. Desde su temprano exilio, Juan Ramón Jiménez, el pontífice máximo de la poesía pura, sigue defendiendo la «poesía perenne» frente a la poesía nacida de la circunstancia de la guerra y pidiendo al político para el poeta el derecho al «canto libre», porque «un canto libre y hermoso es a fin de cuentas el camino mejor y el mejor compañero del que se va al destierro, a la guerra, a cualquier vida difícil o a cualquier fácil muerte»[66]. No muy distintas son las reflexiones que acerca de las «vanas disputas acerca de la "independencia del arte" y del "arte al servicio del pueblo"» anota en su diario un político, el presidente de la República, Manuel Azaña, también escritor, a propósito de la visita de una comisión de «jóvenes poetas» de *Hora de España*[67]. Escritores y artistas se plantean en plena guerra como un problema moral cuál debe ser su papel en aquellas circunstancias.

Una revista como *El Mono Azul* indica ya desde su título cuál era la actitud de sus fundadores. En aquel momento inicial de la guerra «entre metralla, bombas y fusiles», dice María Zambrano: «La soberbia tradicional del intelectual dejó paso a auténtico deseo de ser útil», y aquellos poetas, escritores, pintores y dibujantes, que iban y venían del frente o se empleaban en otros oficios, vestidos con el mono azul, prenda de trabajo que se había convertido en el uniforme espontáneo de las milicias populares, sintieron que «la inteligencia tenía que ser también combatiente [...] pueblo directamente, para fijar poéticamente las hazañas heroicas del pueblo y que el pueblo se reconozca a sí mismo en la poesía»[68].

Nacida en otro momento, *Hora de España* expone en el «propósito inicial» de su primer número que aquella «hora de España» exige «junto a las proclamas, carteles y hojas volanderas», que son «artículos de necesidad, platos fuertes», que «se expresan en tonos agudos y gestos crispados», publicaciones de otro gesto y otro tono, dirigidas a «gentes que no entienden por gritos». Se desprende en fin de este texto programático que consideran llegada la hora de que la inteligencia recupere sus funciones no «au dessus de la melée», sino a la altura de las circunstancias, pero sin perder la libertad y la integridad en aras de un fácil propagandismo y un sometimiento a consignas.

Sobre estos temas mantienen *Hora de España* y *Nueva Cultura* polémicas no exentas de acritud. Desde su primer número de esta su segunda época marca *Nueva Cultura* sus distancias con respecto a *Hora de España*, de la que afirma que es «una revista pasiva, de acumulación inorgánica», mientras que *Nueva Cultura*

Pretende ocupar un puesto diferente, ejercer una función distinta.

[...]

ser una revista y un movimiento activos, orgánicos, queremos sumergir nuestra voluntad en la tumultuosa tempestad de la revolución nacional y conjugar nuestro esfuerzo con el esfuerzo sangriento y la hora creadora de nuestro pueblo,

no limitarse a reflejar pulcramente esta hora, sino influir, «ser una fuerza activa en el dramático destino de nuestro pueblo». La polémica quedaba abierta y continuó en números sucesivos de ambas revistas.

También en el lado «nacional» se replantea, a la luz de las nuevas circunstancias, el tema del arte puro frente al arte comprometido, en este caso no con el pueblo, casi ausente de su retórica, sino con una idea de España, que ha de ser, como lo fue en tiempos gloriosos, católica e imperial, sin que lo harto problemático de este último designio parezca inquietar mucho a escritores e ideólogos que no se cuidan mucho de concretar su concepto de imperio.

Rafael García Serrano arremete contra el arte puro, en el estilo delirante aprendido de su maestro Giménez Caballero. En el primer número de *Arriba España* y de *Jerarquía* arremete contra el arte puro en sendos artículos titulados, respectivamente, «Poesía de choque n.º 1» y «A Roma por todo. Poesía pura (para uso interno)», en los que declara que «hartos de lírica y de marineros poetas», ha llegado la hora de los poetas épicos, del «poeta macho», en la que «el arte es propaganda», de cantar a las armas y al Héroe en formas sometidas a la rima y a la disciplina del verso. «Simplemente es criminal —afirma— seguir cantando para uno solo. Todos formados y en fondo para el himno del jerarca. Aprendiendo la consigna de la sangre heroica. De esa sangre a la que tanto teme la poesía pura, liberal».

También Fray Justo Pérez de Urbel, en un artículo titulado «El arte y el Imperio» en el número II de *Jerarquía,* afirma que el arte puro había sido producto del mal del siglo, el liberalismo, para acabar enjuto y famélico, dispuesto a servir al primero que le diera un puñado de bellotas, el comunismo, poniendo como ejemplo al «pobrecillo Alberti».

No toda la producción literaria de las publicaciones de Falange responde a esa tensión épico-religiosa, abrumadoramente predominante en las publicaciones navarras, fuertemente impregnadas del espíritu mitad monje mitad soldado de Yzurdiaga y explícitamente fascista de Ángel María Pascual.

En los talleres donde se imprimía *Hora de España* estaba, cuando entraron las tropas franquistas en Barcelona, listo para ser distribuido con el retraso que venía siendo habitual, el número XXIII, con fecha de noviembre de 1938. Ninguno de los redactores consiguió hacerse con un ejemplar de aquel último número, que durante mucho tiempo se creyó perdido para siempre. Pero se habían salvado ejemplares y ha podido ser reproducido en la edición facsímil de la revista treinta y cinco años después. «España cae —digo, es un decir— / salid niños del mundo: ¡id a buscarla!», termina uno de los poemas de César Vallejo incluidos en el número con ocasión de su muerte. Como dice María Zambrano en la presentación de este número en esa edición facsímil, en sus páginas «aparece impresa la derrota. Mas sin huella alguna de hundimiento, sin angustia, sin alzar los brazos pidiendo auxilio».

La guerra había terminado para los que habían dado vida a la revista, que partieron hacia el exilio. Poco después terminaba para todos y empezaba la paz, o la Victoria[69].

15. La prensa durante el régimen de Franco

1. Introducción

La guerra terminó no con una paz honrosa, «una paz sin crímenes», como esperaba el coronel Casado, partidario de la capitulación frente a la postura de resistencia del gobierno de Negrín, sino con la derrota sin condiciones de uno de los bandos, que la perdió «del todo»[1].

El «Nuevo Estado», que había comenzado a sentar sus bases durante la guerra, pretendía borrar no sólo todo vestigio de los años republicanos, sino también todo rastro de liberalismo y aun del reformista siglo XVIII denostado por «antiespañol», remontándose en busca de sus raíces tradicionales al reinado de los Reyes Católicos («De Isabel y Fernando el espíritu impera», como decía uno de los más cantados himnos falangistas) y la época imperial.

El régimen consistía en una combinación de militarismo, fascismo y catolicismo integrista, todo ello bajo el poder omnímodo de Franco, que, con la prudencia y la habilidad dictada por el pragmatismo que le caracterizaba, combinaría en todos sus gobiernos esos tres ingredientes: las distintas «familias» del régimen, aunque en distintas proporciones, según soplaran los vientos de los cambios sociales en el interior o la presión exterior.

En Franco se concentraban todos los poderes: jefe del Estado, del Gobierno, del Movimiento (FET y de las JONS), Generalísimo de las Fuerzas Armadas; en él residía también el poder legislativo, según ratificaba la nueva Ley de Jefatura del Estado de 8 de agosto de 1939, sin que las Cortes corporativas, reunidas a partir de marzo de 1943, que, como la prensa se encargaba de resaltar, nada tenían que ver con «la farsa de las instituciones democráticas», variase la situación, puesto que, como decía el preámbulo de la ley que las creaba continuaba «en la Jefatura del Estado la suprema potestad de dictar normas jurídicas de carácter general»; su misión era la de asesorar y aplaudir. Franco era, en fin, el «Caudillo de España», denominación de evidente inspiración totalitaria, sólo responsable «ante Dios y ante la Historia».

Su glorificación, iniciada en la Guerra Civil, con todos los ingredientes del más desmesurado culto a la personalidad, iba a continuar durante toda su larga era y fue abrumadora en la etapa de implantación del régimen. En 1962 reflexionaba un franquista convencido, bien que por entonces partidario de introducir moderados cambios en su régimen, Manuel Fraga: «Impresionaba la popularidad de aquel hombre, que aparentemente carecía de las condiciones clásicas de los líderes carismáticos (presencia, voz, ideología)»[2]. Todos los medios y los escritores del régimen habían contribuido durante décadas a hacer un líder carismático de aquel hombre sin carisma, prodigándole los más increíbles ditirambos que no se limitaban a sus supuestas cualidades morales y políticas, que hacían de él la figura más importante del siglo XX, el salvador de España y el centinela de Occidente, comparable con ventaja con los más grandes personajes de la historia, sino que contra toda evidencia llegaban a atribuirle una «voz de hierro» y una «figura gallarda». Aunque por esas fechas ya su imagen era la de padre, o abuelo, del pueblo, «severo y benevolente al mismo tiempo», como lo recordaría Antonio Muñoz Molina veinticinco años después de su desaparición[3].

El régimen franquista fue siempre una dictadura, a la que los analistas políticos y los historiadores le han puesto, no sin cierta polémica, diversos adjetivos. No entraremos en ello. Lo cierto es que si pudo desembocar en una democracia una vez cumplido el requisito de la desaparición física del dictador, clave sustentadora del sistema, fue porque a lo largo de ella se produjo una evolución, que fue aflojando lentamente, sin saltos bruscos y con eventuales retrocesos, sus resortes. «Para mí, fue una de las peores dictaduras en sus primeros años y una de las mejores en sus años finales» resume su conclusión en un reciente estudio Edward Malefakis, para quien el pragmatismo de Franco permitió que la dictadura, increíblemente dura en los años cuarenta, se convirtiera en casi una dictablanda en los setenta[4].

En el caso de la prensa, un criterio nada gratuito de periodización es el de las dos leyes de prensa que estuvieron sucesivamente vigentes: la de 1938, promulgada, como vimos en plena contienda y que, lejos de resultar provisional, como alguna frase de su texto parecía sugerir, rigió hasta 1966, con etapas de mayor o menor rigor según las circunstancias y el talante de las personas encargadas de aplicarla; y la de marzo de 1966, conocida como Ley Fraga por el nombre del ministro bajo cuyo mandato se promulgó y que había puesto todo su empeño en sacarla adelante.

Periodo, el primero, de control absoluto de la prensa por parte del Estado no sólo por medio de una férrea censura ejercida con estrechísimos criterios totalitarios, sino también, lo que era más grave, por la obligación de someter a unas consignas increíblemente minuciosas tanto los editoriales como la información, recibida a través de agencias absolutamente controladas por el Estado. Añádase la falta de libertad de las empresas para elegir director y la necesidad de reclutar a sus redactores entre los inscritos en un registro confeccionado con criterios ideológicos para concluir que la prensa —y la radio y mucho más en su momento la televisión— fueron de hecho un monopolio estatal, aunque se optara en el caso de la prensa y la radio por un sistema mixto de medios estatales y privados. Estos últimos, rigurosamente controlados por el Estado, venían a ser, excepto en el aspecto económico, también públicos.

La profesora Chuliá, en su excelente estudio de la política de prensa del franquismo, en el contexto de la política general, en una perspectiva comparada[5], distingue dos periodos (de «implantación» y de «normalización») bajo la vigencia de la ley de 1938. Estimamos nosotras, sin embargo, que en el terreno de la prensa, aunque indudablemente con una menor tensión propagandística de los principios del Nuevo Estado en la década de 1950 que en la inmediata posguerra, y alguna tímida protesta de periodistas de acrisolada lealtad al régimen frente a los excesos de los censores (incluso alguna ocasional trasgresión), la situación es básicamente la misma: rígida censura y consignas de obligado cumplimiento, aunque hayan podido variar algo sus objetivos de acuerdo con la situación interior e internacional.

Tras la ley de 1966, libertad vigilada. Con todas sus deficiencias, como veremos, es indudable que esta ley supuso, con la supresión de la censura previa, una liberalización cuyos efectos no tardarían en percibirse y que, junto con los cambios producidos en la sociedad española, harían posible, tras la muerte de Franco, la transición a la democracia. Iniciaremos el segundo periodo, no obstante, no en 1966, sino en 1962, año en que tras la sustitución en el Ministerio de Información y Turismo de su primer titular, Gabriel Arias Salgado, por Manuel Fraga, convencido de que había que cambiar algo para que todo, o al menos lo fundamental, siguiera igual, se afloja algo el control sobre la prensa, mientras se gestaba trabajosamente la nueva ley.

2. El primer franquismo

2.1 El final de la guerra y las incautaciones

El 26 de enero de 1939, las tropas franquistas entraban en Barcelona; el 28 de marzo, en Madrid; el 29, en Valencia; el 31, en Almería, Murcia y Cartagena. Toda España era ya «zona nacional» y al igual que había ido ocurriendo en el transcurso de la guerra cuando una ciudad era «liberada», se procedía inmediatamente a la incautación de periódicos y emisoras en los últimos bastiones, entre los cuales estaban las tres mayores ciudades del país.

Un año después, el 31 de marzo de 1940, publicaba *Arriba* un reportaje de José María Sánchez Silva («Cómo salió *Arriba*, primer diario de la capital rescatada»)[6], en el que hacía un relato de aquella agitada jornada del 28 de marzo de 1939, en la que un grupo de entusiastas falangistas, del que él formaba parte, recorría Madrid, de redacción en redacción, incautando periódicos. Bajo el vibrante relato del vencedor se trasparenta el conmovedor patetismo de la situación de los vencidos. Los redactores de *Heraldo de Madrid* habían puesto un cartel en el edificio que decía «Incautado por FET y de las JONS», a ver si «colaba» y evitaban así la verdadera incautación. Pero claro, no coló. Cuando entraron pistola en mano en el edificio, temiendo alguna imposible resistencia, se encontraron a todo el personal del periódico sentado ante la larga mesa de la redacción, comiendo pacíficamente un plato de lentejas. En el antiguo edificio de *La Época* en la calle de San Bernardo, arrojaron a la calle el rótulo de *El Sindicalista*, que como órgano de los sindicalistas de Pestaña venía publicándose allí tras la incautación del primero en los comienzos de la guerra. Pero su mayor interés y la primera que realizaron fue la incautación del edificio de *El Sol* y *La Voz*, en la calle Larra, para editar el primer número del *Arriba* de la posguerra, que fue el primer periódico de la «nueva España» que salió en Madrid esa misma noche. Unas horas después salía *Ya*, en las recuperadas instalaciones de la Editorial Católica (*El Debate* no fue autorizado a reaparecer). El 29 lo hacía *ABC*, «purificada nuestra casa, que albergó durante treinta meses a la canalla, hez de la profesión, maleantes de la política y de la pluma», como decía su editorial. Regularizada la situación, los tres serían matutinos. Luego, los vespertinos *El Alcázar*, *Informaciones*, *Madrid* y *Pueblo*, completarían el panorama del periodismo madrileño de la posguerra.

Madrid se instaló en los talleres incautados, en la calle de marqués de Cubas, a la empresa de los diarios *Liberal* y *Heraldo de Madrid* que fueron cedidos en alquiler a Juan Pujol, que había prestado notables servicios al nuevo régimen y había sido el primer jefe de prensa de la Junta Militar en la Guerra Civil. El 8 de abril salía el primer número. En 1947 se trasladaría a su nueva sede en la calle del General Pardiñas. *Informaciones* fue cedido al que había sido su último director antes de la guerra, Víctor de la Serna. Se editaba en los talleres incautados a *El Socialista* en la calle Trafalgar (donde también se editaba y se seguiría editando durante muchos años el *Boletín Oficial del Estado*); más tarde ocuparía la antigua sede que había compartido con *La Libertad* en la calle de la Madera, bombardeada durante la guerra. *El Alcázar* fue autorizado a trasladarse a Madrid (lo haría el 19 de junio), con la obligación de incorporar a su plantilla al personal de los antiguos *La Nación* y *El Siglo Futuro*[7]. Un año después en los talleres de la calle Narváez, en los que en los últimos tiempos de la República se había editado el diario socialista de tendencia largocaballerista *Claridad*, se instaló *Pueblo*, órgano de los sindicatos verticales.

Dos meses antes que la de Madrid se había producido la «liberación» de Barcelona. Ante la inminencia de su caída, el director general de Prensa, José Antonio Giménez Arnau se había desplazado desde San Sebastián para organizar la prensa de la ciudad en aquellos comienzos de la nueva era. Le acompañaban, entre otros, Manuel Aznar y Josep Pla. Ellos se harían cargo, como director y subdirector, respectivamente, de *La Vanguardia* el mismo 26 de enero en que entraron con las tropas franquistas en Barcelona. La propiedad del periódico volvía al conde de Godó. El día 27 salía a la calle de aquella «castigada ciudad» que volvía a la vida «pasada la tragedia inolvidable». Queriendo olvidar «como un mal sueño las horas de secuestro vividas», el diario enlazaba su numeración —como haría también *ABC*— con la del último número de la preguerra, como explicaba en una nota titulada con el tópico «Decíamos ayer». Al día siguiente añadía a su título el adjetivo *Española*, que conservaría hasta 1978.

Hasta el 14 de febrero *La Vanguardia Española* sería el único diario de Barcelona. Ese día reaparecía el viejo carlista *El Correo Catalán* (que había publicado un único número de bienvenida a las tropas franquistas el 26 de enero), y aparecía, como órgano oficial del Movimiento, *Solidaridad Nacional* en los talleres incautados al diario anarquista *Solidaridad Obrera*, que a partir de 1941 compartiría con el vespertino igualmente del Movimiento *La Prensa*. En el mismo mes de febrero reaparecía *El Noticiero Universal*, y en noviembre de 1940, el veterano *Diario de Barcelona*. Junto con *Mundo Deportivo*, éstos serían los diarios barceloneses hasta la década de los sesenta.

La dirección del brillante tándem Aznar-Pla duró poco en *La Vanguardia Española*. En abril, por decisión del ministro de la Gobernación, Serrano Suñer, era nombrado director Luis de Galinsoga, hasta entonces director de *ABC* de Sevilla, que se incorporaría al periódico el 16 de mayo. Se distinguiría por su acendrado franquismo y su enemiga a la lengua catalana. Como decía en un artículo:

> Todos los españoles debemos hacer estas tres cosas: pensar como Franco, sentir como Franco y hablar como Franco que hablando, naturalmente, en el idioma nacional ha impuesto su Victoria[8].

Hasta 1960, como consecuencia de un ruidoso incidente protagonizado por él en el que se evidenciaba su obsesión contra el catalán y que provocó un boicot de lectores y anunciantes, no logró la empresa desprenderse de esta molesta dirección, que pasaría de nuevo a Manuel Aznar[9]. No obstante, durante los veinte años en que estuvo a su frente, el periódico, con brillantes colaboradores y corresponsales, siguió siendo con mucha diferencia el diario más leído en Cataluña y en los últimos años cincuenta había recuperado las tiradas de antes de la guerra[10].

En Valencia fueron incautadas las instalaciones de *El Mercantil Valenciano* para imprimir en los primeros días *Avance* y a partir del 15 de abril de 1939 el diario del Movimiento *Levante*. Pudo seguir publicándose *Las Provincias*, devuelto a la empresa familiar que lo editaba antes de la guerra. A ellos se sumaría en octubre de 1941 el órgano vespertino del Movimiento *Jornada*. Serían durante todo el franquismo los tres diarios valencianos[11].

2.2 Prensa del Movimiento y prensa privada

Existían, pues, dos clases de diarios. Una de ellas, los órganos de Falange, que constituyen la vasta red de la Prensa del Movimiento, instalados e impresos en edificios y talleres procedentes de incautación durante la guerra o a su final, a la que dio definitiva existencia legal la ley de 13 de julio de 1940 que disponía que pasaran a

> la Delegación Nacional de Prensa y Propaganda de FET y de las JONS, con facultades de libre disposición, las máquinas y demás material de talleres de imprenta [...] siempre que se trate de empresas o entidades contrarias al Movimiento nacional [...] y aquellas que aunque no hubieran sido materialmente incautadas debieron serlo.

La cobertura de las incautaciones solía ser, en este terreno como en otros, la imposición de fuertes multas por el Tribunal de Responsabilidades; para responder de ellas se legalizaba la previa incautación de los bienes del encausado. Desde 1945, la cadena de Prensa del Movimiento contaba desde 1945 con su propia agencia, Pyresa, que proporcionaba a sus periódicos sobre todo crónicas de sus corresponsales[12].

La otra clase era la de los periódicos de empresas existentes antes de la guerra, a las que por su postura derechista en los años republicanos se les permitió seguir editándolos, devolviéndoles la propiedad en el caso, frecuente como vimos, de que hubieran sido incautados por partidos o sindicatos de izquierdas durante la contienda. Todavía podríamos establecer una tercera clase, mucho menos numerosa, de nuevos periódicos en instalaciones incautadas cedidas a un particular, como fue el caso del madrileño diario *Madrid*.

En general, entre esos dos tipos de prensa, el público se inclinaba más por los diarios de empresa. Su relativo y comparativamente menor contenido ideológico contribuyó muy probablemente a ello. Como decía Juan Pujol en *Gaceta de la Prensa Española* en agosto de 1944, frente a la formación política de los ciudadanos, que competía sobre todo a la prensa del Movimiento, «periódicos de empresa como *Madrid* pueden ejercer con predilección una amena educación de las costumbres». «La fama de independiente prevalece, en el sentir del público, sobre la fama de adicto», comentaba Gaziel en un estudio al que en seguida nos referiremos. De todos modos no es una regla general: aparte de algunas pequeñas ciudades en las que el único diario era uno del Movimiento (en otras por el contrario no había ninguno)[13], en algún caso, como ocurría en Valencia con *Levante*, era el más difundido. Un caso especial es el deportivo *Marca*, convertido en diario en noviembre de 1942, que gozó siempre de excelente salud[14].

Dentro de los diarios de empresa, un tipo especial eran los diarios de la Editorial Católica, constituida a partir de 1910 por la Asociación Católica Nacional de Propagandistas, a la que no se le permitió, pese al empeño puesto por sus representantes, recuperar *El Debate*, demasiado marcado por su postura «accidentalista» durante la República, pero que, única cadena de prensa privada, representaba una fuerza importante en su postura diferenciada de los órganos de Falange.

Hubo una drástica reducción del número de cabeceras con respecto a la situación de antes de la guerra. Puesto que no había distintas ideas que defender, ningún partido más que FET y de las JONS, y no podían existir más que diferencias de matiz entre los distintos periódicos, todos ellos al servicio del Estado, no eran necesario ni conveniente que hubiera muchos periódicos.

En un interesante estudio realizado en 1942 por el antiguo director de *La Vanguardia*, Agustín Calvet, «Gaziel», publicado recientemente por su biógrafo Manuel Llanas[15], hacía un cálculo basado en las grandes ciudades, según el cual la disminución había sido de un 58%. Pese a esa reducción de la competencia, los diarios que «habían sobrevivido a la catástrofe o brotado tras ella» vieron también disminuida drásticamente su difusión. A ello pudo contribuir, junto a la falta de interés de una prensa uniformada y en los primeros tiempos reducidísima en su paginación por la escasez y consiguiente carestía del papel, lo elevado del precio del ejemplar que pasó de los 15 céntimos, fijado tras muchas polémicas en 1935, tras sucesivas subidas a 50 céntimos en 1947 y a 1 peseta en 1954.

Aunque más tarde, lentamente, los diarios de propiedad privada aumentaron su difusión, mientras disminuía la de los de la Cadena del Movimiento, con la excepción del deportivo *Marca* y de *Pueblo*, que no pertenecía a la cadena, sino a los sindicatos verticales y que en los años cincuenta, bajo la dirección de Emilio Romero se situaría en los primeros puestos. Mientras que en 1943 la tirada global de los 37 diarios de la Cadena del Movimiento (el 33,9% del total del número de cabeceras) suponía el 61,2% de la tirada global de los diarios españoles, en 1966, con 43 diarios (incluido *Pueblo*), suponían sólo el 31% de esa tirada global[16]. De todos modos, una potencia indudable.

Todos estaban sometidos a la misma rígida censura. Y lo que era peor, como hemos dicho, a las mismas consignas («normas dictadas por los servicios competentes en materia de Prensa», en el lenguaje de la ley de

1938). Eran éstas —por escrito o por teléfono, si la urgencia lo requería— de dos tipos básicos. Unas, negativas, venían a ser una censura previa a la censura previa: advertían de temas que no se podían tratar, noticias que no se podían dar, nombres que no había que mencionar, palabras que no se podían usar, aligerando así el penoso trabajo de los censores y el uso de los célebres lápices rojos, puesto que tales asuntos no figuraban ya ni siquiera en las galeradas que se sometían a su inspección. Otras, positivas, se referían no sólo a qué temas había que tratar, qué noticias había que dar, sino también a cómo había que hacerlo: en qué página, con qué extensión, titulado a cuántas columnas, siguiendo qué guion; pero, más difícil todavía, «huyendo del tópico y del comentario de encargo», en un tono «sincero», «espontáneo», con «entusiasmo»[17].

Como decía Gaziel en el estudio mencionado:

> Los periódicos, disciplinados y en masa, sirven exclusivamente al régimen que les dio la vida o se la conserva, y acatan con puntualidad y fidelidad absolutas sus órdenes terminantes. Ningún periódico ni ningún periodista deben opinar por su cuenta: todo juicio o apreciación independientes entrañarían el riesgo de chocar con el rumbo que los representantes del régimen exige que se imprima a la conciencia pública, y producirían en el concierto de la Prensa, así uniformada, una intempestiva desafinación. Los distintos periódicos lanzan sus números, fabricados en serie según el cálculo previo de la superioridad, del mismo modo que las piezas de artillería disparan sus proyectiles durante una campaña, con el ritmo y hacia el objetivo fijados exclusivamente por el general en jefe. Este cargo supremo lo asume el gobierno.

Los diarios de empresa, los llamados antes «independientes», eran ahora prácticamente tan dependientes del Gobierno, a través de los organismos encargados de controlarlos, como la Prensa del Movimiento. No eran libres ni de nombrar a sus directores y algunos tuvieron que soportar durante años a directores en pésimas relaciones con la empresa que les pagaba. Hemos mencionado el caso de *La Vanguardia*. El diario de la Editorial Católica, *Ya*, consiguió en 1952 librarse de Juan José Pradera, tras años de enfrentamientos[18]. También *ABC* tuvo como director entre 1940 y 1946 a José Losada de la Torre, que tuvo asimismo enfrentamientos con la empresa, sin que ésta tuviese la posibilidad de destituirle; fue, por el contrario, el presidente del consejo de administración de Prensa Española, Juan Ignacio Luca de Tena, el destituido por el Gobierno[19]. Aunque finalmente todos estos periódicos lograron que se les permitiese tener un director más de su agrado[20], no dejaba de ser la decisión discrecional de las autoridades competentes en prensa.

No era en los primeros años cuarenta en Europa una extraña anomalía la situación de la prensa en España, como lo sería tras el fin de la Segunda Guerra Mundial. En un artículo titulado «Prensa actual» el diario *Madrid* comentaba:

De estos periódicos que se hacen ahora en la mayor parte de Europa a los que se hacían en los funestos tiempos liberales, y los que aún se editan en tierras americanas, hay un verdadero abismo, favorable para nuestra prensa actual; moralmente se entiende, ya que las dificultades materiales empecen el logro de nuestros diarios con la amplitud deseada. Todo el peligroso poder conseguido por la Prensa en otros tiempos ha desaparecido de un golpe y para siempre. Los periódicos están al servicio leal y permanente de una causa nacional. Ya no pueden ser libelos venenosos. [....]. Una interesantísima anécdota viene a probar el cariñoso cuidado que merece la prensa a las más ilustres personalidades de esta época. En una importante entrevista celebrada no hace mucho tiempo entre Hitler y otro altísimo personaje, al sonar las cinco y media de la tarde, el Führer alemán propuso suspender la conversación por unos momentos para redactar un comunicado oficial «Los periódicos del Reich —explicó— cierran sus ediciones a esta hora»[21].

2.3 Depuración de periodistas

En efecto, poco tenía que ver esta prensa censurada, dirigida, controlada en fin en sus más mínimos detalles, con la de los «nefastos tiempos liberales» que se había desarrollado en las últimas décadas del siglo XIX y primeras del XX. Había cambiado por completo el concepto de su función. De ser el «cuarto poder» encargado de controlar a los otros tres del Estado liberal, a ser una institución de un Estado con pretensiones totalitarias, totalmente controlada por él.

No menor es el cambio que se produce en el elemento humano, muertos, encarcelados o exiliados[22] gran parte de los periodistas e intelectuales que eran redactores o colaboradores de los periódicos de la anteguerra.

Los que sobrevivieron y se quedaron en España fueron sometidos a expedientes de depuración, iniciados en los años de la guerra en los territorios que se iban ocupando y completados en la posguerra. Según datos oficiales se tramitaron 4.000 expedientes, de los cuales 1.800 se resolvieron con la inclusión en el Registro Oficial de Periodistas, requisito indispensable para poder ejercer la profesión. Quizás entre los rechazados algunos lo fueron por no reunir condiciones profesionales. Pero es imposible cuantificar los que, sin duda muy numerosos, ni siquiera lo intentaron por no poder esgrimir la condición indispensable de probada adhesión al régimen, de no tener en su pasado inmediato ninguna invalidante mancha de pertenencia a un partido republicano o a un sindicato de clase. En cualquier caso, dada la reducción drástica del número de cabeceras y de la paginación de los existentes, por el acuciante problema de la carestía del papel en los primeros años, se habían reducido también mucho los puestos de trabajo en la profesión.

Como observaba Gaziel en 1942, el periodismo se había convertido en «un coto oficial, y sólo pueden ser periodistas los partidarios del régimen o los que no tienen inconveniente en obrar como tales». Merece la pena detenerse en esta última frase. Porque la depuración, aunque ciertamente durísima, no dejó de mostrar algunas arbitrariedades. A través de su tupida red pudieron colarse en el ejercicio de la profesión algunos cuyo pasado distaba de ser homologable con la nueva situación. El mismo Gaziel, él si proscrito de la profesión a la que había dedicado su vida, anotaba con explicable amargura en su diario el 28 de mayo de 1949, el «prodigio de habilidad» de varios antiguos colegas catalanes, «rabiosos izquierdistas» que se habían reintegrado brillantemente al periodismo y eran defensores entusiastas «de todas las españolísimas esencias del régimen»[23].

Otros habían conseguido los avales necesarios, o algún compasivo antiguo colega les echaba una mano para trabajar oscuramente en alguna redacción, soportando humillaciones varias y la más grave de escribir elogiando lo que detestaban o denostando lo que admiraban no porque «no tuvieran inconveniente», sino porque no tenían más remedio para sobrevivir. Haro Tecglen ha descrito en el capítulo «El niño fascista» de su libro *El refugio*, su experiencia en *Informaciones* en donde le acogió, siendo adolescente, Víctor de la Serna haciendo honor a la vieja amistad con su padre, Eduardo Haro Delage, subdirector de *La Libertad*, condenado a muerte, condena conmutada por treinta años de cárcel, y donde tuvo a su cargo la información de Falange que desempeñó con el entusiasmo de rigor. Había en la redacción de aquel periódico, que se caracterizaba en aquellos años de la guerra mundial por un filonazismo sin fisuras, un grupo de «rojos» veteranos que procuraban hacer el menor ruido posible.

Para formar a las nuevas hornadas de periodistas en los principios de los que tenían que ser propagandistas y en los rudimentos de la profesión, el entonces director general de Prensa, Juan Aparicio, fundó en 1941 la Escuela Oficial de Periodismo, donde se cursaban estudios de tres años de duración. Se organizaron también en los primeros tiempos cursillos intensivos de tres meses para formación acelerada de los nuevos o reciclaje de los antiguos. A partir de 1958, la Escuela Oficial perdería la exclusividad en la formación de periodistas, al crearse el Instituto de Periodismo encuadrado en el Estudio General de Navarra del Opus Dei (luego Universidad de Navarra); en 1960 se fundó la Escuela de Periodismo de la Iglesia de la ACNP[24].

A cambio de ese sometimiento ideológico, se dictaron algunas medidas, como fijar unos sueldos mínimos, que aunque insuficientes y no siempre respetados —como por lo demás había ocurrido en el pasado— suponían un intento de «dignificar» la profesión en el aspecto económico.

2.4 Las «familias» del régimen y el control de la prensa

Una tardía consigna de 20 de julio de 1957 decía «En el Movimiento Nacional [...] no puede haber fisuras de unidad, ni distinción de sectores, ni grupos que se consideren más depositarios de sus esencias que otros, ni celos, ni rencillas»[25].

Lo cierto es que los había desde el principio. Aunque las diferencias se difuminasen frente al enemigo común, la relativa heterogeneidad de las diferentes «familias» políticas en que se basaba el régimen se manifestaba en una sorda lucha por ocupar los espacios políticos y sociales. Frente al ideal del estado fascista que aspiraba a implantar Falange, estaban los militares, los monárquicos y, sobre todo, la Iglesia, cuyo poder de influencia sobre la sociedad, a través de la educación y la vigilante tutela de la moral y las costumbres, fue hegemónica hasta los años sesenta. Si a largo plazo su proyecto de articular a toda la sociedad española bajo el ideal de un catolicismo integrista fracasaría, el fracaso falangista «auténtico» se produciría mucho antes.

Aspiraba Falange a que todo el régimen fuera falangista y no «una vasta amalgama de derechas apenas simulada bajo traicionados símbolos», como decía un significativo artículo de *Arriba* en noviembre de 1940. Querían obligar a las gentes «muy de derechas» pero reacias a Falange a gritar, además de «¡Arriba España!», «¡Arriba la Falange!», para que «una vez para todas nadie será considerado adicto al Movimiento nacional y al Caudillo por el simple hecho negativo de "no ser rojo" [...] sino por el concreto y positivo de ser falangista»[26]. Pero los demás grupos no estaban de acuerdo con ese proyecto.

Uno de los terrenos que se disputaban falangistas y católicos era el del control de la prensa. Estaban convencidos unos y otros de que la libertad de prensa había sido nefasta, y culpable en gran medida de todos los males que el nuevo régimen había venido a desterrar. Era necesario vigilarla y orientarla para que un pueblo, eterno menor de edad, no fuese apartado de la buena senda por «envenenadores del alma popular». Lo que no les gustaba a unos ni a otros es que la censura y las consignas se aplicasen a *sus* publicaciones. La Iglesia, depositaria de la verdad revelada, llevaría siempre muy mal tener que someter sus publicaciones a una censura y unas orientaciones que no provinieran de su jerarquía.

Falangistas y católicos querían ser «los hombres superiores» que construyeran «a la masa desarticulada, la osamenta que la concrete», como decía un editorial de *Arriba* de 27 de febrero de 1940, asustado al parecer porque «la opinión pública avanza» por la «irresponsable actitud» de «la gente», que «charla, clama, opina sin descanso contra toda posible limitación superior»[27]. Pero la «osamenta» con la que pretendían vertebrar a esa masa amorfa no era la misma para unos u otros.

Como vimos en el capítulo anterior, desde 1938, la prensa dependía del Ministerio de Gobernación cuyo titular era Serrano Suñer, que siguió ocupando el puesto en el primer gobierno de posguerra (agosto de 1939) y encargó las competencias de Prensa y Propaganda a Antonio Tovar. Seguía, pues, en manos de los falangistas. En octubre de 1940, Serrano pasó a ocupar la cartera de Exteriores, para lo que su clara germanofilia y la marcha de la guerra mundial, favorable a las potencias del Eje, le hacían especialmente idóneo. De Gobernación se hizo cargo por delegación del jefe del Estado el subsecretario José Lorente Sanz, amigo y colaborador de Serrano. La situación siguió, pues, igual.

En mayo de 1941 se produjo una crisis, al ser cubierta la cartera de Gobernación el 5 de ese mes por el general monárquico Galarza, cuya postura era notoriamente contraria a los falangistas, que reaccionaron al nombramiento con «positiva irritación», en palabras de Serrano Suñer. La publicación en *Arriba* el día 8 de un artículo titulado «Los puntos sobre las íes. El hombre y el currinche», que aludía claramente a Galarza, provocó la dimisión de Antonio Tovar, que se hizo responsable[28], y la anulación de una reciente Orden, del 1 de mayo anterior, que eximía de censura previa a la prensa del Movimiento. El día 12, el diario *Madrid* publicaba un suelto de Juan Pujol, que señalaba la incompatibilidad entre el nuevo ministro y los falangistas.

Ante esta crisis entre dos de las no bien avenidas familias del régimen, Franco reaccionó con una de cal y otra de arena, como haría siempre. Mantuvo a Galarza, pero, para compensar, nombró a varios ministros falangistas, y creó con rango ministerial la Secretaría General del Movimiento y, dependiente de ella, la Vicesecretaría de Educación Popular, a la que pasaba el control de la prensa. El cargo de secretario general fue para José Luis Arrese, y la Vicesecretaría fue ocupada por Gabriel Arias Salgado, que nombró director general de Prensa a Juan Aparicio. Todos ellos falangistas, aunque en Arias Salgado predominaba su condición de católico integrista. Y en todos ellos, la lealtad incondicional a Franco.

Serrano Suñer comenta en sus memorias:

> Desde ese momento la «FET de las JONS» es ante todo el partido de Franco. Desde la crisis de mayo de 1941 el grupo de falangistas que luchaban conmigo pierden la fe en nuestro intento político [...] a partir de la crisis de mayo de 1941 no había más que franquismo, pues, por una serie de circunstancias, el proceso de la disminución virtual de la «Falange» estaba ya iniciado y pronto llegaría a su desmantelamiento total y a su transmutación en el «Movimiento»[29].

Aunque fuera una Falange definitivamente «franquista», «domesticada», la prensa siguió dependiendo de ella hasta 1945. El director general de Prensa, Juan Aparicio, controlaba la censura, las consignas, el Registro Oficial de Periodistas, la Escuela Oficial de Periodismo fundada por él, las Agencias de Prensa (la oficial, EFE; su filial para noticias nacionales CIFRA; la pequeña privada Mencheta; Logos, de la Editorial Católica[30]). Y lo hacía con extremado celo.

Dependiente directamente del vicesecretario general, Gabriel Arias Salgado, se crea en 1942 un nuevo instrumento de propaganda del régimen: el NO-DO (Noticiarios y Documentales Cinematográficos), proyectado por primera vez en las pantallas de todos los cines españoles el 4 de enero de

1943; proyecciones que se reiterarían obligatoriamente hasta 1976 y por las que todavía arrastraría sus últimos flecos hasta 1981[31].

En estos primeros años del régimen, el componente falangista era predominante. Por mimetismo con las potencias que habían ayudado al bando vencedor en la Guerra Civil y que, en la primera etapa de la guerra mundial, parecían llevar las de ganar. Al estallar la guerra, España se declaró neutral (decreto de 4 de septiembre de 1939). Tras la entrada de Italia en el conflicto, cambió, el 12 de junio de 1940, esta declaración por la de «no beligerante», fórmula intermedia entre la neutralidad y la beligerancia. Afortunadamente para los españoles, apenas salidos de una guerra devastadora, la entrevista de Franco con Hitler en Hendaya el 23 de octubre de ese año, con vistas a que España pasase a la situación de beligerante al lado de las potencias del Eje, desembocó en fracaso: Franco pedía unas contrapartidas que Hitler no estaba dispuesto a conceder[32]. España no entró en la guerra, pero en junio de 1941 envió a los voluntarios de la División Azul a combatir en el frente ruso. Cuando ya era evidente que los aliados iban a ganar la guerra, en octubre de 1943, España volvió a la estricta neutralidad. Un año antes, en septiembre de 1942, el germanófilo Serrano Suñer había sido destituido como ministro de Asuntos Exteriores, por un grave incidente de política interna[33].

A Arias Salgado y a Aparicio les tocó «orientar» a la prensa para que reflejara las cambiantes posturas del Gobierno durante gran parte de la Segunda Guerra Mundial. Del entusiasmo pro Eje a un cierto equilibrio y a una sinuosa ambigüedad. Aunque Serrano Suñer, cuyo equipo había controlado la prensa en la primera etapa, siguió exigiendo controlarla en este aspecto en su etapa como ministro de Asuntos Exteriores, en frecuentes encontronazos con Arias Salgado[34].

Durante la Primera Guerra Mundial, en la que España se mantuvo también neutral, los españoles se habían dividido apasionadamente en «aliadófilos» y «germanófilos», y los periódicos se adscribieron a uno u otro bando, en muchos casos al que pagaba mejor sus servicios. Ahora, todos los periódicos expresan básicamente las mismas opiniones, resaltan, ocultan o minimizan las mismas noticias. Las diferencias son de matiz. Mayor y más espontáneo entusiasmo germanófilo en los diarios de Falange o en un *Informaciones*, bajo la batuta del muy pro nazi Víctor de la Serna, que aguantó en su postura hasta el final, en la necrológica de Hitler, que «hijo de la Iglesia Católica, ha muerto defendiendo la Cristiandad» y por quien «en los cielos hay fiesta mayor. En la tierra, los hombres de buena voluntad envidian una forma de morir»[35].

Está probada la influencia directa sobre la prensa española del agregado de prensa de la embajada alemana, Hans Lazar[36]. Por su parte, las embajadas de los países aliados, sobre todo Inglaterra y Estados Unidos, trataban de contrarrestar esa influencia y entrar en contacto con los redactores «quintacolumistas» aliadófilos de algunos periódicos, como era el caso de *La Vanguar-*

dia o la revista *Destino*[37]. Pero, sometidos a las mismas consignas, sólo una adjetivación más sobria, un estilo más contenido, alguna sutil diferencia en el modo de dar las noticias, sin duda apreciados por sus lectores, distinguían a este diario en este aspecto de su colega del Movimiento *Solidaridad Nacional:* cautela relativamente neutral en los primeros meses, postura pro Eje en los siguientes, insistencia sólo en el discurso antisoviético, pero acercamiento a los aliados democráticos, cuando la suerte de los beligerantes empezó a cambiar. Para, cuando todo había terminado, a comienzos de mayo de 1945, sacar la misma conclusión sorprendente: «Victoria de Franco», «Ayer fue el "día de la Victoria"», titulaba *La Vanguardia*; «Franco ha ganado», era el titular de *Solidaridad Nacional*[38]. «Victoria de Franco», titulaba también *Arriba* y en similares, si no idénticos, términos se expresaron los demás diarios, siguiendo evidentemente el mismo «inspirado» guion.

La más cruenta guerra de la historia había terminado y otro argumento se sumaba a la glorificación de Franco, el caudillo cuya clarividencia había librado a España de aquellos desastres. «Una vez más, Franco ha salvado a España» decía *Arriba*; «El genio de Franco ha salvado a España», repetía *Informaciones*; y *ABC* lanzaba las campanas al vuelo:

> El Caudillo —no es entusiasmo lírico de nuestra pluma, sino verdad honda que llega al entendimiento por vía misteriosa [más de uno debió de sonreír, pensando en la misteriosa vía de la consigna]— parece elegido por la benevolencia de Dios [...] hoy España toda saluda en Franco al solemne artífice de su bienandanza actual, hoy que la guerra, de la que él nos tuvo apartados, concluye[39].

En realidad se venía insistiendo en esa idea desde meses atrás, así como en la diferencia que debería hacerse entre la comunista Rusia, cuyos éxitos «han de limitarse en su importancia», y los «pueblos cristianos, con los cuales hemos mantenido relaciones de amistad», cuyos éxitos «aparecerán en su cabal y efectiva significación». Ahora se acordaban las autoridades de que la «*germanofilomanía*, consistente en explicar [...] las cosas de forma que las derrotas pretenden transformarse en victorias [...] es disparate y deformación a nuestra *conducta de neutralidad*»[40]. «España no es fascista ni nazi, ni lo ha sido nunca» era uno de los temas que debían desarrollar los diarios según otra consigna, en el contexto de las declaraciones de Franco a la United Press[41].

Puede que España no hubiera sido nunca realmente fascista ni nazi, pero desde luego lo había parecido. Vencidas esas ideologías en los campos de batalla, había que depurar al régimen de esas apariencias. Como siempre haría, Franco mantendría «firme la ruta de la nave, ajustando la maniobra a los temporales que puedan azotarla», como dijo en su mensaje del 18 de julio de 1945.

Había que «ajustar la maniobra» ahora, dando al régimen una apariencia que lo hiciese aceptable para las democracias occidentales. No se trató de una verdadera apertura, sino de una «meramente apariencial e inauténtica», de hacer «una serie de rectificaciones parciales destinadas a borrar su propia imagen»; de adoptar «una nueva fisonomía», haciendo «pueriles malabarismos», para emplear las frases de una carta que el antiguo factótum del régimen, ahora en el ostracismo político, Ramón Serrano Suñer, dirigía a Franco en septiembre de 1945[42].

La medida de más aparente calado fue la promulgación, en julio de 1945, del Fuero de los Españoles, especie de carta otorgada que, al reconocer a los españoles una serie de derechos sin ninguna garantía para ejercerlos, los convertía en ilusorios y añadía el sarcasmo a la carencia real de tales derechos.

Entre ellos, el que establecía el artículo 12: «Todo español podrá expresar libremente sus ideas mientras no atenten a los principios fundamentales del Estado». La verdad es que, aunque fueran otros organismos los que ahora lo controlaran, como veremos, «todo español» que pretendiera dirigirse a sus conciudadanos por medio de la imprenta o de las ondas no sólo no podía «expresar libremente sus ideas», sino que seguía viéndose obligado a expresar las ideas del Gobierno.

Muy significativo de ese deseo de eliminar los signos externos fascistas fue la derogación de la obligatoriedad del «saludo nacional», es decir, el saludo fascista, brazo en alto y con la mano extendida, por un decreto de 11 de septiembre de 1945, en cuyo preámbulo, en un alarde de uno de esos «pueriles malabarismos» a que se refería Serrano, se presentaba el saludo en cuestión como «de rancio abolengo ibérico», «auténtica expresión de amabilidad y cortesía», surgido espontáneamente al iniciarse el Glorioso Movimiento Nacional, frente «al puño elevado, símbolo de odio y violencia que el comunismo levantaba», pero que «interpretado torcidamente» en las «circunstancias derivadas de la gran contienda» debía ahora abandonarse.

Por un decreto de 9 de octubre del mismo año se concedía un amplio indulto para los delitos de «rebelión militar» cometidos antes del 1 de abril de 1939.

Se trataba, en fin, como dijo Franco ante el pleno de las Cortes el 14 de mayo de 1946, de desmentir a los que «intentan presentarnos al mundo como nazifascistas y antidemócratas», porque, añadía:

> Si un día pudo no importarnos la confusión por el prestigio de que gozaban las naciones de esta clase de régimen ante el mundo, hoy, cuando se han arrojado sobre los vencidos tantos baldones de crueldad e de ignominia, es de justicia destacar las muy distintas características de nuestro Estado [...] una democracia católica y orgánica que dignifica y eleva al hombre, garantizándole sus derechos individuales y colectivos.

El mismo mes de julio de 1945 en que se aprobaba el Fuero de los Españoles, Franco nombraba un nuevo Gobierno, en el que, aunque se mantenían algunas carteras en manos de falangistas, predominaba la corriente católica, más presentable en el nuevo escenario internacional. El ministro más significativo, y el que iba a ser el más influyente, era el de Asuntos Exteriores, Alberto Martín Artajo, de la Asociación Católica Nacional de Propagandistas, partidario de llevar a cabo algunas reformas en sentido moderadamente aperturista, que facilitaran su difícil labor de conseguir la aceptación internacional de la España franquista.

De él partió la propuesta de la reconversión de la Vicesecretaría de Educación Popular (de la que formaba parte la Dirección General de Prensa) hasta entonces dependiente de la Secretaría General del Movimiento, en Subsecretaría de Educación Popular del Ministerio de Educación. Era un primer indicio de una posible liberalización del régimen de prensa, y un golpe para la Falange, que perdía una parcela que había controlado desde los tiempos de la Guerra Civil que pasaba a los católicos. Aunque el titular de la cartera de Educación era José Ibáñez Martín, católico de la extrema derecha de la CEDA, pero de tintes muy falangistas en sus primeros años[43] (de cedo-falangista le califica Laín en sus memorias), la iniciativa correspondió a Martín Artajo, a quien se debieron los nombramientos de Luis Ortiz como subsecretario de Educación Popular y Tomás Cerro Corrochano como director general de Prensa; ambos, como él, «propagandistas», pertenecientes a la ACNP.

En realidad, lo que a los católicos les molestaba de la Ley de Prensa de 1938 era que la censura, y sobre todo las consignas afectaran también a sus publicaciones, y concretamente a la cadena de diarios de la Editorial Católica. Sólo consiguieron que las publicaciones oficiales de la Iglesia quedaran exentas, entre ellas *Ecclesia*, órgano de Acción Católica, que desde 1946 reclamaría una nueva ley de prensa que garantizase una «libertad razonable» (nunca, claro, «libertad para el mal»). Sería un tema reiterado en los años siguientes en esta publicación, que mantendría polémicas con sectores más inmovilistas en este aspecto, aunque en otros temas mantendría una actitud extremadamente reaccionaria. Como dice Tusell:

> Cuando los «católicos colaboracionistas» hablaban de libertades lo hacían, sobre todo, en función de pensar en campos de autonomía para la Iglesia y las instituciones eclesiásticas o paraeclesiásticas. En materias como cultura o libertad religiosa la intolerancia de la jerarquía (aunque no de toda ella; menos en el caso de la más próxima a Herrera) era a menudo superior a la de los gobernantes[44].

La matización de Tusell con respecto al antiguo director de *El Debate*, Ángel Herrera Oria, que en 1947 sería nombrado obispo de Málaga, tiene a su vez que ser matizada. Puede que el futuro cardenal y los círculos próximos a él —es decir, la ACNP— fueran menos reaccionarios que otros sectores de la Iglesia, pero, desde luego, estaban lejos de ser demócratas. Como el mismo Tusell señala, Herrera contemplaba en 1946, «con pena y con asombro», la extensión por el mundo de la «fiebre democrática», afirmaba que la «democracia radical parlamentaria no se ha inventado para España» y recomendaba, por ello, «no tengáis prisa en organizar instituciones representativas». Y en 1953 instruía a los sacerdotes de su diócesis de Málaga, para combatir el «dogma ateo» de la soberanía nacional[45].

En cualquier caso, las buenas intenciones de Martín Artajo y de sus colaboradores de la ACNP con respecto a una timidísima apertura en la política de prensa —que chocaban en el seno del consejo de ministros con Carrero Blanco, e incluso con el propio ministro de Educación— se quedaron en nada. Ni se hizo un nuevo estatuto, ni se suavizó la censura y las consignas siguieron ejerciéndose, aunque quizá más vergonzantemente dando preferencia a los contactos telefónicos y a veces instrucciones de destruir, tras ser leídas, las escritas[46].

Una orden de 23 de marzo de 1946 autorizaba a atenuar la censura. En su esperanzador preámbulo, tras reconocer las ventajas que ésta había tenido hasta entonces, se decía:

> Quizá no haya llegado aún el momento de prescindir totalmente de la Censura, pero sí de iniciar una serie de medidas que, dejando a salvo la moderación en el lenguaje y el respeto debido a los principios fundamentales del Estado español, permitan a los periódicos una mayor amplitud de movimientos y sirvan, al mismo tiempo, de indispensable experiencia previa para disposiciones ulteriores.

Pero dos días más tarde de su publicación en el BOE, las delegaciones provinciales de la Subsecretaría de Educación Popular comunicaban a los directores de los periódicos que la disposición «no entrará en vigor hasta que dichas nuevas normas se dicten, manteniéndose entretanto la vigencia de todas las anteriores, que serán observadas con todo escrúpulo»[47]. Las nuevas normas nunca se dictaron y las cosas siguieron como estaban.

El subsecretario de Educación Popular y el director general de Prensa dejarían claro su concepto de la libertad de prensa en la inauguración y la clausura, respectivamente, de la V Asamblea de Asociaciones de la Prensa, en noviembre de 1947: La libertad «sólo se comprende y sólo se puede admitir cuando se emplea al servicio de la religión católica y de la Patria», dijo Ortiz Muñoz. Sobre el mismo tema de la libertad de expresión decía Cerro Corrochano:

> El Estado [...] tiene derecho a exigir de los periódicos el cumplimiento de su fin inmanente (informar con verdad) y de su fin trascendente (formar la conciencia de los lectores), con arreglo a los principios eternos de la cultura cristiana [...] al servicio de un ideal, que en la España de Franco es esencialmente el mismo y por análogos motivos de la España de Recaredo, San Fernando y Felipe II[48].

La España de Recaredo era el ideal aperturista de aquellos «propagandistas».

El único avance, si es que puede considerarse que lo fuese, es que, excepto en algunas ciudades, entre ellas Madrid y Barcelona, se delegó la labor de censura en los propios directores de los periódicos, lo que exigió unas consignas si cabe más precisas, para evitar el incumplimiento de esa nueva responsabilidad que caía sobre ellos.

El aislamiento internacional de la España franquista en estos años, con el rechazo a su entrada en la ONU y la retirada de embajadores (diciembre de 1946), produjo una reacción numantina del régimen que, apoyado por manifestaciones multitudinarias como la que tuvo lugar el 9 de diciembre en la plaza de Oriente de Madrid, no favoreció la política de apertura. La condena internacional reforzaba la política franquista en el interior. Como dijo el presidente de las Cortes, Esteban Bilbao, en el pleno del 12 de diciembre, «un pueblo viril, herido en lo más vivo de su dignidad, se junta a su Caudillo». Caudillo que lo era «por la gracia de Dios», como rezaba la inscripción que llevarían las monedas acuñadas en 1947, según una enmienda a la normativa sobre acuñación de moneda, propuesta entre gritos de ¡Franco! ¡Franco! ¡Franco! en la misma sesión.

Pero pronto los cambios en el escenario internacional, con los antiguos aliados enfrentados en una «guerra fría», actuarían en favor de Franco, a quien nadie ganaba en el anticomunismo que ahora cotizaba en ese escenario. Regresaron los embajadores (1951), España empezó a ser aceptada en organismos internacionales, proceso que culminaría con la entrada en la ONU en diciembre de 1955. Antes, 1953 había sido un año decisivo con la firma del Concordato con la Santa Sede y, sobre todo, el tratado con los Estados Unidos. El peligro había pasado.

En julio de 1951, en una remodelación del Gobierno, se había creado el Ministerio de Información y Turismo, del cual pasaron a depender, entre otras, la Dirección General de Prensa y la de Radiodifusión. Mejor les hubiera ido de permanecer en la órbita del Ministerio de Educación, que fue ocupado por Joaquín Ruiz Giménez que, si no era todavía el demócrata cristiano, partidario del diálogo con las izquierdas, de los años sesenta, mostraría ya el talante aperturista que conduciría a la crisis universitaria de 1956.

El titular del nuevo ministerio fue, en cambio, Gabriel Arias Salgado, que contó con la colaboración de Juan Aparicio como director general de Prensa. Los mismos que habían tenido a su cargo a la prensa entre 1941 y 1945, con notable eficacia represora; un tonto bueno y un listo malo, según Torcuato Luca de Tena[49]. Aparicio fue sustituido en 1957 por Juan Beneyto y éste en 1958 por Adolfo Muñoz Alonso.

Arias Salgado permaneció al frente de Información y Turismo hasta que en julio de 1962 fue sustituido por Manuel Fraga Iribarne. Unos días después de su relevo, moría de un infarto. «Tal vez le hemos anticipado la muerte», comentó Franco al conocer la noticia[50]. Es muy posible, porque se había dedicado a su tarea con el entusiasmo de un hombre de fe sin fisuras.

Es difícil trazar su retrato y hacer un resumen de sus ideas sin dar la impresión de que se hace caricatura. Su «Doctrina y Política de la Información» está recogida en la selección de sus textos —fundamentalmente discursos— publicada bajo títulos que contienen esos conceptos con ligeras variantes, en sucesivas ediciones por la Secretaría General Técnica del Ministerio que presidía[51].

Era más bien una «Teología de la Información», como él mismo decía y recoge Pemán en uno de sus *Almuerzos con gente importante*. Teología que partía de «Santo Tomás, que dejó sentado para siempre que la libertad es la opción entre dos bienes posibles, pero excluido siempre el mal». La facultad de censura podía negarse a un Estado agnóstico, pero no a un Estado católico: «porque la verdad, los valores dogmáticos y morales y las exigencias del bien común presiden sus actos»; ya que «existe una economía de la gracia, por la que los católicos sabemos que el gobernante católico [...] tiene la gracia especial correspondiente a su estado, que es una garantía mayor de acierto para los que mandan y los que obedecen».

Eso es lo que le discutían los católicos de la ACNP, que aspiraban a una autonomía para las publicaciones de la Iglesia con respecto al Estado, por más católicos que fueran sus gobernantes, y que por ese motivo mantuvieron polémicas con el muy católico ministro. Sobre esos temas debatieron con él, en diversas ocasiones, en los años 1954 y 1955, el director de la revista *Ecclesia*, Jesús Iribarren, y el obispo de Málaga, Herrera Oria. El ministro utilizaba las páginas del semanario *El Español*, fundado por Aparicio.

Las ideas de los oponentes del ministro no podían en realidad ser más ambiguas, inspiradas como estaban más en los derechos de la Iglesia que en los del «pueblo», cuya «debilidad intelectual y moral» estaba claro para Herrera Oria que había que «tutelar», como decía, entre otras cosas no menos significativas, el siguiente párrafo de su carta al ministro:

> Nada hay que oponer a la censura desde el punto de vista doctrinal. La previa censura, como es sabido, es de origen eclesiástico, y fue establecida no mucho después del descubrimiento de la imprenta. [...] Por servir al bien común, permitido es a un gobierno aplicarla a toda clase de noticias, aunque sean ciertas, e imponerla sobre los comentarios. Son razones que abonan esta facultad del Poder, dentro del derecho natural y cristiano, la obligación que tiene de defender el prestigio y la seguridad nacionales; velar por la paz y orden público interior, tutelar la debilidad intelectual y moral del pueblo, amparar la buena fama de personas físicas o morales, proteger las instituciones fundamentales del Estado, y en país católico, además, la defensa de la Iglesia, del dogma y de la moral[52].

Tanto el obispo como el ministro estaban de acuerdo en que fuera permitido al Gobierno censurar las noticias, «aunque fueran ciertas». En 1952 había sido autorizado un semanario de sucesos, *El Caso*, destinado a tener un gran éxito. Pero ni él, ni el resto de la prensa, pudo publicar la noticia de un terrible accidente ocurrido en Madrid a finales de mayo de aquel año en que un tranvía abarrotado de pasajeros descarriló en el puente de Toledo por el mal estado de las vías, con el resultado de varias decenas de muertos y gran cantidad de heridos. Por otra parte, a *El Caso* le fue limitada la información sobre crímenes violentos, primero, a dos y, finalmente, a uno por número[53]. No es extraño que predominase por entonces en la novela la corriente del «realismo social», tan denostada después por razones estéticas, que, aparte de producir algunos ejemplos nada despreciables desde ese punto de vista, trataba de reflejar una dura realidad que, en circunstancias de normalidad democrática, hubieran sido tema de reportajes en la prensa.

Del ministro circulaban toda clase de anécdotas pintorescas, algunas probablemente apócrifas, pero lo cierto es que la realidad debía de superar a la ficción. Eugenio Suárez asegura en sus memorias que le hizo la confidencia, hablando completamente en serio, de que sabía «de buena fuente» que Stalin se comunicaba con el diablo a través de un pozo en los Urales[54].

Desde su altura teológica, Arias impartía doctrina mientras que Aparicio se ocupaba de la práctica, con renovado rigor censor, impartiendo consignas minuciosas sobre los asuntos más intrascendentes, de modo que se tuvo la sensación de que el cambio había supuesto un retroceso. La misma impresión se saca de los archivos de la Administración, con una multiplicación de las consignas, aunque hay que tener en cuenta que, como hemos apuntado, en la etapa «católica» se procuraba dejar menos huellas:

> Lo grotesco se aliaba con lo sombrío, el analfabetismo con el poder, el miedo con la injusticia, la burocracia con la incompetencia. La Dirección General de Prensa escudriñaba el sentido de cada palabra, una verdadera caza de brujas era aquello, una constante tiranía en estado de urgencia. Los periodistas eran bufones [...]. Éramos la desoladora institución de la claque al servicio de una gloria exclusiva...

Fue la impresión que sacó de su primera experiencia periodística en la redacción de *ABC*, Carlos Luis Álvarez, a comienzos de los años cincuenta[55].

Pero en los once años en que Arias Salgado ocupó el Ministerio de Información, algo tenía que cambiar. Superados los tiempos más duros de la inmediata posguerra, consolidado el régimen en el interior y en el exterior, la dictadura se encuentra ya en la etapa de «normalización» o «afianzamiento»[56]. Y eso trae consigo una actitud menos temerosa de los censurados, que tratan de negociar más o menos amablemente con los censores para que les permitan publicar algún texto tachado; se atreven a protestar frente a algunas normas y, en ocasiones, a saltárselas, cuando la importancia de su periódico y sus cordiales relaciones con las autoridades de prensa permiten asumir ese riesgo calculado. El director de *ABC,* Luis Calvo, hizo caso omiso de las ridículas y mezquinas consignas sobre cómo debía tratarse la muerte de Ortega y Gasset, en octubre de 1955, y de las tachaduras de la censura, en la publicación de un número extraordinario dedicado al filósofo fallecido el día 19[57].

Es de suponer que, superado el espíritu de «prietas las filas» o el miedo paralizante de los primeros años, los periódicos debieron de recibir con estupor una paradójica y cínica consigna de 4 de marzo de 1958 que, en el contexto del ataque marroquí al territorio de Ifni, «...dado que los observadores políticos y diplomáticos y la prensa de otros países atribuyen erróneamente una inspiración oficial a las noticias sobre política internacional que publican los periódicos y las revistas españoles» les instaba a «reiterar que la prensa española informa y expresa su opinión espontáneamente también sobre las cuestiones de política internacional [...] las noticias y comentarios internacionales de la prensa española reflejan únicamente la opinión del periódico que los difunde o del comentarista que los firma».

Por aquellos años, superadas las condiciones de extrema penuria de la inmediata posguerra, la prensa, como los españoles en general (la cartilla de racionamiento, símbolo de aquella penuria, fue suprimida en 1952), empezaba a salir de su postración. Las tiradas registraron un lento crecimiento, acelerado entre 1955 y 1958, año en que la tirada global de los diarios españoles superó los 2 millones de ejemplares, y *ABC* y *La Vanguardia* —los de mayor difusión antes y después de la guerra— superaban los 150.000, y otros diarios, como el buque insignia de la Editorial Católica, *Ya,* o el órgano de los sindicatos verticales, *Pueblo,* se aproximaban a esa cifra[58]. Cifras todavía inferiores a las de los años treinta pero que, junto con la también lenta recuperación de la publicidad, ya les permitían respirar en el aspecto económico, y aspiraban a que la censura no les cerrase la ventana.

Otro factor de cambio es que empiezan a incorporarse a la profesión periodistas que no habían participado en la Guerra Civil. Entre 1949 y 1962 acceden al Registro Oficial de Periodistas 843 nacidos después de 1920; a partir de 1958 son mayoría los registrados anualmente nacidos después de 1930[59]. Es la misma generación que provoca los conflictos estudiantiles de 1956. Sean hijos de los vencidos o de los vencedores —más frecuentemente esto último—, la contienda fraticida es para ellos ya algo ajeno y empiezan a sentirse asfixiados en aquel clima enrarecido. Algunos empiezan a salir en viajes de estudios al extranjero, sobre todo a Francia, del cual, como dice Lluís Bassets[60], solían traerse algún *souvenir* antifranquista, comprado en alguna librería, o entran en relación con alguien del exilio.

En el discurso pronunciado por Arias Salgado en la clausura del V Consejo Nacional de Prensa, en mayo de 1959, anunció un proyecto de ley sobre la información («Ley de Bases de la Información»). Cuando su sucesor ocupó el cargo, iba por el quinto borrador.

Quizá contribuyó a la caída del ministro el hecho de que quedó «quemado» tras la desmesurada actuación de su departamento a través de su director general de Prensa, Adolfo Muñoz Alonso —por supuesto con la anuencia del jefe del Estado— en el episodio que, gracias a la machacona insistencia de las consignas, quedaría para la historia como «el contubernio de Múnich». España había solicitado en febrero de 1962 su ingreso en la Comunidad Económica Europea, que los ministros «tecnócratas» incorporados al Gobierno en 1957 consideraban necesario para impulsar la fundamental modernización económica que habían emprendido y que empezaba a dar sus frutos. En mayo, por indicación del exiliado Salvador de Madariaga, el Movimiento Europeo invitó a ochenta españoles del interior[61] y treinta y ocho del exilio a su IV Congreso, reunido en torno al tema «La democratización de las instituciones europeas». La conclusión a que llegaron los españoles, todos ellos personas moderadas, reformistas de orden, que en el caso de los del interior empezaban a situarse en la postura que caracterizará a la transición, democratización sin traumas, fue aplaudida el 18 de junio en la Asamblea general: Pedían instituciones representativas, garantía de los derechos, libertad de expresión, sindicatos libres, partidos políticos, «con el compromiso de renunciar a toda violencia activa o pasiva antes, durante y después del proceso evolutivo». «Todos contra Franco, pero suavemente», titulaba *France-Soir,* «Veinticinco años después de la Guerra Civil, monárquicos, republicanos y algunos franquistas de acuerdo para cambiar de régimen sin violencia».

Franco suspendió inmediatamente el artículo 14 del Fuero de los españoles que establecía el derecho de «fijar libremente su residencia dentro del territorio nacional». Los participantes en la reunión de Múnich podían optar entre permanecer en el extranjero o ser confinados en un lugar del territorio nacional lejos de su lugar de residencia habitual. Los que regresaron fueron detenidos al mismo pie del avión.

Y la prensa, obedeciendo las consignas, se lanzó a una desaforada campaña de desprestigio de aquellos moderados reformistas europeístas, con el *leit motiv* del «contubernio», dando así unas dimensiones desproporcionadas a un episodio que, si se hubiera limitado a una información y una reprobación discreta, hubiera pasado casi inadvertido. Cerrando filas en la defensa de las más puras esencias del régimen, demostraba a Europa, si alguna duda había, que la España franquista no podía formar parte del club democrático de la Comunidad Económica Europea.

Muchos periodistas y lectores se sintieron humillados por esa manipulación. Lo mismo ocurriría cuando en abril estalló un conflicto minero en Asturias, sobre el que la prensa guardó absoluto silencio, hasta que, varias semanas después, una vez declarado el Estado de excepción, sus páginas se llenaron de artículos y editoriales que, siguiendo las consignas, denunciaban la huelga como producto de maniobras soviéticas, obra de agitadores a sueldo del comunismo mundial. Los mineros despertaron las simpatías de los intelectuales que inauguraron su actividad de «abajofirmantes», que se iba a prodigar en el futuro, con un manifiesto, encabezado por Ramón Menéndez Pidal en el que exigían «lealtad informativa para con los españoles por parte del Gobierno, la prensa y la radio nacionales».

2.5 La radio

A las dificultades de la prensa para lograr una difusión que no ya superase el índice de subdesarrollo, sino que recuperase el de los años treinta, pudo contribuir, junto a todas las razones apuntadas, la competencia de los nuevos medios, letal para países en que éstos se instalan antes de que el grado de alfabetización y desarrollo general haya habituado a los ciudadanos a su lectura.

Aunque lo cierto es que la radio experimentó también un retroceso en los primeros tiempos:

> En la miseria económica y moral de la primera posguerra, con un servicio eléctrico en fase de reconstrucción en muchos puntos de España, la radio ha sufrido una considerable regresión [...] no sólo incapaz de consolidar los índices de audiencia del pasado, sino reducida a su condición de medio para las élites, como en sus primeros años de existencia [...] la radio española en el periodo 1939-1942 es una radio en proceso de reconstrucción, sin apenas oyentes que la escuchen[62].

Los aparatos receptores eran carísimos en relación con los salarios de la época (e incluso comparado con los precios que tienen hoy)[63], de modo que pocos podían acceder a ellos, aun entre los que tenían enchufe al que conectarlos.

El número de estos aparatos, de acuerdo con los datos del pago del preceptivo canon por su uso, habría disminuido considerablemente. Como hemos comentado en otro capítulo, este índice —suprimido en la Ley de Reforma Fiscal de 1964— es muy imperfecto, por la siempre presente picaresca, agudizada en épocas de pobreza, que llevaba a defraudar el impuesto. No obstante, proporciona una pista[64]. Existía naturalmente un gran desequilibrio entre las distintas regiones[65]. Es en los años cincuenta cuando se produce un despegue. A comienzos de esa década llega la revolución de los transistores, que alcanzará todas sus posibilidades con la reducción de su tamaño al de «un paquete de cigarrillos», como decían los anuncios, al comienzo de la siguiente.

Pero hasta comienzos de los setenta, los índices de audiencia de radio en España estaban muy por debajo de la media europea; en éste, como en tantos otros indicadores, siempre sólo por encima de Portugal y Grecia[66]. Por entonces ya la televisión se había convertido en el medio preferido de los españoles.

Con un índice de lectura de diarios y de audiencia de radio muy inferiores, los españoles estaban, pues, mucho menos expuestos a los medios que sus vecinos. Pero la radio, mucho más que la prensa, forma parte fundamental de la memoria sentimental de los españoles que crecimos y vivimos bajo el régimen franquista, principal y a veces única fuente de evasión y entretenimiento, con sus programas para todos los sectores del público, sus seriales, sus canciones, sus humoristas, sus concursos, sus transmisiones deportivas, sus adaptaciones teatrales. Las «estrellas de la radio» figuraban entre los personajes más populares[67].

Todo ello sometido por supuesto a una censura y a unas consignas tan rígidas como las de la prensa. Porque, como decía un artículo de la revista *Radio Nacional*, en vísperas del final de la Guerra Civil,

> Ningún elemento como la radio para formar la conciencia política de un pueblo. Las noticias, los comentarios de actualidad, la música misma, pueden estar orientadas —y deben de estar orientadas— a este fin formador de las conciencias.

Porque, abundaba en la misma idea esta revista, ya después de la victoria:

> Toda propaganda —y la radio más— puede considerarse fomentadora y formadora de una determinada psicología colectiva. [...]. Cuando los hombres creen pensar por propia cuenta, realmente están pensando a través de los medios de información de que disponen y de las noticias que reciben del mundo. [...]. El moderno Estado se ha impuesto fácilmente de esta realidad y por eso presta una atención tan honda a los instrumentos de propaganda como formadores de la psicología de los pueblos.

La radio no podía «quedar fuera de la órbita estatal que señala la orientación del periódico y el tema y contenido de la película», argumentaban unas «Breves consignas de programación» en septiembre de 1940[68]. No podía estar más claro el concepto totalitario de la función de los medios y concretamente de la radio.

Una norma de la Delegación de Propaganda, de la que dependía la radiodifusión, del 17 de septiembre de 1942, establecía que todas las emisoras debían presentar con un mínimo de 36 horas de antelación el texto íntegro de todas las emisiones, incluidas las guías comerciales. Las emisiones musicales estaban sometidas a normas minuciosas, entre las que figuraban la prohibición de la llamada música «negra», los bailables «swing», o cualquier canción que estuviera en idioma extranjero o pudiera «rozar la moral pública o el más elemental buen gusto».

Se optó, como en la prensa, por el modelo mixto de radio estatal y radio privada, sometida a rígido control. La información era monopolio de Radio Nacional, creada como vimos en 1937, con la que tenían que conectar todas las emisoras para transmitir los «diarios hablados», situación que se mantuvo hasta octubre de 1977.

La Falange y organismos de ella dependientes contaba con sus propias redes de emisoras: la Red de Emisoras del Movimiento (RED); Cadena Azul de Radiodifusión (CAR), dedicada a las Juventudes, y la Cadena de Emisoras Sindicales (CES).

El protagonismo absoluto en la radio privada correspondió a la cadena SER (Sociedad Española de Radiodifusión), heredera de Unión Radio, que fue devuelta a sus propietarios. La nueva sociedad fue constituida en septiembre de 1940 y en ella tendrían un peso creciente las familias Garrigues y Fontán, mientras que el fundador de Unión Radio, Ricardo Urgoiti, a su regreso a España en 1943 —de la que se había ausentado en 1937, por no estar segura su vida, como la de tantos otros, en ninguna de las dos zonas—, se dedicó a otras actividades, entre ellas la productora Filmófono, que había fundado en 1935 con la colaboración, entre otros, de Miguel Buñuel. De la jefatura de programas se encargó entre 1942 y 1962 Manuel Aznar Acedo, que en 1963 será nombrado director de Radio Nacional.

Apartado de la política en 1942, entre las actividades privadas del que había sido todopoderoso Serrano Suñer figuró la fundación en 1946 de la Compañía de Radiodifusión Intercontinental, que en los años cincuenta constituirá una pequeña cadena.

Desde finales de los años cuarenta, la Iglesia contaba con una serie de pequeñas emisoras parroquiales, de órdenes religiosas o de Acción Católica, que actuaban sin cobertura legal, que experimentaron una expansión tras la firma del concordato con la Santa Sede en 1953. En noviembre de 1959, en un momento en que era necesario organizar el un tanto caótico panorama de las ondas, el Ministerio de Información y Turismo aprobó el Plan de Radiodifusión de la Iglesia que daría lugar a la Cadena de Ondas Populares Españolas (COPE), dependiente de la Conferencia Episcopal, que en diciembre de 1965 se constituiría formalmente[69].

2.6 Y llega la televisión

En 1956 comenzó, muy tardíamente, en condiciones extremadamente precarias, la televisión en España[70]. En sus modestísimos estudios del paseo de la Habana se celebró la ceremonia de inauguración de Televisión Española. Era el 28 de octubre, día de Cristo Rey y víspera del aniversario de la fundación de Falange, día en que iniciará sus emisiones. No por casualidad, según hizo constar el ministro Arias Salgado:

> Hemos elegido estas dos fechas para proclamar los dos principios básicos que han de presidir, sostener y enmarcar todo el desarrollo futuro de la Televisión en España: la ortodoxia y rigor desde el punto de vista religioso y moral, con obediencia a las normas que en tal materia dicta la Iglesia católica, y la intención de servicio y el servicio mismo a los principios fundamentales y a los grandes ideales del Movimiento Nacional[71].

En ese momento, había sólo 600 aparatos de televisión. No es extraño, porque aparte de su elevado coste, el alcance de las emisiones, que se limitaban a tres horas, no sobrepasaba el área de Madrid. A comienzos de la década de los sesenta ya podía verse en casi toda España. El nuevo ministro de Información, Manuel Fraga, puso gran empeño en la expansión del nuevo medio, al que dieron gran impulso los nuevos estudios de Prado del Rey, inaugurados en 1964, y la creación de la segunda cadena en UHF, en 1966. El color llegaría en 1972. Para entonces, la televisión, con sus telefilmes americanos, películas, concursos, espectáculos musicales, se había convertido en el entretenimiento favorito de los españoles —empezando por el jefe del Estado, que, según numerosos testimonios, se pasaba las horas muertas frente al televisor, como tantos otros ancianos, sólo que él no estaba jubilado—, y los telediarios eran ya la principal fuente de información para la mayoría. El medio de masas por excelencia, interclasista e intergeneracional.

2.7 Las revistas culturales. La vegetación del páramo

Después de un siglo de liberalismo («nefasto liberalismo» para el pensamiento reaccionario), que había culminado en las décadas precedentes a la guerra, volvía la censura, el silenciamiento del disidente, el monolitismo cultural. Hay que añadir a ello, la pérdida de muchos de los protagonistas del esplendor cultural del primer tercio del siglo XX. Algunos de ellos habían muerto durante los años de la guerra o en su inmediato final, como consecuencia directa de ella o de muerte natural (García Lorca, Miguel Hernández, Unamuno, Valle Inclán, Antonio Machado...). Otros muchos marcharon a un exilio definitivo o muy prolongado, y realizarían, sobre todo en América, principalmente en México, una importantísima labor cultural, sólo tardía y parcialmente conocida en España, pese a los tempranos esfuerzos de algunos intelectuales del interior por tender puentes. Entre esa labor figura naturalmente la publicación de numerosas revistas, la primera de ellas, *España Peregrina*, se editó en México entre febrero y octubre de 1940[72].

Fue una pérdida irreparable que produjo en los años de la inmediata posguerra un gran vacío. Ha sido por ello un tópico denominar «páramo» a la situación cultural del franquismo, especialmente en sus primeras décadas. Imagen la de «páramo cultural» que, según Julián Marías en un artículo en el que desmiente la idea —como venía haciendo desde mucho tiempo atrás— titulado significativamente «La vegetación del páramo»[73], fue «moneda corriente desde poco después de la guerra civil». Mucho más cuando en sus últimos años, la relativa liberalización del régimen permitió visones críticas de él.

Y, sin embargo, la denominación es en gran parte injusta y desde luego exagerada. No se logró imponer el modelo cultural totalitario ni el «nacionalcatólico» que competía con él. Otra cultura empezó pronto a brotar «como brota la hierba en los tejados y en las junturas de las losas de piedra», como dice Marías. Al final, el régimen perdería esa batalla. A pesar de él, la cultura española no fue tan desdeñable ni siquiera en sus primeras décadas. Reconocerlo no es minimizar la labor represiva de aquel régimen, sino reconocer la de quienes se esforzaron para mantener bajo condiciones adversas una cierta dignidad para realizar una obra decorosa y en ocasiones mucho más que eso.

En el barco que le llevaba a su exilio mexicano, Paulino Masip había escrito: «Allí quedó el cuerpo físico de España. Nosotros nos trajimos su alma, su espíritu». Y León Felipe lanzaría su grito de orgullo y rencor: «[...] Tú te quedas con todo / y me dejas desnudo y errante por el mundo... / mas yo te dejo mudo... ¡mudo!... / Y ¿cómo vas a recoger el trigo / y a alimentar el fuego / si yo me llevo la canción?[74]». En 1958, este último se declararía, exagerando ahora en sentido contrario, en carta a la poeta Ángela Figuera Aymerich, «avergonzado» de esas palabras: «[...] Nosotros no nos llevamos la canción [...]. Esa voz... esas voces... Dámaso, Otero, Celaya, Hierro, Crémer, Nora, de Luis, Ángela Figuera Aymerich... los que os quedasteis en la casa paterna, en la vieja heredad acorralada... Vuestros son el salmo y la canción».

Si fueron muchos los que se fueron, también lo fueron los que se quedaron o regresaron pronto. Basta con mencionar unos pocos nombres, como en poesía Vicente Aleixandre, Gerardo Diego, Dámaso Alonso (también como excelente profesor universitario y luminoso crítico literario), Gabriel Celaya; en lengua catalana, Salvador Espriu, que, conocido como novelista antes de la guerra, iniciará su obra poética en 1946; novelistas como Baroja, Azorín o Pérez de Ayala; ensayistas como Xavier Zubiri, Eugenio d'Ors, Gregorio Marañón, Ortega y Gasset (desde su regreso en 1945); filólogos, como Ramón Menéndez Pidal; historiadores, como Ramón de Carande, Martín de Riquer, Vicens Vives, José Antonio Maravall, Luis Díez del Corral o Domínguez Ortiz. Ellos y otros que por su edad no tenían, o apenas, obra anterior a la guerra reanudan un espacio cultural, bien que encorsetado por la censura y el general clima inhóspito, que, según el campo a que se dedican, afecta a algunos más que a otros.

Refiriéndose a épocas pasadas en las que «se procuraba extirpar la disidencia como hierba mala», un personaje de *La velada de Benicarló* de Azaña afirmaba que «no todo el pensamiento español ha sido encarrilado por la fuerza» y preguntaba «¿Quién no ha percibido a lo largo de nuestra historia intelectual y moral la queja murmurante al margen de lo ortodoxo?». También ahora se oye ese murmullo. Aparte de que sería sectario negar que hubiera escritores e intelectuales de valía en el bando vencedor —del que algunos se desmarcaron más o menos pronto y más o menos silenciosamente— no tardó en surgir una cultura disidente[75].

Bajo el título de *La resistencia silenciosa* ha dedicado Jordi Gracia un ensayo a ese «rumor en que subsistió la cultura liberal: discreta, oculta, difuminada, pero ni inactiva ni exterminada [....] un ciclo iniciado hacia la década de los cincuenta», y antes, durante el «*quindenio negro* (1939-1945)» a «la contribución de lo que fue la versión mejor del fascismo español, esos falangistas con lecturas y algunas ideas propias»[76].

El más representativo grupo de esos falangistas, que más o menos pronto dejarían de serlo, fundó la revista *Escorial*, cuyo primer número apareció en noviembre de 1940, dirigida por Dionisio Ridruejo, con Pedro Laín Entralgo como subdirector y Luis Rosales y Antonio de Marichalar como secretarios de redacción. Ridruejo dejaría la dirección dos años después; le sucederían, hasta su desaparición en 1950, José María Alfaro y Pedro Mourlane Michelena.

Desde *Escorial,* estos falangistas «con lecturas e ideas», asustados por el empobrecimiento en el mundo cultural por el exilio y la represión, se propusieron, en la medida de lo posible y de lo que sus propias ideas de entonces les permitían, tender un puente con la cultura española anterior a la guerra y la mano a los intelectuales liberales que no habían querido o podido partir al exilio, pero se veían abocados a un «exilio interior». Junto a las firmas del grupo fundador, en sus páginas aparecerían las de Azorín, Baroja, Menéndez Pidal o Dámaso Alonso, al lado de otras de autores más jóvenes como Julián Marías. Éste, en el artículo citado anteriormente, considera que

> desde 1940 y durante los dos años de dirección de Dionisio Ridruejo y Pedro Laín Entralgo, *Escorial* significó un esfuerzo de reanudación de la convivencia intelectual y de los derechos de su ejercicio.

No todos juzgan aquella experiencia tan positivamente. José Andrés Gallego estima agudamente que ese «talante integrador» es «la otra cara del totalitarismo fascista»[77]. Andrés Trapiello, en una tertulia[78], decía en su respuesta a una pregunta sobre la revista: «Les interesaba Machado y Unamuno; sobre todo, que estaban muertos. Podían haberse interesado por Juan Ramón o Cernuda, pero no».

Querer «rescatar» a Antonio Machado[79], uno de los escritores más inequívocamente adscritos al bando perdedor, a los pocos meses de su muerte en un exilio apenas iniciado, no es desdeñable. Ni querer hacer suyo a Unamuno, contra quien se clamaba desde los púlpitos (en 1953 una Carta pastoral del obispo de Canarias, reproducida en la revista *Ecclesia* llevaba el elocuente título de «Don Miguel de Unamuno, hereje máximo y maestro de herejías»).

El propio Ridruejo, muchos años después, decidido militante en el campo de la democracia y sincero como pocos al referirse a su pasado, expresó un juicio nada complaciente:

> *Escorial* pareció a muchos españoles que venían de la «otra orilla», o simplemente del campo liberal, una mano tendida, un alivio, una manifestación sincera de antifanatismo y una tentativa seria de distensión. Así pues, la lectura del primer editorial de la revista y de mi prólogo a las obras de Machado, escrito bajo la vigilancia del propio hermano del poeta, me proporcionó en aquellos días la amistad de no pocas personas de las que en la España vencedora se encontraban perdidas. La misma lectura, en cambio, me valió

la repulsa más viva de hombres que estaban lejos de España o de los que leyeron aquello muchos años después. Y la mía misma cuando volviera a leerlo pasados quince o veinte años. Y es que, visto desde fuera y desde lejos, todo aquello tenía que parecer una farsa, un falso testimonio, un ardid de gentes aprovechadas que querían sumar, y con la suma, legitimar la causa a la que servían y cuyo reverso era el terror. Unos y otros, en definitiva, tenían razón[80].

Hubo otras revistas propiciadas desde el poder como las fundadas por Juan Aparicio, *El Español* y *La Estafeta Literaria*, en las que se darían a conocer muchos nuevos escritores.

Y un gran número revistas poéticas, aunque como siempre efímeras, distribuidas por toda la geografía nacional[81], empezando por *Garcilaso* y *Espadaña*, con distintos conceptos de la poesía, tras los que laten diferencias políticas —una nueva modulación en el fondo de la vieja polémica entre el «arte por el arte» y el «arte comprometido»— en las que colaboraron, sin embargo, indistintamente casi todos los poetas en activo.

La primera revista cultural independiente de entidad fue *Ínsula*, fundada en 1946 por Enrique Canito y José Luis Cano y que sigue editándose en la actualidad. Espléndida revista, cuyo índice en aquellos años del supuesto «páramo» le producía a Julián Marías a la altura de 1976, en el artículo citado, «admiración y una nostálgica melancolía». Tuvo, entre otros, el mérito de ser el principal puente con los autores del exilio.

Desde 1951, le hace la competencia *Índice*, editada por Juan Fernández Figueroa, quien, gracias a sus antecedentes de probada lealtad al régimen y a una notable habilidad —consistente con frecuencia en dar una de cal y otra de arena—, logró imprimir un tono progresivamente aperturista a su revista, sobre todo a partir de 1956. Si sus buenas relaciones y su habilidad le hicieron sortear en muchas ocasiones sorprendentemente la censura, no le evitaron tener en otras graves encontronazos con ella: entre los más graves, en 1954 fue secuestrado un número especial dedicado a Baroja y en 1956 sufrió una suspensión de tres meses, al mismo tiempo que *Ínsula*, en este caso durante un año[82].

En 1956 funda Camilo José Cela (con José Manuel Caballero Bonald como secretario de redacción) una magnífica revista literaria, *Papeles de Son Armadans*, en la que hasta su desaparición en 1979 colaboraron los mejores autores (ensayistas, narradores, poetas, críticos) del interior y del exilio.

Destino, la revista barcelonesa, fundada, como vimos, en el Burgos de la Guerra Civil por un grupo de falangistas catalanes, va alejándose progresivamente de sus orígenes —lo que le ocasionará graves contratiempos, que llegan hasta el asalto a su redacción y el encarcelamiento de Santiago Nadal por un artículo publicado en marzo de 1944— bajo la dirección nominal de Ignacio Agustí y efectiva de Josep Vergés, apoyado en Josep Pla. Las diferencias entre los dos principales accionistas, Agustí y Vergés, sobre la línea de la revista se resolvería en 1957 con la compra por parte del segundo de las acciones de Agustí. Bajo la dirección de Néstor Luján, la revista empezaría entonces una nueva época, definitivamente liberada de los lastres del pasado y en una línea decididamente aperturista[83].

En los últimos años cuarenta empieza una lenta recuperación de la cultura en lengua catalana. Salen a la luz obras literarias (novela, poesía). Desde 1959, la revista *Serra D'Or*, publicada en catalán por el monasterio de Montserrat, dará cuenta de ellas, así como del rico patrimonio histórico. Con colaboradores de un amplio espectro ideológico y una temática muy amplia que abarca desde la religión a la economía, pasando por la arquitectura, el cine, las artes plásticas, el teatro o la música, *Serra D'Or* contribuyó señaladamente a esa recuperación de la lengua y la cultura catalanas iniciada, pese a todas las dificultades, desde muy pronto[84].

Algunas revistas editadas por el SEU, o por otros organismos universitarios, sirvieron desde los primeros años cincuenta de plataforma para la expresión de una insatisfacción juvenil que desembocaría en una abierta crítica al sistema. En revistas como *La Hora*, *Alcalá*, *Acento Cultural* o la barcelonesa *Laye,* jóvenes de una generación que, como decía Juan García Hortelano en un relato publicado en *La Hora,* «no pudo hacer una guerra porque llevaba pantalones cortos y que no intervino en la paz porque los vestía bombachos»[85], que en algunos casos en su adolescencia (quizá con estancias en campamentos del Frente de Juventudes) se habían sentido atraídos por la retórica revolucionaria falangista, o simplemente «niños de derechas» por su ambiente familiar, van «concienciándose» —según expresión entonces en boga en los círculos universitarios— confusa y dificultosamente en una evolución que los llevará al campo genéricamente democrático o específicamente marxista. Jordi Gracia ha titulado su estudio de estas revistas *Crónica de una deserción*[86]. Deserción que indignará a los mayores, a los que sí habían hecho la guerra. Como lo hace el diario barcelonés del Movimiento, *Solidaridad Nacional* con la revista *Laye*, «tribuna de estos marisabidillos que estudiaron sus carreras aprovechándose de la sangre derramada por los que hoy desprecian», que escupen «contra sus padres y los huesos que se calcinan al sol de España». «Por fortuna —concluye el artículo— tan sólo una pequeña parte de nuestra pollada nos ha salido cuervos [...]. Sería tonto por nuestra parte el que les dejáramos que nos sacasen los ojos; que nos dejaran ciegos [...]. Ni lo piensen siquiera. Como cargamos contra el enemigo el 18 de julio, cargaríamos contra ellos, hasta ponerlos en desbandada, si fuera preciso, a sopapos de la mejor ley [...]»[87].

No era tan pequeña la «pollada» descontenta con el régimen, e irá aumentando en los años siguientes. Ellos, otros mayores que también desertaron de sus iniciales posturas, y los que nunca habían comulgado con el régimen irán haciéndose progresivamente hueco en el mundo cultural bajo el franquismo. Surgen también grupos católicos al margen del nacionalcatolicismo, católicos liberales como los jóvenes encabezados por Lorenzo Gomis que desde 1951 publican en Barcelona *El ciervo*. Finalmente, como había ocurrido bajo la monarquía absoluta en época de Larra, o a la dictadura de los años de Primo de Rivera, al régimen franquista se le irá el mundo cultural de las manos.

2.8 Medios de comunicación clandestinos

Como en toda época en que se coarta gravemente la libertad de dar y recibir información y opiniones, éstas surgen por donde pueden y frente a la omnipresente propaganda de la dictadura, una contrapropaganda que pretende contrarrestarla: junto a los rumores que corren y se transmiten en voz baja, aparece una prensa clandestina. Numerosísimas fueron las publicaciones de ese género en estas primeras décadas del franquismo. Pero parece exagerada la afirmación de Bassets y Bastardes de que esta prensa realizara «una auténtica función de medio de comunicación de masas»[88]. Más bien, como dice el mismo Lluís Bassets en otro lugar, esta prensa «sin público o con público reducido» es más que un medio de persuasión, un medio de afirmación subjetiva de las propias organizaciones que las realizan, desde el exilio en su inmensa mayoría, un «medio de preservación de la propia identidad»[89]. Un modo de mantener la cohesión del grupo, el espíritu de resistencia y la esperanza.

A partir de los años sesenta, con el despertar social y político de amplios sectores de la sociedad española y la mayor tolerancia del régimen proliferarán toda clase de publicaciones, más en la ilegalidad que en la clandestinidad[90].

Más extensión que la lectura de esta prensa debió de tener, en las primeras décadas del franquismo, la audición clandestina de emisoras de radio. Aunque conocida como «La Pirenaica», Radio España Independiente, del Partido Comunista, «la única emisora española sin censura de Franco», como se presentaba, nunca emitió desde los Pirineos, sino en sus primeros tiempos (desde el 22 de julio de 1941) desde Moscú y a partir de enero de 1955 desde Bucarest. Se despidió de sus oyentes el 14 de julio de 1977, con una emisión, desde Madrid, de la sesión inaugural de las Cortes de la democracia, confiando en que su labor hubiera servido para su reconquista, según decía.

El que fue su director durante la mayor parte de su vida, Ramón Mendezona, que regresó a España definitivamente en 1988, y murió en 2001, publicó varios escritos sobre la emisora[91].

Demasiado duro y violento el mensaje de «La Pirenaica» para muchos, aun entre los contrarios al régimen, hasta la década de los sesenta quizás eran más los que oían clandestinamente el programa que la BBC emitía para España desde 1939 y que no suspendería hasta 1981. No sin riesgo en los años de la inmediata posguerra. Rigurosamente prohibido escuchar «emisoras extranjeras», en 1941 unos jóvenes fueron procesados en Almería por difundir trascripciones del «parte inglés», acusados de «desear el triunfo de Inglaterra y Rusia sobre Alemania, que habría de traer consigo el triunfo del marxismo y el cambio de régimen en España», condenados por auxilio a la rebelión y delito contra la seguridad del Estado y ejecutados[92]. La emisora británica tenía mayor credibilidad en los años cuarenta que la correspondiente de Radio París que, en opinión de los diplomáticos franceses en España, tenía un efecto contraproducente por su «tono inadecuado, excesivamente "bélico"» y sus «noticias de autenticidad frecuentemente dudosas»[93].

La apertura informativa a partir de los años sesenta en la prensa española había privado, salvo en ocasiones excepcionales, de gran parte de su interés a estas audiciones clandestinas. «Comienza a perder interés la célebre Radio Pirenaica», anota Fraga en su diario al mes de haber tomado posesión, comentando el inicio de «la apertura informativa» que permite publicar la colocación de unos petardos en *ABC*, *Ya* y *Pueblo* y dar una «información normal» sobre una nueva huelga en Asturias, «desdramatizando el asunto»[94]. Lo que no obstaba para que pusiera empeño, al parecer, en interferir sus emisiones[95].

Para entonces, algunos españoles de la élite cultural, que no consideraban suficiente esa tímida apertura, recurrían a las crónicas de José Antonio Novais en *Le Monde* —bestia negra del ministro— para estar mejor informados de lo que ocurría en España. Y, a partir de 1965, a la revista *Cuadernos de Ruedo Ibérico*, editada en París por la editorial del mismo nombre. Esta revista, en su primer número de junio-julio de ese año, daba cuenta de los disturbios estudiantiles de febrero, que darían lugar a la destitución de los catedráticos Agustín García Calvo, José Luis López-Aranguren, Enrique Tierno Galván, Mariano Aguilar Navarro y Santiago Montero Díaz, de la retirada del carné de periodista a José Antonio Novais y de la campaña desatada contra él, por «reflejar en su periódico objetivamente lo sucedido». La revista publicaba tanto artículos de exiliados como los que le enviaban colaboradores desde el interior de España, firmados habitualmente con seudónimo por obvias razones. Se publicaría con intermitencias hasta diciembre de 1979 (los últimos números en España).

3. El segundo franquismo

3.1 Manuel Fraga Iribarne, ministro de Información y Turismo

En julio de 1962 en una reestructuración del Gabinete, Gabriel Arias Salgado fue sustituido por Manuel Fraga Iribarne, quizá debido, como hemos dicho, al tratamiento dado por la prensa al «contubernio de Múnich» y a la huelga asturiana[96]. El joven ministro de Información y Turismo, aunque católico de la ACNP y afiliado a Falange, no era fácil de clasificar en ninguna de las que hasta entonces habían sido típicas «familias» del régimen. Era el tipo de político que iba a caracterizar a los últimos años del franquismo, como otros de sus compañeros de gabinete, pertenecientes éstos a la institución ascendente del Opus Dei: números uno en todas las oposiciones a que habían optado por desarrollar sus brillantes carreras dentro de la Administración del Estado.

Fraga había seguido decididamente «el camino tradicional de las oposiciones a las grandes carreras del Estado, para acceder a la función pública». Catedrático de Derecho Político antes de cumplir los treinta años y número uno en las demás oposiciones a las que se presentó (Letrado de las Cortes, diplomático), la crisis de 1956 (había formado parte del equipo aperturista de Ruiz Jiménez en Educación) le hizo pasar de pensar que «la mejor política es una buena administración» a convencerse de que «la política, lo primero»[97]. A los cuarenta años se le presentaba a este *animal político*, que había sido ya «secretario general de muchas cosas»[98], y cuya trayectoria va a ser la más larga de la historia contemporánea española, la ocasión de dedicar toda su apabullante energía a la tarea de tratar de aplicar sus ideas.

Como otros altos funcionarios del régimen, el nuevo ministro era consciente de las transformaciones que estaba sufriendo la sociedad española, que salía del subdesarrollo gracias a la liberalización económica que había sustituido a la autarquía, al auge del turismo —al que él daría un gran impulso con su gestión[99]— y a la masiva emigración a Europa, que no sólo proporcionaban divisas, sino también el contacto con otras culturas, fenómenos a los que se sumaba el cambio generacional y el comienzo de un *aggiornamento* de la Iglesia, que se plasmará en el Concilio Vaticano II (1962-1965)[100]. Todos esos cambios estaban convirtiendo en anacrónico a un régimen que necesitaba urgentemente reciclarse para no perder la sintonía con una sociedad que ya no cabía en el rígido corsé de sus estructuras anquilosadas. «La reforma es la única alternativa a la ruptura» era su conclusión: «una reforma política progresiva y prudente, que preparase la normalización del país»[101].

Por lo que respectaba a sus competencias, tenía claro que era necesaria una nueva ley de prensa liberalizadora. Y las entrevistas que empezó en seguida a mantener con directores de periódicos le confirmaron que «todo eran problemas y deseos de reformas». Le costó trabajo encontrar candidatos para su equipo en Información —había que «cazarlos a lazo», según sus palabras— mientras que sobraban para Turismo: tras las recientes pifias, la desacreditada política de prensa era una patata caliente poco apetecible. El que sería su director general de Prensa, Jiménez Quílez, «se horrorizó» cuando se lo propuso y el jefe de censura «se quedó pálido». En la oficina donde se ejercía tan poco prestigiosa labor, pidió el «libro verde» en el que se encuadernaban las consignas, que le parecieron «algo increíble»[102].

3.2 Fraga «abre la mano»

Se propuso un cambio gradual, «ir quitando presión», «abriendo la mano», «para que la gente se fuera acostumbrando». Una de las primeras medidas fue suprimir las consignas, aunque, como se ve por sus anotaciones, se hicieron frecuentes las «recomendaciones», encuentros y almuerzos con los responsables de los periódicos, para pedirles «tiempo».

El periodo de experimentación duró más de tres años. De ideas reformistas pero talante autoritario, Fraga tenía claro que el tiempo lo marcaba él y le irritaban las impaciencias, que mostraban por ejemplo muchos intelectuales que prodigan en estos primeros años sesenta los manifiestos de protesta, que, en su opinión, podrían ser muy graves «para los proyectos de reforma». Es cierto que se encontraba «entre dos fuegos», entre una izquierda que «estima que todo es poco» y «los inmovilistas que quieren que no se publique nada», entre ellos algunos ministros —Luis Carrero Blanco, Camilo Alonso Vega, Jorge Vigón— que le «echan los perros», porque les parece que «la prensa está desquiciada». A Franco, «cada vez más anciano y más indeciso», le parece también que «la tenemos muy suelta» y echa en falta las consignas[103].

En efecto, ya en estos años anteriores a la nueva ley, hay signos esperanzadores de ciertos cambios, junto con otros que los contradicen, de acuerdo con el temperamento del ministro que cree que «hay que ser a la vez liberal y firme en el ejercicio de la autoridad». Entre los negativos, la campaña de persecución del corresponsal de *Le Monde*, José Antonio Novais, a que nos hemos referido en otro lugar. Entre los positivos, el permiso para que Torcuato Luca de Tena volviera a dirigir *ABC*, y la autorización de nuevas publicaciones: algún diario como *Tele/expres*, el primero de iniciativa privada que aparecería en Barcelona desde la Guerra Civil, diario popular y progresista, que saldría a la calle el 16 de septiembre de 1964 y concluiría su breve y agitada vida en diciembre de 1980 y, sobre todo, revistas: en 1963 aparecen *Revista de Occidente* en su segunda época, *Atlántida* (de la editorial Rialp, del Opus Dei, dirigida por Florentino Pérez Embid) y *Cuadernos para el Diálogo*. Esta última, revista política y cultural, fundada y dirigida inicialmente por el ex ministro Joaquín Ruiz Giménez —muy influido por la renovación que en el seno del catolicismo supuso la encíclica *Pacem in Terris* de Juan XXIII y el Concilio Vaticano II—, con Pedro Altares como secretario de redacción, va a ser una de las publicaciones más emblemáticas de entre las que en los últimos años del franquismo apuestan por la democratización y preparan el terreno para la transición. Su título es ya indicativo de esa postura: *diálogo* y *cambio* (que será el título de la revista de más éxito en los últimos años del franquismo, *Cambio 16* fundada en 1971) son palabras clave en el vocabulario de los que en aquellos años aspiran al establecimiento de un sistema democrático en España. Como diría Tierno Galván, Ruiz Giménez fue quizás el primero que dio a la palabra «diálogo» un contenido político, vinculándola a la idea de la convivencia democrática[104]. En *Cuadernos*, que iría evolucionando cada vez más a la izquierda, colaborarían, hasta su desaparición en 1978, la mayor parte de los intelectuales y los políticos de la oposición democrática al régimen.

Por fin, el Consejo de Ministros aprobó la ley el 13 de julio de 1965, no sin reservas de los ministros más inmovilistas y las reticencias del propio Franco[105]. Hasta enero de 1966 no comienza el debate en las Cortes. El 15 de marzo era aprobada con tres votos en contra, llevaría fecha de 18 de marzo, el 19 se publicaba en el BOE y el 9 de abril entraba en vigor.

3.3 La Ley de Prensa de 1966

En el preámbulo de la ley, se justificaba su necesidad por «el profundo y sustancial cambio» que había experimentado la vida nacional en aquel cuarto de siglo de «paz fecunda», y la conveniencia de proporcionar a la opinión pública «cauces idóneos a través de los cuales sea posible canalizar debidamente las aspiraciones de todos los grupos sociales, alrededor de los cuales gira la convivencia nacional». El mismo preámbulo establecía ya las tres grandes novedades que contenía el texto al señalar que «libertad de expresión, libertad de Empresa y libre designación de director son postulados fundamentales de esta Ley». Libertades que se contenían, respectivamente, en los artículos 1, 16 y 40.

Pero otros artículos limitaban o contradecían esas teóricas libertades. La libertad de expresión chocaba con las limitaciones del más controvertido de los artículos, el 2, según el cual:

> Son limitaciones: el respeto a la verdad y a la moral; el acatamiento a la Ley de Principios del Movimiento Nacional y demás Leyes Fundamentales y las exigencias de la defensa nacional, la seguridad del Estado y del mantenimiento del orden público interior y de la seguridad exterior; el debido respeto a las Instituciones y a las personas en la crítica de la acción política y administrativa; la independencia de los Tribunales, y la salvaguardia de la intimidad y del honor personal y familiar.

La libertad de empresa entraba en contradicción con la preceptiva inscripción en el Registro de empresas periodísticas, que había que solicitar y podía ser denegada. La empresa podía designar al director, pero éste era responsable ante la Administración de todo lo publicado en el periódico y si era sancionado en un mismo año, como consecuencia de tres expedientes en materia grave, quedaba incapacitado (artículo 36).

El artículo 3, que establecía que «La Administración no podrá aplicar la censura previa ni exigir la consulta obligatoria salvo en los estados de excepción y de guerra expresamente previstos en las leyes», iba a ser el de mayor trascendencia. Cierto que el 12 exigía el depósito previo de diez ejemplares de la publicación en las dependencias del Ministerio de Información y Turismo media hora antes como mínimo antes de iniciar su difusión, lo que permitía proceder al secuestro de la edición. Para evitar esa posibilidad, el artículo 4 preveía la consulta voluntaria.

La Administración podrá ser consultada sobre el contenido de toda clase de impresos por cualquier persona que pudiera resultar responsable de su difusión. La respuesta aprobatoria o el silencio de la Administración eximirán de responsabilidad ante la misma del impreso sometido a consulta.

Las consignas quedaban abolidas, puesto que en ningún momento se decía que correspondiera al Estado la orientación ni el contenido de las publicaciones periódicas, que se atribuían explícitamente al director, responsable, como hemos visto, ante la Administración.

El artículo 69 preveía sanciones, si se contravenían las limitaciones del artículo 2, que iban desde multas de 1.000 a 500.000 pesetas hasta la suspensión, contra las que cabía el recurso contencioso-administrativo, que podía llegar al Tribunal Supremo.

Era, en fin, una ley llena de cautelas. Los más críticos consideraron que era cambiar para que todo siguiera igual, «ensanchar el cerco para mantenerlo», diría Juan Antonio Bardem.

Más todavía cuando otras disposiciones posteriores vinieron a completar las restricciones de la ley. Las más importantes, la reforma de algunos artículos del Código Penal por Ley de 8 de abril de 1967 —entre los cuales un nuevo artículo 165 bis b tipificaba como delito las infracciones de las limitaciones de la libertad de expresión establecidas en el artículo 2— y la Ley de Secretos Oficiales de 5 de abril de 1968, por la que podían declararse asuntos diversos como «materia reservada» y que se estrenó con la independencia de Guinea.

Por otra parte, lo que muchos estimaban una liberalización excesivamente tímida no alcanzaba a los medios de comunicación audiovisuales.

3.4 Luces y sombras de la Ley

Pero comparado con la normativa anterior, el nuevo marco legal significaba un avance en la liberalización. La Ley, como diría Manuel Vicent, había «cortado las alambradas», aunque hubiese dejado «el campo sembrado de minas». Y la supresión de las consignas permitía enfrentarse al régimen con «la noticia que no se publicaba, el elogio que se hurtaba, la escasa valoración en página par de cualquiera de los éxitos de la dictadura»[106].

Todos los periódicos importantes optaron por no someterse a la consulta voluntaria, forzando los límites de la permisividad. Con la habilidad y el riesgo precisos, sustituyeron a unas instituciones políticas agonizantes y contribuyeron a preparar el gran debate democrático. «Debido a esta peculiar situación, la prensa, sometida a un régimen de autocensura y amenazas, pero liberada de la censura previa, pudo contribuir en la última década franquista a expandir el diálogo político y a orear un poco el páramo intelectual y cultural»[107]. Pudo valorarse la diferencia entre tener o no censura previa cuando durante el Estado de excepción de 25 de enero a 10 de marzo de 1969 fue reimplantada.

En los periódicos y las revistas se van perfilando las distintas tendencias políticas, puesto que era en ellos sobre todo donde era posible un cierto debate público, que iba más allá de la «ordenada concurrencia de criterios» y el «contraste de pareceres» a que se refería le Ley Orgánica del Estado de 1 de enero de 1967. A principios de los años setenta se empezó a hablar de que la prensa era un «parlamento de papel».

En el discurso de fin de año de 1969, Franco dijo una frase que se haría célebre: «Todo está atado y bien atado». Sólo los más inmovilistas —a los que pronto se empezó a designar como «el búnker»— lo creía por entonces. Empezaba a estar claro que no sería posible un franquismo sin Franco, que el régimen no sobreviviría al «hecho biológico», como se decía eufemísticamente, de la muerte del dictador.

Entre los factores que contribuyeron a que se produjera el cambio estuvo sin duda esta prensa en «libertad vigilada». Algunos periódicos se quedaron en el camino, víctimas de una política de prensa que, si había dejado de ser totalitaria, era autoritaria. Fraga recibía airadas quejas de algunos de sus compañeros de gabinete[108]. El primer secuestro con arreglo a la ley fue el de un número de *Juventud Obrera*, una revista católica que ya le había dado anteriormente al ministro algunos quebraderos de cabeza. «El primer disgusto serio», según sus propias palabras, fue un artículo de Luis María Ansón en *ABC*, publicado el 20 de julio de 1966, que incidía en el tema tabú de la sucesión. Titulado «La Monarquía de todos», defendía «la Monarquía de Don Juan, que es la Monarquía a la europea, la Monarquía democrática en el mayor sentido del concepto, la Monarquía popular, la Monarquía de todos». El número fue secuestrado, lo que produjo «una reacción fuerte, como era de esperar», comenta el ministro[109]. Dos meses después, el Tribunal de Orden Público decidía levantar el secuestro y no procesar a *ABC* («Palo para el Ministerio. Pero la Ley funciona», comenta Fraga[110]).

3.5 El diario *Madrid*

El propio carácter de Fraga, como dice Raúl Morodo, le hacía peligroso cuando alguien obstaculizaba sus planes y se cruzaba en su camino. Fue el caso del diario *Madrid*, cuya propiedad había sido traspasada por su fundador, Juan Pujol en enero de 1962 a la empresa FACES (Fomento de Actividades Culturales, Económicas y Sociales) S.A., creada al efecto por personalidades vinculadas al Opus Dei, como Luis Valls y Rafael Calvo Serer.

La nueva etapa editorial comenzó en septiembre de 1966, bajo la presidencia y la inspiración política de Rafael Calvo Serer, antiguo integrista que había experimentado, como tantos otros, una evolución que le situaba ahora en el ala liberal y monárquica «donjuanista» del Opus Dei. También perteneciente al ala liberal de la institución, y demócrata convencido, era Antonio Fontán, que colaboró desde el principio con Calvo Serer en la nueva etapa del diario, de cuya dirección se hizo cargo en abril de 1967.

Fontán incorporó a un plantel de jóvenes periodistas y escritores —Miguel Ángel Gozalo, Miguel Ángel Aguilar, Francisco (Cuco) Cerecedo, José Oneto, Jesús Picatoste y Federico Ysart entre otros— de una generación no hipotecada por la Guerra Civil, alejada de rencores, que aspiraba a que España se integrase en Europa, para la que las palabras «libertad» y «democracia» tenían un poder real y tangible, que tenían, en fin, una «nueva conciencia», tal como decía uno de ellos en uno de los artículos que fueron objeto de expediente.

El más grave encontronazo del diario con el artículo 2 de la ley de 1966 fue a causa de un artículo de su «inspirador», Rafael Calvo Serer, que figura en las antologías de «artículos célebres», titulado «Retirarse a tiempo. No al general De Gaulle», publicado en la página 3 del número del 30 de mayo de 1968, en el que no había que leer entre líneas y en clave —tarea en la que los lectores de la época eran expertos— para entender que donde decía «De Gaulle», quería decir también, y sobre todo, «Franco», por cuanto se establecía explícitamente el paralelismo entre los dos países y se planteaba la cuestión de qué hacer en el nuestro, cuando se produjese «la vacante previsible». Tal vacante, por el «hecho biológico», iba a tardar todavía siete largos años en producirse, y *Madrid* no iba a estar allí para verlo. Heraldo de una transición sin traumas, del «consenso» y el pacto entre los elementos evolucionistas del régimen y una oposición moderada, le tocó el tópico destino de no llegar a la tierra prometida.

El artículo en cuestión le supuso al diario una suspensión de dos meses, que se prolongó luego a cuatro, la medida más discutida de la gestión de Fraga al frente del Ministerio. *Madrid* había constituido desde el principio un motivo de preocupación para el ministro, como se ve en las anotaciones de sus memorias, salpicadas en estos años de continuas referencias al diario «cada día más conflictivo», al que trata de «centrar», agotando «los argumentos», en almuerzos con sus responsables, cansándose de decirles que actúa «desde la autoridad y no desde el poder», hasta que «ya no cabían más ruegos», etc.

Sería su sucesor, Alfredo Sánchez Bella quien daría el tiro de gracia que acababa con la vida del diario. El 25 de noviembre de 1971, *Madrid* publicaba su último número, que en primera página, junto con un «Adios...» de su director, Antonio Fontán, informaba de la resolución ejecutiva del Ministerio de Información, por la que se cancelaba su inscripción en el Registro de Empresas Periodísticas. En la nota de la Dirección General de Prensa, se aducían para tan drástica medida razones de tensiones internas en el seno de la empresa que lo editaba, y se excluía de manera explícita que tuviera ninguna relación con «texto alguno aparecido en el diario *Madrid*». Aunque las tensiones en el seno de la empresa eran ciertas[111], a nadie se le ocultó que se trataba de un pretexto.

El 24 de abril de 1973, en una de las primeras voladuras controladas por explosivos que se hicieron en la capital de España, el edificio que había sido sede del diario *Madrid*, en la esquina de las calles General Pardiñas y Maldonado, se desplomaba aparatosamente. Aunque no era el régimen, ni el gobierno de turno quien había ordenado la voladura, sino la empresa constructora que había adquirido el edificio a la editora del diario, con el fin de convertirlo en solar sobre el que levantar apartamentos, aquella imagen, por su fuerte carga simbólica, ha quedado en el recuerdo como la estampa brutal de la muerte violenta del periódico por obra de un régimen que en sus postrimerías daba esos coletazos para aviso de quienes pretendiesen certificar su defunción.

Cinco años después de su desaparición, en octubre de 1976, el Tribunal Supremo fallaría en favor del diario en el pleito que éste había planteado a la Administración, que se vio obligada a indemnizar a la empresa. Demasiado tarde para la reaparición del diario, aunque durante mucho tiempo los representantes de la Sociedad de Redactores que se había constituido en los últimos tiempos de su publicación mantuvieron el proyecto de revivirlo[112].

3.6 *El Alcázar* y *Nuevo Diario*

A finales de septiembre de 1968, siendo todavía ministro Fraga, el Ministerio había también intervenido en una disputa de tipo empresarial. Se trataba de *El Alcázar*, el antiguo diario vespertino de la Hermandad del Alcázar de Toledo, que en 1949 había arrendado la cabecera a Prensa y Ediciones Sociedad Anónima (PESA), cuyo capital pasó a ser controlado en 1958 por SARPE, fundada en 1951 por personajes ligados al Opus, como Alberto Ullastres, Antonio Fontán, Luis Valls Taberner, que venía editando revistas como el semanario gráfico *La Actualidad Española*, la revista cultural y de pensamiento *Nuestro Tiempo* o *Actualidad Económica*, y participaba en la propiedad de *Diario Regional* de Valladolid y *Diario de León*. Pesa amplió capital en 1963, y sus responsables se propusieron reorganizar *El Alcázar*, convirtiéndolo, bajo la dirección de José Luis Cebrián Boné, en un periódico dirigido al gran público. Con mucho material gráfico y atención a los espectáculos populares —toros, fútbol—, la nueva etapa constituyó un gran éxito: pasó de 25.000 ejemplares en 1963 a 140.000 en 1968, distribuidos sobre todo en Madrid, situándose en segundo lugar entre los vespertinos, después de *Pueblo*, con el que mantuvo agrias polémicas, en las que los motivos ideológicos se mezclaban con los comerciales. Aunque el periódico no se situó en una línea izquierdista y nada desdecía en él de una línea católica ortodoxa en temas de moral, su atención a los problemas laborales le hacían incómodo.

Más atrevido fue el matutino lanzado por la misma empresa el 8 de septiembre de 1967, *Nuevo Diario*, que pretendía conectar con el público juvenil, ser «el periódico de la nueva generación», de esa generación «sin revanchismos ni nostalgias» que había «superado el cisma de las dos Españas» y no pensaba «en el pasado sino en el porvenir»[113]. Prestaba en consecuencia mucha atención al mundo universitario, muy conflictivo en estos años. Era el primer diario que aparecía en el panorama madrileño, inalterado hasta entonces desde la inmediata posguerra. Unos días después aparecía *SP*, falangista radical dirigido por Rodrigo Royo. Ninguno de los dos lograría afianzarse. José Luis Cebrián, que pasó a dirigir *Nuevo Diario*, no logró repetir en el matutino el éxito que había tenido con el vespertino.

Aunque los miembros del Opus han negado siempre que la institución tenga ningún significado ni pretensión política, sino sólo espiritual, y han reiterado que deja libertad de elección en los asuntos mundanos, siempre, claro está, dentro de un sentido católico de la vida, lo cierto es que no era ésa la percepción que tenía el público en general. *El Alcázar* y *Nuevo Diario* eran conceptuados como «periódicos del Opus no sólo por sus colegas y enemigos *Pueblo* y *SP*, que insistían en ello. El hecho de que los principales accionistas, varios miembros del Consejo de Pesa y el director primero de *El Alcázar* y después de *Nuevo Diario*, José Luis Cebrián, perteneciesen a la Obra, avalaban esa interpretación. Según recuerdan sus discípulos, entre ellos el propio Cebrián, el fundador, José María Escrivá, solía repetir la frase: «Hay que envolver el mundo en papel impreso, dando buena doctrina».

Fraga, que evidentemente no sentía ninguna simpatía por la Institución, era de los muchos que había sacado la conclusión de que su influencia en la política española, importante sobre todo a partir de 1950, porque «las circunstancias eran favorables para un instituto que promovía el tipo de tecnócratas útiles en un periodo de desarrollo económico y administrativo», obedecía a «una coordinación indudable, y en cada momento se han jugado diversas personas en los lugares oportunos del tablero político y económico. [...] La ambición de poder se disimulaba hábilmente tras la doctrina de la eficacia administrativa». Según él, para la acumulación de poder y dinero no hay límite y «por eso son tentaciones peligrosas, sobre todo para los que renuncian a otras cosas»[114]. Estaba convencido de que dentro de esa «coordinación indudable» con que actuaba el Opus estaba el «doble juego» de apostar por el inmovilismo («ver si gana Carrero»), como hacía su compañero de gabinete López Rodó, y por el cambio total, como hacían los diarios relacionados con la Obra (el comentario es a propósito de *Madrid*) y la Agencia Europa Press, también con mayoría de accionistas de esa procedencia y en su punto de mira, porque al calor de la Ley de Prensa amenazaba el monopolio absoluto de la Agencia EFE.

El hecho de que en solidaridad con *Madrid* tras su suspensión, la empresa de *El Alcázar* y *Nuevo Diario* le retiraran la invitación para inaugurar sus nuevas instalaciones, no debió de contribuir a aumentar la simpatía del ministro por los periódicos. Cuando dos meses después la Hermandad de El Alcázar de Toledo notificó a la empresa Pesa la restricción del contrato de arrendamiento de la cabecera de *El Alcázar*, alegando que la línea adoptaba por el diario contradecía alguna de sus condiciones, la Dirección General de Prensa dio por buena su versión y la cabecera volvió a la Hermandad, adoptando una línea cada vez más ultraderechista; primero, bajo la dirección de Lucio del Álamo y, después, la de Antonio Gibello. Su tirada descendería vertiginosamente. En la época de la Transición representó su papel, como portavoz de los nostálgicos del franquismo, órgano de la Confederación Nacional de Ex Combatientes hasta su desaparición en 1988.

En febrero de 1970, el Tribunal Supremo, sin entrar en el fondo de la cuestión falló que había habido abuso de poder por parte de la Administración que había actuado a favor de una de las partes, sin oír a la otra, en un pleito de naturaleza civil. Pero la empresa, presionados sus principales accionistas en sus intereses en otros sectores, optó por renunciar a intentar recuperar la cabecera, conformándose con una indemnización. A finales de ese año, vendía *Nuevo Diario* a Prensa Económica, que editaba el semanario *Desarrollo*, y en cuyo accionariado figuraban varios ministros vinculados al Opus, entre ellos López Rodó. En los últimos meses del franquismo, bajo la dirección de Manuel Martín Ferrand se situó en una postura reformista y aumentó su tirada. Pero al no lograr superar los problemas económicos que venía arrastrando desde el principio, la empresa suspendió pagos y dejó de publicarse en febrero de 1976.

Otro diario que apostó por la liberalización en estos años fue el veterano *Informaciones*, que bajo una nueva empresa, Prensa Castellana S.A., en la que participaban grandes bancos, dirigido por Jesús de la Serna, auxiliado en la subdirección por un jovencísimo Juan Luis Cebrián, procedentes ambos de *Pueblo*, iniciaría una nueva etapa en 1968 y vendría a ocupar el lugar del desaparecido *Madrid* a partir de 1971. De modo semejante, en Barcelona, el viejo diario carlista *El Correo Catalán*, tras un cambio en el accionariado y bajo la dirección de Manuel Ibáñez Escofet desde 1964 se convertiría en el periódico más progresista del ámbito catalán.

3.7 Las revistas, en la vanguardia de la oposición democrática

Estos casos, sobre todo el de *Madrid*, fueron los más sonados en la prensa diaria como ejemplo de las posibilidades y las limitaciones de la apertura política que supuso la ley de 1966. Pero fueron sobre todo las revistas las que protagonizaron la apertura de estos últimos años del franquismo y en ellas tuvo lugar mayoritariamente el debate político que preparó la transición. Fueron también las que sufrieron más sanciones no sólo por ser más numerosas, sino también porque eran más atrevidas. Son revistas como las ya mencionadas *Cuadernos para el Diálogo*, a la que ya nos hemos referido; la barcelonesa *Destino; Índice*, que publicada desde 1951 por Juan Fernández Figueroa, evoluciona en estos años a posturas críticas y claramente izquierdistas, y otras, como *Sábado Gráfico, Triunfo* —que de la mano de José Ángel Ezcurra pasa de revista de espectáculos a información general en 1962 y en 1970 a ser la situada más a la izquierda de todas—, y la de más éxito *Cambio 16* que, fundada en noviembre de 1971 sobrepasaba en diciembre de 1975 la insólita cifra de 300.000 ejemplares.

Triunfo fue la más emblemática de estas revistas que en las postrimerías del franquismo se jugaban la vida forzando cada vez más los límites de la permisividad, sorteando los escollos del artículo 2 de la ley y tropezando muchas veces con el impreciso techo que marcaba, sufriendo expedientes y multas y la más temible de las sanciones, la suspensión. En el caso de *Triunfo*, una de cuatro meses en 1971 por el contenido de un número extra dedicado al matrimonio y otros cuatro meses en 1975 que le impidió comunicar con sus fieles lectores en la irrepetible ocasión de la muerte de Franco. Eduardo Haro Tecglen, Manuel Vázquez Montalbán (ambos multiplicándose en varios seudónimos), Manuel Vicent, Luis Carandell (con su célebre «Celtiberia Show»), Enrique Miret Magdalena, José Monleón, César Alonso de los Ríos, Víctor Márquez Reviriego conquistaron en sus páginas a unos lectores que luego les seguirían a otros medios, cuando resultó que, paradójicamente, la democracia resultó letal para la mayor parte de estas revistas que tanto habían contribuido a su advenimiento[115].

También las revistas de humor tuvieron su importante papel en la lucha por la libertad de expresión[116]: la veterana *La Codorniz*, que en estos años hace honor a la primera parte del lema que ostenta desde la década de los cincuenta, «La revista más audaz para el lector más inteligente», lo que le vale llegar a vender más de 200.000 ejemplares en algunos momentos, pero también a sufrir expedientes, secuestros, multas y dos suspensiones de cuatro y tres meses en febrero de 1973 y abril de 1975.

Algunos de los dibujantes más políticamente comprometidos de *La Codorniz* —Chumy Chúmez, Forges, Gila, Ops, Summers (de quien fue la idea del título) a los que se sumaría Jaume Perich— constituyeron el equipo inicial de *Hermano Lobo*, fundada por el editor de *Triunfo*, José Ángel Ezcurra, en 1972. Con un humor mucho más político y más en sintonía con las nuevas generaciones que *La Codorniz*, *Hermano Lobo* tuvo un éxito inmediato. «Semanario de humor dentro de lo que cabe» venía a ser un *Triunfo* —con el que tenía muchos colaboradores comunes— en clave de humor. Las semejanzas se acentuaron durante la suspensión de la revista hermana mayor en 1975, cuando se asilaron en sus páginas gran parte de sus colaboradores. Luis Caradell, Manuel Vázquez Montalbán, Manuel Vicent, Francisco Umbral, Cándido, Jimmy Giménez Arnau, Antonio Burgos, Rosa Montero, Diego Galán, Fernando Savater, Tip y Coll fueron firmas habituales en sus páginas.

Pese a su éxito inicial, disensiones internas sobre el modelo de revista y sobre todo la deserción de autores básicos como Perich, Forges y Vázquez Montalbán, que en 1974 fundaron *Por Favor,* hicieron que *Hermano Lobo* fuera languideciendo para desaparecer con un «Especial Verano 1976, Verano & Fascismo». En la contraportada de este último número, la celebrada sección, que aparecía desde su número 2, «Las preguntas del Lobo» —en este caso «7 últimas preguntas al lobo»— consistía en las siguientes interrogaciones: «¿Para cuándo la amnistía? ¿Para cuándo la verdadera libertad sindical? ¿Para cuándo la verdadera libertad de expresión? ¿Para cuándo los Estatutos de Autonomía? ¿Para cuándo la verdadera libertad de reunión? ¿Para cuándo la verdadera libertad de asociación?, y ¿para cuándo la democracia? «Uuuuuuuuu», respondía el lobo por siete veces y al final, se despedía: «Hasta la ruptura, si Dios quiere».

Publicado en Barcelona, con Jaume Perich de director, Manuel Vázquez Montalbán como codirector literario, Juan Marsé redactor jefe y Forges desde Madrid, y colaboradores como Francisco Umbral, Núria Pompeia, Maruja Torres, Máximo, *Por Favor* sale a la calle el 4 de marzo de 1974 y cuatro meses después sufre una suspensión de cuatro meses y una multa de 250.000 pesetas. Muchos de sus números serían secuestrados en su breve vida, que concluiría en 1978.

Una vida un poco más larga (1973-1984), salpicada de secuestros, multas y suspensiones, tendría la también barcelonesa *El Papus*, que ya en la Transición, en septiembre de 1977, sufriría un brutal atentado, que se atribuyó la organización ultraderechista Triple A, que costó la vida a un trabajador.

Basta este somerísimo repaso a las vicisitudes que sufrieron estas revistas representantes de la oposición cultural o humorística al franquismo, que actuaban «al borde del abismo», como de sí misma decía *Por Favor*[117] y a casos como el del diario *Madrid*, para constatar que la Ley de Prensa de 1966 estaba lejos de garantizar la libertad de expresión.

Pero no es menos cierto que si comparamos la prensa de 1966 con la de 1975, el campo de lo permitido se había ensanchado muy notablemente. Demasiado para algunos. Los sucesivos ministros de Información tuvieron la oposición no sólo de la izquierda, sino de la extrema derecha que desde diarios como *El Alcázar* de los ex-combatientes, o la revista *Fuerza Nueva*, editada por Blas Piñar, reaccionaban indignados ante cualquier intento de reforma.

3.8 El espíritu del 12 de febrero. La extrema derecha en la oposición

Tras el asesinato de Carrero Blanco, que había ocupado por primera vez la Presidencia del Gobierno, desgajada de la Jefatura del Estado y que era la garantía para los inmovilistas de que todo quedara «atado y bien atado» tras la que ya se veía como inevitablemente próxima desaparición de Franco, fue nombrado como su sucesor Carlos Arias Navarro. En su discurso ante las Cortes, el 12 de febrero de 1974, muy moderadamente aperturista, había aludido a la prensa con una frase ciertamente poco significativa —«Esperamos mucho de la alta misión orientadora de los medios de comunicación social»—, pero que en aquel clima en el que se olfateaba cualquier indicio de un cambio positivo, se interpretó como una promesa de liberalización, avalada por el nombramiento como ministro de Información y Turismo de Pío Cabanillas, estrecho colaborador de Fraga en su etapa de ministro y en la redacción de la ley de 1966, y considerado reformista. Fue lo que se designó como el «espíritu del 12 de febrero». La actuación del nuevo ministro pareció confirmar esas modestas esperanzas de los partidarios de un ensanchamiento de las libertades.

Y consiguientemente despertó la repulsa de los que por entonces empezaron a ser designados como «el búnker». El falangista José Antonio Girón, antiguo ministro de Trabajo, publicó un artículo en *Arriba* el 28 de abril que sería conocido como «el Gironazo», en el que arremetía airadamente contra Pío Cabanillas:

> Se ha llegado a tal estado de cosas —se indignaba— que ya es fácil encontrar en los quioscos de España, con las debidas autorizaciones oficiales, periódicos extranjeros donde se ridiculiza la figura insigne y respetable de Francisco Franco, o donde se ofende al régimen del 18 de julio de 1936, o donde se trata de establecer homologaciones entre situaciones políticas que nos son resueltamente ajenas.

Por su parte, Blas Piñar dice que el Ministerio de Información está «lleno de enanos infiltrados» (y *Por Favor* cubre de enanos sus márgenes) y califica a la prensa de «canallesca» (y los periodistas progresistas se referirán a ellos mismos como colectivo como «la canallesca»).

No les faltaba razón a estos dos caracterizados representantes del «búnker», desde su punto de vista. No sólo los periódicos y las revistas se mostraban cada vez más «atrevidos», sino que los escaparates de las librerías (y no sólo las trastiendas de algunas de ellas, como antes) se llenaban de libros de clara orientación marxista, o que ofrecían una visión de la historia reciente en contradicción con la canónica del régimen[118]. Por no hablar de lo que ocurría en el cine o en la canción. El régimen había perdido definitivamente la batalla de la cultura, tanto de la «alta» como de la popular.

El ministro «aperturista» Cabanillas fue destituido el 29 de octubre del mismo año 1974. El «espíritu del 12 de febrero» había durado apenas unos meses. Pero gran parte de la sociedad española, los profesionales del periodismo y los políticos, tanto los reformistas procedentes del régimen como los emergentes de la oposición democrática, no estaban dispuestos a dar marcha atrás El evidente deterioro de la salud de Franco presagiaba un próximo final y urgía tomar posiciones. El ejemplo de Portugal donde en abril había caído una dictadura más larga que la española seducía, aunque casi nadie pensase aquí en una revolución, ni siquiera incruenta («de los claveles»), sino, según los casos, en una «reforma» o una «ruptura» pacífica.

El cese de Cabanillas produjo el insólito y significativo gesto de solidaridad de una serie de dimisiones: el vicepresidente Barrera de Irimo, el presidente del INI Francisco Fernández Ordóñez, el subsecretario de Información y Turismo Marcelino Oreja, el director general de Televisión Española Juan José Rosón y el director de sus servicios informativos Juan Luis Cebrián, y de otros muchos cargos.

La prensa siguió en la brecha y jugó en estos últimos años del franquismo un papel muy importante en la selección de las élites políticas de la Transición[119]. Antes de entrar en la arena política, muchos políticos se foguearon en la periodística y se dieron a conocer en las páginas de los periódicos. Por poner un ejemplo, once ministros de los gobiernos de la transición formaron parte del grupo *Tácito*, que escribió en *Ya* y los otros diarios de la Editorial Católica entre 1973 y 1977[120].

Cuando murió Franco, el terreno estaba preparado. La Transición había comenzado antes.

16. La prensa en democracia

1. La Transición

1.1 Los años del consenso

Aunque la expresión «parlamento de papel» es, como vimos, anterior a la muerte de Franco, se siguió utilizando al comienzo de la transición a la democracia, y fue entonces cuando se popularizó, en aquel periodo en el que todavía no estaban reconocidos los partidos ni los sindicatos y en el que la prensa desempeñó un papel de adelantada en la lucha por las libertades. El director general de Coordinación Informativa en el primer gobierno de la Monarquía afirmaba un mes después de la muerte de Franco:

> La prensa ha sido el único y verdadero cauce de la apertura. La prensa es la que ha dado el tono, la que ha habituado a la gente a los cambios que han producido los distintos acontecimientos, la que ha ido utilizando un lenguaje adecuado a cada momento. Si no hay elecciones y parlamentos, la política, de una manera natural, se va a la Prensa. Pero ese «parlamento de papel» que en afortunada frase se ha venido empleando, convendría que no continuase, ya que lo que debería haber es un parlamento de verdad y que no fuese la Prensa quien cargase con todo el peso político porque esa no es su misión[1].

Tras la muerte de Franco siguió vigente la Ley de Prensa de 1966, pero gran parte de la sociedad y de la prensa empezó a comportarse como si las limitaciones a la libertad de expresión hubieran quedado abolidas. Un Real Decreto de 1 de abril de 1977 derogó los artículos más restrictivos de la ley de 1966, proporcionando una mayor seguridad jurídica, que el artículo 20 de la Constitución de 1978 acabaría de consagrar.

En el mismo mes de abril, Prensa del Movimiento, que había sido disuelto por decreto ley del día 1 (BOE 7 de abril de 1977), se transformaba en el organismo Medios de Comunicación Social del Estado (MCSE)[2], adscrito al Ministerio de Información y Turismo y, tras la supresión de este ministerio en julio del mismo año, al Ministerio de Cultura (habría que esperar a 1984 para que este anómalo organismo en un Estado ya democrático, que arrastraba además unas importantes y crecientes pérdidas económicas, desapareciera a su vez, mediante la subasta pública de los periódicos que no habían sido cerrados previamente[3]). En octubre del mismo año 1977, un real decreto terminaba con la obligación de conectar las emisoras con Radio Nacional para la trasmisión del diario hablado y las autorizaba a emitir sus propios informativos, cosa que algunas ya venían haciendo de forma solapada desde los últimos años del franquismo, como la cadena SER con el programa Hora 25. (Hasta la década de los ochenta no renunciaría el Estado al monopolio televisivo, compartido con los canales autonómicos primero y las televisones privadas después[4]).

En 1976 habían surgido nuevos periódicos para los tiempos nuevos, periódicos «sin pecado original», según la expresión de Manuel Vicent, o sea, sin ningún lazo con el franquismo. El primero, en abril *Avui* [Hoy], el primer diario en lengua catalana desde el final de la Guerra Civil. En Madrid, *El País* y *Diario 16*, en mayo y octubre, respectivamente.

En 1977 iniciaron su publicación en el País Vasco, *Deia* [Llamada], órgano oficioso del PNV y *Egin* [Acción], portavoz de la izquierda *abertzale*, en los que, como había ocurrido en el pasado, pese a la reivindicación del euskera como signo de identidad por el nacionalismo vasco, su presencia, aparte del título, era escasa. Hasta 1990 no aparecería un diario escrito íntegramente en euskera, *Euskaldunom Egunkaria* [El diario de los vascos][5].

El País constituyó el éxito periodístico más resonante de la Transición, con la que un público necesitado de aires nuevos lo identificó inmediatamente[6]. Desde su nacimiento se convirtió en el diario más influyente y más vendido de los nuevos tiempos. Fue un éxito sin precedentes. Nació en el momento preciso, en unas circunstancias extraordinariamente favorables, y encontró enseguida un público predominantemente joven, ávido de democracia y situado más bien a la izquierda. Era en muchos terrenos novedoso, por ejemplo, en abrir por la sección de Internacional, algo inédito en la prensa española, una manera de hacer visible su propósito de ensanchar los horizontes de un país como España forzado por el franquismo a mantener un pernicioso ensimismamiento. Incorporaba la más moderna tecnología (fotocomposición e impresión en *offset*). Sería también el primero en desterrar, cinco años después, las máquinas de escribir de la redacción, sustituidas por ordenadores.

Diario 16, del grupo editor de *Cambio 16*, vio la luz tan sólo unos meses después y, a pesar de su excelente redacción, no encontró su estilo ni su lugar; cuando salió no era ya el momento oportuno porque el espacio estaba ya ocupado por su rival, *El País*, que había nacido con ínfulas de gigante.

Algo más tarde, en octubre de 1978, nacía en Barcelona *El Periódico de Catalunya*, del Grupo Zeta, que pronto iba a disputarle el primer puesto en el mercado catalán, con un estilo más popular, al veterano *La Vanguardia*[7].

La democracia fue letal, como veremos en otro epígrafe, para muchas de las revistas que más habían contribuido a preparar el terreno para su advenimiento, como *Cuadernos para el Diálogo* o *Triunfo*.

Resultó también letal para muchos viejos periódicos que no supieron sintonizar con las nuevas circunstancias; de los editados en Madrid, a medio plazo sólo sobreviviría *ABC*.

La renovación en las cabeceras fue, pues, uno de los aspectos más notables de la Transición. Otro, sin duda, el excesivo papel que desempeñó el periodismo en aquellos singulares años de transformación de la sociedad española. Hubo una extraordinaria implicación política e ideológica de los periodistas, que se sintieron protagonistas del cambio, copartícipes, y no meros narradores de los acontecimientos políticos. La prensa y los periodistas tuvieron una participación directísima en la democratización política. Entre periodistas y políticos se estableció una estrecha relación. Las dificultades iniciales del proceso democratizador, con algunas circunstancias de peligro agudo, produjo una explicable camaradería entre unos y otros que no existe en ningún lugar hasta el extremo que existió en España. Un fenómeno, además, muy de Madrid, que no se dio en la misma medida en Cataluña ni en la prensa regional. Los sobresaltos de la Transición forjaron un frente común de políticos y periodistas en favor de las libertades y contra los golpistas. Unos y otros lucharon codo a codo en la recuperación de las libertades, compartieron un mismo sentimiento de responsabilidad histórica, de estar embarcados en un proyecto común, y ello produjo una natural solidaridad.

Fue una época brillante de la prensa, con contribuciones extraordinariamente valiosas como los editoriales conjuntos publicados en momentos particularmente difíciles. Uno de aquellos editoriales, titulado «Por la unidad de todos», se publicó tras la llamada «semana trágica», la última semana de enero de 1977, en la que se produjeron graves sucesos de desestabilización y provocación terrorista: el secuestro de Villaescusa, que se sumaba al anterior de Oriol, por los Grapo, y la matanza de abogados laboralistas de la calle Atocha por parte de la extrema derecha. La legalización del Partido Comunista fue otro momento crítico que dio lugar a otro editorial conjunto titulado «No frustrar una esperanza», respaldando la decisión del Gobierno y mostrándose en contra de la intervención de los militares en la vida política. Un nuevo editorial conjunto se publicó en vísperas del referéndum constitucional.

En éstas, y en otras muchas ocasiones, la prensa fue vehículo del consenso civil, fue un elemento activador del proceso en favor de la reconciliación nacional, de la concordia. El discurso del consenso, que caracterizó sobre todo al periodo constituyente, fue transmitido y amplificado por los medios de comunicación. Había una voluntad general de no atizar inveterados enfrentamientos, de evitar actuaciones viscerales, de guardar silencio sobre determinados temas, una actitud, en definitiva, de prudencia y de moderación. La prensa participó de ese pacto de silencio ante el temor a que la paz se viese alterada, y así, no reflejó gran parte de las tensiones entre los distintos grupos parlamentarios, ni las que hubo entre miembros de un mismo grupo durante los debates constitucionales. Los siete miembros de la ponencia del Congreso de los Diputados nombrados para elaborar el borrador de la Constitución aparecieron ante la opinión como «siete hombres buenos», en perfecta armonía.

1.2 Del consenso al desencanto

Pronto aquel consenso por vías extraparlamentarias y a espaldas de la opinión pública iba a ser calificado de «política de los manteles» porque los artículos de la Constitución se habían negociado en muchos casos alrededor de una mesa en un restaurante. La prensa difundió esa idea. Las sesiones públicas de la Comisión Constitucional se limitaban a ratificar los pactos que, de manera itinerante y nocturna, hacían los protagonistas del consenso, que fueron sobre todo UCD y el PSOE. «La idea del consenso —decía en *Triunfo* Eduardo Haro Tecglen— nos está llevando a situaciones difícilmente democráticas»[8]. «El consenso —se llegó a decir— constituyó un chantaje permanente durante la transición»[9]. Esta visión limitada y deformada de un consenso manipulador es la que recordará una parte del electorado español y perjudicará un tanto la imagen de los políticos y de la Transición. Quizás sea una de las múltiples causas del desencanto que, a partir de 1979, se produce en la sociedad española.

En los comentarios de la prensa hizo fortuna el término «desencanto» para hacer referencia a los sentimientos de frustración y de desengaño que se extendieron entre amplias capas de la sociedad española a finales de los años setenta. Había una desilusión ante el fracaso de la democracia en la resolución de los problemas que los españoles, según el CIS, consideraban entonces más acuciantes: el paro, el terrorismo, la crisis económica y la organización territorial del Estado.

El fenómeno del desencanto está también vinculado a la profunda crisis en la que se sumió el partido del gobierno, muy heterogéneo ideológicamente, que ofrece el espectáculo desolador de sus luchas intestinas a un público cada vez más indiferente. Las polémicas y las disputas políticas entre las diferentes familias, las tensiones y las conspiraciones internas no sólo se dirimieron en el Congreso sino que además, en gran medida, se ventilaron en la prensa, donde los diferentes «barones» publicaron sus opiniones, posiciones y propuestas. «Llegó un momento —dijo uno de ellos— que cada cual iba por su lado, cada uno vendía a la prensa su propio producto, que a menudo no tenía nada que ver con el producto de nuestros propios coaligados, o iba contra ellos; en la UCD podían contarse hasta cinco portavoces distintos y hasta contradictorios todos»[10]. Los diversos medios de prensa apoyaron a uno y a otro barón de la UCD cuando ésta entró en plena fase de descomposición. Los diputados que, por obligación del reglamento e imposición de sus partidos, callaban en las Cortes escribían en cambio sin parar en los periódicos, lo que, según Juan Luis Cebrián, estaba devolviendo a los periódicos la condición de «parlamento de papel»[11].

En este contexto del desencanto, la prensa publicó muchos artículos y comentarios de fuerte y dura crítica sobre las deficiencias del funcionamiento de la democracia en España, crítica a los partidos y a la política, crítica también a la ética de los políticos españoles. A finales de 1980, el ambiente de pesimismo era total. En la prensa se publican muchos artículos sobre la «falta de esperanza y de ilusión», la «reaparición del pesimismo nacional», el «progresivo enfriamiento, apatía y desgana que carcome la vida pública española».

La prensa fue la tortura diaria del presidente Suárez. Se ha dicho que el tipo de ataque que se le hizo desde los periódicos era desestabilizador para el propio sistema democrático. Al cabo de quince años, cuando se produjo la recuperación de la figura de Suárez, muchos periodistas se acercaron a él para decirle «realmente nos pasamos, no volveríamos a escribir lo que dijimos»[12]. Carlos Luis Álvarez, «Cándido», hace un acto de contrición al afirmar que él también participó en la «cacería de Suárez, que fue atroz»[13], con artículos que con el paso del tiempo juzga históricamente injustos.

Los años de la UCD en el gobierno, en todo caso, fueron años de enorme influencia de la prensa. Durante el año y pico del gobierno de Leopoldo Calvo Sotelo, el poder de la prensa y de los periodistas aumentó aún más, si cabe. Según Pedro J. Ramírez, era tal su debilidad, su falta de seguridad, que cedía muy a menudo ante las presiones de los medios[14].

El intento de golpe de Estado del 23 de febrero de 1981, que hizo cerrar filas en defensa de la democracia a la mayor parte de la sociedad española, y ante el que reaccionaron con energía —unos más que otros— la mayor parte de los medios, aparcó temporalmente el clima de desencanto.

2. La época socialista. Del idilio al divorcio.

Pocas veces un partido habrá contado con tantas simpatías en la prensa como el PSOE en su etapa de oposición. Jóvenes periodistas de la misma generación que aquellos jóvenes políticos socialistas, con los cuales habían coincidido en las aulas o en las revistas que prepararon la Transición y habían establecido relaciones de estrecha amistad, dieron una imagen muy positiva del PSOE y en especial de su líder carismático, Felipe González. El entonces director de *Diario 16*, Pedro J. Ramírez, ha escrito que aquella

> fue una época de gran compadreo entre los periodistas y el PSOE, en la que pensábamos que, por fin, con la llegada al poder de personas de nuestra generación y de nuestro talante, muchos de nuestros ideales sobre el cambio que necesitaba España iban a poder realizarse[15].

El triunfo aplastante del PSOE en las elecciones de octubre de 1982 significaba, y así lo interpretó la prensa, el verdadero final de la Transición y la consecución de la plena legitimidad del sistema democrático: se había producido una alternancia pacífica en el gobierno y por primera vez un partido de izquierdas llegaba al poder, con mayoría absoluta en ambas Cámaras. España iba a ser gobernada por una joven generación de políticos —Felipe González tenía cuarenta años, así como la mayoría de los ministros—, sin vinculación con el franquismo, alejados del recuerdo de la Guerra Civil.

Cuando los socialistas llegaron al poder en 1982, había un diario que destacaba entre todos los demás, tanto por difusión como por influencia. Era *El País*, que se había convertido en el periódico español de referencia. Poco después de que los socialistas ganasen por goleada las elecciones, se produjo un resultado equivalente en el seno de Prisa, la empresa editora. En el seno del Consejo de Administración y de la Junta de Accionistas se había ventilado en los años anteriores una auténtica guerra civil. Entre los accionistas de aquel periódico pensado en las postrimerías del franquismo por José Ortega predominaban gentes como Fraga, Areilza, o liberales orteguianos como Julián Marías, Miguel Ortega, Fernando Chueca, etc., a los que podemos calificar como liberales «a la antigua», que ya habían dejado atrás su juventud, que eran conservadores en materia de costumbres, con frecuencia católicos practicantes, a los que disgustó profundamente el juvenil desenfado con que *El País* trató temas de moral sexual, y que se indignaban con el desgarro, el estilo cáustico e incluso insolente e irrespetuoso de las columnas de un Umbral, o un Savater. En cambio, otros accionistas, muy particularmente el consejero delegado, Jesús de Polanco, apoyaron de forma decidida la línea del periódico marcada por su director, Juan Luis Cebrián. En el verano de 1983 acabó la guerra de accionistas con la rendición de los accionistas disconformes o disidentes, y Polanco se convirtió en el poder indiscutible dentro de la empresa.

A partir de entonces, Prisa, que había mostrado ya su intención de reinvertir beneficios en nuevos medios, entrando en el campo de la radio y la televisión, inició su expansión bajo el liderazgo de Jesús de Polanco, elegido presidente ejecutivo de la empresa, expansión que la llevaría a convertirse en el grupo de comunicación más fuerte del país. Polanco era por entonces el hombre fuerte de Prisa, presidía también la Fundación Santillana y el grupo Timón que agrupaba a varias importantes editoriales como Alfaguara o Taurus.

No obstante, había ya por entonces en España otros «reyes de la Prensa» que tenían proyectos de expansión parecidos: Antonio Asensio, Javier Godó, Guillermo Luca de Tena, Juan Tomás de Salas. Todos los grupos de comunicación mínimamente dinámicos españoles —Prisa, Grupo Zeta, Grupo Godó, Grupo Correo, Prensa Española, Grupo 16, Grupo Recoletos...— estaban decididos, como ya había ocurrido en el resto de Europa, a saltar al multimedia como, para bien o para mal, exigían los tiempos. Estos empresarios de prensa, con las antenas muy abiertas para captar las transformaciones del presente y para vislumbrar el futuro, se aprestaron a convertirse en empresarios de comunicación en diversos medios. La monopolización de las ondas por parte del Estado retrasó sus planes, pero, en cuanto se introdujeron medidas liberalizadoras, se pusieron a ello. El fenómeno más característico de estos años fue la aceleración en el proceso de concentración de medios, con la constitución de grupos multimedia, que agrupan diversas publicaciones de prensa escrita y, aliándose con sus competidores, de radio y televisión. Fenómeno universal que en España como en el resto del mundo levanta voces de alarma, que advierten en la formación de estos oligopolios, de complejos entramados económicos, un peligro para la democracia. La prensa habría dejado de ser, según esta interpretación, una garantía frente al poder, un contrapoder, para convertirse en un poder en sí misma, sin control democrático.

Frente a la consolidación de *El País* como diario de referencia, *Diario 16*, cuyo editor y principal accionista era Juan Tomás de Salas, estaba haciendo al comienzo de la década socialista un último esfuerzo por sobrevivir. En su corta vida había atravesado ya varias crisis. Si el diario *El País* estaba entonces totalmente consolidado, la situación en *Diario 16* era en cambio calamitosa. Cuando Pedro J. Ramírez llegó a la dirección, en 1980, su estrategia, como él mismo ha contado, fue la de intentar hacer ruido como fuera no tratando de ser un calco o «una mimética copia de la fórmula editorial del diario *El País*», sino precisamente adoptando un estilo y una estrategia periodística muy distintos, más cercanos a la prensa popular. Ramírez cambió la fisonomía de *Diario 16*. Hizo un periódico llamativo, estridente; buscó columnistas polémicos como Federico Jiménez Losantos, que acababa de alcanzar cierta notoriedad como consecuencia de las agresiones físicas que recibió en Cataluña por denunciar una supuesta ofensiva contra la lengua castellana en aquella comunidad. Cuando Francisco Umbral rompió con *El País* se fue también a *Diario 16* y desde entonces estaría siempre al lado de Pedro J. Ramírez, del que afirmó que consiguió levantar en los años ochenta un fósil periodístico como era *Diario 16* hasta convertirlo en el periódico más bullicioso y «moderno» de Madrid. Desde luego, el tono de *Diario* era provocador y desafiante; a veces se situaba «al filo de la legalidad», según reconoce el propio Pedro J. Ramírez. Los problemas judiciales por calumnias por artículos publicados en el periódico fueron constantes. *Diario 16* consiguió con este tono una considerable difusión, pero no logró aumentar la publicidad, según Pedro J. Ramírez, porque los anunciantes primaban a los diarios ya consolidados como *El País*.

Aunque se trataba, como vemos, de dos periódicos con estilos y formas muy distintas de hacer periodismo, tanto *El País* como *Diario 16* apoyaron activamente al PSOE durante los meses previos a las elecciones del 82. En la última etapa de UCD, ambos estaban, al igual que gran parte de la sociedad, a favor del cambio que implicaba la victoria del PSOE, que, por lo demás, todo el mundo daba por descontada. Había una identificación de la prensa progresista con aquel proyecto de cambio que se veía como una gran oportunidad para la modernización de España.

Entre los de difusión nacional, sólo hubo un periódico (dejando aparte a *El Alcázar* que era la voz de los nostálgicos del franquismo y que dejó de publicarse en 1988), *ABC*, que se mostró desde el principio radicalmente anti PSOE. La llegada de los socialistas al poder coincidió prácticamente con la llegada de Luis María Ansón, a comienzos de 1983, a la dirección de *ABC;* Ansón aceptó la dirección del diario cuando éste atravesaba una gravísima situación económica, cuando se ahogaba en un naufragio financiero y de ventas, el más grave desde que a principios de siglo se había constituido Prensa Española, la empresa editora. Ansón desembarcaba como el salvador del diario, y, en efecto, en cinco o seis años consiguió sanearlo y situar sus cifras de venta en cotas muy altas con un estilo que él mismo califica de agresivo[16]. Las elecciones de 1982 habían consolidado el bipartidismo en el mapa político del país: al PSOE se enfrentaba la derecha de AP, que obtuvo un espectacular ascenso, al tiempo que el partido gubernamental, UCD, sufría un desastre electoral sin precedentes en una democracia. Ansón creyó poder convertir *ABC* en el órgano de la gran derecha, y, bajo su dirección, este diario ejerció una crítica muy dura y constante a los socialistas que le dio lectores. Cuando le preguntan, en una entrevista, si es más rentable para un diario ir contra el poder, responde: «Para un diario que empieza, o para uno que está en crisis, sin duda alguna. La crítica al poder tiene más riesgos, el lector lo agradece y en consecuencia es favorable al periódico»[17].

Pero, en general, la prensa, a excepción de la más conservadora, participó del entusiasmo colectivo con el que se recibió la victoria del PSOE, que vio como un gran acontecimiento histórico. Sin embargo, aquella situación inicial de idilio, de luna de miel de los medios de comunicación con los socialistas, duró poco y acabó en ruidosa ruptura. Un libro dedicado a las relaciones del gobierno socialista y la prensa se titula precisamente *El PSOE contra la prensa. Historia de un divorcio*[18]. En 1984 era ya patente el clima de enfrentamiento entre el Gobierno y los periodistas que enseguida degeneró en descalificaciones personales.

La relación sin duda excesiva entre políticos y periodistas durante la Transición condujo, una vez que los socialistas llegaron al poder, a un deterioro, a graves desencuentros entre unos y otros. Viejos amores se transformaron en profundos odios. Sólo desde ese clima pasional, en el que del amor se pasa con facilidad al odio, se explican algunas de esas actitudes tan viscerales y esos «ajustes de cuentas» que hemos visto luego entre periodistas y políticos, y entre periodistas entre sí.

Ya en el primer gobierno socialista fue claramente perceptible el desencanto de la prensa que había apoyado al PSOE en su camino al poder, un desencanto que fue creciendo con el tiempo, respecto de las promesas de cambio en parte no cumplidas. Una decepción ante la arrogancia del Gobierno y su incapacidad de aceptar o encajar la crítica. Toda la prensa, incluida la más adicta, reprochó al gobierno de González su fobia a la crítica y su incomprensión del papel de la prensa en un sistema democrático, su incapacidad para entender la función que la prensa debía cumplir como contrapoder.

El famoso cambio del PSOE resultó en seguida decepcionante en la política informativa. Aunque González y Guerra negaron que practicasen una política de control informativo, lo cierto es que muy pronto hubo más que indicios de que estaban decididos a ejercer ese control y a poner en marcha mecanismos de poder para frenar la crítica por parte de los medios. La prensa empezó muy pronto a criticar la manipulación de la televisión, su utilización como instrumento del gobierno. El primer gran escándalo fue la suspensión —por orden de Moncloa y en concreto de Alfonso Guerra, que iba a convertirse en el supervisor último de la política de comunicación— de un programa televisivo de «La Clave», en enero de 1983, en el que un ex miembro del PSOE caído en desgracia iba a airear irregularidades en las contratas de algunos ayuntamientos socialistas destinadas a engrosar las arcas del PSOE. La suspensión por poco creíbles razones y las un tanto rocambolescas circunstancias que la rodearon pusieron «en entredicho la política informativa del Gobierno socialista» según decía *El País* del día 21. Otro ejemplo claro de los problemas entre la prensa y el Ejecutivo se produjo en marzo de 1985 por la decisión del ministro del Interior José Barrionuevo de llevar a *El País* a los tribunales, y solicitarle una cuantiosa indemnización económica. Ante la demanda judicial por difamación contra Prisa, *El País* denunció que se trataba de una estrategia de intimidación a la libertad de expresión, un intento de amordazar las informaciones y las críticas del periódico sobre la política y el funcionamiento del Ministerio de Interior. Incluso, un periódico como *ABC*, que siempre había salido en defensa del ministro y de la policía y, que tanto discrepaba de las actitudes de su denostado colega, juzgó, en este caso, que *El País* tenía razón y que era Barrionuevo quien se había equivocado[19].

3. Guerra en los medios

Como vemos, además del conflicto entre prensa y poder político, desde el comienzo de la era socialista estalló un conflicto entre los distintos medios de prensa que competían en el mercado. Hasta la aparición fulgurante de *El Mundo* en el panorama de la prensa editada en Madrid, los grandes enemigos fueron *El País* y *ABC*, pero, cada vez más, a lo largo de la década de los ochenta, la «guerra de papel» también afectaría las relaciones de *El País* y los otros colegas. En realidad, como comentó por entonces un diario, aquella polémica era «codazos en la sala de espera» de la televisión privada. Existía ya por entonces un recelo del resto de los medios de comunicación ante la expansión del grupo Prisa. La alarma ante la estrategia de expansión del grupo se generaliza cuando, a principios de 1985, Prisa adquiere un importante paquete de acciones de la principal cadena privada española de radio, la Cadena Ser, líder en la radio comercial, de la que más adelante, en sucesivos pasos, llegará hacerse con la propiedad total. Todo el mundo interpretó que la entrada de Prisa en la Ser tenía miras de más largo alcance: entrar en la televisión privada cuando ésta fuera autorizada, lo que se vislumbraba ya próximo. La polémica estaba servida y no hará sino endurecerse en el futuro. El Gobierno tomó la decisión de otorgar tres licencias de televisión privada en agosto de 1989. El grupo Godó (Antena 3), Gestevisión —en el que participaban Berlusconi, la ONCE y Editorial Anaya— (Telecinco) y Prisa (Canal Plus) resultaron agraciados. En cambio, el grupo Zeta fue excluido y desde *El Periódico de Catalunya,* diario insignia del grupo de Antonio Asensio, y desde la mayor parte de los medios, se acusó de arbitrariedad al Gobierno. La compra de Antena 3 Radio por parte de Prisa en 1992 contribuyó a enrarecer el ambiente de los medios. La mayor parte de la prensa, cada vez más radicalmente enfrentada al PSOE en el poder, difundió la idea de que Prisa se había convertido en un complejo cultural y de comunicación que era el principal soporte del régimen de Felipe González y que se veía recompensado por el poder congruentemente con ese apoyo incondicional prestado.

Desde luego, fue la prensa más claramente enfrentada a los socialistas la que tomó la iniciativa en la investigación de los sucesivos escándalos de corrupción. Fue *Diario 16*, dirigido por Pedro J. Ramírez, el que sacó a la luz los primeros escándalos de amiguismo y corrupción y, sobre todo, se distinguió por las revelaciones sobre el caso GAL, que implicaban al Gobierno. Desde octubre de 1987, *Diario 16* echó toda la carne en el asador en el empeño de desvelar la oscura y siniestra trama publicando espectaculares informaciones sobre los policías Amedo y Domínguez y su relación con los GAL. El editor y el Consejo de Administración del diario no estuvieron de acuerdo con la línea adoptada por Pedro J.Ramírez en el caso GAL, que les parecía más una «caza de brujas que una investigación imparcial». Los problemas entre editor y director arreciaron y, finalmente, en marzo de 1989, Ramírez fue destituido por Juan Tomás de Salas como director de *Diario 16*. El destituido pensó enseguida en fundar otro periódico y en menos de siete meses consiguió tener en la calle *El Mundo* (octubre de 1989), que adoptó una línea agresivamente crítica contra el PSOE en el poder. *El Mundo* constituiría, después de *El País*, el mayor éxito de la prensa en democracia. (Fracasaría en cambio *El Sol*, lanzado con muchos medios, la más avanzada tecnología, un innovador diseño y una excelente redacción en 1990 por el editor Germán Sánchez Ruipérez, que desaparecería en 1992).

La revista *Época* destapó en junio de 1989 el escándalo de la utilización de un despacho oficial por el hermano de Alfonso Guerra desde el que realizó lucrativos negocios aprovechándose de su apellido. El caso Filesa, la red de más de cincuenta empresas vinculadas entre sí para financiar ilegalmente al PSOE, fue difundido en mayo-junio de 1991 por *El Mundo* y *El Periódico de Catalunya*. El asunto Ibercorp que implicaba al gobernador del Banco de España, Mariano Rubio, en un negocio bursátil gracias al tráfico de influencias, fue desvelado por Jesús Cacho en *El Mundo* en febrero de 1992. El escándalo Roldán, esto es, el enriquecimiento ilegal del director general de la Guardia Civil, fue aireado por *Diario 16*, dirigido por José Luis Gutiérrez, en noviembre de 1993.

Lo cierto es que el frente mediático anti socialista llegó a ser amplísimo. Frente a la opinión mayoritaria de los historiadores, que ven en la época socialista un salto modernizador de España, bien que afeado por muchas manchas, entre otras las más notorias de la corrupción y la guerra sucia contra el terrorismo, fueron legión los periodistas que describieron con tintes negrísimos la, en su opinión, degradación del régimen democrático bajo los gobiernos socialistas. Uno de los más significados flageladores de estos gobiernos, Federico Jiménez Losantos, atribuye a los periodistas el mérito de haber percibido la que, según él, fue la desnaturalización de la democracia bajo el PSOE.

Fueron muchos otros los periodistas que destacaron por sus furibundas críticas no sólo en sus artículos —en órganos como el *ABC* de Luis María Ansón, el efímero *El Independiente* de Pablo Sebastián, el *Diario 16* dirigido por Pedro J. Ramírez y posteriormente *El Mundo*—, sino también en multitud de libros que alcanzaron gran difusión y éxito de ventas con múltiples ediciones. Hubo una auténtica avalancha de publicaciones anti PSOE cuyos autores eran periodistas y en casi todas las descalificaciones a los socialistas en el poder van incluidas fuertes dosis de crítica para *El País* y Prisa.

En la década de los noventa, la rivalidad entre medios que luchan por atrapar audiencia o lectores adopta aires guerreros y frentistas, especialmente virulentos en la prensa de Madrid y en las tertulias radiofónicas, nuevo formato iniciado en la década anterior y que se consolida en ésta[20]. Los periodistas se agrupan voluntariamente, o son encasillados a su pesar, en bandos que se denostan mutuamente con denominaciones descalificadoras hasta el insulto, que más bien sugieren que se trata de bandas de criminales («los serbios», a saber el Grupo Prisa, empeñados en una limpieza étnica, en coyuntural alianza con «los croatas» —el Grupo Godó y en menor medida Z— de un lado; de otro, «el sindicato del crimen», integrado por los periodistas salientes de Antena 3 radio, y acogidos en la Cope, Ansón, algunos colaboradores de la revistas *Época* y *Tribuna* y Pedro J. Ramírez, al frente del periódico *El Mundo*).

No exageraba *Diario 16* cuando titulaba un suelto sin firma «Prensa: la construcción del odio»[21]. En el contexto de las elecciones de junio de 1993, la crispación en la prensa, como en la política, alcanzó altas cotas. A pesar de que los sondeos eran adversos, el PSOE volvió a ganar las elecciones, esta vez sin mayoría absoluta, con la consigna de «cambio dentro del cambio» y la promesa de un giro condensada en la frase de Felipe González: «he entendido el mensaje». En la oposición y en los medios de comunicación anti socialistas, la decepción ante esta nueva victoria fue enorme. A partir de aquellas elecciones, los medios arreciaron la campaña anti felipista. En la prensa, la guerra mediática enfrentó en los años noventa sobre todo a *El País* y *El Mundo* que se enzarzaron en una áspera lucha, en una guerra sucia en las antípodas del *fair play* de leales competidores, con el siniestro tema del GAL como telón de fondo, acusándose mutuamente de manipulación, falsedad, maniobras de intoxicación y, en fin, falta de deontología profesional.

En esta guerra sin cuartel, el año 1996 —el de las elecciones que desplazarían por fin a los socialistas del poder, pero constituirían una «amarga victoria» para el Partido Popular por lo exiguo del resultado (el PSOE perdió las elecciones por menos de 300.000 votos)— fue especialmente duro. Había que echar toda la carne en el asador para impedir un nuevo triunfo socialista. Un testigo —y protagonista— de excepción, Luis María Ansón, contó tiempo después[22] la operación de «acoso y derribo» a Felipe González por parte de algunos medios para desalojarle del poder. Ansón afirma que dichos medios elevaron la crispación y la crítica a González «hasta rozar la estabilidad del Estado», con una gran ofensiva, «una de las mayores que se hayan desencadenado contra un político» para terminar con González, que había ganado tres elecciones por mayoría absoluta y volvió a ganar la cuarta cuando todo indicaba que perdería. Se elevó el listón de la crítica, buceando en el mundo de las irregularidades y la corrupción, atizando los conflictos judiciales, porque era la única manera de erosionar a González, cuya potencia política era tal que «era necesario llegar hasta el límite».

Como vemos, en 1996 el estado de degeneración del periodismo español era alarmante. Pero lo peor estaba aún por llegar. La guerra mediática llegaría a un grado difícilmente superable en 1997, ya con el Partido Popular en el gobierno, con motivo del «caso Sogecable». Los lectores asistieron desconcertados a una brutal «guerra de medios»: éstos han sido con excesiva frecuencia noticia de primera página, se han convertido en «objeto» además de «medio» informativo. Y en ésas seguimos, cuando terminamos de escribir esta historia, después del vuelco electoral de marzo de 2004, con el Partido Socialista, en el que se ha producido un relevo generacional, de nuevo en el poder y los medios demasiado alineados a favor o en contra y enfrentados entre sí a cara de perro.

Especialmente en la prensa editada en Madrid, en la que en los años del cambio de siglo se ha producido un cambio de cabeceras en los diarios, con la aparición de *La Razón* en noviembre de 1998 y la desaparición de *Diario 16* en noviembre de 2001. El primero, fundado por Luis María Ansón, se integró en el Grupo Planeta. Ansón se apartaría de él en febrero de 2006, porque, según sus propias declaraciones, tras la adquisición por el presidente del Grupo (accionista de referencia también de Antena 3 TV y la cadena de radio Onda Cero), José Manuel Lara Bosch, junto con el conde de Godó, (*La Vanguardia*) del diario nacionalista catalán *Avui*, «me desayunaba cada mañana con la contradicción insalvable de un periódico, *La Razón*, que defendía la unidad de España, y otro, el *Avui*, que propugnaba la independencia de Cataluña». El cambio de propiedad de *Diario 16,* adquirido en 1998 por el Grupo Voz no logró levantar el periódico, que cerraría en la fecha mencionada.

4. Evolución de la difusión de los diarios, 1975-2005

Ni la apertura que supuso la Ley de Prensa de 1966 se reflejó sensiblemente en las cifras de ventas, ni las expectativas que despertó la transición democrática y la conquista de la libertad de expresión trajo consigo, en sus comienzos, un aumento sensible de la difusión global relativa, excepto en los años 1975 y 1976, periodo en el que aumentó notablemente, para estancarse después[23].

Por lo que respecta a los diarios, sin embargo, en los últimos años ochenta y primeros de los noventa se inició un despegue que, en 1993, llevó a alcanzar la simbólica cifra de 100 ejemplares vendidos por 1.000 habitantes, cota establecida por la UNESCO en los años setenta como umbral del desarrollo. Este índice siguió creciendo en años sucesivos, de modo que, si en 1987 estaba en 79, en 1995 había pasado a 109 coincidiendo con el incremento de la oferta audiovisual. La difusión global de los diarios pasó de 3.046.000 a 4.236.749 ejemplares entre ambas fechas. Cifras muy alejadas de la media en Europa contexto en el que España superaba sólo a Portugal, y estaba al mismo nivel que Grecia.

Con todo, eran cifras esperanzadoras, puesto que el crecimiento de algo más del 39% en ese periodo de 1987 a 1995 fue el mayor entre los países europeos y, en general, occidentales, con tendencia al estancamiento cuando no a la recesión en el caso de los más desarrollados. El crecimiento de la difusión de la prensa española en la primera mitad de la década de los noventa sólo fue superado por el de la India[24]. Sin embargo, las optimistas previsiones que situaban en el horizonte del año 2000 un índice de 127 no se han visto confirmadas. Por el contrario, después de un estancamiento, se inicia en ese año 2000 un descenso. El índice de difusión ha descendido en 2005 a cifras de quince años atrás, situándose en poco más del 98%[25]. El número de ejemplares permanece estancado en unos 4,2 millones mientras que la población ha aumentado en unos cuatro millones en lo que va de siglo[26]. El fenómeno de estancamiento o lenta recesión de la prensa escrita es general en el mundo occidental y las causas, a las que luego nos referiremos, parecen estar claras y ser comunes. Pero lo cierto es que España sólo supera en la actual Unión Europea las cifras de Eslovaquia, Portugal, Grecia y Chipre.

Por lo que respecta a la distribución geográfica, en pocos aspectos se evidenciará tanto como en el de la lectura de prensa la existencia de dos Españas desde el punto de vista sociológico. Un Norte desarrollado y un Sur subdesarrollado, con las Baleares en el primer grupo, con muy notorias diferencias en el interior de ambos grupos entre distintas comunidades autónomas y, dentro de ellas, entre distintas provincias. Mientras algunas comunidades (Navarra, País Vasco, Cantabria) presentan índices de difusión y de lectura muy próximos a la media de los países europeos y que superan a varios de ellos, otras (Castilla La Mancha, Extremadura) muestran índices propios de países del Tercer Mundo.

A unos lectores escasos en número, en los que predominan, en términos relativos, los pertenecientes a los sectores altos y medios por lo que respecta al nivel socioeconómico y educativo, corresponden unos diarios de los que los anglosajones denominan *quality papers*, periódicos de calidad, precisamente porque necesitan distinguirlos de los otros tipos de periódicos, de tiradas muy superiores, los populares y los sensacionalistas, especie, sobre todo esta última, inexistente entre nosotros[27].

Si bien los periódicos, deseosos de ampliar su público, han introducido en lo que podríamos llamar sus zonas periféricas secciones más populares o populistas, han creado nuevas secciones de «Gente» (famosa, se entiende, los personajes de las revistas «del corazón») y dedicado amplio espacio a los deportes, con un tratamiento alejado del sensacionalismo.

En España se ha intentado varias veces la aventura decididamente sensacionalista, y siempre ha terminado en fracaso. El caso más notorio, por los importantes medios con los que contó, fue el de *Claro*, lanzado en 1991 con el respaldo de Prensa Española, la empresa editora de *ABC,* y la alemana Axel Springer, editora del sensacionalista *Bild Zeitung*, con la intención de ser «el diario para quienes no leen ningún periódico», como decía en su campaña de lanzamiento, y contar a ese público no lector «lo que os interesa de verdad»; a saber: deportes, sucesos, escándalos, con un tono ligero y a un precio barato. Pero, o su público potencial, que se presumía, no sin motivo, muy amplio entre la legión no compradora de periódicos, no llegó a enterarse de su existencia, a pesar de la importante inversión en la publicidad de su lanzamiento; o no le interesaban tanto esos temas; o ya tenía su interés satisfecho de forma fragmentada a través de la prensa deportiva, fundamentalmente para el público masculino, y la del corazón para el femenino.

Tenemos, en efecto, unos florecientes diarios deportivos, de público fundamentalmente popular, masculino, y más joven que el de la prensa de información general. Uno de los fenómenos más sobresalientes en los años ochenta y sobre todo noventa fue el irresistible ascenso de este tipo de prensa a un ritmo muy superior a la general. En 2004, su difusión sumaba los 833.893, el 20% del total de los diarios. Distribuidos básicamente en cuatro cabeceras, dos centrales —*Marca* y *As*— y dos catalanas —*Mundo Deportivo* y *Sport*— con un notable predominio del líder *Marca*, cabecera, como vimos, nacida como semanario en plena Guerra Civil, convertida en diario en 1942 y adquirida en 1984 en la subasta de los Medios de Comunicación Social del Estado por Espacio Editorial, integrada en 1992 en el Grupo Recoletos.

Un público mucho más elitista y, por lo tanto, limitado tienen los diarios económicos, cuyas tres cabeceras (*Expansión*, *Cinco Días* y *La Gaceta de los Negocios*) sumaban en 1989, 40.000 ejemplares y en el 2004 superan los 100.000 (son en cambio de los medios más visitados en sus versiones digitales).

El notable aumento que experimentó la difusión global de los diarios españoles en los años noventa se debió fundamentalmente a la prensa deportiva y a la regional. Aunque los diarios centrales de información aumentaron también su difusión, fue gracias a la reducción del número de cabeceras, tres o cuatro, pero las cifras globales permanecieron estancadas. De los diarios que se publicaban en los últimos años del franquismo sólo sobrevivió *ABC*, cuya empresa Prensa Española dejó de ser la empresa familiar de los Luca de Tena para fusionarse en 2001 con el Grupo Correo, convertido en 2003 en el Grupo Vocento. *Arriba* había cerrado en junio de 1979, junto con otros periódicos regionales de la antigua Prensa del Movimiento, reconvertida en MCSE[28], y la Agencia Pyresa; *Pueblo*, en mayo de 1984; *Ya* desaparecía en junio de 1996, tras unos años de lenta agonía, con cambios en la línea editorial y la propiedad.

La prensa central es poco nacional o, si se prefiere, estatal. Si prescindimos de la deportiva, de la que en principio suponemos que no tiene «influencia rectora», como suele atribuirse a los grandes diarios de información general, es decir, influencia política y cultural, los diarios centrales difunden poco más de la mitad de sus ejemplares fuera de la comunidad madrileña, mientras que en el primer tercio del siglo la proporción era de dos tercios. Y ello a pesar del esfuerzo que han realizado los diarios centrales para acercar su contenido a los temas de interés local, a través de ediciones «personalizadas», adaptadas a las distintas zonas. Esfuerzo contrarrestado con el que, a su vez, han llevado a cabo los más importantes diarios líderes regionales, que adaptan sus contenidos a las distintas áreas de su influencia. Aparte del caso catalán —mercado dominado por *La Vanguardia* y *El Periódico de Catalunya*, con la edición catalana de *El País* en un estimable tercer lugar, pero lejos de los dos «autóctonos»— diarios regionales como *El Correo Español*, *Diario Vasco*, *Diario de Navarra* o *La Voz de Galicia* son líderes indiscutibles en sus respectivas zonas.

Para frenar la caída o el estancamiento de la difusión, los diarios, como las revistas, se han metido en una carrera de promociones, con la oferta adherida de toda clase de productos, que si en alguna ocasión guardan relación con la cultura, en otras se extienden a otros de carácter que rozan lo pintoresco. Si no parece que consigan fidelizar a los compradores atraídos por ellos, en algunos casos al menos se han convertido en una importante fuente suplementaria de ingresos. *El País* ingresó en 2005 127,8 millones de euros por las promociones, cerca de los 135 por venta de ejemplares, y el consejero delegado de Prisa adelantó en la junta de accionistas que en 2006 las promociones superarían a la venta.

5. Los retos del siglo XXI

En las correspondientes proporciones, ese lento pero claro retroceso es general en todos los países desarrollados. En estos años del cambio de siglo, los diarios, tal como los hemos conocido, se enfrentan a graves retos[29]. Uno de ellos es el de los diarios gratuitos, que llevan a sus últimas consecuencias lo que en los periódicos tradicionales se queda a medio camino: la financiación por medio de la publicidad, en su caso al 100%, gracias a que sus gastos, en consonancia con su calidad, son muchísimo más bajos que los de aquéllos. Iniciados en 1995 en Suecia con *Metro*, se ha extendido rápidamente. En España llegaron en 2000 y se expandieron rápidamente en las grandes ciudades. Distribuidos básicamente en los medios de transporte (metro, intercambiadores de autobuses, estaciones de cercanías) los días laborables, su público parece pertenecer en gran medida a ese sector de los que, como decía la propaganda del citado *Claro*, «no leen periódicos», con una proporción más alta de mujeres y sobre todo jóvenes que la prensa tradicional[30].

El hecho de que no se vendan y no existan devoluciones hace que no se pueda medir su difusión por los métodos tradicionales. Sólo se pueden saber el número de ejemplares susceptibles de ser distribuidos (que en 2006 habrían superado a la difusión de los de pago), pero no los que llegan realmente a manos de los potenciales lectores. El EGM revela el aumento del número de lectores de los diarios generalistas de este tipo, frente al estancamiento de los de pago. En diciembre de 2005, uno de ellos, *20 Minutos*, se situaba en cabeza de todos los diarios impresos, gratuitos o no. Sólo entre las cuatro grandes cabeceras nacionales (*20 Minutos*, *Metro*, *Que!* y *ADN*) suman siete millones de lectores. Esto explica la aparente paradoja de que mientras que el índice de difusión ha descendido, el número de lectores haya aumentado, alcanzando a más del 40% de la población. Rindiéndose a la evidencia, la mayor parte de los grandes grupos de comunicación están tomando posiciones en este campo: *Qué!* Pertenece al Grupo Recoletos, *ADN* a Planeta y a varios grupos de prensa regionales (*20 Minutos* y *Metro* pertenecen a grupos de ámbito internacional). ¿Serán en el futuro todos los periódicos gratuitos?[31]

¿O desaparecerán los periódicos en papel? El fenómeno internet ha venido a revolucionar el mundo de la comunicación. Una pregunta resuena insistentemente en España como en el resto del mundo: ¿existe futuro para la prensa escrita? Parece que la tendencia al estancamiento cuando no a la disminución de los lectores en el soporte papel es un proceso difícilmente reversible. El 2 de octubre de 2006, el *Financial Times* publicaba un estudio realizado por Jupiter Research (con base en una amplia encuesta en el Reino Unido, Francia, Alemania, Italia y España) según el cual internet había superado por primera vez a los diarios y a las revistas como primera fuente de información para los lectores europeos, que pasarían una media de cuatro horas semanales navegando por la red (el doble que en 2003), frente a tres dedicados a la lectura de prensa. «Who killed the newspaper?», se preguntaba desde una llamativa portada *The Economist* en un número dedicado a este tema el 24 de agosto de 2004. Entre los pesimistas sobre el porvenir del periódico tal como lo conocemos se encuentra Philip Meyer, que en un libro publicado por la Universidad de Missouri en 2004 *(The Vanishing Newspaper: Saving Journalism in the Information Age)* sitúa en 2043 la posible fecha de la desaparición de los periódicos en papel en EE.UU., en donde desde hace más de treinta años están perdiendo lectores, lenta pero inexorablemente. En una entrevista concedida a Juan Luis Cebrián en *El País* (22 de octubre de 2006), el presidente de Microsoft, Steve Ballmer, no les concede más de veinte años de vida. Los más radicales les conceden incluso menos que esos veinte años. Los más optimistas creen que el periódico en papel sobrevivirá, pero como un medio elitista, para lectores dispuestos a dedicarle el tiempo que requiere una lectura en profundidad.

Conscientes del desafío que supone internet, desde los últimos años noventa, al mismo tiempo que surgieron algunos de soporte exclusivamente electrónico, los periódicos han ocupado su lugar en la red[32], con sus versiones digitales, al principio simples réplicas de la versión en papel, y adoptando luego progresivamente las posibilidades que el nuevo soporte ofrece (multimedia, actualización permanente, interactividad, hipertextualidad, etc.), no sin titubeos y palos de ciego (tanto en el diseño como en el concepto de negocio: cobrar o no cobrar por todos o determinados contenidos). Es un terreno todavía en exploración, por el que unos avanzan más decididos que otros. Pero en 2006 de los 137 diarios que se publican en España, 126 disponen de su versión digital, y aunque todavía el formato en papel atrae a más lectores que el digital, las cifras van en rápido aumento (la medición realizada desde 1997 por OJD Interactiva presenta muchos más problemas que la de los periódicos en papel[33]), lo que, unido al hecho de que entre los jóvenes es mayoritario el porcentaje de los que se inclinan por la consulta en la red, augura que el futuro va por ahí[34].

El fenómeno de la movilización a través de correos electrónicos y teléfonos móviles, especialmente puesto en evidencia entre el atentado del 11 de marzo de 2004 y el vuelco electoral del día 14, no podía dejar de provocar reflexiones de los analistas. Pocos días después de aquellos hechos, escribía Andrés Ortega:

> Lo ocurrido en España muestra que el concepto mismo de medios de comunicación de masas se amplía [...] el férreo control por parte de un partido o de un gobierno de los medios de comunicación públicos y de parte de los privados ya no garantiza nada a quien lo ejerce [...]. En los *cuatro días que cambiaron a España* han irrumpido en la política nuevos medios de comunicación que no sustituyen a los tradicionales pero sí se añaden a ellos . Por una parte internet y los chats. Por otra, la profusión de los SMS, los mensajes escritos por teléfono móvil que, nunca mejor dicho, movilizaron a mucha gente...[35]

Parecidas reflexiones hace más recientemente Román Gubern:

> En el mundo actual, más de 2.000 millones de personas poseen teléfono móvil. Y según la Unión Internacional de Telecomunicaciones [...] los menores de 18 años dedican 14 horas semanales a los medios digitales, bastantes más que las que dedican a la televisión, la radio, el cine o los periódicos impresos. Y en la escandalosa asimetría tecnológica de la sociedad dual, los jóvenes españoles figuran en la parte alta de esta franja, como se mostró en marzo de 2004.
>
> De manera que las redes tecnológicas interpersonales están desempeñando un nuevo protagonismo en la arena informativa, que está erosionando fuertemente al periodismo de papel y al herziano y limitando su influencia[36].

6. Las revistas

Como ya hemos apuntado, la democracia fue letal para muchas de las revistas que más habían contribuido a preparar el terreno para su advenimiento, como *Cuadernos para el Diálogo* o *Triunfo*. Lectores, periodistas y colaboradores emigraron a los nuevos diarios, que ahora podían informar y opinar con una libertad que antes se toleraba sólo en las revistas.

Ésa es una de las explicaciones de la decadencia de las revistas de información general, que tuvieron su época dorada, con contenidos fundamentalmente políticos entonces, en los últimos años del franquismo y en los primeros de la Transición, los años en que se presentía o se llevaba a cabo el «cambio», palabra clave que había dado título a la pionera y más representativa de ellas —*Cambio 16*— que en los primeros años de la Transición alcanzaría tiradas superiores al medio millón de ejemplares. Con una fórmula distinta, que combinaba la política con el sexo (el «destape» en la terminología de la época), los escándalos y la crónica negra, *Interviú*, nacida en mayo de 1976 —primera publicación del Grupo Zeta, destinado a convertirse en uno de los más poderosos multimedia— supuso un éxito aún mayor (llegó a superar los 700.000 ejemplares en 1978). El interés del público en los extraordinarios acontecimientos políticos de aquella etapa, ciertamente histórica, la emoción del estreno de la libertad explican el auge de estos semanarios, que además gozaban de una mayor tolerancia por parte del poder que los diarios.

La decadencia de este tipo de revistas, al que se sumaron nuevos títulos, se inició en los años ochenta y se precipitó en los noventa. Se suele aducir como explicación el hartazgo de política por parte de los lectores, la transformación y la ampliación de los temas de los diarios, su «arrevistamiento», sobre todo en el fin de semana, etc. Lo cierto es que perdieron vertiginosamente lectores, sin que su deslizamiento hacia el sensacionalismo y los contenidos «de corazón», con la consiguiente pérdida de identidad; el regreso de alguno de ellos por los fueros de la seriedad; la promoción compulsiva con ofertas de vídeos, CD-ROM, y más tarde productos de bazar, de los que el semanario parece a veces convertirse en suplemento, y otras erráticas tácticas, lograran detener la sangría. La escasa presencia de una prensa no diaria de calidad, seria, formadora de opinión, con difusión en todo el estado, es una de las más negativas anomalías de nuestro panorama mediático. De vez en cuando aparecen nuevos títulos, pero ninguno acierta con la fórmula para atraer a un público importante, o para recuperarlo, como en el caso de *Cambio 16*, la única superviviente de las que florecieron en el tardofranquismo.

En 1996, la difusión conjunta de las existentes se estimaba en unos 450.000 ejemplares y su número de lectores en unos 2.200.000, muy lejos de los doce millones de las revistas del corazón y de los más de cuatro de las de televisión. En 2004, su difusión se estima (la mayor parte de ellas no se somete al control de la OJD) en 187.107. La de mayor difusión (en torno a los 170.000 ejemplares en 1995-1996, 121.000 en 2004), *Interviú*, constituye tanto por sus contenidos como por el perfil de sus lectores un caso aparte. Combina, como en sus brillantes comienzos, la información política, reportajes varios, entrevistas, «corazón», con la crónica negra y el sexo, que, aparte del tradicional desnudo femenino en portada, ha derivado del inicial «destape» a una asumida y orgullosamente declarada obscenidad[37].

La segunda en difusión, del mismo grupo (Zeta), *Tiempo*, nacida en 1982, resiste con aproximadamente la mitad de ejemplares en el último año mencionado.

Otro sector al que le fue mal con la democracia es el de las revistas de humor, tan activas en los años setenta y ochenta, de la que la única superviviente es *El Jueves*, nacida en los primeros tiempos de la Transición.

Se mantienen en cambio pujantes las revistas «del corazón»[38], género iniciado en 1944 por *Hola* (pese a la proliferación de espacios de estos temas en las emisoras de televisión desde finales de los años noventa), varios de cuyos títulos encabezan las listas de mayor difusión de la prensa semanal[39] y en conjunto, con más de 2.750.000 ejemplares en 2004, es con diferencia el sector más boyante de la prensa de periodicidad no diaria. Bien que a costa de haber mutado su naturaleza, aumentando cada vez más las dosis de amarillismo y bajando el listón de los personajes cuyos avatares no sólo sentimentales, sino de todo orden, llenan las páginas de estas revistas, que ya no son lo que eran en otros tiempos, los personajes dorados de la *jet set*, que como dice Maruja Torres tenían, si no más valores morales, si más *glamour* que los actuales «idolillos sin fundamento»[40].

Hay revistas para todos los gustos, intereses y necesidades[41]. Junto a los temas tradicionales que se han diversificado y renovado al compás de los cambios sociales —historia, geografía, música, cine, televisión, moda, radio, deportes, medicina, ecología, niños, damas, caballeros, caza y pesca, hogar, moda, etc.—, proliferan en los quioscos cada día nuevos títulos representantes de nuevos segmentos: motor, informática, videojuegos, entre otras.

Junto a prestigiosas revistas científicas dirigidas a un público minoritario, han surgido otras de divulgación científica y cultural. *Muy Interesante* se autodefine con los eslóganes «la revista mensual para saber más de todo», «lo que hay que saber para entender nuestro tiempo», «corresponsales en el país del conocimiento». Una difusión de más de 250.000 ejemplares en 2005 y unos 2 millones de lectores, predominantemente jóvenes, avalan el éxito de su fórmula.

De momento, los quioscos rebosan de papel impreso, con las más variadas ofertas y nada parece indicar para un observador ingenuo que el fin esté cerca. Pero, de ser ciertas las predicciones que hemos visto, uno de los productos más característicos de la imprenta no alcanzará a celebrar su sexto centenario. Y a esta historia, cuyo último capítulo concluimos a comienzos de 2007, sólo le faltaría relatar los últimos momentos del moribundo y entonar el réquiem final.

Notas

Capítulo 1. Los orígenes

[1] Étienvre, 1996.

[2] Montáñez Matilla, 1953.

[3] Cátedra, 1995, y García de la Fuente, 1995.

[4] Starr, 2004: 31.

[5] Duchêne, 1971.

[6] Infantes, 1996.

[7] Starr, 2004: 24.

[8] Infantes, 1996.

[9] Agulló y Cobo, 1966 y 1975.

[10] García de Enterría, 1973: 291-292. Ettinghausen, 1984: 14.

[11] Ettinghausen, 2000: 21.

[12] Domínguez Guzmán, 1988.

[13] Ettinghausen, 2000: 11.

[14] Maravall, 1983.

[15] Ibíd: 1983: 216-217.

[16] Cruickshank, 1978.

[17] Ettinghausen, 1993: 119.

[18] Conferencia pronunciada en la Universidad de Portsmouth en marzo de 2003 (Ramón Pérez de Ayala, Bienal Lectura). El autor compara dos manifestaciones extremas: por una parte, las relaciones publicadas en Barcelona entre los años 1612 y 1628, conservadas en una colección de la Biblioteca Nacional de Lisboa —especialmente rica en noticias sensacionalistas, de milagros, apariciones, catástrofes y crímenes, en las que se centra— publicadas en edición facsímil, con una introducción suya en el año 2000 (Ettinghausen, 2000), y por otra, las series de relaciones de Almansa y

Mendoza y la de cartas atribuidas al mismo, claramente dirigidas a una élite sociocultural.

[19] Ettinghausen, 1993a.

[20] Véase Maravallel, 1983 capítulo 3, «Una cultura masiva» (3.ª edición, la primera la de 1975). El autor se refería en ella a este «primer desenvolvimiento de la prensa», y comentaba (p. 216, nota 71): «Está por hacer un estudio mínimamente estimable de los comienzos de la prensa en el siglo XVII español». Desde entonces, aunque queden cosas por hacer, se ha adelantado mucho en su estudio.

[21] Ettinghausen, 1995.

[22] García de Enterría, 1973: 50.

[23] Ettinghausen, 2000: 15.

[24] Ettinghausen, 1993.

[25] García de Enterría, 1971.

[26] Astrana Marín, *Epistolario completo de D. Francisco de Quevedo-Villegas*, cit. por Ettinghausen, 2003.

[27] Rumeu de Armas, 1948: 271.

[28] Espejo, 1925. Botrel, 1973, T. IX.

[29] Infantes, 1996: 213-216.

[30] Balzac, 2004: 20.

[31] El subrayado es nuestro. Aunque estas primeras disposiciones están pensadas sobre todo para libros, no obstante este tipo de precisiones hace que sean aplicables también a los pliegos sueltos entre los que figuraban las primeras muestras de la prensa pre periódica.

[32] García de Enterría, 1973: 72, nota 18.

[33] Moll, 1974.

[34] Borrego, 1996, y Ettinghausen, 1996; y Borrego y Ettinghausen, 2001. Con un exhaustivo estudio introductorio de los editores. La mayor parte de los datos que aportamos son deudores de estos trabajos.

[35] Maravall, 1983:85, 89 (nota 60), 159-160 (y nota 70) y 215.

[36] Sobre el tema de la opinión en el XVII, ibíd: 214-216.

[37] Cartas, 1, 5 y 8.

[38] Ettinghausen y Borrego, 2001: 27.

[39] Étienvre, 1996.

[40] Maravall, 1983: 103 y 160 entre otras.

[41] Ettighausen, 1993, con reproducción facsímil de los fondos conservados en diversas bibliotecas.

[42] Varela Hervías, 1960: XXVII.

[43] Guillamet, 2003: 29.

[44] El primer estudio de esta publicación como antecedente de la *Gaceta*, todavía hoy de consulta necesaria, es Pérez de Guzmán, 1902. Más recientemente se ha ocupado de ella Varela Hervías en su edición facsímil del periódico, 1960.

[45] Maravall, 1983: 219-220.

[46] Varela Hervías, 1960: LXIII.

[47] Ibíd: LXIX.

[48] Díaz Noci y Del Hoyo, 2003: 63-64. Doña Francisca Aculodi, que aparece como impresora en realidad sólo en unos pocos números de una de las dos gacetas editadas por sus hijos, tendría algún tipo de usufructo sobre la imprenta herencia de su marido.

[49] En la ficha de la *Gaceta de Madrid* de la Biblioteca Nacional, se hace constar: Es continuación de *Nuevas Ordinarias de los Sucesos del Norte* que con diferentes títulos se publicó de 1683 a 1697.

Capítulo 2. Prensa noticiosa e ilustrada

[1] De acuerdo con el censo de 1768, España tenía un número de habitantes comprendido entre los nueve y los diez millones. De ellos, dice Glendinning (1977: 41) que parece probable que cerca del setenta por ciento no sabía ni leer ni escribir. Quizás el probable número de lectores a mediados del siglo se encuentra entre uno y dos millones. El cálculo de Glendinning es quizá muy optimista: el padre Sarmiento calculaba en esa misma fecha el 90% de índice de analfabetismo (citado por Fernández Cabezón, 1990: 176). Para la evolución de la alfabetización en España, véase Escolano, 1992.

[2] Una tercera parte de los 460 libros que se publicaron en España entre 1784 y 1785, según Herr, 1964: 160. El 55% entre religiosos y morales, de los publicados entre 1766 y 1789, según Glendinning, 1979: 168 con cálculos basados en los libros anunciados en la *Gaceta*.

[3] Urzainqui, 1995: 139.

[4] Véase Aguilar Piñal, 1978.

[5] Sempere y Guarinos, tomo IV, publicada en 6 tomos: 1785-1789 (hay una edición de Gredos, 1969); esta obra se encuentra digitalizada en la red por la Biblioteca Virtual Cervantes.

[6] Guinard, 1973. Véase también, Saiz, 1983. Un excelente compendio en Urzainqui 1995.

[7] Sobre la relación clero/prensa, véase: Larriba, Elisabel, 2004.

[8] Véase el epígrafe «Une presse orientée» en Guinard, 1973.

[9] Recogido en *Novísima recopilación de las leyes de España*, dividida en XII libros... mandada formar por... Carlos IV... y expedidas hasta el 1804 Madrid, 1805, 5 tomos en 3 vols. Madrid, 1805. Sobre el tema de la censura en general, véase Domergue, 2002.

[10] Deacon, 1990.

[11] Desde finales del siglo XVII se utiliza la grafía *Gaceta* en vez de *Gazeta*, que, sin embargo, el *Diccionario de Autoridades* desaconseja.

[12] Enciso Recio, 1957.

[13] Guinard, 1973: 72.

[14] El tal Mr. Le Margne no era otro que el editor del periódico en sus primeros tiempos, Salvador José Mañer.

[15] Paz Rebollo, 1990.

[16] Guinard, 1973: 223.

[17] Pérez de Guzmán y Gallo, 1902

[18] Guinard, 1973: 506.

[19] Álvarez de Miranda, cap. IX, 1992.

[20] *Un Diario histórico, político-canónico y moral*, publicado en 1732, no es, como dice Aguilar Piñal, 1978: 15, un verdadero periódico sino una recopilación de los sucesos más relevantes de la historia. En 1736, Martínez Salafranca había publicado unas *Memorias eruditas para la crítica de Artes y Ciencias*, estudiadas por Urzainqui (1995: 154) calificándolas de «mediocres», perteneciente a la modalidad que esta autora denomina «revista de revistas» que culminaría con el *Espíritu de los mejores diarios literarios que se publican en Europa*.

[21] Isla, José Francisco de, 1945: 60. B.A.E, XV: 598, cit. por J.L. Alborg, 1972: 60.

[22] Harris, 1978: 87.

[23] Enciso Recio, 1956.

[24] Sánchez-Blanco, 1992: 142.

[25] El gran *The Times* tuvo sus modestos comienzos en 1785, bajo el título de *The Daily Universal Register*, como un periódico que declaraba tener como su principal objeto «facilitar los intercambios comerciales entre las diferentes partes de la comunidad a través del canal de los anuncios *(advertisementes)*», al que añadía, en segundo lugar, el de dar cuenta de los acontecimientos y resumir los debates parlamentarios. Hasta su número 940 no cambiaría su título por el *The Times*, cambio que simbolizaba una ampliación de sus objetivos, según explicaba. Véase (1935, *The History of The Times. «The Thunderer» in the making. 1785-1841).*

[26] Cfr. Saiz, 1990

[27] El sistema de suscripción había sido ensayado por primera vez en 1761 por el emprendedor Nipho para su periódico-antología de textos antiguos comentados, *Caxón de Sastre*. Con escaso éxito en su caso. Este sistema de venta, que funcionaba en todos los países europeos, se impuso también en la segunda mitad del siglo XVIII en España. Pero como el mismo Nipho decía, cuando anunciaba la novedad, estaba pensado para «servir a todas las personas de distinción y carácter», a «personajes dignos del mayor respeto». Sin duda, cuanto más popular y más de actualidad fuese el periódico, más distancia habría entre la suscripción y la venta al número, a favor de este último procedimiento.

[28] Para los periódicos de Tarazona, véase Guillamet, 2003.

[29] Almuiña, 1978.

[30] Laguna Platero, 1990.

[31] Un intento de revitalización en 1987 en catalán como *Diari de Barcelona* fracasó y dejó de publicarse en 1994. Para estos primeros tiempos del *Diario*, véase Guillamet, 2003. Recientemente el Ayuntamiento de Barcelona ha recuperado la cabecera para un diario electrónico.

[32] Ménendez Pelayo, 1978: 543.

[33] Sobre muchos de estos tópicos dieciochescos, véase Martín Gaite, 1972.

[34] Véase sobre este periódico, el epígrafe que le dedica Guinard, 177-188; Caso González, 1990; Nuez, 1990.

[35] Sempere y Guarinos, 1785-1789, tomo IV: 191, artículo «Papeles periódicos».

[36] Elsa García Pandavenes, autora de una tesis doctoral inédita sobre *El Censor* ha editado una antología del periódico con una extensa Introducción (y un vibrante Prólogo de José F. Montesinos), en la que incluye la Bibliografía existente hasta el momento. Entre los estudios más recientes citaremos el capítulo X de la fundamental obra de Guinard, 1973; Caso González, 1989 y 1990. En el n.º EHS dedicado a «Periodismo e Ilustración en España» (enero/junio 1990) hay varias comunicaciones que se refieren a distintos aspectos de este periódico; Urzainqui, 1996. La Biblioteca Virtual Saavedra Fajardo de la Universidad de Murcia ha digitalizado una antología de *El Censor* en edición facsímil, con un estudio preliminar de Víctor Cases.

[37] Caso González, 1989b.

[38] Especialmente a Francisco Sánchez-Blanco, gran detractor de la imagen de Carlos III como rey «ilustrado» en las páginas dedicadas a *El Censor* en 2002. Véase también López, François, 1990 y Fuentes, 1990.

[39] El *Diccionario de Autoridades* define *gazetero,* como «el que forma la gazeta y también el que la vende», mientras que *gazetista* es «el que tiene costumbre, inclinación

y propensión a leer u oír las Gazetas» y también «el que habla frecuentemente de novedades por las noticias de las Gazetas».

[40] Véase Álvarez Barrientos, 1990.

[41] Gil Novales, 1969.

[42] Sobre las acaloradas polémicas suscitadas por la pregunta de Masson y la réplica de Forner, que ocupó páginas en la prensa de estos años, véase Herr, 1964; Cotarelo y Mori, cap. XIV, 1897; Sarrailh, 1954: 380-381; Marías, 1963, cap. IV, V y VI, y el epígrafe «Apologistas y antiapologistas» en García Pandavenes, 1972.

[43] Aunque, en este caso, era justamente *El Espíritu de las Leyes*, la obra de Montesquieu que estaba prohibida por la Inquisición desde 1756 (véase Fourneaux, 1963: 123).

[44] En el Gobierno Monárquico —había escrito Montesquieu— es el rey quien posee el poder y lo hace bajo una estructura de leyes fijas y establecidas. En cambio, en el Gobierno Despótico existe una persona que detenta el poder y lo ejerce sin leyes fijas imponiendo sus caprichos personales.

[45] Para el tema de la sátira en *El Censor*, cfr. Uzcanga Meinecke, 2004.

[46] Guinard, 1973: 323.

[47] Elorza, 1970 a: 121.

[48] Véase Lafarga, 1990, que incluye más bibliografía sobre el mismo periódico.

[49] Sobre este personaje y su colaboración en *El Correo de Madrid*, Elorza, 1970 a.

[50] Domínguez Ortiz, 1989: 2.

[51] Carta XII, cit. en Cotarelo y Mori, Emilio, 1897.

[52] Citado por Marías, 1963: 83.

[53] Número 40. Este periódico, de espíritu similar a *El Censor*, e inspirado en su fórmula, se publicó entre 1786 y 1788.

[54] Glendinning, 1977: 34.

[55] Canterla, 1996. De la misma autora véase también 1999.

[56] El último en defender la autoría masculina, clerical para más señas, es Scott Dale, que afirma de forma rotunda: «Sostengo que Beatriz Cienfuegos es el nombre falso bajo el que se escondía la personalidad de un escurridizo clérigo andaluz cuyo nombre real probablemente fue Don Juan Francisco del Postigo, un erudito con un gran afán de presentar al mundo un compendio de innovadoras reflexiones, obtenidas tras las supuestas largas confidencias del género femenino que acudían a él como confesor, amigo y confidente» (Dale, Scott, 2005: XI).

[57] Urzainqui, 2004. Sobre el tema general de la mujer en la prensa dieciochesca, véase de esta autora, 2002.

[58] Véase Guinard, Capítulo, VII.

[59] Aguilar Piñal, 1978: 39 y 42.

[60] Urzainqui, 1995: 167.

[61] Sempere y Guarinos, 1787, vol. 4: 176-177.

[62] *Diario de los Literatos*, introducción p. 1.

[63] Larriba, 1998, véase también Urzainqui, 1995.

[64] Para la persistencia de este tipo de publicaciones hasta entrado el siglo XX, véase la fundamental obra de Caro Baroja, 1990.

[65] *Diario de Barcelona*, 2 de marzo de 1793, cit. por Guillamet, 2003: 77. El mismo texto se publicó en el *Correo de Cádiz* en su n.º 1, de 3 de febrero de 1795, según recoge Larriba, 1998: 67.

[66] Sobre este tema se ha escrito mucho, más o menos en la estela de Habermas. Véase el muy interesante estudio de Chartier, 1995.

[67] Sobre los primeros cafés, Fernández Sebastián, 1996.
[68] Olóriz, Juan Crisóstomo de, 2001.
[69] Domínguez Ortiz, 1989: 16.
[70] Citado por Varela Tortajada, 1989: 66.
[71] Véase Saiz, 1989.
[72] Para este singular personaje, de «vida tan pintoresca y desbaratada», en palabras de Azorín, véase Fuentes, 1989.
[73] Egido López, 2002, que resume trabajos más extensos del autor.
[74] Elorza, 1971.
[75] Herr, 1964: 313.
[76] Artola, MCMLV; Herr, Richard, 1964: Cap. VIII-XIII; Domergue, 1989.
[77] Aymes, 1991.
[78] Alcalá Galiano, 1946, tomo VII: 29.
[79] AHN, Inquisición, Leg. 3059, Exp. 20, citado por Larriba, 1998: 321-322.
[80] Herr, 1964: 366.

Capítulo 3. La prensa, durante la guerra de la Independencia

[1] Existe una edición del dictamen de 1813: *Último recurso de la nación española para conservar su existencia política, deducido de la historia de nuestras regencias*, Cádiz, Imprenta de la Concordia, 1813.
[2] N.º 114 cit. por Gómez Imaz, 1910: 136.
[3] *El Español* (Londres), n.º X, enero de 1811.
[4] Artola, 1959, vol. I: 338. Un reciente y excelente análisis de la prensa en este periodo previo a la reunión de las Cortes en Hocquellet, 2004.
[5] «De la libertad de imprenta», *El Duende*, n.º 2.
[6] Comellas, 1970: 165.
[7] Fuentes, 1993. Para la prensa de estos años, véase el reciente libro de Cantos Casenave, Durán López y Romero Ferrer (eds.), 2006.
[8] Para un análisis detallado de la legislación sobre este tema y su aplicación, véase La Parra López, 1984.
[9] Sobre el vocabulario político de estos años, véase Seoane, 1968.
[10] Solís, 1971: 60. En 2004, más de un siglo después de haber sido realizado, con motivo del primer centenario de la Constitución de 1812, se ha publicado la más exhaustiva relación de las publicaciones gaditanas de estos años (Riaño de la Iglesia, 2004).
[11] Para la apasionada y apasionante vida del Cádiz de estos años, véase Solís, 1969.
[12] Vélez, Rafael de, 1818.
[13] Para un ejemplo del trasiego de personas, periódicos y artículos, entre dos ciudades tan alejadas como Cádiz y La Coruña, véase Saurín, 1994, y de la misma autora, 2001. Más alejada todavía, *La Aurora de Chil*e reproducía el 4 de junio de 1812 (n.º 17) un artículo del 3 de septiembre de 1811 de *El Redactor General*, que éste a su vez había tomado de *el Semanario Patriótico* del 24 de agosto.
[14] Para este periódico, véase González Hermoso, 1984.
[15] *Diario Mercantil*, 29-3-1812.
[16] Véase Santos Oliver, 1982.
[17] Existe una edición facsímil de este periódico, publicado entre 1812 y 1814, con introducción de Saurín de la Iglesia, 1997.
[18] Para este periódico, Dufour, 2005. Sobre los afrancesados, Juretschke, 1962; Artola, 1989; López Tabar, 2001. En este último autor, el epígrafe «Las posibilidades de la imprente: prensa, proclamas y folletos»: 31-38.

[19] Alcalá Galiano, 1946. Tomo VII: 29

[20] Carta al marqués de Wellesley, recogida en Blanco White, José María: *Antología*, edición de Lloréns, 1971.

[21] Para la extraordinaria difusión del periódico en América y su importante contribución a la revolución americana, véase Pons, 1994, y Moreno Alonso, 1988.

[22] Un análisis de las críticas de Blanco a la Constitución de 1812, en Varela Suanzes, 1993, y los trabajos de Moreno Alonso, 1984 y 1989. Sobre el tema de Blanco White y España véase el reciente y exhaustivo estudio de Pons, 2002.

[23] Lloréns, 1974.

[24] Menéndez Pelayo lo rescató del olvido, aunque fuera para denostarlo, en su *Historia de los heterodoxos españoles*. De su reivindicación se han encargado Vicente Lloréns y Juan Goytisolo, a los que han seguido otros autores, especialmente Manuel Moreno Alonso. Véase una bibliografía puesta al día sobre Blanco en la reciente obra de Durán López, 2005.

[25] Sobre la postura de *El Español* con respecto a la insurrección americana, véanse, además de los artículos de Pons y Moreno, citados, Seco Serrano, 1983, y Breña, 2002.

Capítulo 4. Absolutismo y liberalismo bajo Fernando VII

[1] *El Constitucional*, 20 de abril de 1920.

[2] Gillamet, 2003: 199.

[3] «No; no veo la imagen de la libertad en una furiosa bacante, recorriendo las calles con hachas y alaridos; diría —en la sesión de 7 de septiembre de 1820— la veo, la respeto, la adoro en la figura de una grave matrona que no se humilla ante el poder, que no se mancha con el desorden».

[4] Sesión de 4 de julio de 1820.

[5] Sesión de 31 de octubre de 1822.

[6] Fuentes, 1994.

[7] Ibíd.

[8] Véase Gil Novales, 1975.

[9] Para *El Universal*, véase Martinez de las Heras, 2000.

[10] Elorza, 1974: 594.

[11] Varela Suanzes, 1996: 669. Además de éste y del artículo de Elorza citado en la nota anterior, véanse para *El Censor* y el grupo que lo impulsó Morange, 1994, y Gil Novales (ed.), 1983, y las páginas dedicadas a este periódico en Fernández Sebastián, 2004. Para la prensa afrancesada en este periodo en general, López Tabar: 220-248.

[12] «Del fanatismo servil», *El Censor*, 6 de julio de 1822.

[13] Cit. por Morange, 1994, «Presentación».

[14] Morange, 1994, «Presentación»: 27-28.

[15] Morange, 1986, y Fuentes, 1983.

[16] Elorza, 1974: 597.

[17] Lloréns, 1969: 14.

[18] Morange, 1983, nota 33: 16-17.

[19] Eso creía el redactor de *El Zurriago* Benigno Morales y parece verosímil a Gil Novales (1975: 986) y Fuentes (1983: 370).

[20] Fuentes, 1994: 177.

[21] Véase el capítulo «Los colaboradores de *El Zurriago* y *La Tercerola*» en Gil Novales, 1974, tomo II. Una selección de *El Zurriago*, con estudio y notas, en Ángel Ro-

mera, 2006, autor también de una tesis sobre la vida y obra de Félix Mejía, ganadora del I Premio Francisco Mariano Nipho.

[22] Fuentes, 1983.

[23] Zurriago: «Látigo con que se castiga o zurra, el cual por lo común suele ser de cuero, cordel o cosa semejante» (DRAE).

[24] Gil Novales, 1974, tomo II: 1048.

[25] *Fac-simile de trois lettres autographes... suivis de quelques fragments curieux égalment autographes*, París, 1831, recogido en Gil Novales, 1980: 122-123.

[26] Lloréns, 1968.

[27] Para la evolución del pensamiento político de los liberales en el exilio, véase Varela Suanzes, 1993.

[28] *Variedades o Mensajero de Londres*, octubre de 1825, cit. por Durán López, 2005: 372.

[29] Durán López, 2005: 371.

[30] Una de ellas, entre Flórez Estrada y Calatrava en *El Español Constitucional* llamaba la atención de *The Times*, que daba noticia de ella («Disputes Among the Spanish Exiles», 16-10-1925, cit. por Fernández Sarasola, 2004: 255).

[31] Para todo lo relativo a Borrego, véase Castro, 1975.

[32] Vauchelle, 2005.

[33] Un análisis de estos periódicos en López Tabar, 2001: 318-340.

[34] «...lejos de nosotros la peligrosa novedad de discurrir, que ha minado por tanto tiempo, reventando al fin con los efectos que nadie puede negar de viciar costumbres, con total trastorno de imperios y religión en todas partes del mundo» (*Gaceta de Madrid*, 3 de mayo de 1827).

[35] Su abolición definitiva hubo de esperar hasta el 15 de julio de 1834 en que fue decretada por la reina regente.

[36] «Negros» se llamó por entonces a los liberales y a toda su obra; «feo apodo» —dice Alcalá Galiano, 1946: 235— que sirvió de aumento a la persecución por lo mismo que era grato al vulgo. Lord Carnavon, que viajó por España en 1827, hace la observación de que en «distritos apartados» a esa designación dada a los liberales se asocian ideas de contacto con el demonio, de clubes de masones, que llegan a firmar con él pactos contra la Santa Iglesia y el rey, delegado de Dios en la tierra (1967: 38).

[37] Real Orden de 9 de octubre de 1824. Véase Peset Reig, Mariano y José, 1967: 464.

[38] Peset Reig, Mariano y José, 1967: 465.

[39] Citado por Marrast, 1974: 73. Véase, para este periódico, Guillamet, 2003: 227-230.

[40] Marrast, 1974: 118.

[41] Guillamet, 2003: 244.

[42] La ideología de Larra en estos últimos años del reinado de Fernando VII (como la de los últimos meses de su vida) ha sido objeto de cierta controversia. Véase Escobar, 1983, que aparte de exponer su razonada opinión, cita en notas los más solventes estudios sobre Larra. Añadiríamos el esclarecedor análisis de su vocabulario de Ruiz Otín 1983.

[43] «Fígaro en Lisboa. Adiós a la Patria. Último artículo», recogido en *Obras de Mariano José de Larra*, BAE, IV: 336 (de este y todos los artículos de Larra que citaremos en adelante existe edición digital en la Biblioteca Virtual Miguel de Cervantes).

[44] El artículo apareció en *La Revista* bajo el título genérico de «Variedades teatrales», pero es conocido por el de «Mi nombre y mis propósitos», que el autor le puso en la primera recolección de sus artículos en 1835. Lo encabeza entonces con una significativa cita de *El barbero de Sevilla*, que concluye: «je me presse de rire de tout, de peur d'être obligé d'en pleurer».

[45] *Larra: esperanza y melancolía* es el título de la breve biografía de José Escobar en el portal digital dedicado a Larra en la Biblioteca Virtual Miguel de Cervantes.

Capítulo 5. La transición del absolutismo al liberalismo, 1833-1837

[1] «Cuasi. Pesadilla política», *Revista Mensajero*, 9-8-1835.

[2] Caballero, Fermín, 1837: LXXI.

[3] Véase Cal, 1996.

[4] «Dios nos asista. Tercera carta de Fígaro a su corresponsal en París», artículo que no se pudo publicar en *El Español* y salió en forma de folleto. Recogido en Obras, BAE, 191.

[5] Ibíd.

[6] Caballero, 1837: LXII.

[7] «Panorama matritense»: Cuadros de costumbres de la capital observados y descritos por un Curioso Parlante. Artículo segundo y último», *El Español*, 20 de junio de 1836.

[8] *Revista Española*, 9 de marzo de 1834. Para *El Siglo*, véase Alonso, Cecilio, 1971, y, como para todo lo relacionado con Espronceda, el excelente estudio de Marrast, 1974.

[9] «Publicaciones nuevas. "El Ministerio Mendizábal". Folleto, por Don José Espronceda», *El Español*, 6de mayo de 1936.

[10] Caballero,1837: LXII.

[11] Caballero, 1837: 176 (del Apéndice de Documentos y Notas) da muchos nombres de quienes ejercieron aquel «cargo difícil», entre los que figuraba algún conocido escritor, y distingue a algunos de ellos «por su tolerancia y discreción».

[12] Según relataría años más tarde Andrés Borrego, cuando el periódico empezó a criticar su política, Mendizábal trataría de presionarle a través de Remisa, cuyos negocios dependían en gran medida del Estado (véase Castro, 1975: 140).

[13] *Eco del Comercio*, 31 de mayo de 1836.

[14] Marrast, 1966: 7. Véase un extenso comentario a este artículo en el mismo autor, 1974.

[15] *El Español*, 28 de febrero de 1836.

[16] Véase Elorza, 1970b; Maluquer de Motes, 1981.

[17] Bajo el seudónimo de «Proletario» parece esconderse Joaquín Abreu, introductor en España de las doctrinas de Charles Fourrier, a quien conoció y trató durante su exilio en la Década Absolutista. «José Andrew de Covert-Spring» sería el seudónimo de José Pedro Monlau o de José Andrés Fontcuberta; ambos dirigieron, sucesivamente, *El Vapor* en 1836.

[18] La palabra *artículo* que, como vimos, en el siglo XVIII designaba a las grandes partes o secciones en que se dividía un periódico, venía desde años atrás alternando ese significado con el actual de «escrito que constituye un todo distinto en una publicación» (no es la definición del DRAE, que nos parece necesitada de una urgente modificación por parte de los académicos periodistas). En los años de que ahora nos ocupamos ha adquirido ya definitivamente este significado: Larra es un «articulista», que escribe «artículos». «Artículo de fondo» lo hemos documentado también en estos años, muy probablemente tomado, como tantas otras cosas, del francés.

[19] Véase *El Español*, 5 de enero de 1836, que anima a *La Abeja* a cumplir su amenaza para que los tribunales dicten con su sentencia jurisprudencia sobre el tema.

[20] *Eco del Comercio,* 10 de enero de 1836.

[21] «useful knowledge», «instructive amusement» «cheap as to be accesible to the lowest class of readers» son frases del primero de ellos *The Penny Magazine* en la presentación a sus lectores en su primer número en marzo de 1832.

[22] Alonso, Cecilio, 1996 a: 15.

[23] Ibíd: 14.

[24] Para esta revista, véase Rubio Cremades, 1995.

[25] «¡Desgracia de nuestro país! —decía en su n.º 1, de 3 de abril de 1836—. En unos tiempos *nada de política* habrá de escribirse, en otros *nada como no sea política*».

[26] Aymes, 1983.

[27] Para el tema del arte en las revistas ilustradas de Madrid y más concretamente en *El Artista*, véase Tajahuerce, 2004.

Capítulo 6. Libertad con cautelas, 1837-1868

[1] «La prensa de Madrid», artículo publicado en el *Diario de Barcelona* y reproducido en *La Democracia*, 18 de julio de 1865.

[2] «Nuevas tarifas de correos». Artículo publicado en *El Mensajero* y reproducido en El *Eco del Comercio*, 3 de septiembre de 1845.

[3] Cabrera, Elorza, Valero y Vázquez, 1975: 92.

[4] Pérez Mateos, 1927: 170.

[5] Botrel, 1992: 201.

[6] Véase Lecuyer, 1989. Hacia 1840 había en Madrid 59 cafés (por 610 tabernas). Gabinetes de lectura, en los que se podían leer diversos periódicos por una módica cantidad, una docena en Madrid, cuatro en Málaga, dos en Ronda, uno en Badajoz.

[7] Ford, 1981: 35.

[8] Donoso Cortés, BAC tomo II: 487.

[9] Sobre *La Esperanza* véase la tesis doctoral de Bergareche, 2005.

[10] José Castro Serrano: «Revista de la prensa española», *La América*, octubre de 1857.

[11] Para la historia del republicanismo en España antes de 1868, véase Castro Alfín, Demetrio, 1994.

[12] Marichal, 1980: 226.

[13] Elorza, 1972.

[14] Antes de la fundación del Partido Demócrata había colaborado entre otros en los periódicos fourieristas *La Atracción y La Organización del Trabajo*. En 1849 contribuyó a fundar *La Reforma Económica* y *El Eco de la Juventud*, refundidos en 1850 en *La Asociación*. De 1864 a 1866 Ángel Fernández de los Ríos publicó con el mismo título de *La Soberanía Nacional,* un periódico que funcionó como órgano del Partido Progresista.

[15] Otro periódico, publicado por Ignacio Cervera y Fernando Garrido había llevado el título de *La Democracia* en 1856.

[16] *La Asociación*, 4 de mayo de 1856.

[17] Véanse para este interesante periódico, del que sólo se conserva una colección en la Hemeroteca Municipal de Madrid, Benet y Martí, 1976, y Bahamonde y Toro, 1987.

[18] Véanse Elorza, 1970c y Trías y Elorza, 1975: 318-320.

[19] Torrent y Tassis, 1969, tomo I: 4.

[20] Ibíd: 47.
[21] Alonso, Cecilio, 1996: 27-29.
[22] Lecuyer y Villapadierna, 1995.
[23] *La Época*, 17 de agosto de 1888.
[24] *El Pensamiento de la Nación*, 5 de agosto de 1846.
[25] *El Amigo del Pueblo*, 1854, p. 257.
[26] Menendez Pelayo, 1967, tomo II: 933.
[27] Para los orígenes y la evolución del telégrafo y los ferrocarriles, véase Bahamonde Magro, 1996.
[28] «Discurso en defensa de la dictadura», *Obras Completas*, BAC, tomo II, p. 187.
[29] Los primeros ferrocarriles españoles se instalaron en Cuba en 1837.
[30] Bahamonde, 1996.
[31] Morse había profetizado que su invento convertiría a la totalidad del país en un vecindario, cuando se tendió la primera línea entre Washington y Baltimore —64 km— en 1844. En 1858 se inauguraría ya el cable submarino entre América y Europa.
[32] Anuncio de la inminente aparición del nuevo periódico en *La Ilustración,* 16 de noviembre de 1850. Para las empresas de Ángel Fernández de los Ríos, veáse Alonso, Cecilio, 2002.
[33] Según Rodríguez Solís, 1892, I: 471, publicó 6 números entre el 1 de abril y el 11 de junio de 1854.
[34] Nombela, 1976: 396 y 980. Para este periódico, véase Palenque, 2002.

Capítulo 7. El Sexenio Democrático, 1868-1874

[1] «El caballo blanco de la prensa política», *La Ilustración de Madrid,* 3 de febrero de 1870. La expresión «caballo blanco» para designar al personaje, normalmente un político, que financiaba un periódico o un espectáculo teatral debió de surgir en los años de 1850 y formó parte del *argot* periodístico durante largo tiempo.
[2] Véase *La Ilustración Española y Americana* 10 de mayo de 1970 y *La Ilustración de Madrid* 30 de abril de 1872.
[3] Para *El Imparcial*, véase Sánchez Illán, 1999.
[4] «Palique», *El Globo*, 10 de febrero de 1894 y *Las Novedades* (Nueva York), 8 de marzo de 1894.
[5] Para los inicios de las agencias de prensa española, véase Altabella, 1972.
[6] Para las relaciones Havas-Fabra, Paz, 1987.
[7] Véase Díaz Noci y Urkijo Goitia, 2000.
[8] Véase Fernández Sebastián, 1986 y 2001.
[9] Véase para el que denomina «diferencialismo» gallego Vilas Nogueira, 1977. Para la evolución del galleguismo en la prensa, véase Beramendi, 2002.
[10] Barreiro Fernández, 1976: 142.
[11] Para el catalanismo de estos años, Termes, 1976, y Vilaclara, 1983.
[12] Para la prensa obrera, véanse Lamberet, 1953; Arbeloa, 1970 y 1971; Termes, 1972. Para *La Emancipación,* Elorza, 1970; Ralle, 1979 y 1987, y Guereña, 1987.

Capítulo 8. La Restauración, 1875-1898

[1] Una carta del director López Ballesteros a Ortega Munilla situaba por esas fechas la tirada en 71.000 (Sánchez Illán, 1999: 190 nota).
[2] Unamuno, 1951, II: 445-448.

[3] Maeztu, 1967: 154; Unamuno: «La empresa periodística», artículo recogido en *Obras Completas* IX: 557.

[4] Para este nuevo modelo de prensa véase Álvarez, Jesús Timoteo, 1981

[5] Almirall, 1972: 80.

[6] *Diario del Teatro*, 6 de enero de 1895.

[7] Sellés, 1895: 36.

[8] *La Época*, 1 de agosto de 1888.

[9] Cit. por Fernández Almagro, 1968, Vol. II: 414.

[10] Para este periódico, véase Boned Colera, 2002.

[11] Para el grupo y la etapa «germinalista» de *El País*, véase Pérez de la Dehesa, 1970.

[12] Pío Baroja: «Galdós, vidente», *El País*, 31 de enero 1901.

[13] Gaziel, 1964: 406.

[14] Menéndez Pelayo, 1978: 1039, 972 y 1035.

[15] *El Socialista*, 21 de agosto de 1888.

[16] Díaz del Moral, 1967: 190-191.

[17] Morato, 1931: 99-100 y, 1918: 137-142.

[18] Pérez de la Dehesa, 1966: 43.

[19] Para este periódico, Miralles, 1989.

[20] Véase Ereño Altuna, 2004.

[21] Cfr. Pérez de la Dehesa, 1966: 34.

[22] Véase Saiz, 1987 b.

[23] Aparte de las obras que citamos a lo largo de esta obra, y que no repetimos aquí, existen numerosos trabajos sobre prensa provincial y nacionalista, de carácter general o sobre periodos o aspectos concretos. Citamos, sin pretensión de exhaustividad, a los autores de algunos de los más destacados: José Altabella realizó una monumental tesis doctoral titulada: *Fuentes crítico-bibliográficas para la historia de la Prensa provincial española*. Sobre la prensa en Valladolid, Ricardo M. Martín de la Guardia y Pablo Pérez López; en Cataluña Lluis Solà Dachsk, Joan Manuel Tresserras, Oriol Pamies, Susanna Tavera i García, Joseph M. Roig, Víctor Saura, Joan C. Clarós y Xavier Vila. En Galicia, Margarita Ledo Andión, María del Carmen Pérez Pais, Rosa Aneiros, Francisco Fernández del Riego, Enrique Santos Galloso, Úxío, Carré Aldao y Guillermo Llorca Freire; en Salamanca, Jesús M. García García; en Burgos, Julián Martínez Martínez; en Castilla-La Mancha, Isidro Sánchez Sánchez; en la Comunidad Valenciana, Andrés López Blasco, Francesc Martínez Gallego y Francisco Moreno Sáez. El Instituto Juan Gil Albert de Alicante ha publicado importantes estudios sobre el mismo tema realizados, entre otros, por el mismo Francisco Moreno Sáez, Teresa Ballester Artigues, Antoni Espinós Quero; en Andulucía, Juan Antonio García Galindo, y otros autores vinculados a las Universidades de Sevilla y Málaga; en La Rioja, José M. Delgado Idarreta y María P. Martínez Latre; en Aragón, María Ángeles Naval; en Cáceres, Germán Sellers de Paz; en Menorca, Alemany Vich, Miguel Barber Barceló; en Canarias, Ricardo Acirón Royo, Antonio Rojas Friend, José Antonio Yanes Mesa y Javier Galán Gamero; en Murcia, María Arroyo Cabello...

[24] Véase para este periódico, Figueres i Artigues, 1999.

[25] Para la prensa nacionalista vasca, véase la excelente síntesis de la Granja Jose Luis y Pablo, Santiago de 2002.

[26] Para Havas en España, véase Paz Rebollo, 1987.

[27] Mainar, 1906: 187.

[28] Mainer, 1987: 30.

[29] *Le Temps*, 22 de febrero de 1889, cit. por Béllanger, 1969: 279.

[30] Mainar, 1906: 97 y 100.

[31] Emilia Pardo Bazán: «La vida contemporánea. Sportman, sportmen y sporment», *La Ilustración Artística*, 3 de febrero de 1896.

[32] «Sport», *Crónica del Sport*, 15 de enero de 1896.

[33] Véase Botrel, 1987 y 1989.

[34] Véase Asun Escartín, 1980.

Capítulo 9. La prensa ante el «Desastre» del 98

[1] 21-11-1898.

[2] Ramiro de Maeztu: «Responsabilidades» y «El 'sí' a la vida», artículos recogidos en *Hacia otra España*.

[3] *El Liberal*, 1 de octubre de 1898.

[4] «Sinceridad» y «Más sinceridad», 26 y 27de julio de 1898.

[5] 19 de julio de 1898.

[6] *El Tiempo*, «¡Alegría!», 23 de agosto de 1898; «La indiferencia de la opinión», 27 de agosto de 1898.

[7] *El Liberal*, 26 de octubre de 1898.

[8] Recogido por Arturo Campión «Después de la deshecha», 16 de julio de 1898.

[9] «El reclamo bélico», 29 de abril de 1898.

[10] «España no se asusta», 15de marzo de 1898.

[11] «La sombra de la conciencia», 23 de septiembre de 1898.

[12] 14 de julio de 1898.

[13] 7 de diciembre de 1897.

[14] 2 de abril de 1898.

[15] 17 de febrero de 1898.

[16] 12 de junio de 1998.

[17] «La guerra es un negocio», 26 de octubre de 1895.

Capítulo 10. Algunas generalidades sobre la prensa del primer tercio del siglo, 1898-1936

[1] «El poder de la Prensa», 12 de noviembre de 1930. El artículo de Ortega, que provocó la respuesta dolorida del editorialista de *El Sol*, era el último de la serie «La misión de la Universidad», publicado el día 9.

[2] Salaverría, 1927: 114-115 y 118.

[3] «¡A lo que salga!», recogido en Unamuno, 1951 I: 166

[4] Ignacio Sotelo: «Filosofía de periódico», *El País*, 22 de noviembre de 1983.

[5] Gómez de la Serna, 1974: 605 y 607.

[6] «A una edición de sus obras», *Obras Completas* VI: 353. Para la significación de la labor periodística de Ortega en la España del primer tercio del siglo XX, Redondo, 1970; Romano, 1977; Elorza, 1984. Un análisis de su periodismo, fundamentalmente en sus aspectos formales (géneros, estilo), Blanco Alfonso, 2005.

[7] Carta reproducida en el suplemento de libros de *El País* 8 de mayo de 1983 y «Mitin en la Fuente de San Esteban», en *El Adelanto* de Salamanca, 2 de junio de 1913.

[8] «El género literario característico de nuestra generación es, precisamente, el artículo periodístico», dirá César González Ruano («El artículo periodístico», en *Enciclopedia del periodismo*, 1930, de Editorial Noguer).

[9] Cit. por Casasús, 1987:137

[10] Véase Seoane, 1995.

[11] Urgoiti, 1983: 381.

[12] «Chaves Nogales, el periodista. Lo que nos dice nuestro compañero», *Estampa,* 15 de mayo de 1928,

[13] Azaña, 1968: 571.

[14] Prólogo a: *Los Oprimidos* de Julián Pérez Carrasco citado por Culla y Duarte, 1990: 42.

[15] Urgoiti, 1983: 343.

[16] Juan Pujol, «La vida española. Sindicación de periodistas», *El Debate* 28 de octubre de 1919.

[17] Gaziel, 1964: 405; Ruiz Albéniz, 1944: 294.

[18] «"Colombine", los portugueses y el "trust"», *Hoy*, 7 de enero de 1920.

[19] Cansinos Assens, 1964.

[20] Cambó, 1987: 327. Eugenio Rodríguez Ruiz de la Escalera, que ése era su nombre, era bajo el popular seudónimo de Montecristo el cronista social de *El Imparcial* y no de *La Época*, como dice Cambó, aunque a veces escribía también para el diario conservador, utilizando en ese caso el seudónimo de Monte Amor (Araujo Costa, 1946: 105).

[21] *APM* Publicación interna de la Asociación de la Prensa de Madrid, n.º 8, enero-febrero de 1994

[22] Venegas, 1943: 52.

[23] Ibídem: 9 y 52.

[24] Urgoiti, 1983: 451.

[25] Pérez Carrera, 1991: 76.

[26] El día 9 de julio de ese año se había iniciado la constucción del Palacio de la Prensa en la Gran Vía. La circunstancia de que su ubicación estuviese a la altura de la plaza del Callao, era motivo de chirigota.

[27] «La Prensa y la censura. Reflexiones de actualidad», *El Sol*, 6 de septiembre de 1925, cit. por Pérez Carrera, 1991: 36.

[28] Véase Gonzáles Rothvoss, 1930.

[29] «Cincuentenario de *La Época*. La evolución de la prensa», *La Época*, 6 de enero de 1898.

[30] «La empresa periodística» y «El prestigio de la prensa» *Obras Completas* IX: 577-586.

[31] «La prensa política», *Blanco y Negro,* 14 de mayo de 1904.

[32] «En torno a la discordia de *El Imparcial*», 28 de junio de 1917.

[33] *Heraldo de Madrid*, 5 de junio de 1920.

[34] Desde 1924, se venía publicando los lunes una *Hoja Oficial,* convertida en enero de 1926, no sin la protesta de los diarios, en un verdadero periódico, *El Noticiero del Lunes,* que, durante la Dictadura, sería junto con *La Nación* un diario oficioso a su servicio. En 1930, bajo el gobierno del general Berenguer, cambiaría su planteamiento: *El Noticiero* se convertiría en la *Hoja Oficial* del lunes, que, primero en Madrid (a partir del 17 de noviembre) y luego en las distintas provincias, publicarían las respectivas Asociaciones de la Prensa. Desaparecida durante la Transición la prohibición de publicarse los diarios en domingo por la tarde o lunes por la mañana, las *Hojas* perdieron su razón de ser y fueron desapareciendo.

[35] Benavides, 1973: 31 y ss.

[36] «Crónicas de Camba. La Escuela de Periodismo», *La Jornada*, 15 de octubre de 1919.

[37] Montero, José Ramón, 1977: 415-417. Una evocación de la escuela en el curso 1935-1936 en Ridruejo, 1976: 37-344.

[38] «La Escuela de Periodistas», *ABC*, 17 de febrero de 1928.

[39] «Escuelas de periodismo», 24 de febrero de 1928.

Capítulo 11. Del «Desastre» a la Dictadura, 1898-1923

[1] *La España Moderna*, 8 de junio de 1905.

[2] Eloy Luis André: «El libro, la revista y el periódico en España», en *La España Moderna*, agosto de 1906.

[3] Lo que nos daría un índice de 80 ejemplares por 1.000 habitantes, ciertamente muy lejos del de los países más desarrollados, pero no tan lejos de nuestras cifras actuales, pese a las enormes diferencias en el índice de analfabetismo; claro que entonces no había radio ni televisión.

[4] Cálculos basados en Urgoiti, 198: 456-459. El mismo Urgoiti, interesado y experto en los problemas económicos de la prensa, como responsable de la Papelera Española, de la empresa editora de revistas Prensa Gráfica y más tarde empresario de *El Sol* y *La Voz*, estimaba en 1915 en 1.200.000 ejemplares la tirada global de los diarios españoles, de los que 500.000 corresponderían a Madrid, 200.000 a Barcelona y el resto a las demás provincias reunidas (ibíd: 342).

[5] Salaverría, 1927, capítulo «Los periódicos de Madrid».

[6] Para *ABC*, véase Iglesias, 1980.

[7] Ministerio de Instrucción Pública y Bellas Artes. Dirección General del Instituto Geográfico y Estadístico: *Estadística de la Prensa periódica de España (referida al 1 de abril del año 1913)* 1914; ídem: *Estadística de la Prensa periódica de España (referida al 1 de febrero de 1820)* 1921; Ministerio de Trabajo y Previsión. Servicio General de Estadística: *Estadística de de la Prensa periódica de España (referida al 31 de diciembre de 1927),* 1930.

[8] Pedro Massa, «Cómo se hacen los grandes diarios. EL SOL», *Heraldo de Madrid*, 30 de diciembre de 1927.

[9] Urgoiti, 1983: 456-459.

[10] Un artículo de la *Revista Política y Parlamentaria* de 15 de septiembre de 1900, titulado «Cómo se hace hoy un diario» informaba de que *El Imparcial* había sido el primero en traer a España las máquinas de componer, instalando cinco en sus talleres, que pronto entrarían en funcionamiento, y que *El Liberal* había encargado otras cinco. Las estadísticas de 1913 contabilizaban 36 rotativas y quince periódicos declaraban tener linotipias, pero los encargados de elaborarlas creían que las cifras eran superiores, porque las empresas consideraban esos datos secretos de explotación. Las estadísticas de 1820 revelan un enorme progresos: 81 rotativas y 213 linotipias.

[11] Ametlla, 1963: 330.

[12] «En torno a la discordia de *El Imparcial*», *España* n.º 27, 28 de junio de 1917.

[13] Para la propaganda inglesa, véase Montero, 1983; la francesa Aubert, 1986, y Corpus Barga, 1979: 397 y ss. La propaganda alemana en los años previos a la guerra en Álvarez Gutiérrez, 1986.

[14] Araujo Costa, 1946.

[15] Ramiro de Maeztu: «El ideal anarquista en España I», *El Imparcial*, 28 de noviembre de 1901.

[16] Ángel Pestaña recordaba cómo, trabajando en el depósito de máquinas del ferrocarril de Bilbao «llegó hasta mí, leyéndolo con avidez, el primer artículo de ideas

que dejó profunda huella en mi alma. Me lo prestó un compañero de trabajo. Se trataba de una crónica libertaria, publicada en el semanario *El Obrero* de Murcia («Una información todas las noches. La vida de los grandes luchadores. Ángel Pestaña. El líder del sindicalismo catalán en la vida íntima», *Heraldo de Madrid*, 30 de agosto de 1927).

[17] Espinet, 1986 y 1992.

[18] Seoane, 1987a.

[19] Eusebio Blasco: «A Nakens», *Vida Nueva*, n.º 33, 22 de enero de 1899.

[20] «Pablo Iglesias», *El Imparcial*, 13 de mayo de 1910 (OC 10:32): «Dejemos a un lado el republicanismo de Pablo Iglesias: la cuestión de la forma de gobierno no es la sustancial de su significado político. Además, en *El Imparcial*, mi casa soloriega, yo no puedo hablar de esto».

[21] Para el origen de la prensa en masas en Cataluña, véase Gómez Mompart, 1992:

[22] *ABC,* 22 de mayo de 1915 y 1-6-1915.

[23] Urgoiti, 1983: 358 y 377.

[24] «Qué pasa en España», *El Mercantil Valenciano*, 2 de julio de 1917.

[25] Intervención en un mitin recogida en *Heraldo de Madrid*, 25 de septiembre de 1909.

Capítulo 12. Dictadura y vísperas republicanas, 1923-1931

[1] A la caída de la Dictadura, el que había sido su jefe de censura publicó un curioso relato de sus entresijos (Iglesia, Celedonio de la, 1930).

[2] Pérez, 1930: 186.

[3] AHN Gobernación, leg. 37ª, cit. por González Calbet, 1987: 123.

[4] Fue una excepción el crimen del expreso de Andalucía, en marzo de 1924, en el que la Dictadura, todavía reciente, quiso dar una imagen de eficacia y energía, con la rápida detención y castigo de los culpables.

[5] Mori, 1943:140.

[6] «Editoriales. Un espectáculo insólito», *El Sol*, 10 de octubre de 1925; *La Libertad*, 5 de octubre de 1925.

[7] Citado en *El Sol*, 15 de septiembre de 1927: «Editoriales. La prensa y el régimen».

[8] «El error Berenguer», *El Sol*, 15 de noviembre de 1930; *Obras Completas* XI: 276.

[9] Nota oficiosa de 21 de marzo de 1924, recogida en Pérez, Dionisio, 1930: 39. («Yo creo que un poco de cultura helénica no da derecho a meterse con todo lo humano y lo divino y a desbarrar sobre todas las demás cuestiones [...] Si vuelve a escurrirse lo meteremos en cintura»).

[10] Cabrera, 1994: 189.

[11] Iglesia, Celedonio de la, 1930: 200.

[12] Urgoiti, 1983: 379.

[13] Urgoiti, ibíd; Iglesias, 1980: 217-219.

[14] Hurtado, 1964 II: 215 y 217.

[15] Iglesia, Celedonio de la, 1930: 198 y 201.

[16] Pedro Massa: «Una información todas las noches. Cómo se hacen los grandes diarios, *La Libertad*, hogar de la democracia», *Heraldo de Madrid*, 18 de abril de 1928.

[17] Pedro Massa: «Una información todas las noches. Cómo se hacen los grandes diarios. *Informaciones*, o la difícil ponderación», *Heraldo de Madrid*, 2 de mayo de 1928.

[18] Ametlla, 1979: 49.

[19] Beramendi, 1990: 146-147. Sobre este interesante periódico, véase López García (coord.), 2004.

[20] «Una nota oficiosa. Las *Hojas Libres* redactadas por Unamuno y Eduardo Ortega y Gasset», *Heraldo de Madrid,*13 de abril de 1927.

[21] «El primer año de *Estampa*», 1 de enero de 1929.

[22] Domingo, 1978.

[23] Gómez Aparicio, 1981: 159.

[24] Rivas Cherif, 1980: 124.

[25] Ibíd: 127.

[26] *Doctor Avúnculos*, «La *Revista de Occidente.* Propósitos y profecías», *España*, 15 de septiembre de 1923.

[27] Para las revistas literarias de la primera mitad del siglo XX, véase Molina, 1990.

[28] Giménez Caballero, 1979: 63.

[29] Alberti, 1987: 57.

[30] Ortega y Gasset, *OC* 3: 384.

[31] Ortega y Gasset: «Revés de almanaque III», OC 2: 737 Madrid, J. Morales, impresor.

[32] «Manifiesto antiartístico catalán», publicado en castellano por la revista *Gallo*, abril de 1928.

[33] Venegas: «Lo que ellos venden y lo que la gente compra», *La Gaceta Literaria*, 1 de agosto de 1927.

[34] Salaverría, 1927: 137.

[35] «Editoriales. La fiebre deportiva», *El Sol*, 25 de febrero de 1928.

[36] Véase el apartado «La radio transforma el fútbol en un espectáculo de "masas"» en Balsebre, 2001: 234-246.

[37] Urgoiti, 1983: 375.

[38] Para la historia de la radio en España, véanse los pioneros estudios de Ezcurra, 1974; centrado en sus comienzos, Garitaonandía, 1988 y 1989 (1923-1939), y, con un enfoque más periodístico, Díaz, 1995 (1923-1995). A ellos, ha venido a sumarse el exhaustivo de Balsebre, 2001 y 2002. Para el caso catalán, véase Franquet, 2001. Centrado en el franquismo, véase Fernández Sande, 2005-2006, y en los aspectos culturales del mismo periodo, véase García Jiménez, 1980.

[39] Francos Rodríguez, 1924: 44.s.

[40] «Reflejos de París. Nuestro colega *La Voz», El Sol,* 25 de octubre de 1923. Aunque presenta la radio informativa como un proyecto que tropezaba con dificultades, el «Journal parlé»» de Maurice Privat, primera emisión informativa en Francia, se venía emitiendo desde el 6 de enero de 1923 a través de «Radio Tour Eiffel» (Béllanger, 1972: 473).

[41] La emisora era propiedad de Radio Ibérica S.A., resultado de la fusión de la Compañía Ibérica de Telecomunicación, dedicada a la fabricación de aparatos emisores y receptores de radiotelefonía y radiotelegrafía para el Ejército y la Marina, y de la Sociedad Radiotelefonía Española, formada por capital francés y español, dedicada a la venta de receptores franceses para recibir la estación de París. Manuel Fernández Sande ha publicado recientemente un extenso trabajo sobre los origenes de la radio, 2005-2006.

[42] Según otros datos, menos convincentes, la inauguración se habría producido unos días antes (Balsebre, 2001: 93-98)

[43] Ezcurra, 1974: 126-132.

[44] «Cosas de la radio. La Unión Radio», *El Sol*, 21 de noviembre de 1924.

[45] Ezcurra, 1974: 176-177.

[46] «Una información todas las noches. Los secretos de la radio y la psicología del radioescucha. Cómo funciona una estación emisora y cómo es el *speaker*», *Heraldo de Madrid*, 29 de abril de 1927.

[47] Mata y González, 1929:13. Del mismo año es *La televisión* de Marín Bonell, Manuel, y una traducción de Dinsdale, Alfredo: *Televisión*. Este último libro, publicado en Londres en 1926, está considerado como la primera obra dedicada al tema en el mundo.

[48] Mata y González, 1929: 167-169.

[49] Fernández Sande, 2005: 247-252.

[50] Citado en Garitaonandía, 1988: 82.

[51] *La Vanguardia*, 11 de octubre de 1934. Artículo recogido en Pericay (ed.), 2003.

[52] Desvois, 1986.

[53] Recogido en la revista *THS*, cit por Ezcurra, 1974: 58.

[54] Balsebre, 2001: 179.

[55] Véase en Balsebre, 2001: 214-221, una descripción de los primeros programas radiofónicos femeninos.

[56] Adolfo Posada publica en 1899 su libro *Feminismo*, definiendo el término (p. 43, en la edición de 1994) como «movimiento favorable a la mejora de la condición política, social, pedagógica y muy especialmente económica de la mujer». El libro es una recopilación de artículos, corregidos, publicados, previamente, entre 1896 y 1898, en *La España Moderna.*

[57] Véase la «Crónica de Tribunales» de *Heraldo de Madrid* de 30 de abril de 1925 y 1 de mayo de 1925.

[58] Para la prensa de o para mujeres, véanse los diversos trabajos de Bussy Genevois.

[59] Se sigue publicando en la actualidad *Lecturas*, que nacida como suplemento de *El Hogar y la Moda*, en 1921, se independizó en 1925, evolucionó en los años de 1950 a contenidos «del corazón» y forma parte del conglomerado de revistas femeninas de Hymsa, fusionada en 1990 con el suizo Grupo Editorial Edipresse.

[60] Nombela, 1976: 1041.

[61] *El Debate*, 12-7-1930.

[62] Urgoiti, 1983: 394.

Capítulo 13. La Segunda República, 1931-1936

[1] Véase un detallado análisis de este tema en Sinova, 2006.

[2] Azaña, 1968: 250, entrada de 30 de noviembre1931.

[3] «Postal Política», *Solidaridad Obrera*, 3 de abril de 1931.

[4] Jose María Gil Robles discurso recogido en *El Debate*, 2 de enero de 1932; Ángel Herrera, conferencia recogida en *El Debate*, 30 de junio de 1933; Ayala, Ángel, 1940: 337-338.

[5] Citado por Huigueruela del Pino, 1981: 284.

[6] Entre otros muchos, «Nueva campaña. Situación de la prensa. Y unas palabras a los amigos», *El Sol*, 25 de marzo de 1933; «Servidumbre de la Prensa. El pueblo republicano sin periódicos», *Política*, 25 de abril de 1935.

[7] Por ejemplo *ABC*: «Cuestiones de prensa», 7 de mayo de 1935.

[8] Checa Godoy, 1989: 31; los títulos, distribuidos por toda la geografía nacional: 29-97.

[9] Véase Azaña, 1968: 224, entrada de 13 de noviembre de 1931.

[10] «Unas palabras acerca del octubre asturiano», *Avance*, 25 de junio de 1936.

[11] Véase, para estas divergencias en el seno del socialismo, Juliá, 1977 y 1987.

[12] Para esta revista, véanse Bizcarrondo, 1975, y el documentado Prólogo de Preston a la Antología de la revista (1976).

[13] Azaña, 1997: 136, entrada de 15 de enero de 1933.

[14] Comentado por *El Socialista*: «Los periodistas marchistas. En defensa del amo», 27 de agosto de 1931; «La jaca del contrabandista», 28 de agosto de 1931.

[15] Sesión de 5 de noviembre de 1931: «El señor March puede tener su dinero para que se lo trague la tierra [...] y por eso S.S. viene a reproducir una campaña que *La Tierra* hace».

[16] Azaña, 1997: 76, 159, 324; Azaña, 1968: 615; Sainz Rodríguez, 1978: 246. Eduardo de Guzmán, que fue subdirector del diario y autor de los reportajes sobre Casas Viejas, aseguró que tales imputaciones eran absolutamente calumniosas, en conversación en 1987 con María Cruz Seoane, que no dudó de su sinceridad, aunque pensó entonces que el podría ignorar los trapicheos de su director. Lo mismo sigue defendiendo su viuda, Carmen Bueno, quien argumenta la absoluta pobreza de Cánovas, que murió en la indigencia en el exilio, mientras que Eduardo de Guzmán, condenado a muerte e indultado, pasó largos años en las prisiones franquistas. Tampoco lo cree la joven investigadora María Losada Irrigüen, que se ha ocupado del periódico en el contexto de sus investigaciones en torno al anarquismo.

[17] Iglesias, 1980: 289.

[18] A mediados de diciembre de 1935 mantuvieron una violenta polémica, iniciada el día 15 por el diario monárquico con un insultante artículo de Álvaro Alcalá Galiano.

[19] Iglesias, 1980: 220.

[20] Para este periódico, véase Juana, Jesús de, 1988. Una descripción detallada de su postura en los últimos meses republicanos en Desvois, 1988.

[21] Iglesias, 1980: 285-290.

[22] «Sobre nuestro liberalismo», 28 de marzo de 1934.

[23] Para el carlismo en estos años es de referencia obligada Blinkhorn, 1979, que contiene múltiples referencias a su prensa.

[24] Morodo, 1985. Otros estudios sobre la revista: Ansón, 1960; García Prous, 1972; Badía, 1992, y González Cuevas, 1998.

[25] Sainz Rodríguez, 1978: 203.

[26] Información del acto en *Acción Española*, n.º 7 16 de marzo de 1932.

[27] Voz «Acción Española» en Diccionario de *Historia Eclesiástica de España*, citado por Morodo, 1985: 475. Las *Memorias políticas* de Vega Latapié contienen naturalmente muchas referencias a la revista. A Franco le había suscrito, según este autor (1987: 79), el marqués de la Vega de Anzo, que pagaba sus cuotas y «no dudaría en afirmar que ni siquiera se le pudo pasar por las mientes la lectura de una publicación inspirada en los principios del Derecho Público Cristiano».

[28] Para la figura de José Antonio Primo de Rivera, véase Gil Pecharromán, 1996.

[29] Ridruejo, 1976: 150

[30] Ledesma Ramos, 1988: 75. Sobre la figura y el pensamiento de Ledesma Ramos, véase Gallego, Ferrán, 2005.

[31] Elorza, 1982: 155; *Euskadi Roja* 25 de marzo de 1933.

[32] Granja, 1986a: 669. Del mismo autor para este periodo, 1986b. Para la prensa nacionalista en la República, véase Granja, José Luis de la y Pablo, Santiago de, 2002: 119-220. Sobre *Jagi-Jagi* y el grupo de que era portavoz, Elorza, 1977 y 1978.

[33] «El periodismo barcelonés», *Mundo Gráfico*, diciembre de 1932, número extraordinario dedicado a Cataluña.

[34] Amadeu Hurtado en sus memorias (1964 II: 188-193) da un interesante testimonio del periódico y del partido. Según Claudi Ametlla (1963: 214), tenía una tirada entre 14 y 20 mil ejemplares, muy por debajo de los problemáticos 40 mil que se le suponía a *La Veu* (Moles, 1973: 209).

[35] «Parlem seriosamente, per una vegada», 8 de agosto de 1934.

[36] Ametlla, 1979: 63 y 93.

[37] José Pla: «El periodismo barcelonés», *Mundo Gráfico*, diciembre de 1932. Para estos comienzos de Unió Democràtica de Catalunya, véase Tusell, 1974 II: 138-204, con muchas referencias a la prensa afecta.

[38] Tusell, 1974 II:125.

[39] Para la prensa nacionalista gallega, Beramendi, 2002.

Capítulo 14. La Guerra Civil

[1] «Misión de la radio en el Estado futuro», *Radio Nacional. Revista semanal de radiodifusión*, n.º 16 (febrero, 1939), p. 1, cit. por Sevillano Calero, 2002: 43

[2] Sobre la audición clandestina, véase en Balsebre, 2001: 472-474, el capítulo «¡Prohibido escuchar!».

[3] «Cuaderno de La Pobleta», *Obras Completas* IV:631.

[4] Balsebre, 2001: 370.

[5] En Madrid, refugiados en las delegaciones diplomáticas de Chile y Noruega, emitían desde sendas emisoras de radioaficionado (Núñez de Prado, 1992: 211).

[6] Recogido en Primo de Rivera, 1996: 303-311.

[7] Ridruejo, 1976: 87.

[8] Véanse Gibson, 1986. Barrios, 1978. Checa Godoy, 1999. Ventín Pereira, 1987.

[9] Garitaonandía, 1990.

[10] Cit. por Balsebre, 2001: 370n.

[11] Sevillano Calero, 2002: 28.

[12] «De paseo hasta las trincheras», recogido de su obra *The Face of War* en la antología de Aranzazu Usandizaga, 2000.

[13] Para la propaganda en la Guerra Civil, Pizarroso, 2005. Una síntesis del mismo tema, en el mismo autor, 1993: 356-391. La propaganda a través de las crónicas de guerra en Figueres, 2005. La propaganda en el bando franquista, véase Núñez de Prado, 1992 y 2002, Sánchez Alarcón, 2002

[14] Véanse las contribuciones de diversos autores en los libros colectivos Garitaonaindía y Granja (eds.), 1987 (especialmente la de Garitaonandía, en pp. 191-218), y Garitaonandía, Granja y Pablo (eds.), 1990.

[15] El Gobierno del Frente Popular, constituido por republicanos de izquierda, presidido por Casares Quiroga, presentó su dimisión en la madrugada del 18 al 19. El presidente de las Cortes, Martínez Barrio, fue encargado de constituir otro que, incapaz de controlar la situación y ante un imposible acuerdo con los rebeldes, dimitió a las pocas horas. En la tarde del mismo día 19, José Giral, de Izquierda Republicana constituiría el tercer gobierno, que se decidió a entregar las armas a las organizaciones obreras, como éstas venían reclamando. El 4 de septiembre se constituyó el gobierno de Largo Caballero, que el 6 de noviembre se trasladaría a Valencia y caería en mayo de 1937, sustituido por el Gobierno de Negrín, trasladado a Barcelona el 31 de octubre.

[16] Un detallado análisis del funcionamiento de la censura en Madrid y el forcejeo de los periódicos con ella en Mateos Fernández, 1996: 332-387. Esta obra relata las complicadas vicisitudes de la prensa madrileña durante la guerra. Para el caso de Bilbao, mientras permaneció en la zona republicana, Garitaonaindía, 1987.

[17] La desaparición de *La Época*, decano entonces de los diarios madrileños, sería definitiva. Al *Ya* le esperaba una larga vida después de la guerra.

[18] Véase, Saiz, 1987; Alonso, 1987; Olmos, 2002: 239-273; Iglesias, 1980: 319-349.

[19] Aróstegui y Martínez, 1984: 306.

[20] Vázquez y Valero: *La guerra civil en Madrid*, Madrid, Editorial Tebas, 1978: 522-523, cit. por Mateos Fernández, Juan Carlos, 447.

[21] Parece lógico que la movilización de los hombres propiciara una mayor presencia de las mujeres en las redacciones. Una, Magdalena Martínez, decía, «De *Ahora*, por la movilización de las quintas y el decreto sobre exenciones, han tenido que salir casi todos los camaradas que antes lo confeccionaban y hemos sido las muchachas las que hemos ido al periódico a ocupar los puestos vacantes y el resultado de nuestro trabajo es, en cierta medida, bastante satisfactorio» («La camarada Magdalena Martínez por la redacción de *Ahora*», *Ahora*, 24 de noviembre de 1937, cit. por Mateos Fernández, 1996: 493). Sin embargo, aparte de las publicaciones de y para mujeres, como la anarquista *Mujeres Libres*, no hemos detectado un gran incremento de mujeres en las redacciones. Eran, según el profesor Carles Singla el siete por ciento de los asociados a la Agrupación Profesional de Periodistas de Barcelona. Mari Luz Morales sería durante unos meses directora de *La Vanguardia,* y Regina García, de *La Voz del Combatiente* y durante unos meses también de *La Voz*. Sobre el trabajo de las mujeres en el Madrid de la Guerra, véase Valvas, Covadonga y otros, 1988. Aunque incluyen entre los trabajos desempeñados por mujeres los de «fotógrafas de guerra» y «periodistas», no hay un apartado dedicado a ellas y en la lista de industrias que incorporan a mujeres no figura ninguna empresa periodística.

[22] Mateos Fernández, 1996: 229-238. Este fragmento de la tesis puede consultarse en internet: *Prensa y guerra. Las relaciones de El Sol y La Voz con el Partido Nacionalista Vasco.*

[23] Seoane, 1987 b: 26.

[24] Por esas fechas, *CNT*, *Castilla Libre*, *El Sindicalista*, *La Voz del Combatiente* y *Treball* (órgano del PSUC en Madrid).

[25] Para la prensa en Barcelona, y en general en Cataluña, durante la guerra, véase Figueres, 1997, que hace un exhaustivo análisis de las expropiaciones, y Gómez Mompart y Marín Otto, 1990, para los cambios y continuidad en los contenidos.

[26] En 1937, al morir su propietario, *La Rambla* pasaría a ser órgano del PSUC.

[27] Sobre la actitud de Cambó en estos conflictivos años, véanse las recientes aportaciones de Borja de Riquer i Permanyer «Cambó ante la República», *La Vanguardia*, 10 de abril de 2006.

[28] Como tantos otros, Gaziel, sería objeto de las represalias de ambos bandos. A su regreso a España tras la guerra, cuando la Francia en la que se había acogido estaba ocupada por los nazis, fue sometido a un juicio sumarísimo por excitación a la rebelión. Véanse sus reflexiones en la posguerra Gaziel, 2005; la espléndida biografía de Manuel Llanas, 1998, y el prólogo de Xavier Pericay («Viaje a la Atlántida») en Pericay, 2003.

[29] Véase Tomás Villarroya, Joaquín, 1972.

[30] Para la historia de este diario, véase Laguna Platero, 1999; la etapa de la guerra en pp. 393-403.

[31] «La división eternizada», *La Vanguardia*, 12 de noviembre de 2005.

[32] Es esclarecedor a este respecto el relato de las conflictivas relaciones entre falangistas y católicos de J. Andrés-Gallego, José, 1997. Un análisis de «La evolución política en la zona sublevada» en Tusell, 2006.

[33] El texto del informe en Rodríguez Aísa, 1981: 371-378

[34] Ridruejo, 2005: 331.

[35] Ridruejo, 2005: 320. En una entrevista publicada en *Actualidad Económica*, 10 de julio de 1971, Ridruejo aventura las siguientes cifras: «El falangismo originario había llegado quizá a veinte mil militantes. El del primer crecimiento no llegaría a los ochenta mil. El de la guerra llegó al millón. Naturalmente el cambio de naturaleza de esa entidad era inevitable» (entrevista recogida en Ridruejo, 1973: 205).

[36] El 1 de octubre de 1938, el Gobierno hacía pública la noticia de su muerte. Se había convertido en «Ausente en la eternidad», como titulaba un editorial el día 4 *La Nueva España*. Sus funerales se celebrarían el 20 de noviembre en la catedral de Burgos, y el día 21 en el resto de la España nacional.

[37] El cargo de jefe del Gabinete de Prensa de la Junta Militar fue desempeñado sucesivamente por Juan Pujol, Millán Astray, Vicente Gay, Arias Paz y José Moreno Torres.

[38] Giménez Arnau, 1978: 97-98.

[39] Tango Lerga, 2004: 214-215.

[40] Véase una detallada descripción en González Calleja, 1990.

[41] Laín Entralgo, 1976; García Serrano, 1983.

[42] García Venero, 1967: 276.

[43] García Serrano, 1983:223.

[44] Sobre *Fotos*, que según un informe de Vicente Cadenas al jefe de la Junta de Mandos, Hedilla, se proponía que fuera «de tipo análogo al de *Estampa* y *Crónica* y por lo tanto de gran popularidad entre las clases humildes, podrá ejercer una gran influencia desde el punto de vista de nuestra doctrina» (Cadenas, 1975: 80), véase Mainer, 1990. En la revista hizo sus primeras armas de reportero Boby Deglané. Suyo fue el reportaje con fotografías de la entrada de las tropas franquistas en Madrid, publicado en el número de 1 de abril de 1939.

[45] Giménez Arnau, 1978: 102-103, relata un significativo incidente provocado por un artículo de Giménez Caballero en *Diario Vasco*, insultante para su principal propietario Juan Ignacio Luca de Tena, publicado durante la ausencia de los responsables del periódico, que provoca su siguiente comentario: «le hago observar a Serrano que aquello no es tolerable. Que yo sepa no hemos nacionalizado los periódicos y una cosa es darles severas normas de conducta y otra convertirlos en instrumentos que se puedan utilizar agresivamente contra los mismos propietarios».

[46] Fernández Santander, 1993: 2 82-283.

[47] Citado por González Calleja, 1990: 507.

[48] García Venero, 1967: 368. Véase Sáiz, 1988.

[49] Giménez Arnau, 1978: 99; Tango Lerga, 2004: 220-221. Según este último, como huella de su monarquismo, en el *Diario* tenía especial eco todo lo referente a la familia real (el 6 de enero de 1938 daba noticia del nacimiento del príncipe Juan Carlos).

[50] Díaz Noci, 2004: 284.

[51] Salaün, 1983, 1986; Núñez Díaz-Balart, 1992.

[52] Arpi Loza, s.f.

[53] Citado por Núñez Díaz-Balart, 1992: 1521.

[54] Núñez Díaz-Balart, 1989.

[55] Para la etapa del periódico desde la salida de los muros del Alcázar hasta el final de la guerra, véase Rodríguez Virgili, 2004. La historia completa del periódico, hasta 1970, el mismo autor, 2005.

[56] De las tres publicaciones del frente que llevaron ese nombre en la zona republicana, y que recoge Mirta Núñez Díaz-Balart, con toda probabilidad sería la que desde el 7 de enero de 1937 llevaba el subtítulo de «Boletín de la 40 Brigada (de la 7.ª División), impresa en Madrid en Gráfica Socialista.

[57] *Arriba España,* 3 de febrero de 1937.

[58] Olmos, 1997: 43.

[59] Giménez Arnau, 1978: 99.

[60] Reflexiones sobre este anecdótico tema en Olmos, 1997: 71-97. Para los orígenes de la agencia, véase también Paz, 1990.

[61] Andrés Trapiello (1994) ha estudiado las letras en estos tiempos de armas. Mainer ha abordado en diversos lugares la literatura de Falange (1971; concretamente las revistas de la guerra 1984). Este epígrafe es un resumen de María Cruz Seoane, 1987b. Existen ediciones facsímil de las revistas republicanas, bajo el titulo común de *Biblioteca del 36*, con estudios preliminares de diversos autores.

[62] Un pormenorizado estudio de esta revista en Monleón, 1979.

[63] Ridruejo, 1976: 140, 137 y 167.

[64] Naval, 2000.

[65] Siguió publicándose ininterrumpidamente hasta 1980, con un intento de revitalización fracasado en 1985. Cabo, 2001, se ocupa de la etapa 1957-1961, pero dedica un capítulo a «Los antecedentes necesarios», cuyo primer epígrafe es «El impulso formativo 1937 (marzo)-1939 (enero)».

[66] Jiménez, Juan Ramón, 1985: 41.

[67] «Cuaderno de la Pobleta», 22 de junio de 1937, 1968: 633.

[68] Zambrano, 1977: 49.

[69] Para el final de la Guerra Civil, véase Bahamonde Magro Ángel y Cervera Gil, Javier: 1999. Un testimonio de primera mano en Guzmán, Eduardo de, 1973.

Capítulo 15. La prensa durante el Régimen de Franco

[1] No perderla del todo era una de las posibilidades que contemplaba Azaña en conversación con Pi i Suñer, el 19 de septiembre de 1937, como recoge en el «Cuaderno de La Pobleta» (Azaña, 1968: 798).

[2] Fraga, 1980: 48.

[3] «La cara que veía en todas partes», en el número especial de *El País* «Aquella remota Dictadura. 25 años después de Franco».

[4] Malefakis, 2000: 52 y 54.

[5] Chuliá, 2001. Véase también el análisis de Terrón Montero, 1981.

[6] Una síntesis del mismo volvería a publicarse con motivo del XXV aniversario del periódico, 29 de marzo de 1974 con el título «Cómo salió *Arriba*, primer diario de la capital rescatada. Síntesis de un reportaje de 1940». Alfredo Sánchez Bella, en un artículo publicado en *Las Provincias*, el 31 de marzo de 1940, titulado «Los que entraron primero. Cómo se ocupó la emisora valenciana», escribía sobre el mismo tema: «Aquella misma tarde [29 de marzo de 1939] se intervenían todos los periódicos y delegaciones de propaganda roja».

[7] Para toda la complicada historia de este periódico, es de referencia obligada, como ya señalamos en el capítulo anterior, Rodríguez Virgili, 2005.

[8] «Hablar como Franco», *La Vanguardia*, 8 de julio de 1939.

[9] Un relato del episodio en Llorenç Gomis, 1998.

[10] Para la prensa catalana durante el franquismo, véanse los capítulos correspondientes en Guillamet, 1996. Para *La Vanguardia* Nogué y Barrera, 2006.

[11] Para la prensa valenciana durante el franquismo, véase Bordería, 2000.

[12] Para esta agencia, véase Zalbidea Bengoa, 1996: 209-215.

[13] Sobre la distribución regional de la Prensa del Movimiento, Barrera, 1991.

[14] Para la Prensa del Movimiento, convertida en la Transición en Medios de Comunicación Social del Estado y finalmente privatizados sus periódicos mediante subasta en 1984, véase Zalbidea Bengoa, 1996, y González Calleja, 1990.

[15] Llanas, 1996. Gaziel, que, como hemos visto, había regresado a España para ser sometido a un expediente por el Tribunal de Responsabilidades Políticas, en el cual declararon en su contra el propietario y el director de su antiguo periódico, y a un juicio sumarísimo por «incitación a la rebelión», finalmente sobreseídos, realizó este estudio para el empresario Luis Montiel, para el proyecto de un periódico que se titularía *La Hora*. Para el expediente y juicio de Gaziel y el paralelo expediente al conde de Godó, véase el capítulo «La guerra particular de Gaziel i el comte de Godó» en Vilanova, 1999: 389-418.

[16] Sevillano Calero, 2000b: 225-226.

[17] Véase una casuística de las consignas entre los años 1939 y 1951 en Sinova, 1989 y Delibes, 1985: 161-275; para el periodo 1951-1962, véase Bordería, 2000: 136-185. También Pérez López, 1990.

[18] Tusell, 1984: 31-32 y 197.

[19] Olmos, 2002: 330-338.

[20] Aquilino Morcillo en el caso de *Ya*, Ramón Pastor y, finalmente, en 1952 Torcuato Luca de Tena en *ABC*.

[21] Sección «Aquí, Madrid», *Madrid*, 20 de noviembre de 1940. Dado que la entrevista entre Hitler y Franco en Hendaya había tenido lugar el 23 de octubre, no resulta aventurado poner nombre a ese «altísimo personaje».

[22] Núñez Díaz-Balart, 1997 y la impresionante nómina de exiliados en Varea, 1990.

[23] Gaziel, 2005: 126-134.

[24] En 1971 empezarían a funcionar las primeras facultades de Ciencias de la Información. Para la historia de la formación de los periodistas en España, Vigil y Vázquez, 1987. Para el mismo tema véase la tesis doctoral de María Luisa Humanes, 1997.

[25] Sevillano Calero, 2000a: 191.

[26] «Realidad política de España», *Arriba*, 3 de noviembre de 1940 cit. en Sevillano Calero, 2000a: 49.

[27] Cit. en Sevillano Calero, 200 b: 168.

[28] Unos meses después, Antonio Tovar ganaría la cátedra de Lengua y Literatura Latinas de la Universidad de Salamanca, de la que sería rector entre 1951 y 1956 en la etapa aperturista del ministro Ruiz Giménez, para consagrarse en el futuro sólo a su brillante carrera científica.

[29] Serrano Suñer, 1977: 201 y 208.

[30] Para las agencias en el franquismo, véase Paz, 1989.

[31] Véase Tranche y Sánchez Biosca, 2000.

[32] Para la postura de España durante la Segunda Guerra Mundial, véase García Delgado, 1989, y Tusell, 1995.

[33] El 16 de agosto, en el santuario de Begoña en Bilbao, en un acto organizado por los carlistas al que asistía el general Varela, ministro del Ejército, unos jóvenes falangis-

tas lanzaron dos bombas. Como consecuencia, cesaron, además de Serrano en Asuntos Exteriores, Varela en Ejército y Galarza en Gobernación.

[34] Los ministros, muy especialmente los de Asuntos Exteriores, ejercieron siempre una supervisión de la información sobre los asuntos de su competencia.

[35] *Informaciones*, 2 de mayo de 1945. El mismo día, *Arriba* le rendía también homenaje: «Su muerte militar, sin tacha bajo la tragedia espantosa de Alemania, merece un doble respeto, porque ha sido metralla comunista la que ha segado su vida».

[36] Véase Garriga, 1976: 88-91; Sinova, 1989: 98-99, y, para el caso de *ABC*, Olmos, 2002: 333. También Delibes, 1985. Un estudio de la propaganda alemana en estos años, en Schulze Schneider, 1995. *El País* (26 de enero de 2003) reprodujo un fragmento sobre este personaje de la obra de José María de Irujo *La lista negra. Los espías nazis protegidos por Franco y la Iglesia.*

[37] Con ocasión de su 125 aniversario, este diario sacó a la luz algunos documentos desclasificados de los Archivos Nacionales de Estados Unidos que se refieren a estos contactos («Las fotos que burlaron la censura», *La Vanguardia Española*, 1 de febrero de 2006); Carlos Nadal ha reivindicado la postura aliadófila en *La Vanguardia* y *Destino*, de Santiago Nadal, así como la de otros periodistas del diario, como José Casán, Antonio Carrero y el corresponsal en Londres Augusto Assía («Periodismo aliadófilo bajo el régimen de Franco», *La Vanguardia,* 24 de julio de 2005). Isabel de Cabo (2001:31) afirma que *Destino* se mostró hasta el otoño de 1942 «indiscutiblemente germanófilo, con matices, si se quiere». Para la prensa de Barcelona durante la Guerra Mundial, véase Vilanova, 2005.

[38] *La Vanguardia*, 8 y 9 de mayo de 1945; *Solidaridad Nacional*, 9 de mayo de 1945.

[39] *Arriba*, 8 de mayo de 1945; *Informaciones*, 9 de mayo de 1945: *ABC*, 8 de mayo de 1945.

[40] Consignas de 21 de agosto y 5 de septiembre de 1944, en Sevillano Calero, 2000a: 83-87. Sobre la entrevista concedida por Franco a la United Press, véase Schulze Schneider, 2002.

[41] 8 de noviembre de 1984, ibíd: 90.

[42] Recogida en Serrano Suñer, 1977: 394-403.

[43] Tusell, 1984: 33.

[44] Ibíd: 444.

[45] Ibíd: 41.

[46] Ejemplos de estas prácticas en ibíd: 194.

[47] Fernández Areal, 1971: 40. Sevillano Calero, 2000b. Parte Segunda: 31-32.

[48] *Ya*, 26 y 28 de noviembre de 1947.

[49] Luca de Tena, 1993: 352. Una idea semejante expresaba Pemán en la intimidad de su diario en febrero de 1953, comentando el recrudecimiento de la censura, «fundamentalmente dirigida por Carrero Blanco y a sus órdenes, Aparicio, con inteligente decisión, y Arias, con bobería paciente» (cit. en Tusell, 1984: 345).

[50] Fraga, 1980: 40.

[51] La última edición, de 1960, lleva el título de *Textos de doctrina y política* española *de la información*. Un pormenorizado resumen de esa doctrina en Manduel, 1965.

[52] La carta, recogida en las *Obras selectas* de Herrera y en los *Textos de doctrina y política española de* la *Información* de Arias, se publicó en el *Boletín Oficial de la Diócesis de Málaga* y fue reproducido en *Ya* el 11 de marzo de 1955.

[53] Suárez, 2005: 185-6 y 194. Sobre este semanario que se publicó hasta 1980, existe una tesis doctoral en francés publicada por la Casa de Velázquez, que abarca el periodo 1952-1962 (Franco, 2004).

[54] Suárez, 2005: 149.

[55] Álvarez, Carlos Luis, «Cándido», 1976: 120.

[56] «El afianzamiento de la Dictadura» es el título del capítulo en que Chuliá (2001: 85-146) analiza el periodo 1849-1962.

[57] Olmos, 2002: 400-402.

[58] Hasta 1965 en que la Oficina de Justificación de la Difusión (OJD) empezó a suministrar sus datos, incompletos, puesto que no era obligatorio someterse a su control, éstos, aparte de la información que ofrecen los archivos de algunos periódicos, pueden calcularse por aproximación a través de métodos indirectos, como ha hecho Alfonso Nieto (1973). Para la evolución de las tiradas y su distribución, véase Sevillano Calero, 2000b: 217-229.

[59] Chuliá, 2001: 119.

[60] 1982: 552.

[61] Entre ellos, por citar algunos nombres, José María Gil Robles, Dionisio Ridruejo, Joaquín Satrústegui, José Vidal Beneyto, Iñigo Cavero, Fernando Álvarez de Miranda y Félix Pons.

[62] Balsebre, 2002: 56-57.

[63] Ibíd, nota 101.

[64] Véase cuadro 26 en Sevillano Calero, 2000b. Parte segunda: 248.

[65] Ibíd, cuadro 28: 250.

[66] Ibíd, cuadro 27: 249.

[67] Para la radio durante el franquismo, véanse los capítulos correspondientes de Balsebre, 2002; Díaz, 1992; las páginas 229-253 y 324-346 de Sevillano Calero, 2000b. Parte segunda, Multigner, 1989, y Aguilera Moyano, 1989.

[68] *Radio Nacional. Revista semanal de radiodifusión*, n.º 16 y n.º 98, cit. en Sevillano Calero, 2000b: 169, 2002: 46-7, 2000b: 329.

[69] Balsebre, 2002: 216 n y 466-470.

[70] Para la historia de este medio en España, véase Díaz, 1994; Palacio, 2001; Rueda Laffond y Chuicharro Merayo, 2006, y Bustamante, 2006. Para los años del franquismo, véase también Pérez Ornia, 1989

[71] Balsebre, 2001: 213.

[72] Para las revistas de los exiliados españoles en Hispanoamérica y en Francia, véanse los estudios de Manuel Andújar y Antonio Risco en Abellán, José Luis (dir.), 1976, tomo 3. Para el caso mexicano, Francisco Caudet, 1992.

[73] Julián Marías: «La vegetación del páramo», *La Vanguardia Española,* 19 de noviembre de 1976.

[74] Paulino Masip: *Cartas de un español emigrado*, León Felipe «Reparto» del libro *El español del éxodo y el llanto*, ambos de 1939.

[75] Una síntesis de la lenta pero persistente recuperación democrática en el campo cultural, véase en Díaz, Elías, 1990.

[76] Gracia, 2004. Las citas entrecomilladas en pp. 386-387. Véase también Illie, 1981.

[77] Andrés Gallego, José, 1997: 230. Lo dice a propósito de *Escorial* a la que dedica las páginas 230-236.

[78] Según la trascripción en la Biblioteca Virtual Miguel de Cervantes, con motivo de la presentación de su novela *Días y Noches* en el año 2000.

[79] «El poeta rescatado» es el título del prólogo de Dionisio Ridruejo a la poesía de Machado, publicado en el n.º 1 de *Escorial*.

[80] Ridruejo, 1976: 224.

[81] 366 contabiliza Fanny Rubio en su estudio sobre estas revistas entre 1939-1975 (Rubio, 1976), aunque incluye a las que, sin ser estrictamente poéticas, dan cabida a la poesía.

[82] El profesor holandés Jeroen Oskam se ha ocupado, entre otras y muy especialmente de la revista *Índice*; véase preferentemente Oskam, 1991 y 1992, ambos trabajos disponibles en internet.

[83] Para esta revista en los años, 1957-1961; Cabo, 2001.

[84] Para esta revista, Ferre, 2001.

[85] «Carlos (Uno y todos)», *La Hora*, 22 de enero de 1950, cit. por Gracia, 1994: 36.

[86] Gracia, 1994.

[87] «Los cuervos no nos sacarán los ojos (Réplica a los irresponsables que hablan alegremente del fracaso de una generación)», *Solidaridad Nacional*, 10 de junio de 1953. Texto documentado en Fuentes, Juan Francisco y Fernández Sebastián, 1997: 273-274

[88] Bassets y Bastardes, 1979: 157.

[89] Bassets, 1982: 541 y 544. Aparte de estos dos trabajos de carácter metodológico, puede consultarse para esta prensa Cora Paradela, 1977, y Oliver y Pagés, 1978. Para la prensa clandestina catalana, Figueres, 2002. Hay un par de comunicaciones sobre aspectos de la prensa clandestina comunista en Tusell, 1990. La Biblioteca Virtual de Prensa Histórica del Ministerio de Cultura ha digitalizado en 2005 la prensa clandestina del archivo hemerográfico del Partido Comunista (244 cabeceras del periodo entre 1932 y 1976). Una reciente tesis doctoral inédita: Zaragoza, 2007.

[90] Bassets,1982: 544.

[91] Mendezona, 1979, 1981, 1995. Véase también Plans, 1981 y Vázquez Liñán, 2002.

[92] Balsebre, 2002: 28; Sueiro y Díaz Nosty, 1977: 194.

[93] Bermejo Sánchez, 1990.

[94] Fraga, 1980: 43-44.

[95] Torres, 1990: 400.

[96] Fraga (1980: 28-29) dice que fue el ministro de Gobernación, Alonso Vega, quien propuso su nombre para Información, en lugar de para Educación, como el interesado esperaba, «preocupado por el tratamiento extravagante dado por la censura de prensa a la huelga asturiana» y que el ministro de Asuntos Exteriores, Castiella, «estaba recomponiendo la imagen de Múnich, y necesitaba para ello cuanto antes la crisis». Alonso Vega, sin embargo, iba a ser uno de los ministros que más obstaculizaría la labor reformista de Fraga.

[97] Fraga, 1980: 25-26.

[98] Ibíd: 25.

[99] Más bikinis que nazarenos, apuntaría en su diario en la Semana Santa de 1965 (Fraga, 1980: 136); «ante la realidad de las divisas se replegaba la moral de sacristía, rencorosa y cruel. Hicieron más por las libertades de España los senos al aire de las turistas escandinavas que las latosas proclamas de la emisora de Rumanía». [Radio España Independiente, «La Pirenaica»], comentará Eugenio Suárez (2005: 278).

[100] «Decididamente la nueva generación está en una mutación profunda [...] ya no estamos en los años cuarenta», escribe a propósito de los problemas estudiantiles en

mayo de 1963»; «el Estado-Iglesia ya no funciona», anota poco después (Fraga, 1980:105). En los años siguientes, «la apertura iniciada por cierta parte de la Iglesia, tratando de desligarse del Régimen en apoyo de otras opciones políticas y sindicales», sobre todo «en las regiones con tradición nacional propia», en palabras de Juan Beneyto (1986: 233), actitud de «insurgencia» que tendrá su expresión en diversas revistas, dará muchos quebraderos de cabeza a las autoridades.

[101] Ibíd: 114 y 28.

[102] Citas en ibíd: 35-40.

[103] Ibíd: 50-141.

[104] Tierno Galván, 1981: 335.

[105] Según Fraga (ibíd, 145), Franco dijo: «Yo no creo en esa libertad, pero es un paso al que nos obligan muchas razones importantes. Y, por otra parte, pienso que si aquellos débiles Gobiernos de primeros de siglo podían gobernar con prensa libre, en medio de aquella anarquía, nosotros también podremos».

[106] Manuel Vicent, «Elogios», *El País*, 9 de abril de 2000.

[107] Cebrián, 1980:104.

[108] «¡Me cago en la Ley!», gritaría el ministro de Gobernación, Camilo Alonso Vega, cuando Fraga le recuerda la existencia de la ley, ante sus pretensiones de prohibir las informaciones sobre una amenaza de huelga médica y el propio Franco se manifestaría «harto de que la prensa despierte cada día preguntándose ¿qué criticamos hoy?». «Los que hacen la lista de las sanciones de aquellos años, por supuesto que no asistían a los Consejos de Ministros», comenta Fraga (Fraga, 1980: 169, 183 y 170).

[109] El relato de este episodio en Olmos, 2002:1 3-20.

[110] Fraga, 1980: 180.

[111] El propio periódico había dado cuenta de ellas el 11 de octubre anterior en un artículo firmado por Rafael Calvo Serer y Antonio Fontán, titulado «Lucha por el poder en el diario *Madrid*». Véanse para este periódico, Barrera, 1995a, y los epígrafes correspondientes a las vicisitudes del diario en el mismo autor, 1995b.

[112] El consorcio para la organización de «Madrid, capital europea de la cultura 1992» programó un ciclo de conferencias sobre el diario, recogidas en una publicación [*Diario «Madrid», De la independencia a la libertad (1939-1971)*]. Con motivo de los 30 años del cierre del diario la Fudación Diario Madrid organizó una exposición, para cuyo catálogo escribieron artículos numerosos periodistas que habían participado en aquella aventura y otras muchas personas que aportan su testimonio de lectores o testigos (*1971-2001. Treinta años del cierre del diario Madrid. Una apuesta periodística por la democracia y la integrasción en Europa*).

[113] «La paz como ideología de la "nueva conciencia"», *Nuevo Diario*, 28 de febrero de 1968 cit. por Rodríguez Virgili, 2005: 373. Para las vicisitudes de *El Alcázar* y *Nuevo Diario*, véase esta obra.

[114] Citas en Fraga, 1980: 26-27.

[115] Para las revistas de estos años, Renaudet, 2003. Fontes y Menéndez, 2004. Para *Índice* los ya mencionados trabajos de Jeroen Oskam. Datos de interés para esta revista en las obras memorialísticas de Cándido (1976 y 1995). Para *Cuadernos para el Diálogo*, Muñoz Soro, 2006. Para *Triunfo,* Alted / Aubert, Paul 1995, Plata 1999, Davara Torrego, 2004. Para *Destino,* Geli y Huertas Clavería 1991.

[116] Para las revistas de humor, véase Tubau, 1987.

[117] «Aviso a los navegantes y a los mangantes. *Por Favor* crece, no cambia», 21-2-1977.

[118] Por poner algunos ejemplos, entre otros muchos, la primera edición de *La República y la era de Franco*, de Ramón Tamames, tomo VII de la *Historia de España* de Alfaguara, es de 1973. En 1966 había publicado Elías Díaz *Estado de Derecho y Sociedad Democrática* y en 1974 *Notas para una Historia del pensamiento Español Actual (1935-1975)*, reeditado con la adición de un capítulo: «El final del franquismo», en 1983 con el título de *El Pensamiento español en la era de Franco.*

[119] Sobre este tema, Fuentes, 2003

[120] Sobre el grupo Tácito, Powell, 1990.

Capítulo 16. La prensa en democracia

[1] Declaraciones de Carlos Sentís en *Pueblo*, 30 de diciembre de 1975.

[2] Para los últimos avatares de la Prensa del Movimiento antes de su conversión en el organismo MCSE, Martín de la Guardia, 2000. Para la Prensa del Estado en los años de la transición, Montabes Pereira, 1989.

[3] Con la subasta daba cumplimiento el gobierno socialista a una ley de 26 de abril de 1982, dictada por el gobierno de UCD presidido por Calvo Sotelo, que se había encontrado, entre otros, con el obstáculo del recurso de inconstitucionalidad presentado por 54 senadores socialistas.

[4] La primera televisión autonómica Euskal Telebista nació en 1982 (empezó a emitir el 1 de enero de 1983), un año antes de la Ley de 26 de diciembre de 1983, que regulaba el tercer canal para este tipo de emisoras. La seguirían a lo largo de esa década las televisiones de Cataluña, de la Comunidad Valenciana, Galicia, Madrid y Andalucía. Una ley de 3 de mayo de 1988 regulaba la television privada. Las tres concesiones previstas en la ley se otorgaron, en medio de fuertes críticas, en agosto de 1989. A finales de diciembre de 1989 empezarían a emitir Antena 3 y Telecinco y Canal Plus en marzo y septiembre de 1990, respectivamente.

[5] *Egin*, suspendido en julio de 1998 por el juez Baltasar Garzón, sería sustituido por *Gara* [Somos]; *Euskaldunom Egunkaria*, sería a su vez suspendido en febrero de 2003 por el juez del Olmo; en ambos casos por parecidas imputaciones de pertenecer al entramado de ETA. El profesor Díaz Noci es autor de varios trabajos (entre ellos una tesis doctoral) sobre la prensa en euskera, que pueden consultarse en su página web (www.ehues/diaz-noci). Véase sobre *Euskaldunom Egunkaria* y sus precedentes Díaz Noci, 2004b.

[6] Para la historia de este periódico y de su empresa, véase Seoane y Sueiro, 2003.

[7] Para los cambios producidos en el ecosistema periodístico catalán durante la transición, véanse Guillamet, 1996, y Nogué y Barrera, 2006, que, aunque centrado en *La Vanguardia*, resume en las páginas 237-247 «el cambiante y agitado panorama de la prensa diaria en Barcelona» en estos años.

[8] «La debilidad de la Constitución», 3 de diciembre de 1977.

[9] Morán, 1992: 86.

[10] Testimonio de Francisco Fernández Ordóñez, en Cavero, 1990: 325.

[11] Cebrián, 1980: 67.

[12] Miguel Ángel Aguilar en entrevista concedida a Silivia Alonso-Castrillo (1996: 416-418)

[13] Álvarez, Carlos Luis («Candido»), 1995: 300.

[14] Ramírez, Pedro J., 1991: 264

[15] Ibíd: 266.

[16] Declaraciones en una entrevista en *A.E.*, 21 de octubre de 1991.

[17] *Tiempo*, 3 de junio de 1991.

[18] Cavero, 1991. Sobre la política de los distintos gobiernos de la democracia con respecto a los medios de comunicación, vésae Fernández y Santana, 2000. La etapa socialista en, la segunda parte (160-352).

[19] «Barrionuevo y *El País*», *ABC*, 9 de mayo de 1985.

[20] Un resumen de la tesis doctoral de la autora sobre las tertulias radiofónicas en Sánchez Serrano, 2004. De la misma autora, 1994.

[21] 29 de marzo de 1993.

[22] Véanse las declaraciones de Luis María Ansón a la revista *Tiempo* el 23 de febrero de 1998.

[23] Para el estudio de tiradas, difusión, profesionales de la prensa, etc., véanse los excelentes informes dirigidos por Bernardo Díaz Nosty publicados desde 1989 y patrocinados por distintas instituciones, empresas privadas y fundaciones. Sobre la profesión periodística, véase el reciente y exhaustivo informe coordinado por Farias Batlle, 2006.

[24] Según un informe presentado en el Congreso de la Federación Internacional de Editores de Periódicos en mayo de 1995 [cit. en Díaz Nosty (dir.), 1995: 53].

[25] Capítulo «Prensa diaria. Estadísticas», en Díaz Nosty (dir.), 2006.

[26] El hecho de que ese aumento esté constituido fundamentalmente por inmigrantes, explica en gran parte ese hecho.

[27] Aunque en el contexto de las luchas periodísticas se haya señalado una supuesta peculiaridad española de que periódicos que, formal y aparentemente, no pertenecen al género popular o de escándalo sean amarillistas o sensacionalistas con apariencia de cierta seriedad, sea cual sea la justicia o injusticia que haya en estas imputaciones, queda claro, aun en ellas, que el presunto sensacionalismo de dichas publicaciones sería *sui generis,* no del tipo del *Sun* británico o el *Bild Zeitung* alemán, sino «con apariencia», o «formalmente», de periódico serio o de calidad, que en definitiva es el modelo a que corresponden, prácticamente sin excepción, todos los diarios españoles.

[28] Los otros periódicos de los Medios de Comunicación Social del Estado cerrados en esa fecha, debido a sus elevadas pérdidas, fueron *Amanecer* de Zaragoza, *El Pueblo Gallego* de Vigo, *Solidaridad Nacional* y *La Prensa* de Barcelona y *Libertad* de Valladolid, que junto con Pyresa habían perdido en conjunto 941 millones de pesetas, de los que 490 correspondían a *Arriba*, según informaba *El País* (16 de junio de 1979).

[29] Para un desarrollo de este tema, véanse Edo, 2005, y el artículo de Juan Varela «El fin de la era de la prensa» en su blog Periodistas 21 (htpp://periodistas21blogspot.com) (última modificación 30 de octubre de 2006).

[30] En debate celebrado con los responsables de los cuatro grandes diarios gratuitos que se publican en España, en la Asociación de la Prensa de Madrid el 18 de octubre de 2006, se proporcionó el dato de que en el sector trabajan entre 600 y 700 periodistas y se indicó como una de las razones de su éxito, su «contenido independiente y no político», «el no dar opinión». Lo cierto es que un diario, *Ahora,* que inció su publicación en abril de 2005, con la peculiaridad de ser vespertino e ideológico, con mucha opinión (de derechas en sus primeros meses) no logró arraigar, ni tras un cambio en el accionariado y la tendencia política en su segunda salida, en octubre de ese mismo año. Nos referimos sólo a los diarios gratuitos de información general. Existen en este capítulo de prensa gratuita multitud de publicaciones de diversa periodicidad dirigida a los habitantes de pequeñas localidades o a barrios determinados de grandes ciudades (especialmente floreciente en Cataluña); o bien a sectores profesionales concretos; prensa local y especializada que en conjunto alcanza cifras millonarias. Ya en los últimos años sesenta,

la falta de regulación de las publicaciones gratuitas preocupaba a los Consejos de Prensa. Especialmente en casos como los de *Diario Médico*, cuyas características hacían que no se tratase de «prensa especializada sino de información general, pues no se limita a informar de asuntos propios de la clase médica, sino que tiene a ésta como destinataria», por lo que constituía «una competencia desleal para el resto de la prensa», o el de *Noticias Médicas*, que «no puede considerarse publicación especializada de difusión exclusiva para la clase médica y sólo financiada por la publicidad farmacéutica» (Beneyto, 1986:226-228).

[31] Sobre la rentabilidad de los periódicos gratuitos, véase Montero, 2006.

[32] El primer diario en publicar una versión digital fue *El Periódico de Catalunya*, en noviembre de 1994. Antes lo habían hecho la revista valenciana *El Temps* y el *Boletín Oficial del Estado*. Sobre el periodismo digital en España, puede verse: Gómez y Paniagua, 2005; Salaverría, 2005; Javier Varela: «La prensa digital crece con ganas», en su blog Periodistas 21, 18 de abril de 2006; López, Xosé, 2005. El profesor Díaz Noci es autor de varios trabajos sobre el tema (disponibles en su página web: www.ehues/diaznoci). Para la evolución del diseño y los problemas que plantea, véase Armentía Vizuete, 2005; datos recientes (abril de 2006) comentados por Juan Varela («La prensa digital crece con ganas», Periodistas 21). Por su parte, varios profesores universitarios han publicado manuales sobre la redacción periodística en internet.

[33] Sólo desde el primer semestre de 2006 ha empezado a contabilizar los visitantes únicos (mensuales), dato más fiable que el de «visitas». El líder en este campo es desde 2002 elmundo.es.

[34] Para las diferencias entre los lectores en papel y en versión digital, entre otros aspectos del ciberperiodismo, véase Caminos Marcel, Marín Murillo y Armentía Vizuete, 2006.

[35] Andrés Ortega: «Tigres de papel, avispas digitales», *El País*, 22 de marzo de 2004.

[36] Román Gubern: «La hiperinflación mediatica», *El País,* 5 de marzo de 2007.

[37] «Frente a revistas de papel más o menos cuché y conservadurismo a ultranza [...] optamos por la obscenidad clara de estas fotos magníficas», afirmaba en un encarte «diosas del erotismo» en abril de 1997). Y en el número especial de su 25 aniversario una viñeta *In memoriam* de Perich, resume en un diálogo su fórmula: «...y en 25 años de *Interviú* hemos destapado chanchullos, escándalos, abusos de poder (¡y culos de tías!)... y estafas, corrupciones, casos de explotación, salvajadas (¡y tetas de tías!)».

[38] Para las revistas del corazón, véase Pizarroso Quintero y Rivera, 1994.

[39] La de corte más popular *Pronto*, está en cifras cercanas al millón de ejemplares, que sobrepasó en 2004; le sigue *¡Hola!,* con algo más de la mitad; *Diez Minutos* y *Lecturas*, sobrepasando largamente los 250.000.

[40] Maruja Torres: «El corazón nada tiene que ver con esto. Informe preestival de la prensa rosa» *El País,* 13 de abril de 1997.

[41] Sobre la prensa especializada, véase Fernández Sanz, 2004. Para un análisis teórico de este tipo de prensa, véase Fernández del Moral y Esteve, 1993.

Bibliografía

Abellán, José Luis (dir.) (1976): *El exilio español de 1939*. Tomo III, *Revistas, pensamiento, educación*, Madrid, Taurus.

Aguilar Piñal, Francisco (1978): «La prensa española en el siglo XVIII. Diarios, revistas y pronósticos», en *Cuadernos Bibliográficos*, CSIC, 35, 5-52.

Agulló y Cobo, Mercedes (1966): «Relaciones de sucesos I: Años 1477-1619». *Cuadernos Bibliográficos* 20, Madrid, CSIC.

— (1975): «Relaciones de sucesos (1620-1626)», en *Homenaje a Don Agustín Millares Carlo*, Las Palmas, Caja Insular de Ahorros de Gran Canaria, I, 349-380.

Alberti, Rafael: *La arboleda perdida. Libros I y II de Memorias* (1975), *Libros III y IV de Memorias,* 1987, Barcelona, Seix y Barral.

Alborg, Juan Luis (1972): *Historia de la literatura española*, Tomo III. *Siglo XVIII.* Madrid, Gredos.

Alcalá Galiano, Antonio (1946): *Historia de España desde los tiempos primitivos hasta la mayoría de edad de Isabel II, reducida y anotada con arreglo a la que escribió en inglés el doctor Dunhan*, Madrid, vol VII.

Almansa y Mendoza, Andrés de (2001): *Obra periodística*. Edición y estudio de Henry Ettinghausen y Manuel Borrego, Madrid, Castalia.

Almirall, Valentí (1972): *España tal como es*. Madrid, Seminarios y Ediciones.

Almuiña, Celso (1977): *La prensa vallisoletana durante el siglo XIX* (1808-1894). Valladolid, Diputación Provincial de Valladolid, 2 vols.

— (1978): «Estudio preliminar» a la reproducción facsímil del *Diario Pinciano,* Valladolid, Grupo Pinciano, 25-33.

Alonso, Elfidio (1987): «Mi testimonio como director de *ABC* en Madrid (1936-1939)» en VV.AA., *Periodismo y periodistas en la Guerra Civil*, Madrid, Banco Exterior, 113-123.

Alonso-Castrillo, Silvia (1996): *La apuesta del centro: historia de la UCD*. Madrid, Alianza Editorial.

Alonso, Cecilio (1971): *Literatura y poder*. Madrid, Alberto Corazón Editor, Comunicación, Serie B, n.º 14.

— (1996a): «Antecedentes de las Ilustraciones», en VV.AA.: *La prensa ilustrada en España. Las Ilustraciones. 1850-1920*, Coloquio Internacional Rennes, IRIS, Université Paul Valéry, Montpellier, 13-44.

— (1996b): «Difusión de las ilustraciones en España», en VV.AA., *La prensa ilustrada en España. Las Ilustraciones. 1850-1920*, Coloquio Internacional, Rennes, IRIS, Université Paul Valéry, Montpellier, 45-54.

— (2002): «Ángel Fernández de los Ríos (1921-1880). La escritura militante» en Ortega, Marie-Linda (ed.), *Escribir en España entre 1840 y 1875*, Fundación Duques de Soria, Visor Libros, Presses Universitaires de Marne-La Vallé, pp. 139-162 .

Altabella Hernández, José (1972): «Notas para la pre-historia de las agencias de prensa en España», *Estudios de Información*, enero-junio, n.º 21-22, 11-38.

— (1981): *Fuentes crítico-bibliográficas para la historia de la prensa provincial española,* Madrid, FCI de la UCM.

Alted, Alicia y Aubert, Paul (eds.) (1995): «*Triunfo*» *en su época*, Madrid, Casa de Velázquez-Ediciones Pléyades.

Álvarez, Jesús Timoteo (compilador) (1989): *Historia de los medios de comunicación en España. Periodismo, imagen y publicidad (1900-1990)*, Barcelona, Ariel.

— (1981), *Restauración y prensa de masas. Los engranajes de un sistema (1975-1983),* Pamplona, EUNSA .

Álvarez Barrientos, Joaquín (1990): «El periodista en la España del siglo XVIII y la profesionalización del escritor», en *Estudios de Historia Social*, núms. 52/53, 29-39.

—, François López e Inmaculada Urzainqui (eds.) (1995): *La República de las Letras en la España del siglo XVIII*, Madrid, CSIC.

Álvarez de Miranda, Pedro (1992): *Palabras e ideas: el léxico de la Ilustración temprana en España (1680-1760)*, Madrid, Real Academia Española.

Álvarez Gutiérrez, Luis (1983): «La influencia alemana en la prensa española de la Restauración» en *Prensa y revolución liberal: España, Portugal y América Latina*, Madrid, Universidad Complutense.

— (1986): «Intentos alemanes para contrarrestar la influencia francesa sobre la opinión pública española en los años precedentes a la Primera Guerra Mundial» en VV.AA., *Españoles y franceses en la primera mitad del siglo XX*, Madrid, CSIC, pp. 1-21.

Ametlla, Claudi (1963): *Memòries politiques.* V. I, 1890-1917, Barcelona, Editorial Pòrtic.

— (1979): *Memòries polítiques.* V.II, 1918-1936, Barcelona, Distribucions Catalònia.

Andrés-Gallego, José (1997): *¿Fascismo o Estado católico? Ideología, religión y censura en la España de Franco. 1937-1941*, Madrid, Ediciones Encuentro.

Ansón, José María (1960): *Acción Española*, Zaragoza, Editorial Círculo.

Araujo Costa, Luis (1946): *Biografía de* «*La Época*», Madrid, Libros y Revistas.

Arbeloa, Víctor Manuel (1970): «Prensa obrera en España (1869-1899)», en *Revista de Trabajo*, n.º 30.

— (1971): «La prensa obrera en España», en *Revista de Fomento Social*, n.º 102.

Arias Salgado, Gabriel (1960): *Textos de doctrina y política española de la información*, 3 vols., Madrid, Ministerio de Información y Turismo.

Armentía Vizuete, José Ignacio (2005): «Los diarios digitales siguen buscando su propia identidad tras una década de existencia», en *Estudios sobre el Mensaje Periodístico*, n.º 11 (consultado en su versión electrónica).

Aróstegui, Julio y Martínez, Jesús (1984): *La Junta de Defensa de Madrid*. Madrid, Comunidad Autónoma.

Arpi Loza, M. (s.f.): *La utilidad de la Prensa del Ejército Popular depende de su justa orientación*, Madrid, Ediciones la Voz del Combatiente.

Artola, Miguel (MCMLV): «La difusión de la ideología revolucionaria», *Arbor*, n.º 115-116, 476-490.

— (1959): *Los orígenes de la España contemporánea*. Madrid, Instituto de estudios políticos, 2 vols.

— (1976): *Los afrancesados*. Prólogo de Gregorio Marañón. Madrid, Turner.

Asun Escartín, Raquel (1980): *El proyecto cultural de la España Moderna y la literatura (1889-1914)*. Barcelona, Universidad de Barcelona.

Aubert, Paul (1986): «La propagande étrangère en Espagne pendant la Premiere Guerre Mondiale» en VV.AA., *Españoles y franceses en la primera mitad del siglo XX*, Madrid, CSIC, 357-411.

Ayala, Ángel (1940): *Formación de selectos*. Madrid, Sociedad de Educación Atenas.

Aymes, Jean René (1983): «Esbozo de una lectura ideológica del *Semanario Pintoresco Español (1836-1841)*» en Gil Novales, Alberto (coord.): *La Prensa en la revolución liberal: España, Portugal y América Latina*. Madrid, Universidad Complutense, 277-288.

— (1991): *La guerra de España contra la Revolución Francesa (1793-1795)*. Alicante, Instituto Juan Gil-Albert.

Azaña, Manuel (1968): *Obras Completas*, IV *Memorias Políticas y de Guerra*. México, Ediciones Oasis.

— (1997): *Diarios, 1932.1933. «Los cuadernos robados»*. Introducción de Santos Juliá, Barcelona, Crítica, Mondadori.

Badía, Javier (1992): *La revista «Acción Española», aproximación histórica y sistematización de contenidos*, tesis doctoral inédita, Universidad de Navarra.

Bahamonde, Ángel y Toro Mérida, L. E. (1987): «Relaciones de subordinación y conciencia de clase: ¿Era posible *El Eco de la Clase Obrera* en el Madrid de 1855?», en *Prensa Obrera en Madrid, 1855-1936*, Comunidad de Madrid, Madrid, 105-120.

— (1996): *Las comunicaciones del siglo XIX al XX: correo, telégrafo y teléfono*. Madrid, Santillana.

— y Cervera, Javier (1999): *Así terminó la Guerra de España*. Madrid, Marcial Pons, Ediciones de Historia.

Balsebre, Armand (2001): *Historia de la radio en España 1 (1874-1939)*. Madrid, Cátedra.

— (2002): *Historia de la radio en España 2 (1939-1985)*. Madrid, Cátedra.

Balzac, Honoré de (2004): *Journalistes. Monographie de la presse parisienne*. París, Editions du Boucher, (en la red).

Barreiro Fernández, Xosé Ramón (1976): «Historia política», en Barreiro Fernández y otros: *Los Gallegos*. Madrid, Ediciones Istmo, 95-146.

Barrera, Carlos (1991): «Caracterización regional de la Prensa del Movimiento», en Delgado Idarreta, J. M. y Martínez Latre, M. P. (eds.): Jornadas sobre «Prensa y Sociedad», Logroño, Gobierno de La Rioja, Instituto de Estudios Riojanos.

— (1995a): *El diario* Madrid: *realidad y símbolo de una época*. Pamplona, Eunsa.

— (1995b): *Periodismo y franquismo. De la censura a la apertura*. Barcelona, Ediciones Internacionales Universitarias.

Barrios, Manuel (1978): *El último virrey. Queipo de Llano*. Barcelona, Argos Vergara.

Bassets, Lluis y Bastardes, E (1979): «La prensa clandestina en Cataluña: una reflexión metodológica» en Vidal Beneyto, Juan (dir.): *Alternativas populares a las comunicaciones de masas*. Madrid, CSIC.

— (1982): «La comunicación clandestina en la España de Franco. Notas sobre cultura y propaganda de la Resistencia» en Moragas, Miquel de: *Sociología de la comunicación de masas*, 2.ª edición. Barcelona, Editorial Gustavo Gili, 539-557.

Béllanger, Claude (dir.) y otros (1972): *Histoire générale de la presse française*. París, Presses Universitaires de France, T. III: *De 1871 á 1940*.

Benavides, Domingo (1973): *El fracaso social del catolicismo español. Arboleya Martínez 1870-1951*. Barcelona, Nova Terra.

Benet, Josep y Martí, Casimir (1976): *Barcelona a mitjan del segle XIX: el moviment obrer durant el Bieni progresiste (1854-1856)*. Barcelona, Curial.

Beneyto, Juan (1986): «Los Consejos de Prensa bajo el franquismo», *Revista de Estudios Políticos,* n.º 52 (Nueva época).

Beramendi, Justo (1990): «Prensa y galleguismo en Galicia durante la II República», en Tuñón de Lara (dir.): *Comunicación, cultura y política durante la II República y la Guerra Civil*, tomo II: *España(1931-1939)*. Bilbao, Universidad del País Vasco.

— (2002): «Prensa y galleguismo político, 1840-2000» en Celso Almuiña y Eduardo Sotillos (coor.): *Del periodismo a la sociedad de la información*. Madrid, Sociedad Estatal España Nuevo Milenio, II, 91-110.

Bergareche, Esperanza C. (2005): *La esperanza carlista 1844-1874*. Tesis doctoral. 2 tomos. Universidad San Pablo CEU, Madrid.

Bermejo, Jesús (1990) «Opinión pública y medios de comunicación en los años del aislamiento internacional. Notas en torno a las emisiones de la Radiodifusión francesa para España,1946-1948», en Tusell, Javier, Alted, Alicia, Mateos, Abdón (coor.): *La oposición al régimen de Franco. Estado de la cuestión y metodología de la investigación*. Madrid, UNED, T II, 387-397.

Bizcarrondo, Marta (1975): *Araquistain y la crisis socialista en la II República. «Leviatán» (1934-1936)*. Madrid, Siglo XXI.

Blanco Alfonso, Ignacio (2005): *El periodismo de Ortega y Gasset*. Madrid, Biblioteca Nueva-Fundación José Ortega y Gasset .

Blanco White, José María (1971): *Antología de obras en español*. Edición, selección, prólogo y notas de Vicente Lloréns. Barcelona, Lábor.

Blinkhorn, Martín (1979): *Carlismo y contrarrevolución en España, 1931-1939*. Barcelona, Crítica.

Boned Colera, Ana (2000): *José López Domínguez, Radiografía de un militar reformista en el periódico* El Resumen. Málaga, Diputación Provincial de Málaga.

Bordería Ortiz, Enrique (2000): *La prensa durante el franquismo: represión, censura y negocio. Valencia 1939-1975*. Valencia, Fundación Universitaria San Pablo-CEU.

Borrego, Manuel (1996): «El periodismo de Andrés de Almansa y Mendoza», en María Cruz García de Enterría (coord.): *Las relaciones de sucesos en España (1500-1750)*, Actas del primer coloquio internacional (A. de Henares, 8, 9 y 10 de julio de 1995), Universidad de Alcalá de Henares, 9-18

Botrel, Jean François (1973): «Les aveugles colporteurs d'imprimés en Espagne. I La confrerie des aveugles de Madrid et la vente des imprimés. Du monopole a la liberté du commerce (1581-1836)» en *Mélanges de la Casa de Velázquez*, IX, pp. 417-482. Versión española en (1993) *Libros, prensa y lectura Libros, prensa y lectura en la España del siglo XIX*. Madrid, Fundación Germán Sánchez Ruipérez, pp. 15-98.

— (1974): «Les aveugles, colporteus d'imprimés en Espagne, II. Des aveugles considereés comme mass-media» en *Mélanges de la Casa de Velázquez*, X, 233-271. Versión española en (1993): *Libros, prensa y lectura*. 99-148.

— (1987): «Clarín y el *Madrid Cómico*. Historia de una colaboración (1883-1901)» en *Clarín y «La Regenta» en su tiempo. Actas del Simposio Internacional*, Oviedo, 3-24 Reproducido en (1993) *Libros, prensa y lectura en la España del siglo XIX*. Madrid, Fundación Germán Sánchez Ruipérez, Editorial Pirámide (471-499).

— (1989): «Le parti-pris d'en rire: léxemple de *Madrid Cómico* en *Le discours de la presse»*. Rennes, PUR2, 85-92.

— (1992): «La prensa en las provincias: propuestas metodológicas para su estudio» en *Historia Contemporánea*, n.º 8, 193-214.

Breña, Roberto (2002): «José María Blanco White y la independencia de América: ¿una postura americana?», en *Revista Electrónica de Historia Constitucional*, n.º 3, junio.

Bussy Genevois, Danièle (1979): «Presse feminine et republicanisme sous la 2ème Republique espagnole: la revue *Mujer* (juin-decembre de 1931)» en *Etudes Hispaniques et Hispanoamericaines, Presse et Societé*. Rennes.

Bustamante, Enrique (2006): *Radio y Televisión en España: Historia de una asignatura pendiente de la democracia*. Barcelona, Gedisa.

Caballero y Morgáez, Fermín (1837): *El Gobierno y las Cortes del Estatuto Real*. Madrid, Imprenta de Yenés.

Cabo, Isabel de (2001): *La resistencia cultural bajo el franquismo: en torno a la revista Destino (1957-1961)*. Barcelona, Áltera.

Cabrera, Mercedes; Elorza, Antonio; Valero, Javier y Vázquez, Matilde (1975): «Datos para un estudio cuantitativo de la prensa diaria madrileña», en VV.AA.: *Prensa y sociedad en España 1820-1936*. Madrid, Edicusa, 47-148.

— (1994): *La industria, la prensa y la política. Nicolás Mª de Urgoiti (1869-1951)*. Madrid, Alianza Editorial.

Cadenas y Vicent, Vicente (1975): *Actas del último Consejo Nacional de Falange Española y de las J.O.N.S (Salamanca 18-19. IV-1937) y algunas noticias referentes a la Jefatura Nacional de Prensa y Propaganda*. Madrid, Edición del Autor.

Cal, María Rosa (1996): «El sistema informativo oficial: un elemento integrador del estado liberal en España (1833-1834)», en *Ibéricas*, Collection du CRIC, Toulouse le Mirail, n.º 9, 33-51.

Cambó, Francisco (1987): *Memorias (1876-1936)*. Madrid, Alianza Editorial.
Caminos Marcel, José María; Marín Murillo, Flora y Armentía Vizuete, José Ignacio (2006): «Las audiencias ante los cambios en el ciberperiodismo», en *Revista Latina de Comunicación Social* 61, II época, de enero-diciembre de 2006, La Laguna (Tenerife) (http://www.ull.es/publicaciones/latina/200607/Caminos. Pdf.
Cándido (Carlos Luis Álvarez) (1976): *Un periodista en la Dictadura*. Madrid, A. Q, Ediciones S. A.
— (1995): *Memorias prohibidas*. Barcelona, Ediciones B.
Cano Bueso, J. (1989): «Las ideas constitucionales de Blanco White», en *Materiales para el estudio de la Constitución de 1812*. Madrid, Tecnos, 521-543.
Cansinos Assens, Rafael (1964): «Periodismo madrileño de principios de siglo»; *Gaceta de la Prensa Española*, n.º 152.
Canterla, Cinta (1996): *Beatriz Cienfuegos: La Pensadora Gaditana*. Cádiz, Servicio de Publicaciones de la Universidad de Cádiz. Edición antológica.
— (1999): «El problema de la autoría de "La Pensadora Gaditana"», en *Cuadernos de Ilustración y Romanticismo*, n.º 7, 29-54.
Cantos Casenave, Marieta; Durán López, Fernando y Romero Ferrer, Alberto (eds.) (2006): *La guerra de la pluma: estudios sobre la prensa de Cádiz en el tiempo de las Cortes (1810-1814)*. Tomo I: *Imprentas, Literatura y periodismo*. Servicio de Publicaciones de la Universidad de Cádiz, 2006.
Carnavon, Lord (1967): *Viaje por la Península Ibérica*. Madrid, Taurus.
Caro Baroja, Julio (1990): *Ensayo sobre la literatura de cordel*. Madrid, Istmo.
Casasús, Josep María (1987): *El pensament periodistic a Catalunya*. Barcelona.
Curial Caso González, José Miguel (1989a): «El Censor, ¿periódico de Carlos III?», en *El Censor. Obra periódica comenzada a publicar en 1781 y terminada en 1787*. Edición facsimil con Prólogo y estudio de José Miguel Curial, Oviedo, Instituto Feijoo de Estudios del siglo XVIII, 777-799.
— (1989b): «La crítica religiosa de *El Censor* y el grupo ilustrado de la condesa de Montijo», en Reyes Mate y Friedrich Niewöhner (coord.): *La Ilustración en España y Alemania*. Barcelona, Anthropos, 175-188.
— (1990): «*El Pensador*, ¿periódico ilustrado?», *Estudios de Historia Social*, núms. 52/53, 65-72.
Castro, Concepción de (1975): *Romanticismo, periodismo y política. Andrés Borrego*. Madrid, Tecnos.
Castro Alfín, Demetrio (1994): «Orígenes y primeras etapas del republicanismo en España» y «Unidos en la adversidad, unidos en la discordia: el Partido Demócrata, 1849-1868», en Nigel Thomson (ed.) (1994): *El republicanismo en España (1830-1977)*. Madrid, Alianza Editorial, 33-85.
Cátedra, Pedro M. (1995): «En los orígenes de las epístolas de relación», en María Cruz García de Enterría y otros: *Las relaciones de sucesos en España (1500-1750)*, Actas del primer coloquio internacional (A. de Henares, 8, 9 y 10 de julio), 33-64.
Caudet, Francisco (1992): *El exilio republicano en México: las revistas literarias, 1939-1971*. Madrid Fundación Banco Exterior.
Cavero, José (1990): *Biografía de Francisco Fernández Ordóñez*. Madrid, Ed. Ciencias Sociales.
— (1991): *El PSOE contra la prensa. Historia de un divorcio*. Madrid, Temas de Hoy.

Cebrián, Juan Luis (1980): *La Prensa y la Calle. Escritos sobre periodismo*. Madrid, Editorial Nuestra Cultura.

Chartier, Roger (1995.): *Espacio público crítica y desacralización en el siglo XVIII. Los orígenes culturales de la Revolución Francesa*. Barcelona, Gedisa.

Checa Godoy, Antonio (1989): *Prensa y partidos políticos durante la II República*. Salamanca, Universidad de Salamanca.

— (1999): *La radio en Andalucía durante la guerra civil y otros ensayos*. Sevilla, Padilla Libros Editores & Libreros.

Chuliá, Elisa (2001): *El poder y la palabra. Prensa y poder político en las dictaduras. El régimen de Franco ante la prensa y el periodismo*. Madrid, Biblioteca Nueva/UNED.

Cienfuegos, Beatriz (1996): *La Pensadora Gaditana*. Edición antológica de Cinta Canterla. Cádiz, Universidad de Cádiz.

Comellas, José Luis (1970): *Los moderados en el poder*. Madrid, CSIC.

Cora Paradela, J. de y otros (1977): *Panfletos y prensa antifranquista clandestina*. Madrid, Ediciones 99.

Cotarelo y Mori, Emilio (1897): *Iriarte y su época*. Madrid, Rivadeneyra.

Cruickshank, D. W. (1978): «"Literature" and the Book Trade in Golden-Age Spain», *Modern Language Review*, 73, 799-824.

Culla Joan B. y Duarte, Ángel (1990): *La Prensa republicana*. Barcelona, Col·legi de Periodistes de Catalunya.

Davara, Francisco Javier (2004): *Cuadernos para el Diálogo. Un modelo de periodismo crítico*, Madrid, Universidad Complutense.

Davies, Rhian (2000): *«La España Moderna» and regeneración (1889-1914): A Cultural Review in Restoration Spain. Monographs*, n.º 5. Manchester, Cañada Blanch, Publications.

Deacon, Philip (1990): «*El Censor* y la crisis de las luces en España: *El Diálogo crítico-político* de Joaquín Medrano de Sandoval», en *Estudios de Historia Social*, núms. 52/53, 131-140.

Desvois, Jean Michel (1970-1971): «*El Sol*. Orígenes y tres primeros años de un diario de Madrid (1917-1920)», en *Estudios de Información*. Madrid, n.º 16 y 17.

— (1986): «Un grupo de presión de la II República: la Federación de Empresas periodísticas de Provincias de España» en Carmelo Garitaonandía (ed.): *La prensa de los siglos XIX y XX. Metodología, ideología e información. Aspectos económicos y tecnológicos*. Bilbao, Universidad del País Vasco.

— (1988): «Los diarios *Ahora* y *El Sol* ante el Frente Popular: legitimismo, legalismo y convivencia republicana» en José Luis García Delgado (ed.), *La II República española. Bienio rectificador y Frente Popular*. 197-210.

Díaz, Elias: «Los intelectuales y la oposición política», en Javier Tusell, Alicia Alted, Abdón Mateos (coor.): *La oposición al régimen de Franco. Estado de la cuestión y metodología de la investigación*. Madrid, UNED, T.II, 331-362.

Díaz, Lorenzo (1992): *La radio en España, 1923-1993*. Madrid, Alianza Editorial.

— (1994): *La televisión en España. 1954-1995*. Madrid, Alianza Editorial.

Díaz del Moral, Juan (1967): *Historia de las agitaciones campesinas andaluzas. (Antecedentes para una reforma agraria)*, Madrid, Alianza Editorial.

Díaz Noci, Javier y Urkijo Goitia, Mikel (2000): «La prensa vasca en el sexenio democrático», comunicación presentada en las jornadas sobre la prensa en el sexe-

nio democrático, celebradas en el CEU, Madrid, marzo [las obras del profesor Díaz Noci pueden consultarse en su página web: (www.ehues/diaz-noci)].
— (2004a): «La comunicación en lengua vasca y la guerra: guerra civil, guerra mundial y crisis de un sistema periodístico marginal» en Alberto Pena (coord.): *Comunicación y guerra en la Historia.* Santiago de Compostela, Tórculo Edicions, 267-287.
— (2004b): El caso de *Euskaldunon Egunkaria*: *Lengua vasca, información y libertad de expresión*, en: VII Congrès de l'Associació d'Historiadors de la Comunicación. 25 anys de la llibertat d'expressió. Barcelona: Universitat Pompeu Fabra, 2004 [CD-ROM: ISBN 84-88042-49-3] (Versión en castellano).
— y del Hoyo, Mercedes (2003): *El nacimiento del periodismo vasco. Gacetas donostiarras de los siglos XVII y XVIII*, Ayuntamiento de San Sebastián.
Díaz Nosty, Bernardo (dir.): *Comunicación Social/Tendencias* (1898-1996). Fundesco (dir.): *Informe anual de la Comunicación* (1997- 2002), Grupo Zeta.
— (dir.): *Tendencias'06. Medios de Comunicación. El año de la televisión*, (2006): Madrid, Fundación Telefónica.
Dinsdale, Alfredo (1929): *Televisión.* Barcelona, Tipografía Occitana-Exclusivas Lot. Traducción de Luis Amador López.
Domergue, Lucienne (1989): «Propaganda y contrapropaganda en España durante la Revolución Francesa», en Jean René Aymes (ed.): *España y la Revolución Francesa.* Barcelona, Crítica, 118-167.
— (2002): «El periódico en el apogeo de las Luces hispanas: contenidos y censura» en Celso Almunia y Eduardo Sotillos (coord.): *Del Periódico a la Sociedad de la Información* (I). Madrid Sociedad Estatal España Nuevo Milenio, 2002, 41-52.
Domingo, Javier (1978): «Las revistas eróticas de nuestros abuelos», *Historia 16,* n.º 23, marzo, 112-115.
Domínguez Guzmán, Aurora (1988) «Relaciones de autos de fe impresas en el siglo XVII», en *Varia Bibliographica: homenaje a José Simón Díaz*, Kassel, 217-230.
Domínguez Ortiz, Antonio (1989): «La Corona, el Gobierno y las instituciones ante el fenómeno revolucionario», en Enrique Moral Sandoval (coord.): *España y la Revolución Francesa.* Madrid, Editorial Pablo Iglesias, 1-16.
Donoso Cortés, Juan (1946): «Interpelación al discurso sobre la situación de España», de 30 de diciembre de 1850. *Obras Completas*, Biblioteca de Autores Cristianos, recopiladas y anotadas por Juan Juretske, Madrid, tomo II
Duchêne, Roger (1971): «Lettres et Gazettes au XVIIème siècle», en *Revue d'Histoire Moderne et Contemporaine*, XVIII, 489-508.
Dufour, Gérard (2005): «Une ephemere revue *afrancesada*: *El Imparcial* de Pedro Estala (marzo-agosto 1809)». *El Argonauta Español,* número 2.
Durán López, Fernando (2005): *José María Blanco White o la conciencia errante.* Sevilla, Fundación José Manuel Lara.
Edo, Concha (2005): «El éxito de los gratuitos hace más visible la crisis de la prensa diaria de pago», en *Estudios sobre el Mensaje Periodístico*, n.º 11 (consultado en su versión electrónica).
Egido López, Teófanes (2002): «La otra prensa del Antiguo Régimen y la oposición al poder», en Almuiña y Sotillos (coord.): *Del periódico a la Sociedad de la Información*, I, Sociedad Estatal España Nuevo Milenio, 93-108.

Elorza, Antonio (1970a): *La ideología liberal en la Ilustración española*. Madrid, Tecnos.
— (1970b): *Socialismo utópico español*. Madrid, Alianza Editorial.
— (1970c): «El Obrero y La Emancipación», en *Revista de Trabajo, n.º 30*, 197-315.
— (1971): *Pan y Toros y otros papeles sediciosos de fines del siglo XVIII*. Madrid, Editorial Ayuso.
— (1972): «Un vacio legal: periódicos y hojas volantes republicanos (1840-1843)», *Estudios de Información,* n.º 23, julio-septiembre, 51-99.
— (1974): «La ideología moderada en el Trienio Liberal», *Cuadernos Hispanoamericanos*, n.º 288, junio. Recogido en *La modernización política en España. Ensayos de historia del pensamiento político* (1990), Endymion, 584-650.
— (1977): «En el tercer aniversario de "Gudari", I, *Berriak*, n.º 23, 32-33.
— (1978): *Ideologías del nacionalismo vasco.1876-1937. De los «euskaros» a Jagi-Jagi*, San Sebastián, Aramburu.
— (1982): «Movimiento obrero y cuestión nacional en Euzkadi (1930-1936) en VV.AA.: *Estudios de Historia Contemporánea del País Vasco.* San Sebastián, Haramburu, 137-200.
— (1984): *La razón y la sombra. Una lectura política de Ortega y Gasset.* Barcelona, Anagrama.
Enciso Recio, Luis Miguel (1956): *Nipho y el periodismo español del siglo XVIII.* Universidad de Valladolid.
— (1957): *Cuentas del Mercurio y La Gaceta.* Madrid CSIC.
Ereño Altuna, José Antonio (2004): *Unamuno y La lucha de Clases (1989-1927).* Bilbao, Ediciones Altuna.
Escobar, José (1983): «Larra durante la ominosa década», *Anales de Literatura Española.* Departamento de Literatura Española, n.º 2, Alicante, 233-250.
Escolano, Agustín (1992): *Leer y escribir en España. Doscientos años de alfabetización*. Fundación Germán Sánchez Ruipérez.
Espejo, Cristóbal (1925): «Pleito entre ciegos e impresores (1680-1775)» en *Revista de la Biblioteca, Archivo y Museo,* II, 206-236.
Espinet, Francesc (1986): «La premsa en les autobiografies catalanes del primer terç del segle XX», en VV.AA.: *La prensa de los siglos XIX y XX. Metodología, ideología e información. Aspectos económicos y tecnológicos.* Bilbao, Universidad del País Vasco, 453-466.
— (1992): *La gènesi de la societat-cultura de comunicació de masses a Catalunya a través dels egodocuments. 1888-1939.* Barcelona, Universidad de Bellaterra.
Estadística de la Prensa periódica de España (referida al 1 de abril del año 1913) (1914). Ministerio de de Instrucción Pública y Bellas Artes. Dirección General del Instituto Geográfico y Estadístico, Madrid.
Estadística de la Prensa periódica de España (referida al 1 de febrero de 1920) (1921). Ministerio de Instrucción Pública y Bellas Artes. Dirección General del Instituto Geográfico y Estadístico, Madrid.
Estadística de la Prensa periódica de España (referida al 31 de diciembre de 1927) (1930). Instituto Nacional de Previsión. Servicio General de Estadística, Madrid.
Etienvre, Jean-Pierre (1996): «Entre la relación y la carta: los avisos», en María Cruz García de Enterría y otros (eds.) *Las relaciones de sucesos en España (1500-1750)*, Actas del primer coloquio internacional (A. de Henares, 8, 9 y 10

de julio de 1995), Publications de La Sorbonne, Servicios de Publicaciones de la U. de Alcalá, 111-121.
Ettinghausen, Henry (1984): «The News in Spain: Relaciones de sucesos in the Reigns of Philip III and IV», *European History Quarterly*, Vol. 14, n.º 1, enero, 1-20.
— (1993a): «Sexo y violencia: noticias sensacionalistas en la prensa española del siglo XVII», *Edad de Oro*, XII, 95-107.
— (1993b): «The Illustrated Spanish News: Text and Image en the Seventeenth-Century Press», en *Art and Literature in Spain, 1600-1800: Studies in Honour of Nigel Glendinning*, E. Charles Davis y Paul Julian Smith, Londres, 117-133.
— (1993c): *La guerra dels Segadors a través de la premsa de l'època.* Barcelona, Curial, 4 vols.
— (1995a): «Política y prensa "popular"» en la España del siglo XVII», *Anthropos*, 166/167, 86-91.
— (1995b): «Noticias del XVII», en *Anthropos*, 166/167.
— (1996a): «La labor "periodística" de Andrés de Almansa y Mendoza: algunas cuestiones bibliográficas», en María Cruz García de Enterría: *Las relaciones de sucesos en España (1500-1750)*, Actas del primer coloquio internacional (A. de Henares, 8, 9 y 10 de julio de 1995), Universidad de Alcalá de Henares, 123-132.
— (1996b): «Hacia una tipología de la prensa española del XVII» en Avellano y otros: *Studia Aurea. Actas del III Congreso de la AISO*. Pamplona, Toulouse, I, 51-661.
— (2000): *Notícies del segle XVII: La Premsa a Barcelona entre 1612 i 1628.* Ajuntament de Barcelona/Arxiu Municipal de Barcelona.
— (2003): *Size Matters: Tabloids and Broadsheets in Early Seventeenth- Century Spain*. Conferencia pronunciada en la Universidad de Portsmouth en marzo.
Ezcurra, Luis (1974): *Historia de la radiodifusión española. Los primeros años.* Madrid, Editora Nacional.
Farias Batlle, Pedro (2006): *Informe Anual de la profesión periodística 2006.* Madrid, Asociación de la Prensa de Madrid.
Farias García, Pedro (1988): *Libertades Públicas e Información: (esbozo histórico).* Madrid, Ediciones de la Universidad Complutense.
Fernández Alonso, Isabel y Santana Cruz, Fernanda (2000): *Estado y medios de comunicación en la España democrática.* Madrid, Alianza Editorial.
Fernández Almagro, Melchor (1968): *Historia política de la España contemporánea (1868-1902)*. Madrid, Alianza Editorial.
Fernández Areal, Manuel (1971): *La libertad de Prensa en España (1938-1971)*, Madrid, Edicusa.
Fernández Cabezón, Rosalía (1990): «La literatura del siglo XVIII en el *Semanario erudito*», en *EHS*, 52/53, 176.
Fernández Sande, Manuel (2005): *Los orígenes de la radio en España.* V.1: *Historia de Radio Ibérica (1916-1925) -1925).* Madrid, Fragua.
— (2006): *Los orígenes de la radio en España.* V 2: *La competencia entre Unión Radio y Radio Ibérica (1925-1927).* Madrid, Fragua.
Fernández Santander, Carlos (1993): «*La Voz de Galicia*. Crónica de un periódico (1882-1992)», T.I., Sada, La Coruña, Edicions do Castro.
Fernández Sanz, Juan José (coord.) (2004): *Doce calas en la Historia de la Prensa Española Especializada.* Guadalajara, Asociación de la Prensa de Guadalajara.

Fernández Sarasola, Ignacio (2004): «El pensamiento político-constitucional de Álvaro Flórez Estrada a través de la prensa», en Varela Suanzes-Carpegna (coord.): *Álvaro Flórez Estrada (1766-1853) política, economía, sociedad*, Junta General del Principado de Asturias, 211-244.

Fernández Sebastián, Javier (1986): «*El Euscalduna*: del moderantismo al carlismo. La inflexión ideológica de un periódico bilbaino (1858-1873)» en Tuñón de Lara, Manuel (dir.): *La prensa en los siglos* XIX *y* XX. *Metodología, ideología e información. Aspectos económicos y tecnológicos*. Bilbao, Servicio Editorial de la Universidad del País Vasco, 587-602.

— (1996): «Los primeros cafés en España (1758-1808): nueva sociabilidad urbana y lugares públicos de afrancesamiento», en J. R. Aymes (ed.): *L'image de la France en Espagne pendant la seconde moitié de* XVIIIème *siècle*. París, Prese de la Sorbonne, 65-82.

— (2001): «Prensa, poder y elites en el País Vasco (1820-1876)» en Aubert, Paul y Desvois, Jean-Michel (coor.): *Les elites et la presse en Espagne et Amerique Latine: Des Lumieres a la seconde guerre mondiale*. Casa de Velázquez, Maison des Pays Iberiques, Université de Provence, UMR Telemme, Madrid, Bordeaux, Aix-en-Provence, 111-127.

— (2004): «L'avènement de l'opinion publique et le problème de la représentacion politique (France, Espagne Royaume-Uni)», en Javier Fernández Sebastián y Jöelle Chassin (coord.): *L'avènement de l'opinion publique. Europe et Amérique* XVIII-XIX *siècles*. Paris, L'Harmattan, 227-253.

Ferre, Carme (2001): *Intel·lectualitat i cultura resistents. Serra d'Or, 1959-1977*. Barcelona, Galerada.

Figueres i Artigues, Josep María (1997): «Apropiacions de la premsa a Catalunya durant la Guerra Civil, en *Anàlisi*, 20, 85-123.

— (1999): *El primer diari en llengua catalana. Diari Catalá (1879-1881)*. Barcelona, Institut d'Estudies Catalans.

Fontes, Ignacio y Menéndez, Manuel Ángel (2004): *El Parlamento de papel. Las revistas españolas en la Transición democrática*. Asociación de la Prensa de Madrid.

— (2002): «Prensa clandestina i nacionalista a la Catalunya del 1939 al 1951», en García Galindo, Juan A., Gutiérrez Lozano, Juan Fco., Sánchez Alarcón, Inmaculada (eds.): *La comunicación social durante el franquismo*. Centro de Ediciones de la Diputación Provincial de Málaga, 201-220.

— (2005): «Periodismo de guerra. Las crónicas de la guerra civil española» en *Estudios sobre el Mensaje Periodístico*, n.º 11 (consultado en su versión electrónica), 279-291.

Ford, Richard (1981): *Manual para viajeros por Castilla y lectores en casa*, Parte I. Madrid, Turner.

Fraga, Manuel (1980): *Memoria breve de una vida pública*. Barcelona, Planeta.

Franco, Marie (2004): *Le sang et la virtue. Fait divers et franquisme. Dix annés de la revue El Caso*. Madrid, Casa de Velázquez.

Francos Rodríguez, José (1924): *Del periódico y de su desenvolvimiento en España*, Discurso leído en su recepción en Madrid, J. Morales Impresor.

Franquet, Rosa (2001): *Història de la ràdio a Catalunya al segle* XX: *de la ràdio de galena a la ràdio digital*. Barcelona, Generalitat de Catalunya-DGRTV.

Fuentes, Juan Francisco (1983): «Manuel del Cerro: impresor liberal, agente absolutista», en Alberto Gil Novales (ed.): *La prensa en la revolución liberal, España, Portugal y América Latina.* Madrid, Universidad Complutense, 363-371.

— (1989): *José Marchena. Biografía política e intelectual.* Barcelona, Crítica.

— (1990): «El Censor y el público», en *Estudios de Historia Social*, núms. 52/53, 221-230.

— (1993): «La masonería en la prensa sensacionalista»» en Ferrer Benimeli, José Antonio (coord.): *Masonería y periodismo en la España contemporánea.* Zaragoza, Universidad de Zaragoza, 49-65.

— (1994): «Estructura de la prensa española en el Trienio Liberal: Difusión y tendencias», *Trienio*, n.º 24, noviembre, 165-195.

— y Fernández Sebastián, Javier (1997): *Historia del Periodismo Español: prensa, política y opinión pública en la España Contemporánea.* Madrid, Síntesis.

— (2003): «Prensa y política en el tardofranquismo (1962-1975). La rebelión de las élites», en *Cercles d'Historia cultural*, n.º 6, 13-32.

Galán, Javier (1997): *Historia del periodismo tinerfeño (1900-1931).* Santa Cruz de Tenerife, Cabildo de Tenerife.

Gallego, Ferrán (2005): *Ramiro Ledesma Ramos y el fascismo español.* Madrid, Síntesis.

García de Enterría, María Cruz (1971): «Un memorial "casi" desconocido de Lope», *Boletín de la Real Academia Española*, LI, 139-160.

— (1973): *Sociedad y poesía de cordel en el barroco.* Madrid, Taurus.

García de la Fuente, Víctor (1996): «Relaciones de sucesos en forma de carta: estructura, temática y lenguaje», en María Cruz García de Enterría y otros: *Las relaciones de sucesos en España (1500-1750)*, Actas del primer coloquio internacional (A. de Henares, 8, 9 y 10 de julio de 1995), Universidad de Alcalá de Henares, 177-184.

García Delgado, José Luis (1989): *El primer franquismo. España durante la Segunda Guerra Mundial.* Madrid, Siglo XXI.

García Escudero, José María (1983): *El pensamiento de El Debate. Un diario católico en la crisis de España (1911-1936)*, Prólogo de Vicente Palacio Atard. Madrid, Biblioteca de Autores Cristianos.

García Jiménez, Jesús (1980): *Radiotelevisión y política cultural en el franquismo.* Madrid, CSIC.

García Pandavenes, Elsa (1972): El Censor. *1781-1787. Antología.* Barcelona, Editorial Labor.

García Prous, Concepción (1972): «*Acción Española*», en *Estudios de Información*, núms. 21-22, 163-201.

García Serrano, Rafael (1983): *La gran esperanza.* Barcelona, Planeta.

García Venero, Maximiano (1967): *La Falange en la Guerra de España: la Unificación de Hedilla.* París, Ruedo Ibérico.

Garitaonaindía, Carmelo (1987): *La prensa y la guerra de ondas en Euskadi (1936-1937)*, en Garitaonandía, Carmelo y Granja, José Luis de la (eds.): *La Guerra Civil en el País Vasco 50 años después.* Universidad del País Vasco, 191-218.

— (1988): *La radio en España (1923-1939). De altavoz musical a arma de propaganda.* Madrid, Siglo XXI de España Editores; Servicio Editorial de la Universidad del País Vasco.

— (1990): «Política de comunicación de las Juntas de Defensa y del Gobierno vasco durante la Guerra Civil», en Tuñón de Lara, Manuel: *Comunicación, cultura y política durante la II República y la Guerra Civil*, tomo I, *País Vasco (1931-1939)*. Bilbao, Universidad del País Vasco, 24-45.

Garriga, Ramón (1976): *La España de Franco*. Madrid, G. Del Toro.

Gaziel (Agustín Calvet) (1964): *Tots el camins duen a Roma. Història d'un destí. 1893-1914*. Barcelona, Editorial Aedos.

— (2005): *Meditaciones en el desierto (1946-1953)*. Barcelona, Destino.

Geli, Carles y Huertas Clavería, José María (1991): *Las tres vidas de Destino*. Barcelona, Anagrama

Gibson, Ian (1986): *Queipo de Llano. Sevilla, verano de 1936 (Con las charlas radiofónicas completas)*. Barcelona, Grijalbo.

Gil Novales, Alberto (1969): «Para los amigos de Cañuelo», en *Cuadernos Hispanoamericanos*, n.º 229, enero, 1-12.

— (1975): *Las sociedades patrióticas (1820-1823). La libertad de expresión y reunión en el origen de los partidos políticos*. Madrid, Tecnos, 1975, 2 vols.

— (1980): *El Trienio Liberal*. Madrid, Siglo XXI, 122-123.

Gil Pecharromán, Julio (1996): *José Antonio Primo de Rivera. Historia de un visionario*. Madrid, Temas de Hoy.

Gil Robles, José María (1968): *No fue posible la paz*. Barcelona, Ariel.

Giménez-Arnau, José Antonio (1978): *Memorias de memoria. Descifre Vuecencia personalmente*. Barcelona, Destino.

Giménez Caballero, Ernesto (1979): *Memorias de un dictador*. Barcelona, Planeta.

Glendinning, Nigel (1977): *Historia de la literatura española. El Siglo XVIII*. Barcelona, Ariel. 3ª edición.

— y Harreson, Nicole (1979): *José de Cadalso: Escritos autobiográficos y epistolario*. Prólogo, edición y notas. Tamesis Book Limited.

Gómez Aparicio, Pedro (1981): *Historia del periodismo español*, tomo IV, *De la Dictadura a la Guerra Civil*. Madrid, Editora Nacional.

Gómez Imaz, Manuel (1910): *Los periódicos durante la guerra de la independencia (1808-1814)*. Madrid, Tipografía de la Revista de Archivos, Bibliotecas y Museos.

Gómez Mompart, Josep Lluís y Marín Otto, Enric (1990): «Les transformacions de la premsa catalana de la República a la Guerra» en *Comunicación, cultura y política durante la II República y la Guerra Civil*. Bilbao, Universidad del país Vasco, II, 197-219.

— (1992): *La gènesi de la premsa de masses a Catalunya (1902-1923)*. Barcelona, Editorial Portic.

Gómez de la Serna, Ramón (1974): *Automoribundia: 1888 1948*. Madrid, Guadarrama.

Gómez, Bernardo y Paniagua, Francisco (2005): «Las Ediciones Digitales de los Diarios Españoles. Nacimiento y Consolidación de un Sector en Auge», en *Razón y Palabra*, Primera Revista Electrónica de América Latina Especializada en Comunicación, n.º 47, octubre-noviembre.

Gomis, Llorenç (1998): «El día que Galinsoga entró en la Iglesia», en Espada, Arcadi (ed.): *Dietario de posguerra*. Barcelona, Anagrama, 57-82.

González Calbet, Mª Teresa (1987): *La Dictadura de Primo de Rivera. El Directorio Militar*. Madrid, Ediciones el Arquero.

González Calleja, Eduardo (1990): «La prensa falangista y la prensa del Movimiento y del Estado: consideraciones sobre su origen y desarrollo» en Garitaonaindía, Carmelo; Granja, José Luis de la y Pablo, Santiago de (eds): *Comunicación, cultura y política durante la II República y la guerra Civil,* T. II. *España (1931-1939).* Bilbao, 495-514

González Cuevas, Pedro Carlos (1998): *«Acción Española», teología, política y nacionalismo autoritario en España, 1931-1936.* Madrid, Tecnos.

González Rothvoss y Gil, Mariano (1930): *Una experiencia corporativa en la prensa del centro de España. Actuación del Comité paritario intelocalde la prensa de Madrid durante los años 1927 a 1929.* Madrid, Publicación del Comité Paritario Interlocal de la Prensa.

Gonzalo Hermoso, Alfredo (1984): *Pedro Pascasio Fernández Sardino et la polemique suscitée par le Robespierre español,* 3 vols. Besançon, Faculté de Lettres et Sciences Humaines de l`Université de Franche-Comté.

Gracia, Jordi (1994): *Crónica de una deserción. Ideología y literatura en la prensa universitaria del franquismo (1940-1960) (Antología).* Barcelona, Promociones y Publicaciones Universitarias S.A.

— (2004): *La resistencia silenciosa. Fascismo y cultura en España.* Barcelona, Anagrama.

Granja, José Luis de la (1986a): *Nacionalismo y II República en el País Vasco.* Madrid, CIS-Siglo XXI.

— (1986b): «La prensa nacionalista vasca: 1930-1937. Una aproximación histórica» en Carmelo Garitaonaindía: *La prensa de los siglos* XIX *y* XX. *Metodología, ideología e información. Aspectos económicos y tecnológicos.* Bilbao, Servicio Editorial de la Universidad del País Vasco, 1986 b, 659-678.

— y Pablo, Santiago de (2002): «La prensa nacionalista vasca: de Sabino Arana a nuestros días» en Celso Almunia y Eduardo Sotillos (coor.): *Del periodismo a la sociedad de la información.* Madrid, Sociedad Estatal España Nuevo Milenio, II, 111-128.

Guasch Borrat, Juan María (1986): *El Debate y la crisis de la Restauración* (1920-1923). Pamplona, Eunsa.

Guereña, José Luis (1987): «*La Emancipación*, 1871-1873» en *La prensa obrera en Madrid, 1855-1936.* Madrid, Comunidad de Madrid, 135-150.

Guillamet, Jaume (1994): *Historia de la Premsa, la Radio i la Televisió a Catalunya (1941-1994).* Barcelona, Edicions La Campana.

— (1996): *Prensa, franquismo i autonomia. Crònica catalana de mig segle llarg (1939-1995).* Barcelona, Flor del Viento Ediciones.

— (2003): *Els orígens de la premsa a Catalunya. Catàleg de periòdics antics (1641-1833).* Arxiu Municipal de Barcelona.

Guinard, Paul Jean (1973): *La presse espagnole de 1737 a 1791. Formation et signification d'un genre.* París, Centre de Recherches Hispaniques.

Guzmán, Eduardo de (1973): *El año de la Victoria.* Madrid, G. del Toro, Editor.

Harris, Michael (1978): «The structure, ownership and control of the press, 1620-1780», en George Boyce, James Curran and Pauline Wingate (ed.): *Newspaper History fron the seventeenth century to the present day.* Londres, Constable, 83-97.

Herr, Richard (1964): *España y la revolución del siglo* XVIII. Madrid, Aguilar.

Hocquellet, Richard (2004): «L'invention de la modernité par la presse. La constitution de l'opinion publique en Espagne au début de la Guerre d'Indépendence», en Javier Fernández Sebastián y Joëlle Chassin (coords.): *L'avènement de l'opinion publique. Europe et Amérique XVIII- XIX siècles*. París, L'-Harmattan.

Hurtado, Amadeu, (1964: *Quaranta anys d'Advocat. Historia del meu temps*, T.I. *Anys 1894-1916* (1964), T.II. *Anys 1917-1930*), T. III. *Anys 1931-1936* (1967). Barcelona, Edicions Ariel.

Iglesia, Celedonio de la (1930): *La cenura por dentro*. Madrid, CIAP.

Iglesias, Francisco (1980): *Historia de una empresa periodística. Prensa Española. Editora de «ABC» y «Blanco y Negro» (1891-1978)*. Madrid, Editorial Prensa Española.

Infantes, Víctor (1996): «¿Qué es una relación? (Divagaciones varias sobre una sola divagación» en María Cruz García de Enterría y otros: *Las relaciones de sucesos en España (1500-1750)*, Actas del primer coloquio internacional (A. de Henares, 8, 9 y 10 de julio de 1995), 203-216.

Ilie, Paul: (1981): *Literatura y exilio interior: escritores y sociedad en la España franquista*. Madrid, Editorial Fundamentos.

Isla, José Francisco de (1945): *Obras escogidas*, Madrid, BAE, XV, Atlas.

Jiménez, Juan Ramón (1985): *Guerra en España (1936-1953)*, Introducción, organización y notas de Ángel Crespo. Barcelona, Seix Barral.

Juana, Jesús de (1988): *La posición centrista durante la Segunda República (El periódico «Ahora», 1930-1936)*. Universidad de Santiago de Compostela.

Juliá, Santos (1977): *La Izquierda del PSOE (1935-1936)*. Madrid, Siglo XXI.

— (1987): «Prensa obrera en Madrid en los primeros años 30», en *Prensa obrera en Madrid, 1855-1936*. Madrid, Comunidad de Madrid, Consejería de Cultura, Revista *Alfoz*.

Juretschke, Hans (1962): *Los afrancesados en la Guerra de la Independencia: su génesis, desarrollo y consecuencias históricas*. Madrid, Rialp.

La Parra López, Emilio (1984): *La libertad de prensa en las Cortes de Cádiz*. Valencia, NAU Llibres.

Lafarga, Francisco (1990): «Luces y sombras en el *Correo de Madrid*», en *Estudios de Historia Social*, núms. 52/53, 275-282.

Laguna Platero, Antonio (1990a): «El periodismo español en el siglo XVIII ¿Qué periodismo? El caso del *Diario de Valencia*». *Estudios de Historia Social*, núms. 52/53, 283-294.

— (1990b): *Historia del periodismo valenciano. 200 años en primera plana*. Valencia, Generalitat Valenciana.

— (1999): El Pueblo, *historia de un diario republicano, 1894-1939*. Valencia, Institució Alfons el Magnànim.

Laín Entralgo, Pedro (1976): *Descargo de conciencia (*1930-*1960)*. Barcelona, Barral Editores.

Lamberet, Renée (1953): *Mouvementes ouvrières et socualistes (chronologie et bibliographie), L'Espagne (1750-1936)*. París, Les Editions Ouvriers.

Larriba, Elisabel (1998): *Le Public de la presse en Espagne à la fin de XVIII siècle (1781-1808)*. París, Honoré Champion Éditeur.

— (2004): «Le Clergé et la presse dans l'Espagne de l'Ancien Régime», en *El Argonauta Español*, n.º 1 (Revista digital).

Lecuyer, Marie Claude (1989): «Algunos aspectos de la sociabilidad en España hacia 1840», *Estudios de Historia Social*, núms. 50-51, 145-159.

— y Villapadierna, Maryse (1995): «Génesis y desarrollo del folletín en la prensa española» en Brigitte Magnien (ed.): *Hacia una literatura del pueblo. El ejemplo de Timoteo Orbe. Anthropos.*

Ledesma Ramos, Ramiro (1988): *Escritos políticos, 1935-1936 ¿Fascismo en España? La Patria Libre. Nuestra Revolución.* Madrid, Edición de Trinidad Ledesma Ramos.

López, Xosé (2004): *O xornal Galicia (1922-1926). O alento da modernidade.* La Coruña, Ediciones A Nosa Terra.

— (2005): «El ciberperiodismo cultiva sus señas de indentidad», en *Ámbitos.* Revista Andaluza de Comunicación, núms. 13-14: 45-58.

López, François (1990): «Luis Cañuelo, alias *El Censor*, ou le pauvre diable», en en VV.AA.: *Mélages offerts à Paul Guinard.* II, París, Ibérica, 145-157.

López Tabar (2001), Juan, *Los famosos traidores. Los afrancesados durante la crisis del Antiguo Régimen (1808-1833).* Madrid, Biblioteca Nueva.

Luca de Tena, Torcuato (1993): *Franco sí, pero... Confesiones profanas.* Barcelona, Planeta.

Luis Díaz, Félix de (1983): *Francisco de Luis. Del periodismo a la política y al mundo de la empresa.* Madrid, Fundación Humanismo y Democracia.

Llanas, Manuel (ed.) (1996): «Una monografia inèdita de Gaziel sobre la premsa espanyola: context, comentari y edició», en *Anàlisi,* 19, 11-54.

— (1998): *Gaziel: vida, periodisme i literatura.* Barcelona, Publicacions de l'Abadía de Montserrat.

Lloréns, Vicente (1968): *Liberales y románticos. Una emigración española en Inglaterra (1823-1934).* Madrid, Castalia.

— (1974): «*El Español* de Blanco White, primer periódico de oposición», en *Aspectos sociales de la literatura española.* Madrid, Editorial Castalia, 67-103.

Maeztu, Ramiro de (1997): *Hacia otra España.* Madrid, Biblioteca Nueva. Introducción de Javier Varela.

Mainar, Rafael (1906): *El arte del periodista.* Barcelona, Manuales Soler.

Mainer, José Carlos (1971): *Falange y literatura.* Edición, selección, prólogo y notas de Barcelona, Editorial Labor.

— (1984): «Las revistas de la Falange», en *Historia y crítica de la literatura española*, al cuidado de Francisco Rico, vol. VII, Víctor García de la Concha (coord.), *Época Contemporánea, 1914-1939.* Barcelona, Editorial Crítica, 792-798.

— (1987): *La Edad de plata. 1902-1939. Ensayo de interpretación de un proceso cultural.* Madrid, Cátedra.

— (1990): «El semanario gráfico *Fotos* (1937-1939): imágenes para una retaguardia» en Garitaonaindía, Carmelo; Granja, José Luis de la y Pablo, Santiago de (eds.): *Comunicación, cultura y política durante la II República y la Guerra Civil. I, País Vasco, 1931-1939. II, España (1931-1939).* Bilbao, Universidad del País Vasco, 288-298.

Malefakis, Edward (2000): «La dictadura de Franco en una perspectiva comparada», en García Delgado, José Luis (coord.): *Franquismo. El juicio de la historia.* Madrid, Temas de Hoy.

Maluquer de Motes, Jorge (1981): «Los orígenes del movimiento obrero español. 1834-1874», en José María Jover Zamora (dir.): *La era isabelina y el sexenio democrático (1868-1874).* Madrid, Espasa Calpe, T.XXXIV, 773-815.

Manduell, Álvaro (1965): *La prensa según Arias y Salgado. Doctrina y crítica filosóficas*. Barcelona Pontificia Universitat Gregoriana.
Maravall, José Antonio (1983): *La cultura del Barroco. Análisis de una estructura histórica*. Barcelona, Editorial Ariel.
Marías, Julián (1963): *La España posible en tiempo de Carlos III*. Madrid, Sociedad de Estudios y Publicaciones.
Marichal, Juan (1980): *La revolución liberal y los partidos políticos en España 1834-1844*. Madrid, Cátedra.
Marín Bonell, Manuel (1929): *La televisión*. Madrid, Espasa-Calpe.
Marrast, Robert (1966): *Espronceda. Articles et discours oubliés*. París, P.U.F.
— (1974): *Espronceda et son temps. Literature, societé, politique au temps du Romantismo*. París, Editions Klincksieck.
Martín de la Guardia, Ricardo M. (2000): «Los últimos intentos reformadores de la prensa del movimiento (1975-1976)», en *Ámbitos* 3-4-Revista Andaluza de Comunicación 169 y ss; *Revista Latina de Comunicación Social*, n.º 32, La Laguna (Tenerife) (http://www.ull.es/publicaciones/latina/aa2000kjl/y32ag/70martin.htm).
Martín Gaite, Carmen (1972): *Usos amorosos del dieciocho en España*. Madrid, Siglo XXI.
Martínez de las Heras, Agustín (2000): «La prensa Liberal del "Trienio" vista desde *El Universal*», en *Historia y Comunicación Social*, n.º 5, 91-101.
Mata, Enrique y González, S. F. (1929): *La televisión fototelegráfica: constrúyase su aparato*. Madrid, Espasa Calpe.
Mateos Fernández, Juan Carlos (1996): *Bajo el control obrero. La prensa diaria de Madrid durante la Guerra Civil*. Tesis Doctoral inédita, Facultad de Ciencias de la Información, Universidad Complutense.
Mendezona, Ramón (1979): «Radio España independiente. Estación Pirenáica» en Hale, J. (edit.): *La radio como arma política*, Barcelona, Gustavo Gili, 226-243.
— (1981) *La Pirenaica. Historia de una emisora clandestina*. Madrid, edición del autor.
— (1995) *La Pirenaica y otros episodios*. Ediciones Libertarias/Prodhufi.
Menéndez Pelayo, Marcelino (1978): *Historia de los heterodoxos españoles*. Madrid, BAC. Tercera edición, Tomo II. (Existe versión digital de esta obra en la Biblioteca Virtual Cervantes).
Miralles, Ricardo (1986): «*La Lucha de Clases*: estudio de algunos aspectos de un periódico socialista durante la II República» en VV.AA.: *La prensa de los siglos XIX y XX. Metodología, ideología e información. Aspectos económicos y tecnológicos*. Universidad del País Vasco, 631-640.
Moles, Isidre (1973): *Lliga Catalana, Un estudi d'estasiologia*. Barcelona, Edicions 62, 2 vols.
Molina, César Antonio (1990): *Medio siglo de Prensa literaria española (1900-1950)*. Madrid, Ediciones Endymion.
Moll, Jaime (1974): «Diez años sin licencias para imprimir comedias y novelas en los reinos de Castilla: 1625-1634», *Boletín de la Real Academia Española*, 54, 97-103.
Monleón, José (1979): *El Mono Azul. Teatro de urgencia y romancero de la guerra civil*. Madrid, Editorial Ayuso.
Montabes Pereira, Juan (1989): *La prensa del Estado durante la transición política española*. Madrid, Siglo XXI de España Editores S.A.

Montáñez Matilla, María (1953): *El correo en la España de los Austrias*. Madrid, CSIC.

Montero, José Ramón (1977): *La CEDA. El catolicismo social y político en la II República*. Madrid, Ediciones de la Revista del Trabajo, 2 vols.

Montero, Julio y Ruiz Antón, Francisco (2006): «El negocio de lo gratuito», edición electrónica.

Montero, Enrique (1983): «Luis Araquistain y la propaganda aliada durante la Primera Guerra Mundial» en *Estudios de Historia Social*, núms. 24-25, enero-junio, 245-266.

Morán, Gregorio (1992): *El precio de la transición*. Barcelona, Planeta.

Morange, Claude (1983): «Teoría y práctica de la libertad de prensa durante el Trienio Constitucional: el caso de *El Censor*», en Alberto Gil Novales (ed.): *La prensa en la revolución liberal*. Madrid, Universidad Complutense, 203-219.

— (1986): «¿Quién financió *El Eco de Padilla* y *El Independiente*?», en *Trienio*, n.º 8, 3-32.

— (1994): «*Presentación*» a *Sebastián Miñano: Sátiras y panfletos del Trienio Constitucional (1820-1823)*. Madrid, Centro de Estudios Constitucionales, 13-77.

Morato, Juan José (1918): *El Partido Socialista Obrero: génesis, doctrina, hombres, organización*. Madrid, Biblioteca Nueva.

— (1931): *Pablo Iglesias Posse, educador de muchedumbres*. Madrid, Espasa Calpe.

Moreno Alonso, Manuel (1984): «Las ideas políticas de *El Español*», en *Revista de Estudios Políticos*, n.º 39, 65-106.

— (1988): «La política americana de las Cortes de Cádiz (las observaciones críticas de Blanco White)», en *Cuadernos Hispanoamericanos*, n.º 460, 71-89.

— (1989): «Las ideas constitucionales de Blanco White» en Juan Cano Bueso (edit.). *Materiales para el estudio de la Constitución de 1812*. Madrid Tecnos, 521-523

Mori, Arturo (1943): *La prensa española de nuestro tiempo*. México, Mensaje.

Morodo, Raúl (1985): *Acción Española. Orígenes ideológicos del franquismo*. Madrid, Alianza Editorial.

Multigner, Guilles (1989): «La radio de 1940 a 1960: ocios y negocios rigurosamente vigilados», en Jesús Timoteo Álvarez (comp.), *Historia de los medios de comunicación en España: periodismo, imagen y publicidad (1900-1990)*. Barcelona, Ariel, 271-288.

Muñoz Soro, Javier (2006): *Cuadernos para el Diálogo, 1963-1976. Una historia cultural del segundo franquismo*. Madrid, Editorial Marcial Pons.

Naval, M.ª Ángeles (2000): *La Novela de Vértice y la Novela del Sábado*. Prólogo de A. Sánchez Álvarez-Insúa. Madrid, CSIC.

Nieto Tamargo, Alfonso (1973): *La empresa periodística*. Pamplona, Eunsa.

Nogué, Anna y Barrera, Carlos (2006): La Vanguardia. *Del franquismo a la democracia*. Madrid, Editorial Fragua.

Nombela, Julio (1976): *Impresiones y recuerdos*. Madrid, Ediciones Tebas.

Nuez, Sebastián de la (1990): «La moral y la sátira en *El Pensador*», *Estudios de Historia Social*, núms. 52/53, 337-344.

Núñez de Prado y Clavel, Sara (1992): *Servicios de Información y Propaganda en la Guerra Civil española 1936-1939*, tesis doctoral, Universidad Complutense de Madrid, Facultad de Ciencias de la Información.

— «Por eso luchamos y contra esto lucháis», en Juan A. García Galindo, Juan Fco. Gutiérrez Lozano y Inmaculada Sánchez Alarcón (eds.): *La comunicación social durante el franquismo*, Centro de Ediciones de la Diputación Provincial de Málaga, 55-69.

Nuñez Díaz-Balart, Mirta (1989): «*Avance*, la evolución de un modelo de prensa de Guerra» en *Anuario del Departamento de Historia*, I, Facultad de Ciencias de la Información. Madrid, Universidad Complutense, 72-92.

— (1992): *La prensa de guerra en la zona republicana durante la guerra civil española*, 3 tomos. Madrid, Ediciones de la Torre.

Oliver, Joan, Pagés, Joan y Pelai (1978): *La prensa clandestina (1939-1956)*. Madrid, Ediciones 99.

Olmos, Víctor (1997): Historia *de la agencia EFE. El mundo en Español.* Madrid, Espasa Calpe.

— (2002): *Historia de ABC.* Barcelona, Plaza y Janés.

Olóriz, Juan Crisóstomo de (2001): *Molestias del trato humano declaradas con reflexiones políticas y morales sobre la sociedad del hombre.* Barcelona, Editorial Alta Fulla.

Ortega y Gasset, José (1946-1983): *Obras Completas.* Madrid, Revista de Occidente-Alianza Editorial. Tomos 1, 3, 4, 6, 10, 11.

Oskan, Jeroen (1990): «Falange e izquierdismo en *Índice* (1956-1962): el fin y los medios», *Diálogos Hispánicos de Ámsterdam. Medio siglo de cultura (1939-1989*), n.º 9, 169-182.

— (1991): «Censura y prensa franquista como tema de investigación», *Revista de Estudios Extremeños,* 47, 113-132.

— (1992): «Las revistas literarias y políticas en la cultura del franquismo», *Letras peninsulares,* 5.3: 389-405

— y otros (1999): «Las revistas» en *Historia y Crítica de la Literatura Española*, al cuidado de Francisco Rico, 8/1 suplemento, Santos Sanz Villanueva (coord.), *Época Contemporánea, 1939-1980*, Barcelona, Crítica, 39-44.

Palacio, Manuel (2001): *Historia de la televisión en España.* Barcelona, Gedisa.

Palenque, Marta (2002): *Carlos Frontaura, escritor y empresario. Su obra literaria y periodística. El Cascabel*, en Marie-Linda Ortega: *Escribir en España entre 1840 y 1875.* Fundación Duques de Soria, Visor Libros, Presses de L'ULMV, 163-200.

Pascual, Pedro (2002): *Del periódico a la Sociedad de la Información*, Madrid, Sociedad Estatal España Nuevo Milenio, tomo III, 25-48.

Paz Rebollo, María Antonia (1987): *El colonialismo informativo de la agencia Havas en España,* tesis doctoral, Universidad Complutense.

— (1990): «Las fuentes informativas de la prensa española en la segunda mitad del siglo XVIII», en *Estudios de Historia Social*, núms. 52/53 1990, 357-369.

Plans, Marcel (1981): «Radio España Independiente, la *Pirenaica,* entre el mito y la propaganda» en Lluis Basset (Ed.): *De las ondas rojas a las radios libres.* Barcelona, Editorial Gustavo Gili, 114-130.

Pérez, Dionisio (1930): *La Dictadura a través de sus notas oficiosas.* Madrid, CIAP.

Pérez Carrera, José Manuel (1991): *Gómez de Baquero y la crítica literaria de su tiempo.* Madrid, Turner.

Pérez de la Dehesa, Rafael (1966): *Política y sociedad en el primer Unamuno, 1894-1904*. Madrid, Editorial Ciencia Nueva.

— (1970): *El grupo Germinal: una clave del 98.* Madrid, Taurus.

Pérez de Guzmán y Gallo, Juan (1902): *Bosquejo histórico-documental de la Gaceta de Madrid.* Madrid, Imprenta Sucesora de M. Minuesa de los Ríos.

Pérez López, P. (1990): «El régimen de consignas de prensa durante el franquismo: análisis de una fuente», en *Actas del Congreso de Jóvenes historiadores y geógrafos*. Madrid, Universidad Complutense.

Pérez Mateos, Francisco (1927): *La villa y corte de Madrid en 1850: crónica retrospectiva de hace tres cuartos de siglo.* Madrid, Imprenta Hispánica.

Pérez Ornia, José Ramón (1989): «Peculiaridades de una televisión gubernamental. I. El modelo» y «II. La implantación» en Jesús Timoteo Álvarez (comp.), *Historia de los medios de comunicación en España: periodismo, imagen y publicidad (1900-1990).* Barcelona, Ariel, 304-328.

Pericay, Xavier (ed.) (2003): *Cuatro historias de la República.* Barcelona, Ediciones Destino.

Peset Reig, Mariano y Peset Reig, José (1967): «Legislación contra los liberales en los comienzos de la década absolutista (1823-1825)» en *Anuario de Historia del Derecho Español*, n.º 37, 437-485.

Pizarroso, Alejandro (1993): *Historia de la Propaganda. Notas para un estudio de la propaganda política y de guerra.* Madrid, Eudema.

— y Rivera Julia (1994): *Corazones de papel. Sensacionalismo y Prensa del corazón en España.* Madrid, Planeta.

— (2005): «La Guerra Civil española, un hito en la historia de la propaganda», *El Argonauta Español*, n.º 2 (Revista digital).

Plans, Marcel (1981): «Radio España Intependiente, la Pirenaica, entre el mito y la propaganda» en Lluis Bassets (ed.), *De las ondas rojas a las radios libres*, Barcelona, Editorial Gustavo Gili, 114-130.

Plata, Gabriel (1999): *La Razón Romántica. La cultura política del progresismo español a través de* Triunfo *(1962-1975).* Madrid, Biblioteca Nueva.

Pons, André (1994): «Prensa y emancipación en Hispanoamérica: *El Español* de Blanco White, Londres, 1810-1814», *Trienio*, n.º 24, noviembre, 43-61.

— (2002): *Blanco White y España.* Oviedo, Instituto Feijoo de Estudios del Siglo XVIII.

Posada, Adolfo (1994): *Feminismo.* Edición de Oliva Blanco. Madrid, Cátedra.

Powell, Charles (1990): «The "Tácito" Group an the Transition to Democracy, 1973-1977», en F. Landon, P. Preston (eds.) *Elites an Power in Twentieth-Century Spain. Essays in honour of Sir Raymon Carr.* Oxford, Clarendon Press-Oxford University Press, 249-268.

Preston, Paul (1976): «Prólogo» a *Leviatán, Antología.* Madrid, Turner, V-XXIX.

Primo de Rivera y Urquijo, Miguel (1996): *Papeles póstumos de José Antonio.* Barcelona, Plaza y Janés.

Ralle, Michel (1979): «*La Emancipación* y el primer grupo marxista español: rupturas y permanencias» en *Estudios de Historia Social,* núms. 8-9, 93-128.

— (1987): «Escribir desde la capital: la prensa obrera madrileña bajo la Restauración (1881-1902)» en *Prensa Obrera en Madrid 1855-1902*, Comunidad de Madrid, Madrid, 153-166.

Ramírez, Pedro J. (1991): *El Mundo en mis manos.* Barcelona, Grijalbo Mondadori, S.A.

Redondo, Gonzalo (1970): *Las empresas políticas de José Ortega y Gasset; «El Sol», «Crisol», «Luz».* Madrid, Rialp

Renaudet, Isabelle (2003): *Un parlament de papier. La presse d'oposition au franquisme durant la dernière décennie dela dictadure et la transition démocratique*. Madrid, Casa de Velázquez.

Riaño de la Iglesia, Pedro (2004): *La imprenta en la Isla Gaditana durante la Guerra de la Independencia. Libros, folletos y hojas volantes (1808-1814). Ensayo bio-bibliográfico documentado*. Edición a cargo de José Manuel Fernández Tirado y Alberto Gil Novales. Madrid, Ediciones del Orto.

Ridruejo, Dionisio (1973): *Entre la literatura y la política*. Madrid, Seminarios y Ediciones.

— (1976): *Casi unas memorias*. Barcelona, Planeta.

— (2005): *Materiales para una biografía*. Selección y prólogo de Jordi Gracia. Madrid, Fundación Santander Central Hispano.

Rivas Cherif, Cipriano (1980): *Retrato de un desconocido*. Barcelona, Grijalbo.

Rodríguez Aísa, Mª Luisa (1981): *El cardenal Gomá y la Guerra de España: aspectos de la gestión pública del primado, 1936-1939*. Madrid, CSIC.

Rodríguez Solís, Enrique (1892): *Historia del partido republicano*. Madrid.

Rodríguez Virgili, Jordi (2004): «*El Alcázar* durante la guerra civil. Reflejo de las luchas internas y las políticas de prensa en el bando franquista», en Alberto Pena (coord.): *Comunicación y guerra en la Historia*. Santiago de Compostela, Tórculo Edicions, 373-393.

— (2005): *El Alcázar y Nuevo Diario: del asedio al expolio (1936-1970)*. Madrid, CIE-Dossat.

Romano, Vicente (1977): *José Ortega y Gasset, publicista*. Madrid, Akal.

Romera Valero, Ángel (2006): *El Zurriago (1821-1823). Un periódico revolucionario*. Selección, estudio, edición y notas de Cádiz, Fundación Municipal de Cultura del Excelentísimo Ayuntamiento.

Rubio, Fanny (1976): *Las revistas poéticas españolas (1939-1975)*. Madrid, Turner.

Rubio Cremades, Enrique (1995): *Periodismo y Literatura: Ramón de Mesonero Romanos y El Semanario Pintoresco Español*. Publicaciones de la Universidad de Alacant.

Rueda Laffond, José Carlos y Chicharro Mareyo, María del Mar (2006): *La televisión en España, 1956-2006. Política, consumo y cultura televisiva*. Madrid, Editorial Fragua.

Ruiz Albéniz, Víctor (*Chispero*) (1944): *¡Aquel Madrid! (1900-1914)*. Madrid, Artes Gráficas Municipales.

Ruiz Otín, Doris (1983): *Política y sociedad en el vocabulario de Larra*. Madrid, Centro de Estudios Constitucionales.

Rumeu de Armas, Antonio (1948): *Historia de la censura literaria gubernativa en España. Historia. Legislación. Procedimiento*. Madrid, Bolaños y Aguilar.

Sainz Rodríguez, Pedro (1978): *Testimonio y recuerdos*. Barcelona, Planeta.

Saiz, M.ª Dolores (1987a): «Los *ABC* de Madrid y Sevilla en la primera fase de la guerra civil» en VV.AA.: *Periodismo y periodistas en la Guerra Civil*. Madrid, Banco Exterior, 91-112.

— (1987b): «*La Revista Blanca* en su etapa madrileña: 1898-1905», en VV.AA.: *Prensa obrera en Madrid 1855-1936*. Madrid, Comunidad de Madrid, Consejería de Cultura, 233-348.

— (1988): «Prensa conservadora en la España sublevada: *la Gaceta Regional de Salamanca, el Diario de Burgos y ABC* de Sevilla. Un periodismo de apoyo al alzamiento» en Julio Aróstegui (coor.): *Historia y memoria de la Guerra Civil,* encuentro en Castilla y León. Valladolid, Junta de Castilla y León, T. I., 401-418.

— (1989): «La prensa española de la época y la Revolución Francesa», en Enrique Moral Sandoval (coord.): *España y la Revolución Francesa.* Madrid, Editorial Pablo Iglesias, 17-54.

— (1990): «La publicidad gratuita en el *Diario noticioso curioso, erudito, público y económico* de Nipho», *Anuario de del Departamento de Historia de la Comunicación Social.* Madrid, Facultad de Ciencias de la Información, Universidad Complutense, 245-259

Salaün, Serge (1983): «Prensa republicana en la guerra civil. Reseña bibliográfica» en *Estudios de Historia Social*, núms. 24-25, enero-junio, 475-544.

— (1986): «La Presse republicaine pendant la guerre d'Espagne (1936-1939)», en *Tipologie de la Presse hispanique*, Actas du Colloque de Rennes, 1984, Presses Universitaires de Rennes, 2, 177-184.

Salaverría, José María (1927): *Instantes, Literatura, política, costumbres.* Madrid, Espasa Calpe.

Salaverría, Ramón (coord.) (2005): *Cibermedios. El Impacto de Internet en los medios de comunicación en España.* Sevilla, Comunicación Social Ediciones y Publicaciones.

Sánchez Alarcón, Inmaculada (2002): «Diplomacia y actividades propagandísticas del Gobierno de Burgos en Francia durante la guerra civil», en Juan A. García Galindo, Juan Fco. Gutiérrez Lozano y Inmaculada Sánchez Alarcón (eds.): *La comunicación social durante el franquismo*, Centro de Ediciones de la Diputación Provincial de Málaga, 71-85.

Sánchez Aranda, José Javier y Barrera, Carlos (1992): *Historia del Periodismo Español. Desde sus orígenes hasta 1975.* Pamplona, EUNSA.

Sánchez-Blanco, Francisco (1992): *La prosa del siglo XVIII*, vol. 27 de la *Historia de la Literatura Española* dirigida por R. de la Fuente. Madrid, Júcar.

— (2002): *El Absolutismo y las Luces en el reinado de Carlos III.* Madrid, Marcial Pons.

Sanchez Biosca, Vicente y Tranche, Rafael R. (1993): *NO-DO: el tiempo y la memoria*, Madrid, Filmoteca Española.

Sánchez Illán, Juan Carlos (1999): *Prensa y Política en la España de la Restauración. Rafael Gasset y El Imparcial.* Madrid, Biblioteca Nueva.

Sánchez Serrano, Chelo (1994): *Las tertulias de la radio. La plaza pública de los 90.* Salamanca, Publicaciones de la Universidad Pontificia de Salamanca.

— (2004) «Tertulias Políticas en la Radio española. Quién crea la Opinión y Cómo se produce», *Revista Comunicologí@: indicios y conjeturas*, Publicación Electrónica del Departamento de Comunicación de la Universidad Iberoamericana Ciudad de México, Primera Época, número 1.

Santos Oliver, Miguel de los (1982): *Mallorca durante la primera revolución (1808-1814).* Palma de Mallorca, Luis Ripio (facsímil de la primera edición de 1901), 3 vols.

Sarrailh, Jean (1954): *L'Espagne eclairée de la seconde moitie du XVIII siecle.* París.

Saurín de la Iglesia, Mª Rosa (1994): «Préstamo, copia y refundición en la guerrilla publicística doceañista», en *Trienio*, n.º 24, noviembre 1994.

(2001): «Los desengaños de un héroe: Cartas de Francisco Colombo a Ángel Guzmán», en Juan Francisco Fuentes, Lluís Roura (eds.): *Sociabilidad y liberalismo en la España del siglo XIX. Homenaje a Alberto Gil Novales*. Lleida, Editorial Milenio.

Schulze Schneider, Ingrid (1995): «Éxitos y fracasos de la propaganda alemana en España: 1939-1944)» en *Melanges de la Casa de Velázquez*, T. XXXI- 3. 197-218.

— (2002): «Franco, propagandista internacional», en Juan A. García Galindo, Juan Fco. Gutiérrez Lozano y Inmaculada Sánchez Alarcón (eds.): *La comunicación social durante el franquismo*. Centro de Ediciones de la Diputación Provincial de Málaga, 243-258.

Seco Serrano, Carlos (1983): «Blanco White y el concepto de "revolución atlántica"», en *La Prensa y la Revolución Liberal. España, Portugal y América Latina*. Madrid, Editorial Complutense, 265-275.

Sellés, Eugenio (1895): *Discurso de ingreso en la Real Academia de la Lengua*. Madrid.

Sempere y Guarinos, Juan (1785-1789): *Ensayo de una biblioteca española de los mejores escritores del reinado de Carlos III*, Imprenta Real, 6 vols.

Seoane, Mª Cruz (1968): *El primer lenguaje constitucional español (Las Cortes de Cádiz)*, Prólogo de Rafael Lapesa. Madrid, Editorial Moneda y Crédito.

— (1987a): «Luis Bonafoux. Un periodista en la encrucijada del cambio de siglo», en VV.AA.: *Grandes periodistas olvidados*. Madrid, Fundación Banco Exterior, 25-39.

— (1987b): «Las revistas culturales en la guerra civil», en VV.AA.: *Periodismo y periodistas en la Guerra Civil*. Madrid, Banco Exterior, 23-36.

— (1995): «La Literatura en la Hemeroteca» en *Hemeroteca Municipal de Madrid. 75 aniversario*. Madrid, Ayuntamiento de Madrid, 151-158.

— y Sueiro, Susana (2004): *Una historia de El País y del Grupo Prisa*. Barcelona, Mondadori/Plaza y Janés.

Serrano Suñer, Ramón (1977): *Entre el silencio y la propaganda, la Historia como fue. Memorias*. Barcelona, Planeta.

Sevillano Calero, Francisco (2000a): *Ecos de papel. La opinión de los españoles en la época de Franco*. Madrid, Biblioteca Nueva.

— (2000 b): *Dictadura, socialización y conciencia política: persuasión ideológica y opinión en España bajo el franquismo: (1939-1962)*. Alicante: Biblioteca Virtual Miguel de Cervantes. (Edición digital a partir del texto original de la tesis doctoral, Universidad de Alicante Facultad de Filosofía y Letras).

— (2002): «Propaganda y dirigismo cultural en los inicios del nuevo Estado», en *Pasado y Memoria. Revista de Historia Contemporánea*, número 1, 5-77. («Instituciones y sociedad en el franquismo») (Revista digital).

Sinova, Justino (1989): *La censura de Prensa durante el franquismo (1936-1951)*. Madrid, Espasa Calpe.

— (2006): *La Prensa en la Segunda República española. Historia de una libertad frustrada*. Barcelona, Debate.

Solís, Ramón (1969): *El Cádiz de las Cortes*. Madrid, Alianza Edtirorial.

— (1971): *Historia del periodismo gaditano. 1800-1850*. Instituto de Estudios Gaditanos.

Suárez, Eugenio (2005): *Caso cerrado. Memorias de un antifranquista arrepentido*. Madrid, Oberon.

Sueiro, Daniel y Díaz Nosty, Bernardo (1977): *Historia del franquismo.* Madrid, Ediciones Sedmay.

Starr, Paul (2004): *The creation of the media. Political origins of modern communications.* Nueva York, Basic Books.

Tajahuerce Ángel, Isabel (2004): *El arte en las revistas ilustradas madrileñas (1935-1940).* Madrid, Editorial Universidad Complutense.

Tango Lerga, Jesús (2004): *Manuel Aznar. Periodista y diplomático.* Barcelona, Planeta.

Termes, Josep (1976): «El federalisme catalá en el periode revolucionari de 1868-1874» en *Recerques*, Barcelona, n.º 2, 1972 incluido en su versión castellana en *Federalismo, anarcosindicalismo y catalanismo*, Anagrama.

Terrón Montero, Javier (1981): *La prensa en España durante el régimen de Franco.* Madrid, Centro de Investigaciones Sociológicas.

The History of The Times. «The Thunderer» in the making. 1785-1841 (1935). Londres, escrito, impreso y publicado en The Office of The Times.

Tierno Galván, Enrique (1981): *Cabos sueltos.* Barcelona, Editorial Bruguera.

Tomás Villarroya, Joaquín (1972): «La prensa de Valencia durante la guerra civil (1936-1939)», *Saitabi*, Revista de la Facultad de Filosofía y Letras de la Universidad de Valencia, XXII, 1-35.

Torrent, Joan y Tasis, Rafael (1969): *Historia de la prensa catalana*. Barcelona, Editorial Bruguera, 2 vols.

Torres, Francisco (1990): «Un medio de comunicación al servicio de los grupos de oposición: Radio España Independiente (Análisis de la acción opositora a través de sus noticias, 1965)» en Javier Tusell; Alicia Alted y Abdón Mateos (coor.): *La oposición al régimen de Franco. Estado de la cuestión y metodología de la investigación.* Madrid, UNED, T.II, 399-406.

Tranche, Rafael R. y Sánchez Biosca, Vicente (2000): *NO-DO: El tiempo y la memoria.* Madrid, Cátedra. Filmoteca Española.

Trapiello, Andrés (1994): *Las armas y las letras. Literatura y guerra civil (1936-1939).* Barcelona, Planeta.

Trías, Juan J. y Elorza, Antonio (1975): *Federalismo y Reforma Social en España (1840-1870).* Madrid, Editorial Castilla.

Tubau, Iván (1987): *El humor gráfico en la prensa del franquismo*. Barcelona, Mitre.

Tusell, Javier (1974): *Historia de la Democracia cristiana en España, 1900-1923,* T.I. *Antecedentes y CEDA* y T. II. *Nacionalismo vasco y catalán, los solitarios. La Guerra Civil.* Madrid, EDICUSA.

— (1984): *Franco y los católicos. La política interior española entre 1945 y 1975.* Madrid, Alianza Editorial.

— (coor.) (1990): *La oposición al régimen de Franco.* Actas del congreso organizado por la UNED en octubre de 1988. Madrid, UNED.

— (1995): *Franco y la II Guerra Mundial. Entre el eje y la neutralidad.* Madrid, Temas de Hoy.

— (2006): «La evolución política de la España sublevada» en Santos Juliá (coord.): *República y guerra en España (1931-1939).* Madrid, Espasa Calpe, 363-420.

Unamuno, Miguel de (1951): *Ensayos*. Madrid, Aguilar.

— : *Obras Completas*. Madrid, Las Américas/Escélicer Tomo IX.

Urgoiti, Nicolás M.ª de (1983): «Escritos y documentos (selección)» en *Estudios de Historia Social*, núms. 24-25, enero-junio, 291-462.

Urzainqui, Inmaculada (1995): «Un nuevo instrumento cultural: la prensa periódica» en Joaquín Álvarez Barrientos, François López e Inmaculada Urzainqui: *La República de las Letras en la España del siglo XVIII.* Madrid, CSIC, 125-216.

— (1996): «Francia y lo francés en la prensa crítica española a finales del reinado de Carlos III: "El Censor" y su "Corresponsal"», en René Aymes (ed.): *La imagen de Francia en España durante la primera mitad del siglo XVIII.* Alicante, Instituto de Cultura Juan Gil-Albert, 115-135.

— (2002): «Los espacios de la mujer en la prensa del siglo XVIII», en Celso Almuiña y Eduardo Sotillos (coords.): *Del Periódico a la Sociedad de la Información* I. Madrid, Sociedad Estatal España Nuevo Milenio, 53-89.

— (2004): «Un enigma que se desvela: el texto de *La Pensatriz Salmantina* (1777)», en *Dieciocho: Hispanic enlightenment,* V. 27.1, 129-156.

Usandizaga, Aránzazu (2000): *Ve y cuenta lo que pasó en España. Mujeres extranjeras en la Guerra Civil. Una Antología.* Barcelona, Editorial Planeta.

Uzcanga Meinecke, Francisco (2004): *Sátira en la ilustración española. Análisis de la publicación periódica* El Censor *(1781-1787).* Frankfurt am Main, Vervuert.

Varea, Francisco (1940): «Periodistas en el destierro» en Tusell, Alicia Alted y Abdón Mateos (coord.): *La oposición al régimen de Franco. Estado de la cuestión y metodología de la investigación*. Madrid UNED. T. II 97-109.

Varela Hervías, Eulogio (1960): *Gazeta Nueva. 1661-1663. Notas sobre la historia del periodismo español en la segunda mitad del siglo XVII.* Murcia, Imprenta Sucesores de Nogués.

Varela Suanzes, Joaquín (1995): «El pensamiento constitucional español en el exilio: el abandono del modelo doceañista (1823-1833)», en *Revista de Estudios Políticos*, n.º 88, abril-junio (Nueva Época), 63-91.

— (1993): «Un precursor de la monarquía parlamentaria: Blanco White y *El Español* (1810-1814)», en *Revista de Estudios Políticos* (nueva época), n.º 79, enero-marzo, 1993, 101-120.

— (1996): «La monarquía imposible: la Constitución de Cádiz durante el Trienio», en *Anuario de Historia del Derecho Español*, LXVI, 1996, 653-687.

Varela Tortajada, Javier (1989): «La élite ilustrada ante las nuevas ideas: actitudes y contradicciones», en *España y la Revolución Francesa.* Madrid, Editorial Pablo Iglesias, 55-72.

Vauchelle, Aline (2005): «*El Dardo*, périodique brûlot lancé par le colonel libéral Nicolás Santiago de Rotalde, 1831», *El Argonauta Español*, n.º 2, Livraison janvier.

Vázquez Liñán, Miguel (2002): «Radio España Independiente: propaganda clandestina en las ondas», en Juan A. García Galindo, Juan Fco. Gutiérrez Lozano y Inmaculada Sánchez Alarcón (eds.): *La comunicación social durante el franquismo.* Centro de Ediciones de la Diputación Provincial de Málaga, 741-759.

Vegas Latapié, Eugenio (1987): *Los caminos del desengaño. Memorias políticas, II (1936-1938).* Madrid, Tebas.

Vélez, Rafael de (1818): *Apología del Altar y del Trono o historia de las reformas hechas en España en tiempos de las llamadas Cortes, e impugnación de algunas doctrinas publicadas en la Constitución, diarios y otros escritos contra la Religión y el Estado.* Madrid, Imprenta de Cano.

Venegas, José (1943): *Andanzas y recuerdos de España.* Montevideo, Feria del Libro.

Ventín Pereira, Jose Augusto (1987): *La guerra de la radio (1936-1939).* Barcelona, Mitre.

Vigil y Vázquez, Manuel (1987): *El Periodismo enseñado. De la Escuela de El Debate a Ciencias de la información.* Barcelona, Mitre.

Vilaclara, Mª Josefa (1983): «Renaixença i particularisme català durant el sexeni 1868-1874» en *Recerques*: *Historia, Economía, Cultura,* n.º 13, 133-142.

Vilas Nogueira, Xosé (1977): «Ideología y periodización del diferencialismo gallego en el siglo XIX» en Falces, Juan (Coor.): *De la crisis del Antiguo Régimen al franquismo,* VII Coloquio de Pau. Madrid, Edicusa, T. II., 11-35.

Vilanova i Vila-Abadal, Francesç (1999): *Repressió política i coacció economica. Les responsabilitats politiques de republicans i conservadors catalans a la potguerra (1939-1942).* Barcelona, Publicacions de l'Abadia de Montserrat.

— (2005): *La Barcelona franquista i l'Éurope totalitaria (1839-1946). Lectures politiques de la segona guerra mundial.* Barcelona, Editorial Empuries.

Zalbidea Bengoa, Begoña (1996): *Prensa del Movimiento en España (1936-1983).* Bilbao, Servicio Editorial de la Universidad del País Vasco.

Zambrano, María (1977): *Los intelectuales y la Guerra en el drama de España. Ensayos y Notas.* Madrid, Hispamerca DL.

Zaragoza, Luis (2007): *Radio España Independiente. La voz de la esperanza antifranquista.* Tesis doctoral inédita. Facultad de Ciencias de la Información de la Universidad Complutense.

Listado de publicaciones y empresas de comunicación

20 minutos

ABC
Abeja, La
Abeja Española, La/Abeja Madrileña, La
Aberri
Acción Española
Acento Cultural
Acracia
Actualidad Económica
Actualidad Española, La
Adelante
Adelanto, El
ADN
Ahora (1930-1939)
Ahora (2005)
Alcalá
Alcázar, El
Almacén Pintoresco o El Instructor
Amanecer
América, La
Ametralladora, La
Amigo del Pueblo, El
Anaya, Editorial
Antena 3 Radio
Antena 3 TV
Antorcha, La
Arriba
Arriba España
Articulista Español, El
Artista, El
Artiste, L'
As
Asociación, La
Aspiraciones
Associated Press, Agencia
Atalaya de la Mancha, La
Atlántida
Atracción, La
Aurora Patriótica Mallorquina
Avance (1937-1938)
Avance (Valencia, 1939)
Avant
Avisos Ordinarios de las Cosas del Norte
Avui

Bandera Social
Baserritara

Batalla, La
Be Negre, El
Bild Zeitung
Bizcaitarra
Blanco y Negro
Boletín del Comercio
Boletín Oficial del Estado
Burro, El

Caballo Verde para la Poesía
Cabinet des Modes, Le
Cadena de Ondas Populares Españolas (COPE)
Cambio 16
Campana de Gràcia, La
Canal Plus
Carta Autógrafa
Cartas Españolas, Las
Cascabel, El
Caso, El
Castilla Libre
Catalán, El
Catalunya
Católico, El
Caxón de Sastre
Censor, El (1781-1787)
Censor, El (1920-1922)
Censor General, El
Centinela de Aragón, El
Ciencia Social
Ciervo, El
Cinco Días
Ciudadano por la Constitución, El
Ciutat, La
Clamor de Galicia, El
Clamor Público, El
Claridad
Claro
Codorniz, La
Combate, El
Compañera
Conceller, El
Conciso, El
Condenado, El
Conquista del Estado, La
Conservador, El
Constitucional, El
CNT
Corona de Aragón, La
Correo, El
Correo Catalán, El
Correo de los Ciegos/Correo de Madrid
Correo de las Damas
Correo Español, El
Correo Gallego, El
Correo, Grupo
Correo Literario y Económico de Sevilla
Correo Literario y Mercantil
Correo Militar, El
Correo Nacional, El
Correo Vasco
Correspondencia de España, La
Correspondencia Militar, La
Correspondencia de Valencia, La
Corresponsal de El Censor, El
Courrier de la Mode, Le
Crisol
Crónica
Crónica Científica y Literaria
Cuadernos de Ruedo Ibérico
Cuadernos para el Diálogo
Cuartel Real, El
Cu-cut
Cultura Integral y Femenina

Daily Advertirser
Daily Courant
Dardo, El
Debate, El
Deia
Democracia
Democracia, La
Deportes, Los
Desarrollo
Destino
Día, El
Día Gráfico, El
Diari Catalá
Diario de los Literatos
Diario Histórico, Político-Canónico y Moral
Diario Curioso, Histórico, Erudito, Comercial, Público y Económico
Diario de Burgos
Diario de Barcelona
Diario de Cádiz
Diario de La Coruña

Diario de la Marina
Diario de Madrid
Diario de la Tarde
Diario de León
Diario del Pueblo
Diario de Málaga
Diario Regional
Diario de Sevilla
Diario de Valencia
Diario Español, El
Diario Literario y Mercantil
Diario Médico
Diario Mercantil (Barcelona)
Diario Mercantil de Cádiz
Diario Pinciano
Diario Universal
Diario Vasco
Diario 16
Diez Minutos
Diluvio, El
Discusión, La
Dómine Lucas, El
Dominicales del Libre Pensamiento, Las
Domingo
Duende, El
Duende Satírico del Día, El
Dux, Agencia

Ecclesia
Eco de la Clase Obrera, El
Eco de la Juventud, El
Eco de las Barricadas, El
Eco del Comercio, El
Eco de Padilla, El
Economist, The
Editorial Católica
EFE, Agencia
Egin
Eguna
Ejército Español, El
Ejército y Armada
Ellas
Emancipación, La
Época
Época, La
Escorial
Esfera, La
Esquella de la Torratxa, L'
Espadaña
España
España, La
España con Honra
España Moderna, La
España Nueva
Español, El (Londres, 1810-1814)
Español, El (1835-1848)
Español, El (1898-1902)
Español Constitucional, El
Espectador, El (Sevilla 1809-1810)
Espectador, El (1821-1823)
Espectador, El (1841-1848)
Esperanza, La
Espíritu de los mejores diarios literarios que se publican en Europa
Estado Catalán, El
Estafeta Literaria, La
Estafeta de San Sebastián
Estafeta de Santiago
Estampa
Europa Press, Agencia
Europeo, El
Euscalduna
Euskaldunom Egunkaria
Euskal Telebista
Euzkadi
Euskadi Roja
Excelsior
Expansión

Fabra, Agencia
FACES (Fomento de Actividades Culturales, Económicas y Sociales) S. A.
Fandango, El
Faro, Agencia
Faro de Vigo, El
F.E. (Madrid)
FE (San Sebastián)
F.E. (Sevilla)
Febus, Agencia
Federación, La
Fígaro, El
Financial Times
Flaca, La
Flechas y Pelayos
Fotos
Fragua Social
France-Soir

Fray Gerundio
Fray Junípero
Fray Supino Claridades
Frente Rojo
Fuerza Nueva

Gaceta de Bayona
Gaceta de los Negocios, La
Gaceta del Norte, La
Gaceta de los niños, La
Gaceta de Sevilla
Gaceta de Valencia
Gaceta Literaria, La
Gaceta Nueva
Gaceta Patriótica del Ejército Nacional
Gaceta de la Prensa Española
Gaceta Regional
Galicia
Gallo
Gara
Garcilaso
Gazeta (Barcelona, 1641)
Gazeta de Madrid
Gazeta Ordinaria de Madrid
Gazette de France, La
Garrote, El
Garrotazo, El
Germinal
Gestevisión
Gil Blas
Globo, El
Godó, Grupo
Gorda, La
Gracia y Justicia
Gran Sport
Grito de Carteya, El
Guindilla
Guirigay, El

Havas, Agencia
Hablador Juicioso, El
Heraldo, El
Heraldo de Aragón
Heraldo de Galicia
Heraldo de Madrid
Hermano Lobo
Hogar y la Moda, El
Hoja del Lunes
Hojas Libres
Hoja Oficial del Lunes
Hola
Hora, La
Hora, La (SEU)
Hora, L'
Hora de España
Hoy
Humanitat, La
Huracán, El

Iberia, La
Idea Libre
Igualdad, La
Ilustración, La
Ilustración Española y Americana, La
Ilustración de Madrid, La
Illustrated London News, The
Imparcial, El (1809)
Imparcial, El (1821-1823)
Imparcial, El (1867-1933)
Independiente, El
Índice
Informaciones
Instant, L'
Instructor o Repertorio de Historia, Bellas Letras y Artes, El
Intercontinental, Compañía de Radiodifusión
Interviú
Irurac-Bat

Jagi-Jagi
Jerarquía
Jeremías, El
JONS
Jornada
Journal de París, Le
Journal des Debats
Journal des Savants
Juventud Obrera

Lamentos Políticos de un Pobrecito Holgazán
que estaba acostumbrado a vivir a costa ajena
Laye
Lecturas
Levante
Leviatán

Liberal, El (Madrid)
Liberal, El (Sevilla)
Libertad, La
Lidia, La
Linterna Mágica, La
Litoral
Lucha de Clases, La
Luz

Madrid (1937-1938)
Madrid (1939-1971)
Madrid Cómico
Magasin des Modes Nouvelles Fraçaises et Anglaises
Magasin Pittoresque, Le
Marca
Marte
Martillo, El
Martillo Malagueño, El
Matí, El
Mediodía
Memorial literario
Mensajero de las Cortes, El
Mercantil Valenciano, El
Mercure Historique et Politique (La Haya)
Mercurio Histórico y Político/Mercurio de España
Memorias Eruditas para la Crítica de Artes y Ciencias
Metro
Milicia Popular
Minerva o el Revisor General, La
Miño, El
Mirador
Miscelánea de Comercio, Artes y Literatura
Miscelánea Instructiva, Curiosa y Agradable
Moda Elegante e Ilustrada, La
Moda Práctica, La
Monde, Le
Moniteur, Le
Mono Azul, El
Motín, El
Mujer
Mujeres
Mujeres Españolas
Mujeres Libres
Mundo, El (1836-1840)
Mundo, El (1989-)
Mundo Deportivo
Mundo Femenino
Mundo Gráfico
Mundo Obrero
Murciélago, El
Museo Artístico y Literario
Museo de las Familias, El
Museo Universal, El

Nación, La (1850)
Nación, La (1923-1936)
Nacional, El
Nau, La
Nieuwe Tydinghen (*Noticias recientes*)
NO-DO
No Importa
Norte de Castilla, El
Noticias, Las
Noticiero del Lunes, El
Noticiero Universal, El
Nós
Nosa Terra, A
Nosotras
Noticias Médicas
Novedades, Las
Nuestra Revolución
Nuestro Tiempo
Nueva Cultura
Nueva Era, La
Nueva España
Nueva España, La
Nuevas Ordinarias de los Sucesos del Norte
Nuevo Diario
Nuevo Mundo
Nuevo Régimen, El

Obrero, El (Barcelona, 1864-1866)
Observador, El (1788)
Observador, El (1834-1835)
Observador Pintoresco, El
Ocios de los Españoles Emigrados
Oliva, La
ONCE
Onda Cero
Opinió, L'
Organización del Trabajo, La

Padre Cobos, El
País, El (1887-1921)
País, El (1976-)
Papelera Española, La,
Papeles de Son Armadans
Papelito, El
Papus, El
Paraula Cristiana, La
Pare Arcángel, Lo
Patria, La
Patria Libre
Patriota Español, El
Peninsular, El
Penny Magazine, The
Pensador, El
Pensadora Gaditana, La
Pensamiento Español, El
Pensamiento Femenino
Pensatriz Salmantina, La
Periódico de Catalunya, El
Periódico de las Damas, El
Periódico Universal de Ciencias, Literatura y Artes
PESA (Prensa y Ediciones Sociedad Anónima)
Petit Parisien, Le
Pirenaica, Radio España Independiente, La
Planeta, Grupo
Pluma, La
Poble Català, El
Política
Por Favor
Post-Guerra
Precursor, El
Prensa, La
Prensa Castellana, S. A.
Prensa Española
Prensa Gráfica
Principado, El
Prisa
Procurador General de la Nación y del Rey, El
Progreso, El
Pronto
Provincias, Las
Pubilla, La
Publicidad, La
Publicitat, La
Pueblo
Pueblo, El
Pueblo Gallego, El
Pyresa, Agencia

Que!

Radical, El
Radio Barcelona
Radio Nacional. Revista Semanal de Radiodifusión
Radio Club Sevillano
Radio España
Radio Ibérica
Radio Madrid
Radio Libertad
Rambla, La
Recoletos, Grupo
Razón, La
Redactor General, El
Reforma Económica, La
Regañón General, El
Regeneración, La
Regenerador, El
Renaixença, La
Republicano, El
Restaurador, El
Revista Contemporánea
Revista de Occidente
Reuter, Agencia
Revista Blanca, La
Revista de Cataluña
Revista Española
Revista Mensajero
Revista Política y Parlamentaria
Revista Social
Revue des Deux Mondes
Risa, La
Robespierre Español, El

Sábado Gráfico
SARPE
Saturday Magazine
Semanario Cristiano Político de Mallorca
Semanario de Agricultura y Artes, dirigido a los párrocos
Semanario Erudito

Semanario Patriótico
Semanario Pintoresco Español
Semanario Político, Histórico y Literario de La Coruña
SER, Cadena (Sociedad Española de Radiodifusión)
Serra D'Or
Servil Triunfante, El
Siglo, El
Siglo Futuro, El
Sindicalista, El
Soberanía Nacional, La
Socialista, El
Sociedad Editorial de España
Sociedad Editorial Fulmen
Sociedad Editora Universal
Sol, El (1917-1936)
Sol, El (1990-1992)
Sol de Cádiz, El
Solidaridad, La
Solidaridad Nacional
Solidaridad Obrera
SP
Spectator, The
Sport
Sun, The

Tarde, La
Telecinco
Telégrafo, El
Telescopio político, El
Televisión Española
Tele/expres
Temps, El
Temps, Le
Tercerola, La
THS
Tierra, La
Tierra Vasca
Tiempo
Tiempo, El
Times, The
Timón, Grupo
Tío Camorra, El
Toreo, El
Tribuna
Tribuno, El
Tribuno del Pueblo Español, El
Trinchera, La
Triple Alianza, La
Triunfo
Trono y la Constitución, El

UGT-CNT
Unión Radio Madrid
Universal Observador Español, El
Última Hora
Última Moda, La
Unidad

Vanguardia
Vanguardia, La
Vapor, El
Variedades de Ciencia, Literatura y Arte
Variedades o Mensajero de Londres
Verdad
Verdad, La
Verdader Català, Lo
Vértice
Veu de Catalunya, La
Veu del Vespre, La
Violeta de Oro, La
Vocento, Grupo
Voz, La
Voz, Grupo
Voz de España, La
Voz de Galicia, La
Voz de Guipúzcoa, La
Voz de la Mujer, La
Voz del Combatiente, La
Voz de Navarra, La
Voz del Pueblo, La
Voz Valenciana, La

Wolf, Agencia

Ya

Zeta, Grupo
Zurriago, El
Zurriago Aragonés, El
Zurriago Gaditano, El
Zurriago Intermedio, El

Índice onomástico

Abellán, José Luis, 342
Abreu, Joaquín, 106, 325
Ackermann, Rodolfo, 85, 98
Aculodi, Francisca, 318
Addison, Joseph, 44, 55
Aguado, Emiliano 217
Aguilar, Miguel Ángel, 288, 345
Aguilar Navarro, Mariano, 282
Aguilar Piñal, Francisco 319, 321
Aguilera Moyano, Miguel de, 342
Aguirre, Manuel de, 48
Agulló y Cobo, Mercedes, 17, 317, 349
Agustí, Ignacio, 247, 279, 280
Álamo, Lucio del, 291
Alba, Santiago, 166, 171-172, 185
Alberti, Rafael, 194-195, 234, 243, 246, 249, 333, 349
Alborg, Juan Luis, 319, 349
Alcalá Galiano, Álvaro, 335
Alcalá Galiano, Antonio, 52, 58-59, 70-71, 76, 78, 85, 94, 322, 324, 349
Alcalá Zamora, Niceto, 216
Aleixandre, Vicente, 277
Alejandro VI, papa, 22
Alfaro, José María, 278
Alfonso XII, 127
Alfonso XIII, 216
Almansa y Mendoza, Andrés de, 23-25, 317, 349
Almirall, Valentí, 124, 132, 139, 328, 349
Almuiña, Celso, 320, 349
Alonso, Cecilio, 98, 325-327, 350
Alonso, Dámaso, 277, 278
Alonso, Elfidio, 231, 349
Alonso-Castrillo, Silvia, 345, 350
Alonso de los Ríos, César, 292
Alonso Vega, Camilo, 284, 343-344
Altabella, José, 327-328, 350
Altares, Pedro, 284
Alted, Alicia, 344, 350
Altolaguirre, Manuel, 246
Álvarez, Carlos Luis (véase «Cándido»)
Álvarez, Jesús Timoteo, 328, 350
Álvarez, Lilí, 203
Álvarez Barrientos, Joaquín, 321, 350
Álvarez de Miranda, Fernando, 342
Álvarez de Miranda, Pedro, 319, 350
Álvarez Guerra, Juan, 64

Álvarez Gutiérrez, Luis, 331, 350
Amadeo I de Saboya, 120-121, 124
Amar y Borbón, Josefa, 50
Amato, Luis, 245
Amedo, José, 307
Ametlla, Claudi, 170, 187, 223, 331, 333, 336, 350
Andrés-Gallego, José, 338, 350
Andújar, Manuel, 342
Angulema, duque de, 83-84
Antillón, Isidoro de, 64, 70
Aparicio, Juan, 260, 262-263, 268-270, 279, 341
Arana, Sabino, 140, 152
Araquistain, Luis, 192, 211-212
Araujo Costa, Luis, 330, 331, 350
Arias Montano, Benito, 48
Arias Navarro, Carlos, 294
Arias Paz, Dionisio, 338
Arias Salgado, Gabriel, 253, 262-263, 268, 270-271, 275, 282, 351
Aribau, Buenaventura Carlos, 87, 89
Aristóteles, 39
Arjona, Manuel María de, 58
Armendáriz, Sebastián, 21, 28
Armentía Vizuete, José Ignacio, 347, 351
Aróstegui, Julio, 337, 351
Arpi Loza, M., 338, 351
Arrese, José Luis, 262
Arroyal, León de, 49, 59
Artola, Miguel, 64, 322, 351
Asas Manterola, Benita, 202
Asensio, Antonio, 303, 306
Assía, Augusto, 341
Astrana Marín, Luis, 318
Asun Escartín, Raquel, 329, 351
Aubert, Paul, 331, 344, 351
Ayala, Ángel, 210, 334, 351
Ayala, Francisco, 186,
Ayguals de Izco, Wenceslao, 108, 114, 117
Aymes, Jean René, 322, 326, 351
Azaña, Manuel, 161, 180, 192-193, 207-209, 211-215, 220, 226, 231, 235, 248, 330, 334-335, 339, 351
Azcárate, Gumersindo de, 139
Aznar, Joaquín, 186
Aznar Zubigaray, Manuel, 238, 242, 255
Aznar Acedo, Manuel, 275
Azorín, 135, 151, 159, 277, 278, 322

Bagaría, Luis, 184, 205
Bahamonde Magro, Ángel, 326-327, 339, 351
Bakunin, Mijaíl, 125
Balaguer, Víctor, 110-111
Ballmer, Steve, 313
Balmes, Jaime, 106-107, 113, 130
Balsebre, Armand, 333-334, 336, 342-343, 351
Balzac, Honoré de, 21, 132, 318
Barcia, Roque, 109
Bardem, Juan Antonio, 286
Baroja, Pío, 134-135, 159, 214, 277-279, 328
Barreiro Fernández, Xosé Ramón, 124, 327, 351
Barrera, Carlos 340, 344-345, 352
Barrera de Irimo, Antonio, 295
Barrionuevo, Jerónimo, de 25
Barrionuevo, José, 305-306, 346
Barrios, Manuel, 336, 352
Bassets, Lluis, 271, 281, 343, 352
Bastardes, E., 281, 343, 352
Bécquer, Gustavo Adolfo, 113, 126
Bécquer, Valeriano, 113, 126
Béllanger, Claude, 328, 333, 352
Bello, Luis, 211
Benavente, Jacinto, 138
Benavides, Domingo, 330, 352
Benet, Joseph, 326, 352
Beneyto, Juan, 268, 344, 347, 352
Bentham, Jeremy, 80
Beramendi, Julio, 188, 224, 327, 333, 336, 352
Berenguer, Dámaso, general, 204, 330
Bergamín, José, 194, 243
Bergareche, Esperanza, 326, 352
Berlusconi, Silvio, 306
Besteiro, Julián, 189, 211-212
Bilbao, Esteban, 268
Bizcarrondo, Marta, 335, 352
Blanco Alfonso, Ignacio, 329, 352
Blanco White, José María, 64, 67, 72-73, 84-85, 323

Blasco, Eusebio, 133, 143, 174, 332
Blasco Ibáñez, Vicente, 135, 190, 235
Böhl de Faber, Nicolás, 76
Bonafoux, Luis, 135, 174, 371
Bonaparte, Napoleón, 63, 72
Boned Colera, Ana, 328, 352
Bordería, Enrique, 340, 353
Borrego, Andrés, 86, 95-96, 106, 324, 325
Botrel, Jean François, 104, 318, 326, 329, 353
Bravo Murillo, Juan, 102-103
Bremundan, Fabro, 26-28
Breña, Roberto, 323, 353
Bretón de los Herreros, Manuel, 91
Brusi, Antoni, 75, 104, 139
Bueno, Javier, 211
Bueno, Manuel, 162
Buñuel, Miguel, 275
Burell, Julio, 142, 147
Burgos, Antonio, 293
Burgos, Carmen de, «Colombine», 162, 330
Burgos, Javier de, 76-77, 80, 91
Burke, Edmund, 72
Busquets, Hermanos, 175, 185
Bussy Genevois, Danièle, 334, 353
Bustamante, Enrique, 342, 353

Caballero, Fermín, 89, 91-92, 94, 325, 353
Caballero Bonald, José Manuel, 279
Cabanellas, Guillermo, general , 238
Cabanillas, Pío, 294, 295
Cabo, Isabel de, 339, 341, 343, 353
Cabrera, Mercedes, 326, 332, 353
Cacho, Jesús, 307
Cadalso, José, 36, 48-50, 57
Cadenas y Vicent, Vicente, 238, 338, 353
Cal, María Rosa, 325, 353
Calderón, don Rodrigo, 24
Calomarde, Francisco Tadeo, 86, 88-89
Calvet, Agustín, (véase «Gaziel»)
Calvo, Luis, 270
Calvo Asensio, Pedro, 106
Calvo de Rozas, Lorenzo, 64, 70
Calvo Serer, Rafael, 288, 344
Calvo Sotelo, José, 215
Calvo Sotelo, Leopoldo, 301, 345
Cámara, Sixto, 109
Cambó, Francesc, 140, 152, 162, 187, 234, 330, 337
Caminos Marcel, José María, 347, 354
Campión, Arturo, 146, 329
Canalejas, José, 133, 167, 177
Cándido, 270, 293, 301, 342, 344-345, 354
Canga Argüelles, Bartolomé, 52, 85
Canga Argüelles, José, 52, 85
Canito, Enrique, 279
Cano, José Luis, 279
Cánovas Cervantes, Salvador, 214
Cánovas del Castillo, Antonio, 103, 127, 128, 134, 151, 154
Cansinos Assens, Rafael, 162, 330, 354
Cantos Casenave, Marieta, 322, 354
Capuz, Tomás Carlos, 113
Carande, Ramón de, 277
Carandell, Luis, 292
Carlos, Abelardo de, 125
Carlos II, 26-28
Carlos III, 32, 42-44, 46, 48, 54, 57, 60, 320
Carlos María Isidro (pretendiente carlista), 88, 91, 107, 122, 136
Carnavon, Lord , 324, 354
Carnerero, José María, 87-88, 90
Caro Baroja, Julio 321, 354
Carrero, Antonio, 341
Carrero Blanco, Luis, 267, 284, 290, 294, 341
Carrillo, Santiago, 233
Carsy, Juan Manuel, 108
Casado, coronel, 251
Casán, José, 341
Casares Quiroga, Santiago, 223, 336
Casasús, Josep María, 329, 354
Cases, Víctor, 320
Caso González, José Miguel, 320, 354
Castelao, Alfonso Rodríguez, 188
Castelar, Emilio, 103, 109-110, 123, 134
Castiella, Fernando María, 343
Castillo, José del, teniente, 215
Castro, Concepción de, 324, 325, 354
Castro, Rosalía de, 123

Castro Alfín, Demetrio, 326, 354
Castro Serrano, José, 104, 326
Cátedra, Pedro M., 317, 354
Caudet, Francisco, 342, 354
Cavero, José, 345, 346, 354
Cavero, Íñigo, 342
Cavia, Mariano de, 143, 240
Cea Bermúdez, Francisco, 88, 92
Cebrián, Juan Luis, 291, 295, 301-302, 313, 344, 345, 355
Cebrián Boné, José Luis, 289-290
Cela, Camilo José, 279
Celaya, Gabriel, 277
Cerecedo, Francisco (Cuco), 288
Cernuda, Luis, 278
Cerro Corrochano, Tomás, 266-267
Cervera, Ignacio, 109, 326
Cervera Gil, Javier, 339, 351
Chartier, Roger, 321, 355
Chaves Nogales, Manuel, 160, 232, 330
Checa Godoy, Antonio, 211, 334, 336, 355
Chueca, Fernando, 302
Chicharro, María del Mar, 369
Chuliá, Elisa, 253, 339, 342, 355
«Chumy Chúmez» (José María González Castrillo), 292
Cienfuegos, Beatriz, 51, 69, 321, 355
Cladera, Cristóbal, 47
«Clarín» (Leopoldo Alas), 121, 138, 143-144
Claudín, Fernando, 232
Clavijo y Fajardo, José, 35, 43
Comellas, José Luis, 66, 322, 355
Constant, Benjamin, 80
Cora Paradela, J. de, 343, 355
«Corpus Barga» (Andrés García de la Barga), 197, 211, 331
Cossío, Manuel, 139
Costa, Joaquín, 138
Cotarelo y Mori, Emilio, 321, 355
Crémer, Victoriano, 277
Cruickshank, D. W., 317, 355
Culla, Joan B., 330, 355
Cunqueiro, Álvaro, 247

Dale, Scott, 321
Dato, Eduardo, 173
Davara, Francisco Javier, 344, 355
Deacon, Philip, 319, 355
Deglané, Boby, 338
Delgado Barreto, Manuel, 218, 220
Del Hoyo, Mercedes, 28, 318, 356
Delibes, Miguel, 340-341
Desvois, Jean Michel, 334-335, 355
Dewey, almirante, 150, 152
Dicenta, Joaquín, 135, 137
Díaz, Elías, 342, 345, 355
Díaz, Lorenzo, 333, 342, 355
Díaz del Moral, Juan, 137, 328, 355
Díaz Noci, Javier, 28, 242, 318, 327, 338, 345, 347, 355
Díaz Nosty, Bernardo , 343, 346, 356
Diego, Gerardo, 277
Dieste, Rafael, 246
Díez-Canedo, Enrique, 210
Díez del Corral, Luis, 277
Dinsdale, Alfredo, 334, 356
Domergue, Lucienne, 319, 322, 356
Domínguez, Michel, 307
Domínguez Guzmán, Aurora, 317, 356
Domínguez Ortiz, Antonio, 41, 49, 57, 277, 321-322, 356
Domingo, Javier, 333, 356
Domingo, Marcelino, 161
Donoso Cortés, Juan, 105, 115, 326, 356
D'Ors, Eugenio, 159, 239-240, 247, 277
Duarte, Ángel, 330, 355
Duchêne, Roger, 16, 317, 356
Dufour, Gérard , 322, 356
Dumas, Alejandro, 113-114
Durán, Agustín, 87
Durán López, Fernando, 322-324, 356

Edo, Concha, 346, 356
Egido López, Teófanes, 322, 356
Elorza, Antonio, 47-49, 59, 80, 82, 321-323, 325-327, 329, 335, 353, 357
Enciso Recio, Luis Miguel, 34, 319-320, 357
Ereño Altuna, José Antonio, 328, 357
Escobar, Alfredo, 173
Escobar, José, 324-325, 357
Escoriaza, Teresa, 201

Escrivá de Balaguer, José María, 290
Espartero, Baldomero, general, 101-102, 105-106, 108, 110, 117
Espejo, Cristóbal, 318, 357
Espinet, Francesc, 173, 332, 357
Esplá, Carlos, 190, 245
Espoz y Mina, Francisco, 85, 86
Espriu, Salvador, 277
Espronceda, José, 93, 95-96, 100, 325
Estala, Pedro, 60, 71, 356
Estébanez Calderón, Serafín, 88
Étienvre, Jean-Pierre, 25, 317-318
Ettinghausen, Henry, 18-19, 24, 317-318, 349, 358
Ezcurra, Luis, 333-334, 358

«Fabián Vidal» (Enrique Fajardo), 184
Fabra, Nilo María de, 121-122, 140
Fanelli, Giuseppe, 125
Farias Batlle, Pedro, 346, 358
Farias García, Pedro, 358
«Federico Urales» (Juan Montseny), 139, 153, 188
Feijoo, fray Benito Jerónimo, 31, 50-51, 56
Felipe II, 22
Felipe III, 24
Felipe IV, 24, 26
Fernán Núñez, conde de, 57
Fernández Almagro, Melchor, 66, 328, 358
Fernández Alonso, Isabel, 346, 358
Fernández Areal, Manuel, 341, 358
Fernández Cabezón, Rosalía, 319, 358
Fernández de Córdoba, Fernando, 226
Fernández de Lara, Carmen, 202
Fernández de Moratín, Leandro, 51, 54
Fernández de los Ríos, Ángel, 98-99, 105, 112, 116, 326, 327
Fernández Figueroa, Juan, 279, 292
Fernández Flórez, Isidoro («Fernanflor»), 121, 133, 147
Fernández Ladreda, José María, 217
Fernández Ordóñez, Francisco, 295, 345
Fernández Sande, Manuel, 333, 334, 358
Fernández Sarasola, Ignacio, 324, 359
Fernández Sardino, Pedro Pascasio, 69-70, 85, 362
Fernández Sebastián, Javier, 322-323, 327, 343, 359
Fernando VII, 70, 73, 75, 77, 79-81, 83, 85-87, 89, 127, 323, 324
Ferre, Carme, 343, 359
Figuera Aymerich, Ángela, 277
Figueras, Estanislao, 109
Figueres i Artigues, Josep María, 328, 337, 343, 359
«El Filósofo Rancio», (fray Francisco Alvarado), 67, 68
Flórez Estrada, Álvaro, 66, 70, 73, 95-96, 324, 359
Floridablanca, conde de, 33-34, 45-46, 57, 58
Fontán, Antonio, 288-289, 344
Fontán, familia, 275
Fontana, José María, 247
Fontcuberta, José Andrés, 325
Ford, Richard, 105, 326, 359
«Forges» (Antonio Fraguas), 292-293
Forner, Juan Pablo, 45, 50, 60, 321
Foronda, Valentín de, 47, 49
Fraga Iribarne, Manuel, 268, 282-284, 287-288, 294, 343-344
Franco, Francisco, 217-218, 226-227, 237-238, 245, 251-253, 255, 262-265, 267-268, 272, 284-285, 287-288, 292, 294-295, 297, 340-341, 344-345
Franco, Marie 342, 359
Franco, Nicolás, 238
Francos Rodríguez, José, 165, 196-197, 333, 359
Franquet, Rosa, 333, 359
Frontaura, Carlos, 118, 143, 367
Fuentes, Juan Francisco, 79-80, 320, 322-324, 343, 345, 360
Fuster, Joan, 160

Galán, Diego, 293
Galán, Javier, 328, 360
Galarza, Ángel, 213
Galarza, Valentín, general, 262, 341
Galdeano, Lázaro, 143
Galinsoga, Luis de, 241, 255

Gallardo, Bartolomé José, 70
Gallastegui, Elías de («Gudari»), 221
Gállego, Vicente, 245
García, Regina, 337
García Calvo, Agustín, 282
García del Cañuelo, Luis, 33, 43-44
García Delgado, José Luis, 340, 360
García de Enterría, María Cruz, 17, 19, 22, 317, 318, 360
García Escudero, José María, 360
García de la Fuente, Víctor, 317, 360
García Jiménez, Jesús, 333, 360
García de Linares, Antonio, 192
García Pandavenes, Elsa, 320-321, 360
García Prieto, Manuel, 186
García Prous, Concepción, 360
García Lorca, Federico, 276
García Ramos, Consuelo («Celsia Regis»), 202
García Ruiz, Eugenio, 109
García Serrano, Rafael, 240, 249, 338, 360
García Venero, Maximiano («Tresgallo de Souza»), 241, 338, 360
Garitaonaindía, Carmelo, 336-337, 360
Garrido, Fernando, 109, 326
Garriga, Ramón, 341, 361
Garrigues, familia, 275
Garzón, Baltasar, 345
Gasset, Rafael, 133, 167
Gay, Vicente, 227, 338
Gaya, Ramón, 246
«Gaziel» (Agustín Calvet), 135, 162, 179, 200, 223, 235, 257-260, 328, 330, 337, 340, 361
Geli, Carles, 344, 361
Gellhorn, Martha, 229
Gibello, Antonio, 291
Gila, Miguel, 292
Gil-Albert, Juan, 246, 351
Gibson, Ian, 336, 361
Gil Novales, Alberto, 83, 321, 323-324, 361
Gil Robles, José María, 210, 334, 342, 361
Giménez Arnau, José Antonio, 238, 241-242, 245, 255, 338, 339, 361
Giménez Arnau, Jimmy, 293
Giménez Caballero, Ernesto, 193-194, 240, 249, 333, 338, 361
Giner de los Ríos, Francisco, 139
Giral, José, 336
Girardin, Émile, 97
Girón, José Antonio, 294
Glendinning, Nigel, 319, 321, 361
Godó, Bartolomé, 139
Godó, Carlos, 255, 309, 340
Godó, Javier, 303
Godoy, Manuel, 58
Goma, Isidro, cardenal, 210, 217, 236
Gómez, Bernardo, 332, 361
Gómez Aparicio, Pedro 191, 333, 361
Gómez de Baquero, Eduardo, («Andrenio»), 163-164, 173
Gómez de la Serna, Ramón, 159, 329, 361
Gómez Hermosilla, José Mamerto, 80
Gómez Imaz, Manuel, 322, 361
Gómez Mompart, Josep Lluis, 332, 337, 361
Gomis, Llorenç, 340, 361
González, Felipe, 302, 305-306, 308
González Bravo, Luis, 103, 117
González Calbet, M.ª Teresa, 332, 361
González Calleja, Eduardo, 338, 340, 362
González Cuevas, Pedro Carlos, 335, 362
González Hermoso, Eduardo, 322
González Rothvoss, Mariano, 362
González Ruano, César, 187, 329
Goyeneche, Juan, 28, 34, 36
Goytisolo, Juan, 323
Gozalo, Miguel Ángel, 288
Gracia, Jordi, 277, 280, 342-343, 362
Granja, José Luis de la, 328, 335, 336
Gubern, Román, 314, 347
Guerra, Alfonso, 305, 307
Guillamet, Jaume, 26, 318, 320-321, 324, 340, 345, 360
Gutiérrez, José Luis, 307
Guzmán, Eduardo de, 232, 335, 339, 362
Guzmán, Martín Luis, 212
Guzmán y la Cerda, María Isidra Quintina de, 50

Haro Delage, Eduardo, 260
Haro Tecglen, Eduardo, 260, 292, 300
Harris, Michael, 320, 362
Hedilla, Manuel, 237, 338
«Heliófilo» (Félix Lorenzo), 169, 183-184, 205
Hermida y Porras, Benito Ramón de, 63
Hernández, Miguel, 246, 276
Herr, Richard, 31, 59, 319, 321-322, 362
Herrera Oria, Ángel, 266, 269
Herrera Petere, José, 243
Herreros, Enrique, 244
Hierro, José, 277
Hitler, Aldof, 218, 259, 263, 340
Hocquellet, Richard, 322, 362
Huertas Clavería, José María, 344
Huigueruela del Pino, Leandro, 334
Hugo, Víctor, 76
Humanes, María Luisa, 340
Hurtado, Amadeu, 185, 223, 332, 336, 363
Hurtado, Escolástica, 51, 69
Husón, Pedro Pablo, 42, 75

Ibáñez Escofet, Manuel, 291
Ibáñez Martín, José, 217, 266
Iglesia, Celedonio de la, 322, 363
Iglesias, Francisco, 215, 331-332, 335, 337, 363
Iglesias, Pablo, 125, 138, 332
Illie, Paul, 342
Infantes, Víctor, 21, 317-318, 363
Ingram, Herbert, 99
Iriarte, Tomás de, 35, 49
Iribarren, Jesús, 269
Isabel II, 102, 107, 110, 115, 117, 119, 124, 127, 128, 136
Isla, José Francisco de, 319, 363
Irujo, José María de, 341

Jiménez, Juan Ramón, 194, 248, 339, 363
Jiménez Quílez, Manuel, 283
Jiménez Losantos, Federico, 303, 307
Jovellanos, Gaspar Melchor de, 44, 56, 57
Juan Carlos de Borbón, 338
Juan José de Austria, 26, 27
Juan XXIII, 284
Juana, Jesús de, 335, 363
Juliá, Santos, 210, 335, 351, 363
Juretschke, Hans, 322, 363

Kent, Victoria, 201, 202
Kock, Paul de, 113

Lafarga, Francisco, 321, 363
Lafargue, Paul, 125
Lafuente, Modesto, 116
Laguna Platero, Antonio, 320, 337, 363
Laiglesia, Álvaro de, 244
Laín Entralgo, Pedro, 240, 247, 266, 278, 338, 363
Langlet, abate, 53
La Parra López, Emilio, 322, 363
Lara Bosch, José Manuel, 309
Largo Caballero, Francisco, 189, 211, 230, 236, 336
Larra, Mariano José de, 46, 87-93, 95-96, 281, 324, 325
Larrea, Francisca, 76
Larriba, Elisabel, 54, 319, 321-322, 363
Lazar, Hans, 263
Lecuyer, Marie Claude, 326-327, 363
Ledesma, Ramiro, 217-220, 335, 364
«León Felipe» (Felipe Camino), 277, 342
León, María Teresa, 234, 246
Lerroux, Alejandro, 135-136, 161, 213, 215, 235
Lezama, Antonio de, 161
Lista, Alberto, 58, 64, 80-81, 86
Llanas, Manuel, 257, 337, 340, 364
Llaneza, Manuel, 189
Llauder, Luis María, 136
Lloréns, Vicente, 72, 82, 84, 323-324, 352, 364
López, François, 320, 364
López-Aranguren, José Luis, 282
López Ballesteros, Luis, 86, 327
López Bernagosi, Innocenci, 124
López García, Xosé, 333
López Rodó, Laureano, 290, 291
López Soler, Ramón, 87, 89

López Tabar, Juan, 322-324, 364
Lorente Sanz, José, 262
Lorenzo, Anselmo, 139
Lorenzo, Félix (véase «Heliófilo»)
Losada de la Torre, José, 258
Lozoya, marqués de, 217
Luca de Tena, Guillermo, 303
Luca de Tena, Juan Ignacio, 232, 241, 258, 338
Luca de Tena, Torcuato, 170, 191, 268, 284, 340, 341, 364
Luis, Leopoldo de, 277
Luis XVI, 59
Luján, Néstor, 280

Machado, Antonio, 159, 246, 276, 278, 343
Machado, Manuel, 143, 159, 246
Macià, Francesc, 187, 222
Madariaga, Salvador de, 214, 272
Madoz, Pascual, 104
Madrazo, Federico, 100
Maeztu, Ramiro de, 131, 133, 135, 138, 145-147, 159, 166, 217, 328, 329, 331
«Magda Donato», (Eva María Nelken), 198, 201
Mainar, Rafael, 114, 142, 328, 329, 364
Mainer, José Carlos, 142, 328, 338-339, 364
Malefakis, Edward , 252, 339, 364
Maluquer de Motes, Jorge, 352, 364
Manduel, Álvaro, 341, 365
Mangada, Julio, 244
Mañé, Teresa («Soledad Gustavo»), 139, 152-153, 188
Mañé y Flaquer, Juan, 104, 139, 152
Mañer, Salvador José, 319
Maragall, Joan, 159
Marañón, Gregorio, 204, 277, 351
Maravall, José Antonio, 18-19, 24-25, 44, 277, 317-318, 365
March, Juan, 171-172, 186, 203, 213, 231
Marchena, José, 58-59
María (infanta), 24
María Cristina de Nápoles, 88-89
Marías, Julián, 276, 278-279, 302, 321, 342, 365
Marichalar, Antonio de, 278
Marichal, Juan, 326, 365
Marín Bonell, Manuel, 334, 365
Marín Murillo, Flora, 347, 354
Marín Otto, Enric, 337, 361
Márquez Reviriego, Víctor, 292
Marrast, Robert, 95-96, 324-325, 365
Marsé, Juan, 293
Martí, Casimir, 326, 352
Martín Artajo, Alberto, 266, 267
Martín Ferrand, Manuel, 291
Martín Gaite, Carmen, 320, 365
Martín de la Guardia, Ricardo M., 328, 345, 365
Martínez, Magdalena, 337
Martínez Barrio, Diego, 336
Martínez de la Rosa, Francisco, 73, 78, 83, 85, 92
Martínez de las Heras, Agustín, 365
Martínez Ruiz, José («Azorín»), 134
Martínez Villegas, Juan, 117-118
Marx, Karl, 125
Masoliver, José Ramón, 247
Massa, Pedro, 331-332
Masip, Paulino, 235, 277, 342
Masson de Morvilliers, Nicolas, 45, 321
Mata, Enrique, 334, 365
Mateos Fernández, Juan Carlos, 337, 365
Maupassant, Guy de, 142
Maura, Antonio, 130, 172, 183
Maura, Gabriel, 134
Maura, Miguel, 216
Maurras, Charles, 217
McKinley, William, 146, 150
McLuhan, Herbert Marshall, 115
«Máximo» (Máximo Sanjuán), 293
Mejía, Félix, 82, 324
Meléndez Valdés, Juan, 44, 57
Mendezona, Ramón, 281, 343, 365
Mendizábal, Juan Álvarez, 94-96, 116, 325
Mendoza, Diego de, 48
Menéndez Pelayo, Marcelino, 43, 114, 136, 144, 323, 328, 365
Menéndez Pidal, Ramón, 272, 277, 278
Mesa, José, 125

Mesonero Romanos, Ramón de, 75, 88, 90, 97-99
Meyer, Philip, 313
Mexía Lequerica, José, 66
Mihura, Miguel, 244
«El Militar Ingenuo», (Manuel de Aguirre), 48
Millán Astray, José, general, 338
Miñano, Sebastián, 79-81, 86
Miquel, Luis, 212-213
Miralles, Ricardo, 328, 365
Miret Magdalena, Enrique, 292
Molina, César Antonio, 333, 365
Moll, Jaime, 318, 365
Monlau, Pedro Felipe, 96, 325
Monleón, José, 292, 339, 365
Montabes Pereira, Juan, 345, 365
Montaigne, Michel de, 39
Montáñez Matilla, María, 317, 366
«Montecristo» (Eugenio Rodríguez Ruiz de la Escalera), 162, 330
Montemolín, conde de, 107
Montero, Julio, 347, 366
Montero, José Ramón, 331, 366
Montero, Rosa, 293
Montero Díaz, Santiago, 282
Montes, Eugenio, 217
Montesquieu, Charles-Louis, barón de, 45, 55, 321
Montiel, Luis, 190, 214, 232, 340
Montijo, condesa de, 44, 354
Montpensier, duque de, 124-125
Montseny, Juan, 139
Mora, José Joaquín de, 76, 85
Morales, Benigno, 82, 323
Morales, Mari Luz, 235, 337
Morange, Claude, 81-82, 323, 366
Morato, Juan José, 138, 328, 366
Moreno Alonso, Manuel, 323, 366
Moreno Torres, José, 338
Mori, Arturo, 321, 332, 366
Morodo, Raúl, 217, 287, 355, 366
Morse, Samuel F. B., 327
Moure Mariño, Luis, 228
Mourlane Michelena, Pedro, 278
Moya, Miguel, 164-165
Multigner, Gills, 342, 366
Muñoz Alonso, Adolfo, 268, 271
Muñoz Molina, Antonio, 252
Muñoz Soro, Javier, 344, 366
Muñoz Torrero, Diego, 66
Murguía, Manuel, 123

Nadal, Carlos, 341
Nadal, Santiago, 247, 279, 341
Narganes, Manuel José, 80
Narváez, Ramón María de, general, 101, 106, 255
Naval, M.ª Ángeles, 328, 339, 366
Nebrija, Antonio de, 48
Negrín, Juan, 230, 233, 235-236, 251, 336
Neruda, Pablo, 194
Neville, Edgar, 244
Nipho, Francisco Mariano José de, 38-40, 48-49, 53, 320, 324, 357
Nocedal, Ramón, 136
Nogué, Anna, 340, 345, 366
Nombela, Julio, 118, 327, 334, 366
Nora, Eugenio de, 277
Novais, José Antonio, 282, 284
Nuez, Sebastián de la, 320, 366
Núñez de Prado y Clavel, Sara, 336, 366
Núñez Díaz-Balart, Mirta, 242, 338-340

Ochoa, Eugenio de, 99
Olavarría, Patricio, 108
Olivares, conde duque de, 24
Oliver, Joan, 343, 367
Olmos, Víctor, 337, 339-342, 344, 367
Olóriz, Juan Crisóstomo, 322, 367
Oneto, José, 288
«Ops» (Andrés Rábago), 292
Ordax Avecilla, José, 108
Oreja, Marcelino, 295
Ortega, Andrés, 314, 347
Ortega y Gasset, José, 158-159, 168, 174-176, 182-183, 192-194, 204-205, 218, 240, 270, 277, 302, 327, 329, 333, 367
Ortega y Gasset, Eduardo, 190, 333
Ortega y Gasset, Miguel, 302
Ortego, Francisco, 113
Ortiz, Luis, 266

Oskam, Jeroen, 343-344
Otero, Blas de, 277
Otero Pedrayo, Ramón, 224
Oteyza, Luis de, 186, 197

Pablo, Santiago de, 328, 335-336, 362, 364
Pacheco, Joaquín Francisco, 94
Pagés, Joan y Pelai, 343, 367
Palacio, Manuel, 342, 367
Palenque, Marta, 327, 367
Paniagua, Francisco, 347, 361
Pardo de Andrade, Manuel, 65
Pardo Bazán, Emilia, 143-144, 329
Pascual, Ángel María, 239, 249
Paúl y Angulo, José, 123
Paz, Octavio, 246
Paz Rebollo, María Antonia, 319, 327-328, 339-340, 367
Peiró, Juan, 220
Pellicer, José de, 25
Pemán, José María, 202, 217, 247, 269, 341
Pemartín, José, 217
Perea, Daniel, 113
Pereira, Luis Marcelino, 44
Pérez, Dionisio, 164, 182, 332, 367
Pérez de Ayala, Ramón 159, 204, 277, 317
Pérez Carrera, José Manuel, 330, 367
Pérez de la Dehesa, Rafael, 138, 328, 367
Pérez de Guzmán, Juan, 318-319, 368
Pérez López, P., 328, 340, 368
Pérez Mateos, Francisco, 326, 368
Pérez Mencheta, Francisco, 140
Pérez Ornia, José Ramón, 342, 368
Pérez de Urbel, Fray Justo, 249
Pérez Embid, Florentino, 284
Pérez Galdós, Benito, 117, 126, 132, 135, 144
Perich, Jaume, 292-293, 347
Pericay, Xavier, 334, 337, 368
Perojo, José del, 143
Peset Reig, Mariano y José, 324, 368
Pestaña, Ángel, 220-221, 232, 254, 331-332
Picatoste, Jesús, 288
Pidal y Mon, Alejandro, 136
Piñar, Blas, 293-294
Pi y Margall, Francisco, 109-110, 139, 153
Pío XII, 236
Pizarroso, Agustín, 336, 347, 368
Pla, Josep, 222, 242, 255, 279, 336
Plans, Marcel, 343, 368
Plata, Gabriel, 344, 368
Polanco, Jesús de, 302-303
Pompadour, Mme de, 50
Pompeia, Núria, 293
Pons, André, 323, 368
Pons, Félix, 342
Porcel, Baltasar, 236
Portela Valladares, Manuel, 188, 224
Posada, Adolfo, 334, 368
Postigo, Juan Francisco del, 321
Poulain de la Barre, François, 51
Powell, Charles, 345, 368
Pradera, Juan José, 258
Pradera, Víctor, 217
Prat de la Riba, Enric, 135, 140
Preston, Paul, 335, 368
Prieto, Indalecio, 163, 189-190, 211, 213
Príncipe de Gales, 24
Prim, Juan, general, 116, 128
Primo de Rivera, José Antonio, 217-220, 227, 237, 335
Primo de Rivera, Miguel, 129, 163, 166, 177, 180-182, 184, 186-187, 189, 202, 209, 281
Primo de Rivera, Pilar, 240
Pruneda, Víctor, 108
Pujol, Juan, 213, 254, 256, 262, 287, 330, 338

Quevedo, Francisco de, 20, 48, 318
Queipo de Llano, Gonzalo, 226-228, 238, 352
Quintana, Manuel José, 56-59, 64-65
Quintanar, marqués de, 217

Ralle, Michel, 327, 368
Ramírez, Pedro J., 301-304, 306-308, 345, 368
Redondo, Onésimo, 218, 237

Reinoso, Félix José, 58, 86
Remisa, Gaspar de, 95, 325
Renau, José, 194, 247
Renaudet, Isabelle, 344, 369
Renaudot, Théophraste, 16, 26, 39
Rey, Emilio, 241
Reyes Católicos, 22, 251
Riaño de la Iglesia, Pedro, 322, 369
Richelieu, Armand-Jean du Plessis, cardenal, 26
Ridruejo, Dionisio, 219, 227, 238-240, 247, 278, 331, 335-336, 338-339, 342-343, 369
Riego, Rafael de, 84, 86-87, 328
Ríos, Fernando de los, 189, 216
Riquer, Martín de, 277
Riquer i Permanyer, Borja de, 337
Risco, Vicente, 188, 224
Riu, Emilio, 134
Rivas Cherif, Cipriano, 333, 369
Rivera, Julia, 347, 368
Rodríguez Aísa, M.ª Luisa, 338, 369
Rodríguez Ruiz de la Escalera, Eugenio, 330
Rodríguez Solís, Enrique, 327, 369
Rodríguez Virgili, Jordi, 339, 344, 369
Roldán, Luis, 307
Romano, Vicente, 329, 369
Romanones, conde de, 134, 173
Romeo, Leopoldo, 171
Romera Valero, Ángel, 369
Romero Alpuente, Juan, 78
Romero Ferrer, Alberto, 322, 354
Romero Robledo, Francisco, 134, 151
Romeu, Jaume, 26
Roosevelt, Theodor, 152
Rosales, Luis, 240, 247, 278
Rosón, Juan José, 295
Royo, Rodrigo, 290
Rubio, Fanny, 343, 369
Rubio, Mariano, 307
Rubio Cremades, Enrique, 326, 369
Rueda Laffond, José Carlos, 342, 369
Ruiz Albéniz, Víctor («Chispero»), 162, 330, 369
Ruiz Antón, Francisco, 366
Ruiz Giménez, Joaquín, 268, 284, 340
Ruiz Otín, Doris, 324, 369
Ruiz Padrón, Antonio José, 70
Ruiz de Velasco, Eduardo, 199
Rumeu de Armas, Antonio, 318, 369

Saavedra Fajardo, Diego de, 48, 320
Sagasta, Práxedes Mateo, 106, 124, 127, 134, 138, 151, 152
Saiz, María Dolores, 319-320, 322, 328, 337, 369
Sainz Rodríguez, Pedro, 213, 217, 335, 369
Salas, Juan Tomás de, 303, 307
Salas, Xavier de, 247
Salaün, Serge, 242, 338, 370
Salaverría, José María, 168, 195, 329, 331, 333
Salaverría, Ramón, 347, 370
Salazar Alonso, Rafael, 213, 231
Salvador, Amós, 192
Samaniego, Félix María, 44
Sánchez Alarcón, Inmaculada, 336, 359, 370
Sánchez Barbudo, Antonio, 246
Sánchez Bella, Alfredo, 288, 339
Sánchez Biosca, Vicente, 340, 372
Sánchez-Blanco, Francisco, 38, 320, 370
Sánchez Guerra, José, 173
Sánchez Illán, Juan Carlos, 327, 370
Sánchez Mazas, Rafael, 217
Sánchez Ruipérez, Germán, 307, 353, 357
Sánchez Serrano, Chelo, 346, 370
Sánchez Silva, José María, 254
Sanjurjo, José, general, 208
San Luis, conde de (véase Luis Sartorius)
San Miguel, Evaristo, 82-83, 94
Santana Cruz, Fernanda, 358
Santa Ana, Manuel María de, marqués de, 116, 120, 122
Santiago de Rotalde, Nicolás, 86, 373
Santos Oliver, Miguel de los, 152, 322, 370
Sarradell, Juan, 186
Sarrailh, Jean, 321, 370
Sartorius, Luis, 103, 106
Satrústegui, Joaquín, 342

Saurín de la Iglesia, M.ª Rosa, 322, 370
Savater, Fernando, 293, 302
Schulze Schneider, Ingrid, 341, 371
Sebastián, Pablo, 307
Seco Serrano, Carlos, 323, 371
Segovia, Antonio María, 100
Sellés, Eugenio, 131-132, 328, 371
Sempere y Guaurinos, Juan, 32-33, 44, 52-53, 319-321
Sender, Ramón, 209
Sentís, Carlos, 345
Seoane, María Cruz, 322, 329, 332, 335, 337, 339, 345, 371
Serna, Jesús de la, 291
Serna, Víctor de la, 213, 254, 260, 263
Serrano Plaja, Arturo, 246
Serrano Suñer, Ramón, 227, 237-238, 245, 255, 261-263, 265, 275, 340-341
Sevillano Calero, Francisco, 336, 340-342, 371
Silva, María del Carmen, 69-70
Silvela, Francisco, 133-134, 149, 151, 172
Simó y Badía, Ramón, 110
Sinova, Justino, 334, 340-341, 371
«Soledad Gustavo» (Teresa Mañé), 139, 153, 188
Solís, Ramón, 68, 322, 371
Sotelo, Ignacio, 329
Sueiro, Daniel, 372, 343
Sueiro, Susana, 371, 345
Staël, Mme de, 50
Starr, Paul, 16, 317-372
Suárez, Adolfo, 301
Suárez, Francisco, 48
Suárez, Eugenio, 270, 342-343, 371
Sue, Eugenio, 113-114
Summers, Manuel, 292

Tácito, grupo, 295, 345
Tajahuerce, Isabel, 326, 372
Tamames, Ramón, 345
Tango Lerga, Jesús, 338, 372
Tapia, Luis de, 243
Tassis, Rafael, 110-111, 326, 372
Terradas, Abdón, 108
Termes, Josep, 327, 372
Terrón Montero, Javier, 339, 372
Tierno Galván, Enrique, 282, 284, 344, 372
Tolstoi, León, 144
«Tono» (Antonio de Lara), 244
Toreno, José María Queipo de Llano, conde de, 85
Toro Mérida, L. E., 351
Torrent, Joan, 110-111, 326, 372
Torrente Ballester, Gonzalo, 240, 247
Torres, Francisco, 343, 372
Torres, Maruja, 293, 316, 347
Torres Villarroel, Diego de, 55
Torrijos, José María, 85-86
Tovar, Antonio, 227, 238, 261-262, 340
Trapiello, Andrés, 278, 339, 372
Trías, Juan J., 326, 372
Tubau, Iván, 344, 372
Tuñón de Lara, Manuel, 352, 359, 361
Turguenev, Iván, 144
Tusell, Javier, 223, 232, 266, 336, 338, 340-341, 343, 352, 355, 372

Ullastres, Alberto, 289
Umbral, Francisco, 293, 302
Unamuno, Miguel de, 130-131, 135, 138-139, 144, 153, 158-159, 164, 174, 177, 182, 190, 214, 276, 278, 327-329, 333
Urgoiti, Nicolás María de, 130, 160-161, 176, 183, 185, 196, 204-205, 212, 330-334
Urgoiti, Ricardo M., 275, 198,
Urkijo Goitia, Mikel, 327, 355
Urzainqui, Inmaculada, 51, 319-321, 373
Usandizaga, Aranzazu, 336, 373
Uzcanga Meinecke, Francisco, 321, 373
Uzcudum, Paulino, 198

Valladares de Sotomayor, Antonio, 48-49
Valle Inclán, Ramón María del, 136, 162, 182, 190, 214, 276
Vallejo, César, 246, 250
Valls Taberner, Luis, 288-289
Varea, Francisco, 340, 373
Varela, José Enrique, general, 244, 340-341

Varela Hervías, Eulogio, 26-28, 318, 373
Varela Suanzes, Joaquín, 80, 323-324, 373
Varela Tortajada, Javier, 322, 347, 373
Vauchelle, Aline, 324, 373
Vázquez, Matilde, 326, 353
Vázquez Liñán, Miguel, 343, 373
Vázquez de Mella, Juan, 136
Vázquez Montalbán, Manuel 292, 293
Vega, Lope de, 20
Vega, Ventura de la, 93,
Vegas Latapié, Eugenio, 217-218, 335, 373
Velacorracho, Carmen, 202
Vélez, Rafael de, 71, 322, 373
Venegas, José, 163, 330, 333, 373
Ventín Pereira, José Augusto, 336, 374
Verdaguer, Narcís, 140
Verhoeven (editor), 23
Vergés, Josep, 247, 279
Vicens Vives, Jaume, 277
Vicent, Manuel, 286, 292-293, 298, 344
Vidal Beneyto, José, 342, 352
Vigón, Jorge, 284
Vilaclara, M.ª Josefa, 327, 374
Vilas Nogueira, Xosé, 327, 374
Villaescusa, Emilio, teniente general, 299
Villanueva, Joaquín Lorenzo, 85
Vinuesa, Matías, 83
Villapadierna, Maryse, 327, 364
Vivanco, Luis Felipe, 240
Vivero, Augusto, 231

Wordsworth, William, 98

Xammar, Eugenio, 163

Ysart, Federico, 288
Yzurdiaga, Fermín, 238-240, 249

Zalbidea Bengoa, Begoña, 340, 374
Zambrano, María, 246, 248, 250, 339
Zaragoza, Luis, 343, 374
Zayas y Sotomayor, María de, 50
Zubiri, Xavier, 277
Zugazagoitia, Julián, 211
Zulueta, Luis de, 180
Zurita, Jerónimo de, 48